キーワードで学ぶ
最新

[監修] 奥村 晴彦、佐藤 義弘、中野 由章

情報トピックス 2023

インターネットと
情報機器を
上手に利用するために

日経BP

本書の構成と活用のしかた

トピックの分野です
ページ上の帯は分野ごとに色分けしています

解説するトピックの名前です

トピックの内容を端的に説明したものです

概要を知るページ

左ページは、トピックに関する基本的な内容を説明しており、どのようなものかが簡単にわかります。

それぞれのトピックがどういうものか、簡潔な文章で説明しています

重要な用語は赤字で示しています

情報やメディアに関する技術

画像ファイル

画像のタイプに合わせた各種のファイル形式が存在する

パソコンで扱う画像ファイルの形式は大きく2種類、**ビットマップ形式**と**ベクタ形式**があります。

ビットマップ形式は**ラスタ形式**とも言って、画像をたくさんの点の集まりとして扱い、それぞれの点の色情報を記録したものです（図1）。デジタルカメラで撮影した画像データが代表例です。ビットマップ形式の画像を構成する1つ1つの点を、**画素**、**ドット**、あるいは**ピクセ**……ます。

……対してベクタ形式の画像データは、たとえば三……いたときに、3つの頂点の座標、内部の塗り方、……色などを記録します（図2）。ビットマップ形式……少ない情報量で図形を記録することができるほ……を拡大縮小させても画質が劣化しないことを大……としています。ベクタフォントがその応用例で……し、ベクタ形式は図形をデータ化するための形……、写真の保存には使えません。

色を定量的に表現する方法（表色法）は多種ありますが、コンピュータの世界では色を光の3原色である赤（R）、緑（G）、青（B）の3色の組み合わせとして表現する**RGB表色系**が主に使われます。また、赤、緑、青の光の強さをそれぞれ256段階で数値化するのが一般的です。表現可能な色の数は256の3乗の1677万7216色であり、人間が知覚可能な色の数をカバーできるため、この色数を**フルカラー**と言います。

画像圧縮のメリットとデメリット

デジタルカメラでは、画像ファイルのサイズを10分の1から50分の1以下に圧縮可能な**JPEG**（ジェイペグ）形式のファイルとして保存するようになっています。圧縮のおかげで、一定の容量のメモリカードにより多くの画像を保存することができますし、インターネットで画像をダウンロードする時間を短縮できています。

ただし、JPEG形式で圧縮保存された画像は、元の画像と100%同じではなく、ノイズが混ざるなどの画質の劣化を伴っています。このような、元の画像を完全には再現できない圧縮方式を**非可逆圧縮**といいます。

iPhoneなどのiOSデバイスは、HEIF（エイチイーアイエフ）という新しい画像圧縮ファイル形式に対応しています。同じ画質の写真のファイルサイズが、JPEGよりもさらに小さくなるという圧縮効率を誇ります。

画像ファイルの形式には、他にもいろいろな種類があります。**GIF**（ジフ）形式や**PNG**（ピン、ピング）形式は、元データと100%同じデータを再生できる**可逆圧縮**方式を採用しています。

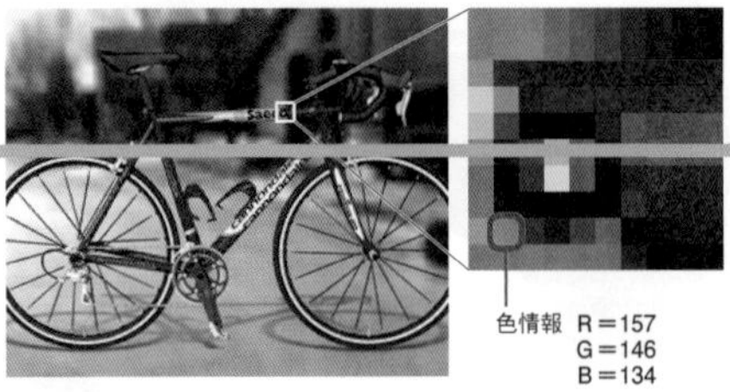

横300画素×縦300画素、合計9万の画素で構成されたビットマップ画像の例。右はその一部（10×10画素）を拡大した様子。ビットマップ画像が多数の小さな画素の集合体であることがわかる

図1 ビットマップ形式の画像と画素

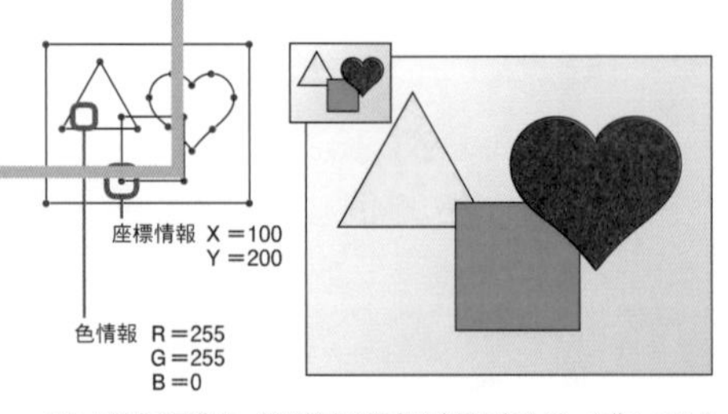

ベクタ形式の画像は、図形要素の頂点の座標と色をデータ化している（左）。表示サイズを拡大縮小しても画質の劣化がない（右）。また、データ量も少なくて済む

図2 ベクタ画像のデータと表示の例

106

本書は各トピックを下図のような見開き２ページで構成しています。

代表的な画像ファイル形式

JPEGは写真画像に適した圧縮方式を採用していて、写真画像に対して高い圧縮率と高画質を両立しています。しかし、単純なイラストをJPEG形式で保存すると、画質の劣化が気になることがあります（図3）。

単純なイラストの保存には、可逆圧縮方式を採用するGIF形式やPNG形式が適しています。ただしGIF形式は、色数の多い画像については256色以下に色数を減らしてしてから保存する必要があるため、画質劣化が発生します（図4）。その代わり、GIF形式はアニメーション表示が可能という、他の画像ファイル形式にはない特徴を持っています。

低画質モードでJPEG形式で保存したイラスト。輪郭部の周囲に大量のノイズが現れている

図3 JPEG形式で保存したイラストの一部

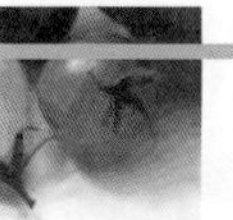
256色への減色により、色の変化が段階的になっている

図4 GIF形式で保存した写真画像の一部

詳細な説明、興味深い話題、利用上の注意点などをいくつかの項目に分けて解説します

表1　代表的な画像ファイル形式の特徴

形式	圧縮方式	特徴
JPEG	非可逆圧縮	Webの標準的な画像ファイル形式。デジタルカメラの保存形式としても一般的
HEIF	非可逆圧縮	iOS11以後が対応するファイル形式で静止画と動画に対応。圧縮効率が高いが、処理に時間がかかる
WebP	非可逆圧縮／可逆圧縮	Googleが開発したオープンな画像ファイル形式。Webページの画像ファイル形式として普及しつつある
GIF	可逆圧縮	256色までしか扱えない。アニメーション表示が可能
PNG	可逆圧縮	GIFの改良版でフルカラー対応。アニメーション表示に対応したAPNG形式もある
BMP	圧縮なし	Windowsで使われるファイル形式。圧縮しないのでファイルサイズが大きい。Webでは普通使用さ
SVG	可逆圧縮	ベクタ画像保存用のファイル形式。ビットマップ画像とベクタ画像を合成して扱うことが可能

JPEG画像の圧縮率は画質と関係がある

JPEG形式は、保存時に圧縮率（画質モード）を指定することができます。写真画像の場合、データ量が元画像の10%になる程度の圧縮（中画質モード）であれば、画質の劣化は見た目にほとんど分かりません（図5）。

5%以下の高い圧縮率（低画質モード）で保存された写真画像の場合、ブロックノイズやモスキートノイズが発生して画質が悪く見えることがあります（図6）。

画像に軽くモザイクがかかったように見えるのがブロックノイズです。

モスキートノイズは、色が大　する輪郭部分に現れるラン　イズです。

深く知るページ

右ページは、トピックに関するより深い内容について説明しています。興味を持ったトピックについてはぜひ右ページもよく読んでみてください。

拡大して観察しても、画質の劣化にほとんど気がつかない

図5　普通画質モードで保存した画像（1200KBの元画像から75KBに圧縮）

拡大してみると、モスキートノイズやブロックノイズが出ていることがわかる

図6　低画質モードで保存した画像（1200KBの元画像から20KBに圧縮）

画像表示と編集アプリケーション

JPEGファイルを開いて画像を表示するだけなら、OSに標準装備されている機能でできます。画像の編集を行うには、そのためのアプリ（表2）を用意する必要がありますが、無料のアプリもたくさん存在します。

表2　代表的な画像編集アプリケーション

アプリケーション	特徴と機能
Adobe Photoshop	世界的に最も有名な画像編集アプリで、高度な画像編集が可能
Adobe Lightroom	写真を加工、編集するアプリ。パソコン版とスマホ版がある
AFFINITY Photo	高性能な画像編集アプリ。Windows、Mac、iPad版がある
GIMP	日本語版無料ながら有料ソフト並みの機能を持つの画像編集アプリ
Pixlr	無料で利用できる、Webベースの画像編集アプリ。かなり高機能
CLIP STUDIO PAINT	マンガやイラストを描くためのアプリ。通称クリスタ
Adobe Illustrator	ベクタ形式のイラストを編集するアプリとして最も一般的
AFFINITY Designer	ベクタ形式とビットマップ形式の両方に対応するイラスト編集アプリ

製品写真、図解、表などを使い、理解しやすくしています

107

目次

インターネットの活用

わたし達はインターネットのサービスを毎日のように利用して生活しています。それぞれのサービスの特徴を理解すれば、より安心して活用できます。最近よく使われるサービスである「LINE」「InstagramとTwitter」「ZoomとTeams」「Togetterとスマートニュース」「ブログとCMS」「YouTubeとニコニコ動画」「ネットショッピング」について学びましょう。知りたいことがあるときは「Yahoo!知恵袋とCGM」「検索サイト」「Wikipedia」を活用してみましょう。本章では、データの共有に必要な「ファイル共有とクラウドストレージ」や、個人間で連絡を取るときに必要な「メールコミュニケーション」、最近話題になっている「メタバース」についても書かれています。

情報倫理とセキュリティ

便利なネット社会、それは悪いことを考える人たちにとっても同じことです。安全に情報社会で暮らすための考え方を「情報セキュリティ」で学び、「ネットワーク利用の際のリスク」を考慮して利用しましょう。本章では、具体的な脅威である「コンピュータウイルス」「ネット詐欺」「迷惑メールとスパム」や、対処方法の「暗号化」「パスワード」を説明しています。さまざまな情報から「メディアリテラシー」で確かな情報を見る目を養いつつ、情報を発信するときには「個人情報と情報社会のルール」「知的財産権」「著作権」などの法律やルールを意識して、正しい情報発信ができるようになりましょう。

わたし達が生きる情報社会

情報社会は普段の生活にも密接に関わっています。「情報システム」「産業システムとICT」「電子マネー」「組み込みシステム」「IoT（Internet of Things）」「センサと計測制御」を学んでから身の回りを見ると、いろいろな形で関わりを見つけることができるでしょう。「スマートフォン決済」や「サブスクリプションとシェアリングサービス」は、わたし達の生活に欠かせないものになりつつあります。「VRとウェアラブルデバイス」「ロボティクス」「AI（人工知能）」「音声認識機能とAIアシスタント」といった技術を学び、「Society 5.0」が実現する新しい社会の姿を理解しましょう。

情報やメディアに関する技術

パソコンやスマートフォンは二進法を使って高速に計算する計算機です。さまざまな情報を活用できるのは「二進法」「ビットとバイト」「標本化・量子化・符号化」「エラー検出とエラー訂正」「文字コード」「フォント」によって情報をデジタル化し、数値として表しているからです。デジタル化された情報は「アプリ（アプリケーション）」「オフィスソフト」などを使ってさまざまな形に加工・編集され、「文書ファイルとPDF」「オーディオファイル」「画像ファイル」「動画ファイル」のような形で保存したり、共有されたりします。また、「情報デザイン」「情報のユニバーサルデザイン」といった手法を用いて、多くの人に使いやすいように配慮した製品やサービスが開発されています。

ネットワークやインターネットに関わる技術

世界中のネットワークが接続したインターネット。さまざまなサービスが「サーバとネットワークサービス」によって提供されていますが、「インターネットの仕組み」「TCP/IP」「ドメイン名」で仕組みを知れば、さらに活用できます。個人間の連絡に使う「電子メール」の仕組みや、情報をもたらすWWW（ワールドワイドウェブ）の仕組みも「Webサーバとブラウザ」「HTMLとCSS」「Webページとスクリプト」「Webサイトと Webアプリケーション」で理解しておきましょう。インターネットが利用できるのも「LANとWi-Fi」「モバイルネットワーク」によってネットワークとしてつながっているからです。ネットワークの発達によって実用化した「ブロックチェーンと暗号資産」についても理解を深めましょう。

ハードウェアに関わる技術

情報化社会の進展は、コンピュータの進化に伴うものだと言ってもよいでしょう。「コンピュータの基本要素」「論理回路」「パソコンの内部」「スマートフォンとタブレット」「小さなコンピュータ」によってコンピュータやコンピュータを構成する機器についての理解を深めることができます。コンピュータに接続するための仕組みを「USBなどのインタフェース」で学び、「ストレージ（補助記憶装置）」「入力装置」「デジタルカメラとイメージスキャナ」「ディスプレイとプリンタ」「さまざまな映像表現技術」といったトピックで、機器を活用するための知識を身に付けましょう。

ソフトウェアに関わる技術

コンピュータという機械があっても、ソフトウェアがなければ何もできません。「オペレーティングシステム（OS）」が「ユーザインタフェース」を提供することで、コンピュータを操作できるようになります。また、ソフトウェアを作るには「アルゴリズム」「プログラミング言語」「プログラミング」の知識が必要です。そうしたソフトウェアが扱うのはデータであり、「データの収集と整理」「データのモデル化」「データベース」でデータを効率よく処理、「コンピュータとシミュレーション」で現実を予測するといったことに活用されています。最近ではコンピュータを使って集められた「ビッグデータ」を「データサイエンス」によって分析し、「クラウドコンピューティング」で活用する事例も増えています。

コンピュータの歴史と現代のIT業界

現在の情報化社会がどのように築かれたか、「コンピュータの歴史」を見てみましょう。また、現代のIT業界をリードするのが、「Google」「Apple」「Meta（Facebook）」「Amazon」「Microsoft」といった企業です。各社のこれまでの歩みや考え方について学ぶと、これからの進展の方向が見えてくるかもしれません。

付録

この本を使った授業をするときに、本書に掲載した図版（作図したもののみ）を素材としてご利用いただけます。
詳しくは奥付をご覧ください。

2022年の注目トピックス

改正電子帳簿保存法施行

1月1日、改正電子帳簿保存法が施行されました。この法律改正で、帳簿の電子保存・スキャナ保存をする際に税務署長の事前承認が不要になったり、電子取引の電子データ保存が義務化されたり、電子取引の書面への出力保存が認められなくなり電子保存が義務化されたりと、これまでの紙による作業から電子データ処理へ、経理のDX化へ大きな推進力となるでしょう。

コインハイブ事件 最高裁無罪判決

1月20日、コインハイブ事件の最高裁判決がありました。サイトを閲覧した人のパソコンへ、暗号資産を得るために、「コインハイブ」というプログラムをインストールして閲覧者のパソコンの処理能力を利用することが違法かどうかが争われ、最高裁は無罪の判決を下しました。利用者の意図に反するものではあるが、ネット広告と比べても社会的に許容されるとの判断でした。

改正個人情報保護法施行

4月1日、改正個人情報保護法が施行されました。今回の改正では、本人の権利保護が強化された他、漏えい時の報告義務や不適正な利用の禁止など事業者の責務追加、認定団体制度の新設、仮名加工情報の扱い、法令違反に対する罰則強化など、個人情報をより確実に保護すると同時に、企業等によるデータの利活用を促進するようなものになっています。

イーロン・マスク氏がTwitterを買収

10月27日、アメリカの自動車メーカーテスラのCEOでもあるイーロン・マスク氏がTwitterの買収を完了し、TwitterのCEOに就任しました。その直後に取締役9名全員を即時解任したり、11月にはTwitterの社員の約半分を解雇したりするなど、強権を発動しています。また、イーロン・マスク氏のTwitter運営方針に警戒心を抱く人も少なくありません。

情報社会系
トピックス

食べログに損害賠償の判決

6月16日、東京地裁が「食べログ」を運営する「カカクコム」に対し、評価点を一方的に下げたことについて、優越的地位の乱用を禁じた独占禁止法に違反したとして焼き肉チェーン店運営会社に対して3840万円の損害賠償の支払いを命じました。食べログなどの評価サイトの点数には、経営を左右するほどの強い影響力があり、慎重に扱うことが求められた判決でした。

尼崎市全住民情報紛失

6月21日、尼崎市全市民の住民基本台帳の情報（46万517人分）や住民税に係る税情報（36万573件）などの個人情報が保存されたUSBメモリを紛失するという事案が発生しました。紛失したUSBメモリはすぐに発見されましたが、きちんとした規程が制定されていたもののそれが遵守されず、契約で禁じられていることを無断でやっているなど、ずさんな管理が指摘されました。

KDDI大規模通信障害

7月2日から5日にかけて、KDDIで大規模な通信障害が発生しました。auやUQ mobileで音声通話ができなくなった他、KDDIの通信回線を利用している、クロネコヤマトの荷物問い合わせシステムや気象観測システムのアメダス、さらに緊急通報などにも障害が発生し、3915万回線、3091万人以上に影響が出ました。原因はルータの交換中に発生した不具合でした。

高校で「情報I」の授業開始

4月から全国の高校で、新学習指導要領に基づく「情報I」の授業が始まりました。一方、9月16日に北海道大学、9月30日に徳島大学、12月27日に香川大学が、2025年の大学入学共通テストで「情報」を課すが、配点はしないと発表しました。10月12日に情報処理学会は、すべての受験科目に適切な配点が行なわれることを強く求める見解を表明しました。

自然な日本語でも回答してくれるChatGPTが注目される

11月30日に、OpenAIが公開したAI会話モデルChatGPTが注目されています。文字での対話形式に最適化し、チャットで質問すると人間のように自然な表現で回答してくれます。プログラムコードの生成を頼めばかなりきちんとしたものを返してくれますが、分野によっては頓珍漢なことを返すこともあります。なにをどこまで信用すべきか、ユーザのリテラシーが重要になっています。

ソニーの「GT Sophy」がグランツーリスモで世界王者に勝利

2月10日、ソニーのレーシングAI「Gran Turismo Sophy」が、科学雑誌Natureに掲載されました。GT Sophyは、精密な運動制御スキルや、絶えず変化するレース状況に応じた戦術スキルだけでなく、対戦相手のドライビングラインを尊重するなど、明確な定義が難しいスポーツパーソンシップも備えていて、「グランツーリスモ」の世界王者に勝利しています。

AppleがM1 Ultraを搭載したMac Studioを発売

3月18日、M1 Ultraを搭載したMac Studioが発売されました。幅19.7cm×奥行き19.7cm×高さ9.5cmと、Mac miniとフットプリントが同じで高さだけ大きいというコンパクトボディに、20コアCPU、64コアGPU、32コアNeural Engine、800GB/sメモリ帯域幅、128GBユニファイドメモリという超高性能SoCであるM1 Ultraを搭載しています。

AppleがM2を搭載したMacBook Air / Proを発売

6月6日、Appleシリコンの最新版M2を搭載したMacBook AirとProが発表されました。MacBook Airは、伝統のウェッジフォルムでなくなり、ディスプレイもノッチ付き13.6インチになり、MagSafeも復活しました。M2は8コアCPU、10コアGPU、16コアNeural Engine、100GB/sメモリ帯域幅、24GBユニファイドメモリで、M1の後継SoCです。

情報技術系トピックス

Internet Explorerのサポートが完全終了

6月16日、Windows 95に搭載されて以来、Edgeにバトンタッチするまで、Microsoftの標準ブラウザの地位に君臨していたInternet Explorerのサポートが終了しました。しかし、Microsoftをはじめ、各方面からブラウザの移行が促されたにもかかわらず現在でもセキュリティリスクを抱えたままInternet Explorer依存で運用されているシステムも存在しています。

IETFがHTTP/3勧告

6月6日、IETFがHTTP/3を勧告しました。トランスポートのプロトコルとして、TCPに替わりQUICを採用しています。TCPはデータを確実に届けることができる一方、プロトコルによる制御が複雑で、オーバーヘッドが大きいという欠点があります。QUICは信頼性を確保しつつ、高速にデータ通信ができる効率的なプロトコルです。

画像生成AIの大流行

Stable Diffusion、Midjourney、Novel AI、DALL・E 2などの画像生成AIが大流行しました。条件を指定すると、それに合った画像を生成してくれます。常識外れのとんでもない絵を生成することもありますが、「特定の作家風」の画像を生成した際、本人の作品と見分けることが困難なものもあり、その作品の著作権をどう扱うべきかという議論も起きています。

NHKのAI自動音声による放送が注目される

NHKの「おはよう日本」などで、人間のアナウンサーではなく、AI自動音声による放送が行われています。テレビ画面に「AI自動音声でお伝えしています」と表示されていますが、これを見ないと、人間なのかAI自動音声なのか聞き分けるのは困難なほど高い品質です。アナウンサーの働き方改革や、放送時間に合わせた読み上げなど、その効果は随所に出ています。

□ LINE

LINEさえあれば、通話もグループトークも全部お任せ

SNS（Social Networking Service）は、共通の話題や興味のある人同士が情報を共有したり意見を交換したりできる、インターネット上の会員制サービスのことです。中でも**LINE**は、主にスマートフォンをターゲットとしたSNSです（図1）。NHNという韓国の会社の日本法人であるNHN Japan（現LINE）が開発し、2011年6月からサービスが提供されています。

無料通話など、携帯電話の不満を解消

携帯電話やスマホのデータ（パケット）通信料は、データ容量上限付きの定額契約が一般的です。一方、通話料は、以前は時間に応じた課金しかなく、通話はデータ通信ほど気軽に利用できませんでした。また、携帯電話会社を変更するとメールアドレスが変わる不便さもありました。ところがLINEさえインストールしておけば、これらの問題はほぼ解決されます。

LINEは当初「無料通話アプリ」と言われていました。LINEユーザ同士ならどれだけ通話しても通話料がかからないからです。これは、文字や画像をやり取りするように、音声をデータパケットに変換して、データ通信としてやり取りすることで実現しています。データ通信料は定額で使い放題が一般的ですから、定額料金の範囲内で通話できるというわけです。

このような通話アプリは、LINEが登場する前から**Skype**や**Googleハングアウト**などがありました。ではなぜ、後発のLINEが爆発的にヒットしたのでしょうか。それは、ターゲットをスマホに絞り込んだからだと言えます。スマホは、友だちの電話番号やメールアドレスなどをアドレス帳として保存しています。LINEは、そのアドレス帳にあるデータを使って、連絡先を簡単に設定できます。また、使い勝手もスマホに最適化しているため、今やLINEはスマホに欠かせないアプリとなっています。

無料通話だけでなく コミュニケーションすべてをカバー

無料通話以外に、LINEの特徴としては**スタンプ**があります。従来のチャットは、基本的に文字でのやり取りでした。それに、顔文字や絵文字を加えて、感情を微妙に表現していましたが、LINE では、さまざまな表情の大きな「スタンプ」を用意し、文字を入力しなくても、簡単に自分の気持ちを相手に伝えられるようにしました。

さまざまなスタンプが120円か240円で販売されているほか、友だちを紹介したり、キャンペーンに参加したりすると無料でもらえるものも数多くあり、販売促進の新たな手法としても利用されています。

LINEでは通話機能のほかにも、ビデオ通話やオンラインゲーム、グループ機能など、さまざまな機能を提供しています。また、「グループトーク」や「ノート」など、特定のグループ内で情報を共有したり連絡を取り合ったりするのに便利な機能もあります。スマートフォン本体の機能は使わずに、通話やメッセージ送信をLINEの機能だけで行う人も増えており、コミュニケーション・プラットフォームとしての地位を確立しています。

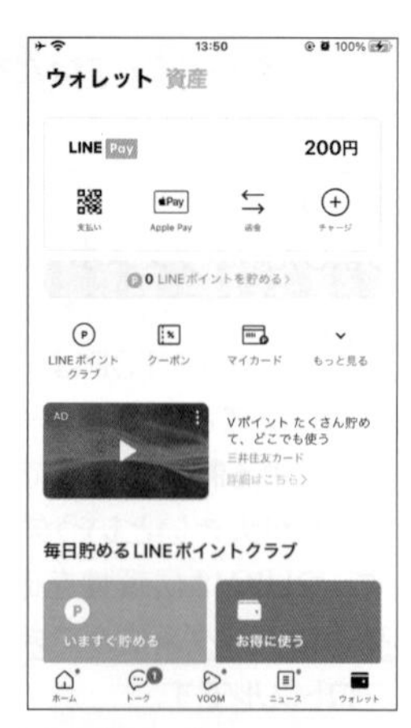

図1　スマートフォンを持つ若者を中心に普及が進むLINE

割り勘もできるLINE Pay

現金、SuicaなどのICカード型電子マネー、クレジットカードなど決済の手段にはさまざまなものがありますが、LINEでもお金の支払いができます。あらかじめLINE Payの口座にチャージしておくと，加盟店での支払いに利用できます。支払い方法は、スマホに表示したバーコードまたはQRコードをお店のレジで読み取ってもらうだけです（図2）。

中国ではAlipayやWeChatPayなど、スマホとQRコードを使った決済方法が一般化しています。LINE Payの登場で、日本でもこのような方法が普及し始めています。

LINE Payは単に、お店に対する支払いだけでなく、個人間で送金したり、支払いを割り勘にしたりと、現金やクレジットカード払いでは難しかった処理も簡単にできるようになりました。

チャージは、コンビニや銀行口座から簡単にできます。また、オンライン決済にも利用できるので、クレジットカードを持っていない人がネットショッピングでそのまま決済を完了することも可能です。

図2　LINE Payのコード支払い画面（有効期限は5分間）

LINE Creators Market

LINEでは、絵文字よりも大きくて動きのあるアニメーションスタンプや音声も出るサウンドスタンプなどが人気です。このスタンプを作成して、「クリエイターズスタンプ」としてLINEユーザに販売することができます（図3）。人気のスタンプになると、売上額が1億円を超えるものもあります。また､LINE Creators Studioという公式アプリも無料でダウンロードできます。これを使うと、スマホで写真を撮って切り取ったり、テキストやイラストを追加したりして簡単にスタンプを作れます。そのまま、審査申請や販売をすることもできます。

図3　LINEクリエイターズスタンプの例（情報処理学会の公式LINEスタンプ）

LINE以外のさまざまなSNS

LINEのほかにもいろいろなコミュニケーションツールが存在します。

Discord

Discordは、低遅延のボイスチャットを核に、ゲーム専用グループチャットとして人気を確立しました。Go Live機能を使えば、プレイ中のゲームの画面を共有して配信することができます。自分専用のサーバを立てて参加者を簡単に管理することができます。

Slack

Slackは、チャンネルというチャットルームが便利で、企業などの組織において情報共有したり、オンラインのシンポジウムにおいて議論を行ったりする際のコミュニケーションツールとして、従来のメーリングリストに代わってよく使われています。

FaceTime

FaceTimeは、iPhoneやMacの標準ビデオ通話サービスです。

WhatsAppとFacebook Messenger

インスタントメッセージサービスの世界シェアで、WhatsAppは1位、Facebook Messengerは2位となっていますが、どちらもFacebook社が運営しているサービスです。

図4　Slackの画面

□ InstagramとTwitter

情報伝達メディアのインフラとして地位を確立

簡単・手軽に、自分の状況や気持ちを伝えることができるInstagramとTwitterについて紹介します。

利用者が急増するInstagram

情報を簡単に投稿して共有できる新サービスが次々と登場し、人気を博しています。特に人気が高いのが**Instagram**（インスタグラム）です。

Instagramは、写真や動画をスマートフォンから手軽に投稿して共有できるサービスです。投稿にハッシュタグやコメントを付けることができるうえ、さまざまなフィルタ機能や編集機能などを手軽に利用できるため、Twitterを凌ぐ勢いで利用者が急増しています。フィルタ機能は、ワンタッチで色調などを変更することができるので、被写体を強調したり、写真全体をレトロな感じにしたりと、写真の印象を大きく変えることができます。編集機能は、ちょっとしたフォトレタッチアプリ並みの機能が手軽に使えます（図1）。

見映えがよく印象深い写真を「インスタ映え」と言い、インスタ映えする写真を撮ることに執着し過ぎて、危険を冒し、事故に遭うという例も少なくありません。

次に紹介するTwitterでも写真や動画を投稿できますが、投稿の中心はあくまでも文字情報だと言えます。それに対して、Instagramは、逆に写真や動画の共有が中心で、文字情報は補助的なものという位置付けです。

Twitterとは

Twitter（ツイッター）は、**ツイート**と言われる140文字以内の文章で表現するメディアとして、2006年7月にサービスを開始しました。現在では、日本語・中国語・韓国語を除き、280文字まで文字数が拡張されています。**ブログ**はまとまった内容を整理して書きますが、Twitterは感じたことをそのまま垂れ流すという感じです。チャットが特定の相手との電話のようなものであるのに対し、ツイートは独り言を放送するようなもので、特別な設定をしない限り、誰でも見ることができます。

Twitterの魅力

いちいち、電話やメールで特定の誰かに伝えるほどではないけれど、今感じたことを誰かに聞いてほしいということがあります。そんなときにツイートすると、思いがけない人がそのツイートに興味を示すかもしれません。また、あなた自身がフォローしている人の意外な側面がわかるかもしれません。投稿者にとっては他愛のないことでも、それを見た人が関心を寄せ、予期しないことに発展することもあります。

タイムラインとフォロー

ログインすると、自分のホームに**タイムライン**が表示されます。自分が気になる相手を**フォロー**すると、その人のツイートがタイムラインに表示されるようになります。タイムラインにはフォローしている人のツイートが、時間的に新しいものから順に上から並べて表示されます。

図1　Instagramの編集機能

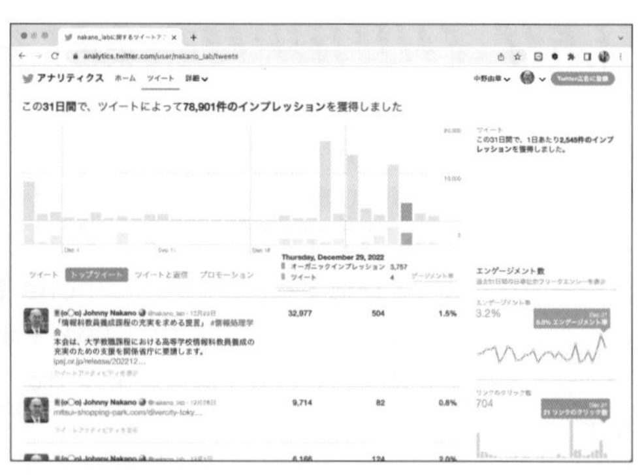

図2　Twitterアナリティクスでツイートアクティビティを確認できる

Twitterの主な機能

ツイートをグループ化する

特定のイベントやテーマについて、ツイートを関連付けたいときは**ハッシュタグ**を使います。半角空白と「#」に続き「#なになに」のように指定します。タグには英数字だけでなく日本語も使えます。ハッシュタグを検索すればそれを含むツイートが表示されます。いちいちユーザ登録などを行わなくても、特定のハッシュタグを付けてツイートすれば、同じハッシュタグを付けてツイートしている人たちと議論できるという手軽さがあります。

ツイートへの返信

「@ユーザ名 記述…」という書式でツイートすると、@に続いて指定したユーザに対する返信という扱いになります。同時に、あなたと@に続いて指定したユーザの両方をフォローしている人のタイムラインにもそのツイートが表示されます。ある程度関係のある人にもその内容が伝わるので、メールのCC的な働きもすることになります。

その他の機能

メールのように特定の人にだけメッセージを伝えたいときには**ダイレクトメッセージ**を使います。自分をフォローしてくれているユーザにだけ送信することができます。自分が見つけた他人のツイートを、さらに別の人に伝える「リツイート」という機能もあります。

ツイートするときの注意点

ツイートで気を付けるべきことは、それを誰が見ているかわからないということです。自分の気持ちや状況を、簡素な文章で表現するツイートは、しっかり推敲されているとは言えないでしょう。つい感情的になったり、余計なことまで書きすぎてしまったりすることがあるかもしれません。それを、あなたをフォローしている人が見たり、たまたま検索機能を使って検索したりした結果、それがリツイートされて、チェーンメールのように、しかしそれをはるかにしのぐ勢いで伝わることもあります。

Twitterによる悪ふざけの暴露

アルバイト先の飲食店で商品の食材の上に寝転がったり、コンビニのアイスクリーム冷凍庫に入ったりといった悪ふざけした写真を、自慢気にTwitterへ投稿し、その現場となったお店が閉店や廃業に追い込まれる、いわゆる「バイトテロ」と呼ばれる事例が相次いでいます。これが社会に与えた衝撃は相当なものだったにもかかわらず、同様の暴露投稿が後を絶ちません。

投稿者は、親しい仲間内だけに知らせたつもりかもしれませんが、それはネット上を爆発的な勢いで拡散し、衆目にさらされています。そもそも、そうした愚かな行為をしないような倫理観を身に付けるべきでしょう。

海外でのSNSの状況

SNSのアクティブユーザ数を見ると、何といってもFacebookの巨大ぶりが際立っています(図3)。また、YouTubeのユーザもそれに続きます。欧米ではWhatsAppやFacebook MessengerやInstagram、中国ではWeChatやDouyinやQQなどが、それぞれの地域で多くのユーザに利用されています。日本でも人気のTikTokも、かなりのユーザ数を抱えています。日本ではよく「中国版Twitter」と紹介されるWeiboも、Twitterよりも多くのユーザ数を獲得しています。

人口の多い地域や、広い地域で利用されているアプリが上位に登場し、日本での利用が多いLINEやTwitterは世界的に見ると意外に少ないことがわかります。

図3で上位にランキングされているものは安定的にユーザ数を増やしていますが、それ以外のSNSについては、次々と新しいサービスが開始され、勢力図は毎年大きく変動しています。

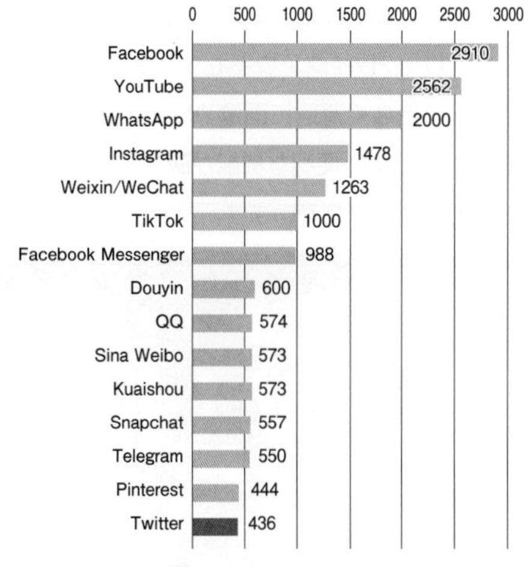

図3　SNSの月間アクティブユーザ数比較(単位：百万人、2022年1月現在、独Statistaの統計情報を基に作成)。Twitterは436百万人で第15位。LINEは上位15サービスに入っていない

□ ZoomとTeams

Web会議システムとコラボレーションプラットフォーム

Zoom

2020年の初頭に流行が始まった、新型コロナウィルス感染症（COVID-19）の影響で、今までの生活が一変しました。それまでは、当たり前のように学校や会社へ行き、授業や会議に出席したり、遠隔地に出張したりと、私達自身が移動し、目的の人に会って、話し合い、さまざまな作業を行っていました。しかし、COVID-19がそれを一気にひっくり返しました。そんな時に注目を集め、一気に広まったのが、Web会議システムの**Zoom**です（図1）。

Zoomは、1対1だけでなく、多くの参加者で会議を行うことが簡単にでき、また、システムの安定性も素晴らしく、さらに、会議に必要な充実した諸機能を備えているため、今やZoomがWeb会議システムの代名詞となりました。2020年度当初は、端末間の暗号化が完全でなかったり、Zoombombと呼ばれる不審者の会議への乱入などもあったりしましたが、対策機能が追加されたことでそのような問題もほぼ解消しました。画面を共有したり、会議の途中でいくつかのグループに別れて議論したり（ブレイクアウトセッション）、部屋の様子を映し込むことなく背景に画像やビデオを表示できたり（バーチャル背景）、便利な機能が簡単に利用できるため、多くの人に利用されています。

図1　Zoomで会議を行っている様子

Microsoft Teams

Teamsもまた、COVID-19でテレワークを余儀なくされた状況で多くの会社で活用が広がりました（図2）。チーム、チャネル、通話、会議など、さまざまなツールが用意されている、コラボレーションプラットフォームです。

チャットは、1対1だけでなく、グループでメッセージ交換を行ったり、音声通話やビデオ通話を行ったり、ファイル共有したりすることができます。電話やメールのような機能だと言えます。

チームは、Teamsのコラボレーションプラットフォームの中核をなす機能です。チームは会社のような組織と言えるでしょう。そのチームの中に、業務単位にチャネルをつくって構成メンバーを登録し、特定の話題について議論したり、Word, Excel, PowerPointなどのファイルをオンライン共有して共同編集したり、Web会議を行ったりできます。

会社や学校のような組織でグループウェアとして利用されることも多く、メールやスケジュール管理やワークフロー（承認決裁）などを行うことができます。

また、アプリを追加することで、アンケートやクイズの作成、プロジェクト管理、思考整理、作業の自動化、資源配置の最適化など、さまざまな機能を追加していくことが可能です。

図2　Microsoft Teamsの画面

Google Meet

ZoomやMicrosoft Teams以外にも、ビデオ会議システムとしてよく使われるものに**Google Meet**があります（図3）。PCでGmailの画面を開くと、左側に「Meet」という項目があり、「会議を新規作成」や「会議に参加」を選ぶと、すぐにビデオ会議を開始することができます。GmailやGoogleカレンダーなど、さまざまなGoogleのサービスと一体的に利用でき、アプリをインストールすることなく、Webブラウザだけで利用できる手軽さで支持を広げています。

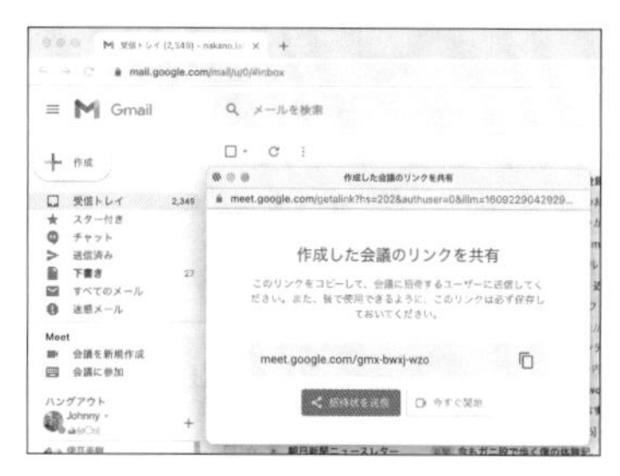

図3　Google Meet

ウェビナー

ウェビナー（**webinar**）は、Webで行うセミナーのことです。一般的なビデオ会議システムでは、その会議に誰が参加しているのかがわかり、また、参加者同士でチャットすることが可能だったりします。しかし、セミナーのように、主催者と参加者の間はつながっていても、参加者同士がつながることは、プライバシー的にも望ましくない場合が結構あります。そのようなときには、参加者同士が対等につながるミーティングではなく、主催者とだけつながるウェビナー形式が適切です（図4）。参加者と主催者の間では、質問などのやり取りができますが、参加者同士はだれが参加しているかわからないような運営ができます。

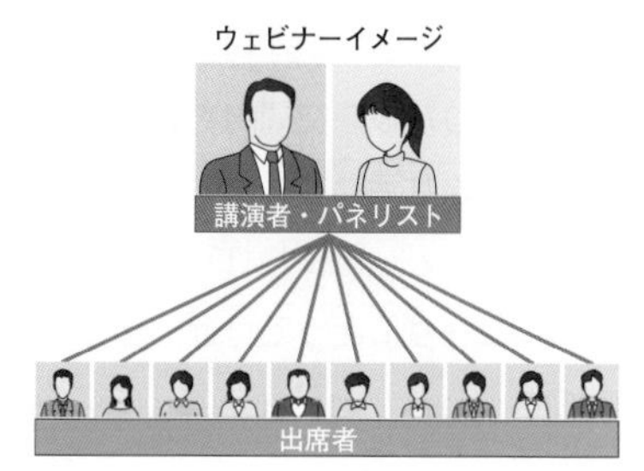

図4　ミーティング形式（左）とウェビナー形式（右）

バーチャル・イベントスペース

イベントやポスター発表会のように、部屋の中を歩きまわり、興味のあるものや人を見つけて会話をしたりプレゼンしたりということが現実世界ではよくあります。それをバーチャル空間で実現できるシステムもあります。その代表格がoViceです（図5）。ポスター発表会場を設定する場合、広い会場空間（画面）の中に、発表タイトルや発表者やポスターのサムネイルなどを分散配置します。参加者が説明を聞きたい発表者に一定の距離まで近づけば、その発表者の説明を聞いたり質問したりできます。多くの発表が同時並行に行われていて、参加者はそれらを自由に行き来しながら興味のある発表について質疑応答することができるし、他の人の動きも視覚的によく分かるのでとても便利です。ほかにも、Gather（図6）やSpatialChat（図7）など、似たようなシステムがたくさん利用されています。

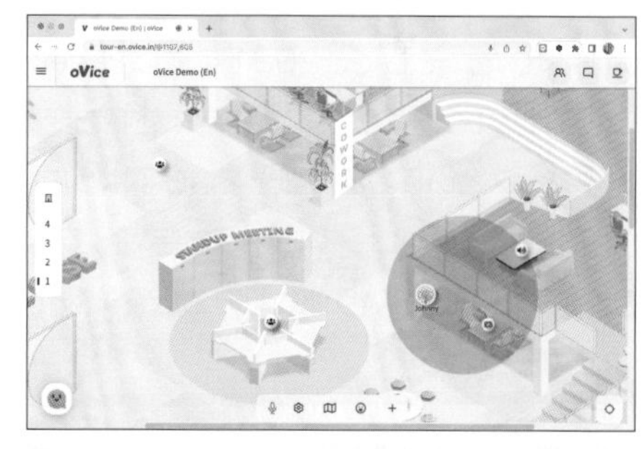

図5　oVice

図6　Gather

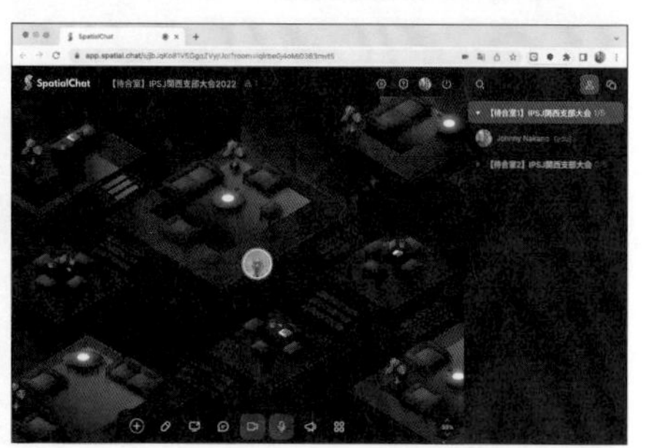

図7　SpatialChat

□ メタバース

ネットの世界に構築された３次元の仮想空間

メタバースとは、インターネットの中に構築された３次元の仮想空間やそれを利用したサービスのことを指します。メタ（超）＋ユニバース（宇宙）の造語です。

1997年に多人数同時参加型オンラインRPGのウルティマ オンラインがヒットしました。さらに、2003年にとリリースされたSecond Lifeが2007年頃になって大流行しました（図1）。**アバター**と呼ばれる自分自身の身代わりが仮想空間内を動きまわって現実世界と同様にさまざまな活動をします。当時、メタバースという言葉はまだほとんど使われていませんでしたが、これらが一般のユーザにとって身近に感じられるメタバースの初期のサービスだと言えます。その後、Minecraft（マインクラフト）がヒットして没入型３次元仮想空間が再び注目されたところに、新型コロナウィルス感染症の流行で、実際の会社やホールなどではなく、仮想空間で会議や展示会などのイベントが行なわれるようになり、バーチャルオフィスやバーチャルカンファレンスが急速に普及しました。そして、2021年にはFacebook社がメタ・プラットフォームズ（Meta）に社名を変更するなど、メタバースという言葉が脚光を浴びるようになりました。

VRゴーグルやコントローラを装着して、３次元仮想空間に没入するという使われ方も広く一般化してきています（図2）。

図1　Second Life

メタバースの代表格Minecraft

メタバースを最も身近に感じられるものとして、Minecraftが挙げられます。プレーヤは他のオンラインのプレーヤと協力したり競争したりしながら、モブと呼ばれる敵対生物と戦ったりします。プレイで得た原料を使って、建物や武器などさまざまなものを作ることができます。ワールド（ゲームの世界）にあるものは、立方体のブロックで構成されています。

MinecraftはスウェーデンにあるMojang Studios社が開発し、2011年にリリースしました。その後、2014年にMicrosoftが買収して子会社化し、2016年にMinecraft: Education Editionが提供されました。

マイクラ内でコンテンツを販売するプロマインクラフターと呼ばれる人や、コミュニティも登場しています（図3）。

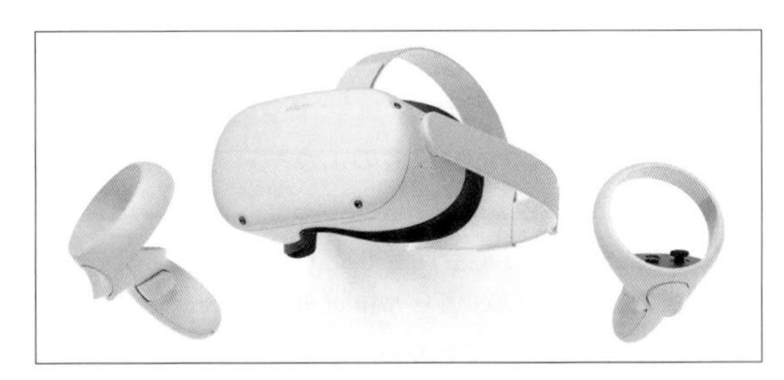

図2　VRゴーグルとコントローラ（Meta Quest 2）

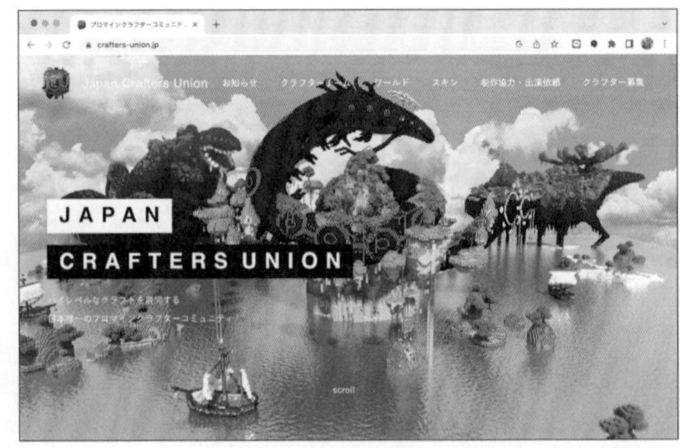

図3　プロマインクラフターコミュニティ Japan Crafters Union

メタバースの定義

メタバースにはまだ定まった定義がありません。いろんな人がいろんな提案をしていますが、ここでは、バーチャル美少女ねむ氏の著書「メタバース進化論」の中で述べられている7つの要素を紹介します。

空間性：三次元の空間の広がりのある世界

自己同一性：自分のアイデンティティを投影した唯一無二の自由なアバターの姿で存在できる世界

大規模同時接続性：大量のユーザがリアルタイムに同じ場所に集まることのできる世界

創造性：プラットフォームによりコンテンツが提供されるだけでなく、ユーザ自身が自由にコンテンツを持ち込んだり創造したりできる世界

経済性：ユーザ同士でコンテンツやサービスやお金を交換でき、現実と同じように経済活動をして暮らしていける世界

アクセス性：スマートフォンやPCやAR／VRなど、目的に応じて最適なアクセス手段を選ぶことができ、物理現実と仮想現実が垣根なくつながる世界

没入性：アクセス手段の一つとしてAR／VRなどの没入手段が用意されており、まるで実際にその世界にいるかのような没入感のある充実した体験ができる世界

これらは、バーチャル美少女ねむ氏による提案であり、今後メタバースの定義がどのように定まっていくのか注目していてください。

メタバースとNFT

メタバースは単なる遊びの空間ではなく、そこでは実世界と同様の経済活動も行なわれます。具体的には、アイテムの売買をはじめ、資産的価値のあるデータのやり取りが行なわれます。その際に重要となってくるのがNFT（非代替性トークン：Non-Fungible Token）です。NFTには次のような特徴があります。

- 代替不可能なデジタルデータ
- 誰でも作成や取引ができる
- 取引の真正性が保証される

このNFTはブロックチェーン技術（主にイーサリアム）を活用することで実現されています。

メタバースのメリットと課題

メタバースのメリットは、時空を超えてその場所に存在できることや、現実世界では実現不可能な体験をすることができるなど、手軽に参加できることがまず挙げられます（図4）。さらに、今までにない世界ですから、今までにない新しいビジネスが展開できることになります。そうすると、そこに新しい経済圏ができることになります。

課題としては、メタバースへの対応が困難な障害者や高齢者などのデジタルデバイドの拡大や、法整備が追いつかず、トラブルへの対応が難しいことなどが挙げられるでしょう。

いずれにしても、良い面を生かしつつ、悪い面に対応して改善することを常に継続していくことが重要です。

図4　Minecraftでは現実世界では実現不可能なことが体験できる

東京大学メタバース工学部

東京大学が2022年に「メタバース工学部」を設立しました（図5）。年齢、ジェンダー、立場、住んでいる場所などにかかわらず、すべての人が工学や情報を学べる教育システムを構築することを目的とし、特に、工学や情報の魅力を女子中高生に伝え、DX人材育成のダイバーシティ推進を加速することを狙っています。

教育プログラムは、主に中高生やその保護者、教員を対象として、工学や情報の魅力を早期に伝えるため、産業界と大学が連携して、大学での工学の学びや卒業後のキャリアを伝える授業や商品開発のような体験型演習、研究室見学などを行なう「ジュニア工学教育プログラム」と、主に社会人や学生の学び直しやリスキリングを支援することを目的として、AI・起業家教育・次世代通信などの最新の工学や情報をオンラインで学ぶ「リスキリング工学教育プログラム」の2つで構成されています。

図5　東京大学メタバース工学部

□ YouTubeとニコニコ動画

多彩な機能が利用できる動画投稿・共有サービス

利用者が作成した動画を投稿する動画共有サイトで、特に利用者の多いのがYouTube（ユーチューブ）とニコニコ動画（ニコ動）です。

単なる動画共有だけではないYouTube

YouTubeは数多くある**動画共有サイト**の代表格です。しかも、もはや単に動画を共有するためだけのサイトではなく、さまざまな機能を持っています。

たとえば、撮影した映像をそのままアップロードするのではなく、ブラウザ上で編集することもできます。動画クリップの結合、長さの調整、オーディオ入れ替え機能による音楽の追加、動画クリップへの切り替え効果の追加などを、すべてYouTubeのサイトで行えます。さらに、説明を追加したり、アノテーション（インタラクティブなコメント）を使って、他の動画、チャンネル、再生リストへのリンクを動画に追加できます。YouTube Studioは、従来のクリエイターツールに代わるクリエイター向けの新機能です（図1）。

見た動画にコメントを書き込んだり、好きな動画を「お気に入り」に追加したりできます。「チャンネル登録」すると、その作成者の最新動画や最近の共有アップデートが自分のトップページに自動的に配信されるようになります。

ニコニコ動画の特徴

ニコニコ動画は、通称「ニコ動」と呼ばれています。ニコ動が他の動画共有サイトと違うのは、コメントを動画に重ねあわせて表示できることです。コメントを投稿すると、投稿したタイムラインで再生動画に重なってコメントが右から左に流れます（図2）。チャットのように時間を共有しているわけではないのに、動画の中に他人のコメントと一緒に自分のコメントが流れることで、擬似的なライブ感を得られることがニコ動の爆発的人気の要因だと言われています。一方、ログインすれば誰でも簡単にコメントを投稿できるため、攻撃的、差別的、破壊的、妨害的な投稿も散見され、「荒らし」と言われる状況も発生しています。

ニコニコ生放送（ニコ生）という、生放送も行われています。ドワンゴによる公式生放送のほか、プレミアム会員による放送もあります。ニコ動と同じくコメントを投稿して、ニコ生を視聴している人とパブリックビューイングのように場の雰囲気を共有したり、ニコ生を放送している人に対してさまざまな意見を投げかけて放送主がそれに反応したりして、リアルタイムで双方向性のある放送が行われることになります。これも、テレビでもビデオ会議でもない不思議なライブ感があります。

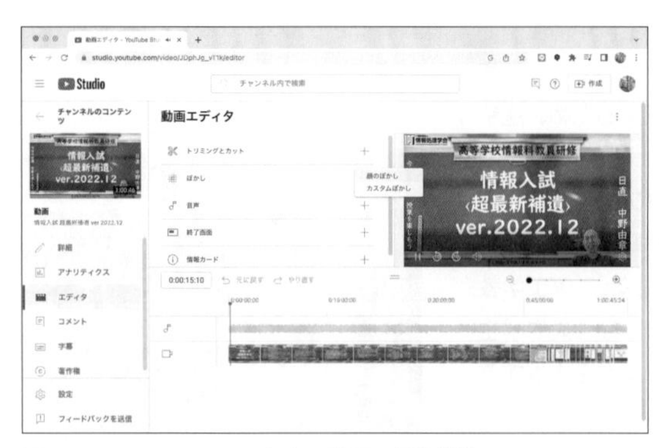

図1　YouTubeサイトで行える動画の編集機能

図2　小林幸子のニコニコ動画への初投稿

Content IDによる著作権管理

YouTubeでは、動画投稿・共有という性格上、他人の著作権を侵害する事案が後を絶ちません。毎日、膨大な動画が投稿されるので、それを人間が目で見てチェックすることは不可能です。

そこで、YouTubeは**Content ID**という仕組みを2007年に導入しました。これは、その動画の特徴をデータベースにあらかじめ登録しておき、同じ特徴を持つ動画を自動的に抽出する仕組みです。

このContent IDの優れた点は、著作権を侵害した投稿を見つけたときの対応を、権利者が指定できる点です。具体的には、次の選択肢があります。

- 音声をミュートする
- 動画をブロックする
- 動画に広告を表示させて動画を収益化する（アップロードしたユーザと収益を分配することも可能）
- その動画の再生に関する統計情報を追跡する

つまり、著作権を侵害しているものをすべてブロックしてしまうのではなく、あえてブロックせずに再生状況を追跡したり、それを利用して広告収入を得たりするという選択ができます。これは国別に設定することができるので、ある国ではブロックするけれど、別の国では広告を表示させて収益化するということも可能です。ファンがアップロードした映像に広告を掲載し、その収益をファンと分け合うということだって可能です。

注目される専門系YouTuber

ある特定領域に特化したYouTuberが注目されています。ストリートピアノを中心としたピアノ系YouTuberでは、よみぃ（2022年末現在チャンネル登録数208万人）、ハラミちゃん〈harami_piano〉（204万人）、ショパン国際ピアノコンクール2021のセミ・ファイナリストになった、Cateen かてぃん（112万人）、けいちゃん / Kei chan（107万人）などが人気を集めています。料理系では、きまぐれクックKimagure Cook（490万人）、料理研究家リュウジのバズレシピ（350万人）、/ 谷やん谷崎鷹人（177万人）など、教育系では、とある男が授業をしてみた（186万人）、ブレイクスルー佐々木（102万人）、予備校のノリで学ぶ「大学の数学・物理」（95.8万人）などの専門系YouTuberが活躍しています。

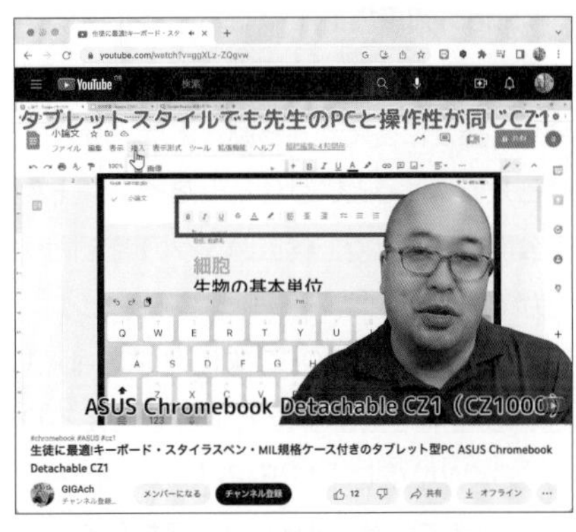

図3　教育系YouTuber安藤昇氏のGIGAch

動画投稿サイトから生まれる新しい潮流

Perfumeの「ポリリズム」と吉幾三の「俺ら東京さ行ぐだ」を合成したMAD動画の「ポリ幾三」が話題になると、吉幾三本人がニコニコ動画に降臨したり、アンサーソングを発売したりしました。その結果、吉幾三本人が大いに注目される結果になりました。

また、“ラスボス”小林幸子がニコニコ生放送に出演し、その後、ニコニコ動画に「ぼくとわたしとニコニコ動画を夏感満載で歌ってみた」という動画を投稿したところ、これが大いに注目され、一気に再ブレイクして2015年のNHK紅白歌合戦に出場するなど、今までとは違うヒットのスタイルが動画投稿サイトから生まれています。

動画投稿のポイント

YouTubeには誰でも動画を投稿することができます。ただし事前にアカウントを作っておくことが必要です。投稿するときのポイントを紹介します。

たくさんの人が「おもしろい」「よい」と思うような動画を投稿しよう

多くの人におもしろさや関心を持ってもらえるような動画をアップロードしましょう。芸術性の高い短編映画や映像芸術作品などを作るのもいいでしょう。多くの人に不快感を与えるようなものはやめましょう。

著作権やプライバシーに注意しよう

他人が著作権を持っている動画は、たとえ一部分であったとしても、勝手に投稿してはいけません。また、他人のプライバシーを侵害するような動画も、アップロードしてはいけません。録画したテレビ番組のアップロードも著作権の侵害になります。

□ Yahoo!知恵袋とCGM

利用者がコンテンツを生成していくYahoo!知恵袋や食べログ

CGMの代表格Yahoo!知恵袋

Q＆Aサイトは、質問も回答も利用者が書き込むという、消費者が作るメディアである**CGM**（Consumer Generated Media）の代表例です。

Yahoo!知恵袋（図1）は、登録ID数が4000万を超えると言われるQ&Aサイトです。分からないことは質問して誰かに答えてもらい、また、自分が分かる質問には答えてあげるという仕組みをインターネット上に作って公開することで、幅広い人々の間で情報を共有することができます。

OKWAVEは、2000年に「OKWebコミュニティ」という名前で始まった老舗とも言えるQ&Aサイトです。OKWAVEは「楽天 みんなで解決！ Q＆A」、「@nifty教えて広場」、「BIGLOBEなんでも相談室」などとも連携しているので、その名前を知らなくても利用している人が多いでしょう。

何かの見返りのために行動するのではなく、自発的に自分の知識や得意分野で不特定多数の人に貢献したいという気持ちが、質問に答える原動力となっています。ただし、金銭や物品の提供はなくても、そのQ&Aサイト内での貢献度を認めるようなポイントを付与するサイトは多く、そのことがモチベーションを高めて回答が促進される傾向はあります。

図1　Yahoo!知恵袋

飲食店の口コミサイト「食べログ」

レストランなどの飲食店を選ぶとき、いま食べたい料理のジャンルや価格、店内の雰囲気、そして料理の出来について、ネットで簡単にわかると便利です。**食べログ**は、そんな情報を口コミから集めた、カカクコムが運営するサイトです（図2）。

食べログを訪問してみましょう。その店が提供しているメニューやコースの一覧、料理や店の外観・内部の写真を見ることもできます。そして、口コミ情報では、料理を食べた人の率直な感想と評価点が並びます。店に行きたい人のために、地図も簡単に見ることができ、とても便利です。食べログに掲示されている評価点の平均点は、食べログを見て店を選ぶ人が重視するデータです。

食べログを利用して、積極的に広告を行っている飲食店もあります。中には、食べログサイトから予約ができるようにしている店もあります。一方で、食べログへの掲載を快く思わない飲食店もあります。食の好みは多様であり、口コミで低く評価されていても、必ずしも店や料理の質が低いというわけではないからです。食べログの評価をどのように捉えるかは、ページを見た人が判断すべきことでしょう。

図2　食べログ

さまざまな商品価格を比較する「価格.com」

同じ商品なら少しでも安く買いたいというときに便利なのが、カカクコムが運営する「**価格.com**」です（図3）。価格.comでは商品の価格情報を軸に、購入者によるレビューやユーザ同士による商品に関するQ&Aを掲載しています。月間利用者数は4680万人（2022年9月時点）と商品選びの情報源として幅広く利用されています。

価格.comの歴史は古く、1997年に開設された「￥CORE PRICE￥」というWebサイトが価格.comの前身です。当時はパソコンの価格情報サイトでしたが、今では、家電、自動車・バイク、保険、ファッション、さらには葬儀に至るまで、さまざまな商品やサービスの価格情報を扱っています。

図3　価格やレビューで商品を比較できる「価格.com」

ユーザが作るCGM消費者の意見に価値

価格.comを運営しているカカクコムは、ほかにも、グルメ・レストランの口コミサイト「食べログ」や、旅行の口コミ＆比較サイト「フォートラベル」も運営しています。

これらの特徴は、レビューや口コミという形で、ユーザが情報を作り上げている点です。つまり、情報を必要とする人とその情報を提供している人がともにユーザ（消費者）なのです。このように、消費者がつくり上げていくメディアのことを**CGM**（Consumer Generated Media）といいます。

CGMには、口コミサイトのほかに、Yahoo!知恵袋のようなQ&Aサイト、YouTubeやニコニコ動画のような動画投稿サイト、5ちゃんねるのようなBBSなどがあります。

新聞やテレビなど、従来のメディアは制作側とユーザが明確に分かれていて、ユーザから幅広く情報発信することは困難でした。ましてや、各ユーザからの情報を整理してまとめることで、単なる付加情報ではなく、それそのものが目的となるようなメディアは存在しませんでした。

今や重要な情報源であるCGMも、インターネットが切り拓いてくれた世界だと言えます。

問題化するステマCGMを逆手に商品宣伝

店員さんから「お薦めです」と言われても、友だちから「よくなかったよ」と言われると、友だちの意見を信用して、購入するのをやめることがあります。これは、自分と同じ立場の人の意見を重くみるからです。

従来のマーケティングは、売る立場からのアプローチが中心でしたが、CGMなどが大きな影響を持つに至り、ユーザの立場からのアプローチが注目されています。

ブログなどで商品を薦め、それを誰かが購入したらその代金の一部が手数料として支払われる**アフィリエイト**も、この新しいマーケティング手法の1つです。

しかし、その一方で、現金や商品を提供する代わりにブログなどで実際よりも優れているかのように書かせたり、メーカーの社員が一般ユーザになりすまして自社製品を過剰にほめたりする**ステルスマーケティング**（ステマ）が問題になっています。

Q&Aサイトの問題点

Q&Aサイトの回答者は、対価を得ずに無償で協力しています。それは、自分の持っている知識が他人の役に立てば嬉しいという純粋な気持ちが動機であることが多いです。

しかし回答者は必ずしも専門家ではないため、誤解や憶測に基づいた誤った回答も散見されます。また一部には、悪意を持ってわざとウソを書き込む回答者もいます。複数の回答を見比べたり自分でも調べたりして、どの回答が正しいのか、質問者自身が判断することが重要です。

問題のある質問者もいます。たとえば、学校の宿題をQ&Aサイトに投稿し、得られた回答をそのまま丸写しして提出するといったことが少なからずあり、次第に問題視されるようになっています。

大学入試において、試験中に携帯電話からYahoo!知恵袋に入試問題を投稿し、得られた回答を解答用紙に書いて提出する事件も2011年に発生しました。この事件をきっかけに、大学入試における携帯電話の持ち込み確認が厳格化されましたが、Q&Aサイト側は特に有効な対策を講じていません。利用者の良心に期待せざるを得ないのが現状のようです。

□ Togetterとスマートニュース

手軽に情報を収集できる便利サービス。使い方によってリスクも

今ではスマートフォンを通じて、手のひらの上からインターネットにつながり世界中の情報を入手できるようになりました。新聞、ラジオ、雑誌、テレビなどから情報を入手していた時代に比べると、そこで得られる情報量は圧倒的なものです。一方で、多くの情報の中から自分に取って有益な情報に出会うのは難しくなります。

そうした状況では、膨大なTwitterへのツイートや数多くのネットニュースの中から話題になっているトピックなどをまとめて紹介してくれるサービスが便利です。その代表が**Togetter**（トゥギャッター）と**スマートニュース**です。

ツイートやニュースを手早く入手

Togetterは、いま話題のツイートを読める「Twitterまとめ」に特化したまとめサイトです。トゥギャッター社が運営、提供しています。Twitterに投稿された多くの発言を、取捨選択したり並べ替えたりしながら引用して、まとめたコンテンツとして提供できます（図1）。月間1500万以上のユーザにより様々なコンテンツが投稿、シェアされています。

話題になっているトピックの概要を手早く知ったり、論争になっているテーマを斜め読みしたりしたいときに便利です。ジャンルや特集から興味のある情報を見つけることや、ランキング、注目のまとめから世の中のトレンドを知ることもできます。

一方のスマートニュースは、3000メディアの情報をまとめた無料ニュースアプリです。スマートニュース社が提供しています。大手メディアからジャンルごとの専門メディアまでの多くからニュースをピックアップしていて、スマートニュースのアプリを開くと世の中でいま起きていることの概要が分かります。

天気やエンターテインメント、地域情報などの生活に役立つ情報も提供しています。さらにクーポンなどお得になる情報を提供することで、利用者の興味を惹きつけています。

まとめた人の意図があることを知って使う

Togetterやスマートニュースのほかにも、インターネット上の情報を引用して情報収集などに役立つサイト、サービスは数多くあります。Gunosy社が提供するニュースアプリのグノシーや、ヤフー社が提供するニュースサイトのヤフーニュースなども情報収集に有効です。

こうした、**まとめサイト**や**キュレーションメディア**と呼ばれるサービスは、便利な半面で情報収集手段としてのリスクもあります。さまざまなツイートやニュースなど既存の情報からまとめを作るので、必ずまとめた人の意図が反映されるからです。意図的に特定の意見だけを集めたまとめたページもあります。そのようなページの情報を見て、世の中の人の総意と感じてしまうと、実際の世の中の傾向とは異なってしまう危険性があるのです。

なお、元のTwitterへの発言などをまとめたページを作ったり、まとめサイトから引用したりするような場合には、著作権の取り扱いについても注意が必要です。

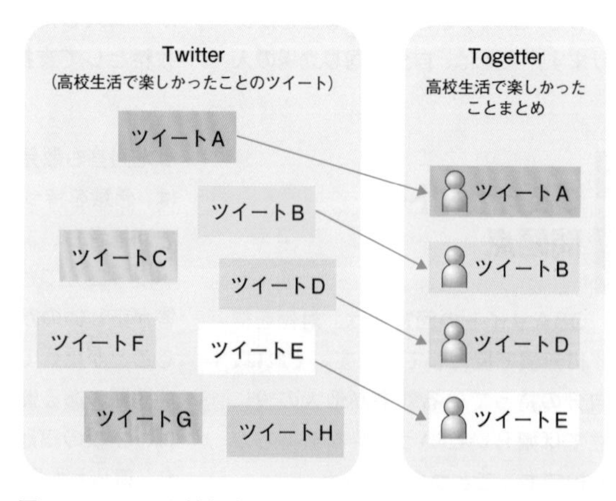

図1　Twitterから情報をまとめて出来上がるTogetterのコンテンツ。整理されて見やすくなる一方で、Twitter上の情報の一部しか反映されないことで全体の状況が分かりにくくなる

まとめサイトの情報は信憑性を確認して使う

まとめサイトやキュレーションメディアの情報を活用する際には、リスクがあることを考える必要があります。

まず、情報を編集する人による偏り（**バイアス**）がかかっている可能性があることです。これらのサービスでは、多くの情報の中から、Twitterのツイートやニュースを取捨選択して掲載しています。あるトピックについて特定の見方の情報だけをまとめてあると、その見方が正しく、多数意見であるように感じてしまうのです。

特に生きていく上で重要な判断につながるような情報を入手する場合は、その情報についての真偽や**信憑性**を確認する**メディアリテラシー**が求められます。

また、社会的に問題になったツイートなどがまとめサイトに転載された場合、元のツイートを削除してもまとめサイトは削除されない問題もあります。Twitterは友だち同士のおしゃべりのように感じていても、世界に対して発信していてまとめサイトのような形で残ることも考えなければなりません。

さらにまとめサイトの管理人の中には、まとめサイトに広告を掲示して広告料収入を得ている人もいます。クリックやタップの回数が多いほど広告料収入が増えることから、不必要にクリックやタップでページ移動を繰り返させるようなサイトもあります。

興味のある情報に囲まれるフィルターバブル

まとめサイトやキュレーションメディア、さらにSNSなどのタイムラインにはピックアップした情報が表示されます。こうした情報は、編集者によるバイアスがかかるだけでなく、利用者に最適化した情報を提供するための仕組みからも偏りが生じます。

まとめサイトやニュースサイト、SNSのタイムラインをよく使っていると、サービスを提供する側に対して自分の好みの情報のジャンルや内容の情報が蓄積していきます。サービス提供側は、より利用者に使ってもらうために、好みの情報を中心に提供するようになります。同じようなことは、検索サービスでも起こります。閲覧や検索、クリックなどの履歴を活用して、アルゴリズムが情報の掲出を最適化するのです。

こうして出来上がるのが、**フィルターバブル**です。情報にフィルターがかかり、フィルターがかかった情報の泡に包み込まれることから名付けられています。フィルターバブルの中では、見たくない情報が遮断されて好みに合った情報にだけ触れるので心地よく過ごせます。一方で、視野が狭くなって判断を誤るリスクが高まります（図2）。

履歴情報は、ログインして使っているサービス以外でも、Webサイトならば**Cookie（クッキー）**と呼ぶ情報をWebブラウザに保存することで事業者側が活用できます。Cookieの利用は、利用者側でオン/オフが可能です。最近では利用前に同意を求めるWebサイトも増えてきたので、必要に応じて活用しましょう。

図2　フィルターバブルのイメージ。まとめサイトや検索サービス、SNSのタイムラインなどで、見たい情報と見たくない情報がフィルターで選別され、利用者には見たい情報しか届かなくなる

まとめサイトと5ちゃんねる

Twitterやニュース以外にも、まとめサイトは作られています。インターネット上で雑談や議論をする仕組みとして古くからある**BBS**（Bulletin Board System）や**電子掲示板**の情報も、まとめの対象になります。

BBSの中でも**5ちゃんねる**（2017年に「**2ちゃんねる**」から名称変更）は多くの人に利用されてきました。5ちゃんねるにはジャンルごとに多くの掲示版があり、その中にさらに特定の話題に沿った**スレッド**（「スレ」と略される）があります。数百の掲示板に対して、さらに数百程度のスレッドが存在しています。5ちゃんねるに投稿された情報も膨大であり、多くのまとめサイトによって情報が使いやすく提供されています。

5ちゃんねるは匿名で投稿でき、自由な発言ができる一方、無責任な内容の投稿も少なくありません。5ちゃんねるのまとめサイトを活用する際には、まとめサイトの編集者によるバイアスに注意するだけでなく、投稿そのものの内容の信憑性についてもよく検証する必要があります。

□ ブログとCMS

Webコンテンツを一元的に管理してサイトを構築・編集するシステム

インターネットで日記などのブログを公開している人がたくさんいます。有名人やタレントはもはやブログを公開するのがあたりまえだと言えます。では、ブログはいったいどのような仕組みになっているのでしょうか。

ブログの機能

ブログという言葉を聞いたことのない人はいないと言ってもいいくらい、ブログは普及しています。一般的には、個人が日記などを書き連ねていくサイトを指していて、追記した内容は日付の新しい順に並びます（図1）。しかし、もともとは日記ではなく、ニュースサイトなどの記事のURLとそれへの個人的見解を記録していくというものでした。それは、ブログの語源が「WebをLogする（記録する）」を縮めたWeblogであることからもわかります。

ブログは**CMS**（Content Management System）という仕組みを使って実現しています。CMSは、Webページを構成するテキストや画像などのコンテンツを管理するシステムです。

ブログには、新聞やテレビのように一方向ではない、双方向コミュニケーションが可能だという特徴もあります。記事に対して訪問者がコメントする機能や、掲示板機能などのコミュニケーションツールが統合されたものもあります。

また、FacebookやTwitterなどに投稿できる**SNSボタン**を付けて、ブログに書かれている内容をSNSなどで知らせることができるようになっているものも少なくありません（図2）。

ブログの社会的影響

ブログを使って、誰もが自由に意見を表明できるようになると、さまざまな社会的問題も起きるようになります。他人や自分自身のプライバシーに関する内容をブログに書いたり、個人が特定できるような写真を掲載したりすれば、ストーカー被害に遭うこともあります。他人の悪口や誹謗中傷を書いたことが原因で犯罪にまで発展するようなこともあります。挑発的な発言がきっかけとなり、批判的なコメントが殺到する**炎上**も起きています。コメントを使って、その記事にはまったく関係のない営利目的の宣伝をしたり、有害サイトへ誘導する行為（**コメントスパム**と呼ぶ）も増えています。

情報を発信するという行為に対する責任や重大性を十分に意識しないブログの開設は、大変危険です。情報発信者としての責務を自覚し、サイト運営者としてコメントにも適切な対応をしなければならないということを常に意識してください。

また、逆に情報の受け手としても気を付けなければならないことがたくさんあることを再認識しましょう。ブログはいろんな人がいろんな思惑で開設しています。意図的に事実を歪曲したり誇張したりするもの、著作権など他人の権利を侵害しているもの、他人になりすました偽物ややらせ、営利目的の提灯記事など、その内容の価値や信憑性に問題のあるものも少なくありません。

図1　ブログを使った日記の例

図2
SNSボタンの例

情報発信の敷居を下げたブログ

誰でも簡単に情報を発信できるブログの登場により、インターネットのユーザ層が劇的に拡大しました。

ブログを使わない場合、Webページを公開するためには、パソコンでHTMLや画像などのファイルを作成したり編集したりして、それらをWebサーバへ転送する必要があります。また、不要になったデータは、サーバ上から削除しなければなりません。しかしこのような方法では、ネットワークやHTMLなどについての詳しい技術的知識が必要だったり、操作が煩雑だったり、管理から漏れてしまうデータが出てきたりするなど、いくつもの問題があります。

ブログを支えるCMS

CMS（Content Management System）とは、Webブラウザを使ってコンテンツを管理するためのシステムです。ブラウザの画面上で、コンテンツを作成したり編集したりするだけで、Webサイトに組み込むことができます。HTMLの知識も、面倒なファイルの転送も不要です。

CMSには、汎用的なものと、特定の領域向けのものがあります。汎用的なものは主に、企業などのWebサイトなどで利用されています。Webサイトを作成・運営するには、膨大な数のページや複雑なリンク関係を理解して管理しなければなりません。CMSを利用することで、Webサイトの管理が効率的に行えるようになります。特定領域向けのものとしてはブログやWiki（ウィキ）が代表的です。ブログは、コンテンツとして個人の日記やそれに類するものを扱うことに特化したCMSと言えます。

さまざまなCMS

最近よく使われているCMSの例として、WordPressやNetCommonsなどが挙げられます。

WordPressは、ブログタイプのCMSで、管理画面もシンプルでわかりやすくなっています。それでいて、各種用意されているプラグインを組み込むことで、いろんな機能を拡張することもできるという柔軟性も持っています。WYSIWYG（画面上で出来上がりを確認できること）で編集することも、HTMLタグを使って編集することも可能です（図3）。

Moodleはeラーニングプラットフォームとして、多くの大学で使われています（図4）。CMSですが、学習管理システム（LMS：Learning Management System）や、コース管理システム（CMS：Course Management System）でもあります。ユーザは世界に3億1600万人以上、18億以上のコースがあると言われています。レスポンシブデザインなので、PCだけではなく、スマートフォンやタブレットでの利用も容易です。

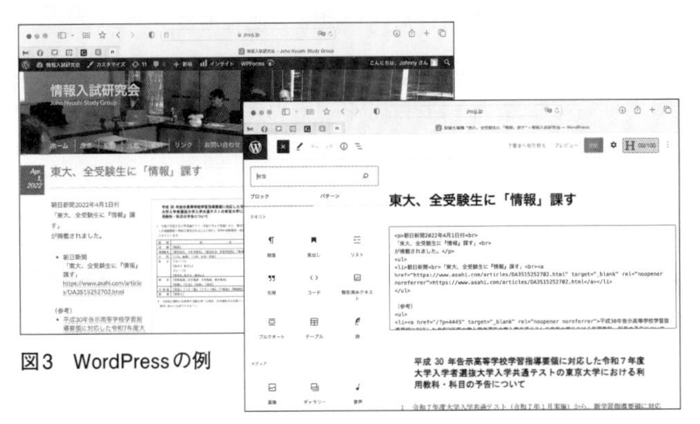

図3　WordPressの例

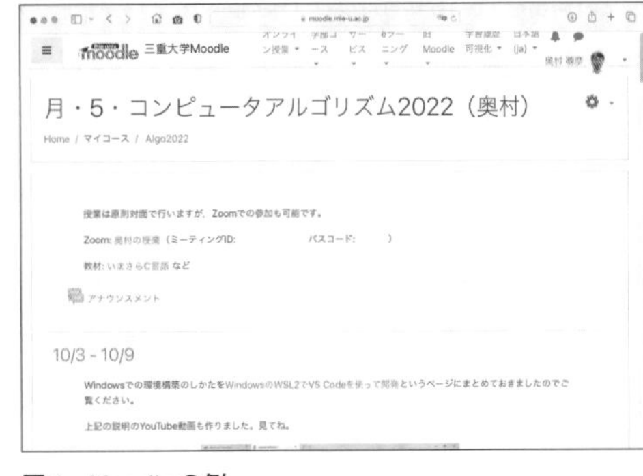

図4　Moodleの例

WikiやSNSもCMS

Webブラウザ上で、簡単に新たなページを作ったり、記事を追記したりできる**Wiki**や**SNS**（Social Networking Service）もCMSの一種です。その公開範囲を設定したり、特定のユーザだけに閲覧権限や編集権限を与えたりするのを、Webブラウザ上で簡便に制御できるのも、CMSの機能の一部です。ふだん意識していなくても、私たちはいろんなところでCMSのお世話になっているんですね。

□ 検索サイト

Googleが圧倒的シェアを持ち、検索表示順位が会社の命運すら左右する

インターネットで調べものをするとき、まず使うのがGoogleやYahoo!などの**検索サイト**でしょう。しかし、キーワードの選択が不適切だと期待した結果が得られなかったり、逆に検索結果の量が多すぎてどのページを見ていいか迷ったりすることもあります。

自動収集した情報を蓄積している

検索サイトはクローラが定期的にWebサイトをコピーして収集しています。**クローラ**とは、ロボットとかスパイダーと呼ばれることもある、Webページの自動収集プログラムのことです。また、クローラが収集したWebサイトのコピーのことを**キャッシュ**といいます。

このキャッシュから、検索サイトはインデックス（索引）をあらかじめ作成しておきます。検索サイトが入力されたキーワードを基に検索する際はこのインデックスを使います。このことから、次のような課題があることがわかります。

- ニュースや新しいWebサイトなど、まだインデックスが作成されていないサイトは検索されない
- 必ずしも最新のものではないため、検索結果とページの内容が不一致だったり、すでに存在しなかったりする場合がある

頻繁にキャッシュを収集することで、これらの問題は改善されますが、完全に解消されるわけではありません。

世界中のWebサイトのデータを収集するので、蓄積されるデータは膨大な量になります。実際には非常に多数のサーバに分散して置かれていますが、利用者からは1カ所にあるように見えるようにしてあります。

ユーザが検索窓にキーワードを入力すると、検索サイトはインデックスから、該当するキーワードが含まれるページを探し出して一覧表示します。

一覧表示は、重要度の高いものが上位になるようになっています。ただし、この重要度は、検索サイトを運営する会社が独自に設定したものであり、ユーザにとっての重要度と必ずしも一致するとは限りません。

検索連動型広告

検索サイトで何かを検索すると、その検索キーワードに関連する商品やサービスの広告が表示されることがあります。これを、検索連動型広告とか、リスティング広告と言います。検索キーワードは、利用者が今興味を持っている事柄であり、それに関連する広告を表示すれば利用者の購買行動につながる確率は高いため、費用対効果の大きい広告手法です。

検索結果が社会に与える影響

検索結果が、少しでも上位に表示されるように、さまざまな工夫が凝らされています。これを**SEO**（Search Engine Optimization）といって、SEO専門の会社まであるくらい重要度が高まっています。

また、国や地域によっては、政府の方針で検索できる内容に制限をかけている場合があります。

検索エンジンがもはや個人の域を超え、社会全体に大きな影響力を持っていることの表れと言えます。

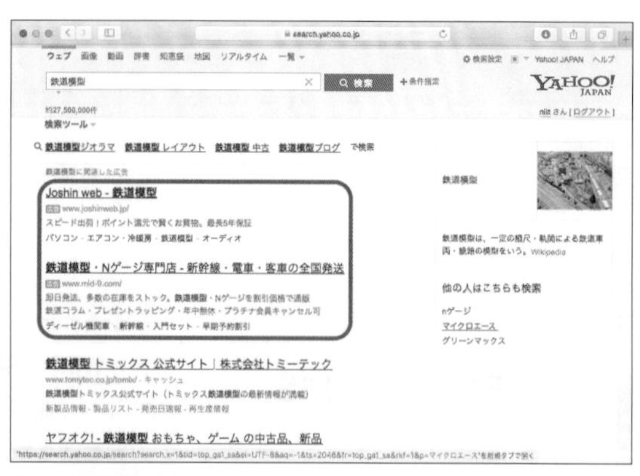

図1　検索連動型広告の例

サジェスト機能

検索窓に、一部の文字を入力すると、よく検索されているキーワードを提案してくれます（図2）。思いつかなかったキーワードが提案されることで、簡単に適切な検索を行うことが可能になります。

ところが、関連キーワードに、悪い印象のものを表示させる「サジェスト汚染」という問題もあります。特にBingでサジェスト汚染が目立ち、この被害をうけた企業や個人には、いわれなき誹謗中傷がつきまとったり、悪い噂になったりすることがあり、問題になっています。

図2 「鉄道」と入力すると、サジェスト機能によってよく検索されているキーワードが提案される

検索結果の並び順

検索結果は重要度の高いページから順番に並べられます。この重要度の基準は、各検索サイトの運営会社で異なります。たとえば、次のように算出している場合があります。

- たくさんのページからリンクされているページほど重要度が高い
- 重要度の高いページからリンクされているページほど重要度が高い

ただし、ユーザごとに検索するキーワードは異なります。そのユーザが今までどのような検索を行ったのかを記憶しておき、それに関連の深いページを上位に表示するような、検索結果のパーソナライズ（各個人に特化した表示）もされています。

不正に検索順位を上げようとするような事例もあります。また、国家や一部の企業の意向で検索結果に表示されないようなケースもあり、議論を呼んでいます。さらに、検索サイトを提供している企業そのものの意向も大きく反映していると言われています。

検索オプションの活用

検索結果が大量になった場合、2つ以上のキーワードを組み合わせて検索結果を絞り込むことが必要になります。Googleなどでは、検索結果のページに絞り込み検索の候補が表示される場合があります。これはよく検索される検索ワードに基づいています。これを参考にするのもよいでしょう。

さらに高度な検索方法として、「すべてのキーワードを含む」「語順も含め完全一致」「いずれかのキーワードを含む」「含めないキーワード」などの指定ができるので、効果的に組み合わせることが必要です（図3）。

最終更新が「24時間以内」「1週間以内」「1カ月以内」など、情報の鮮度で検索結果を絞り込むのも効果的な検索方法です。

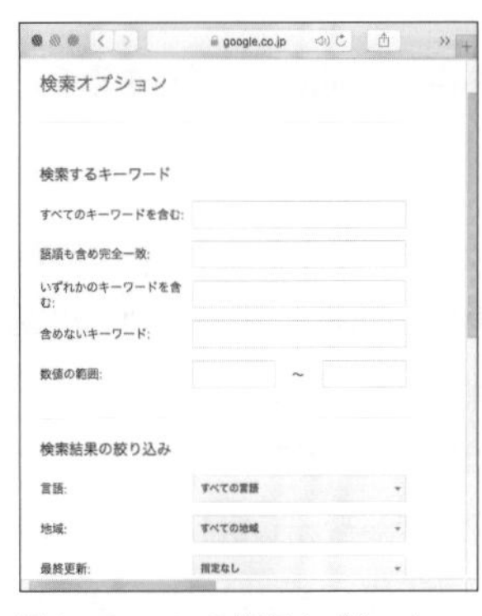

図3　Googleの検索オプション

画像や地図などのさまざまな検索

検索サイトは無料で利用できますが、どのように運営しているのでしょうか。基本的には、検索結果とともに表示される広告によって収入を得ています。広告の内容は、検索キーワードに応じて、そのユーザが興味を示す可能性の高いものを表示するようになっています。検索連動広告というものです。

また、より多くのユーザを取り込むため、通常のWebページ検索のほかに、画像、動画、地図、ニュース、書籍など、さまざまなものに特化した検索機能も提供されています。地図検索では、住所から地図を表示したり、地図上にある店舗などを検索したり、目的地までの鉄道の乗り換えルートを検索したりできます（図4）。

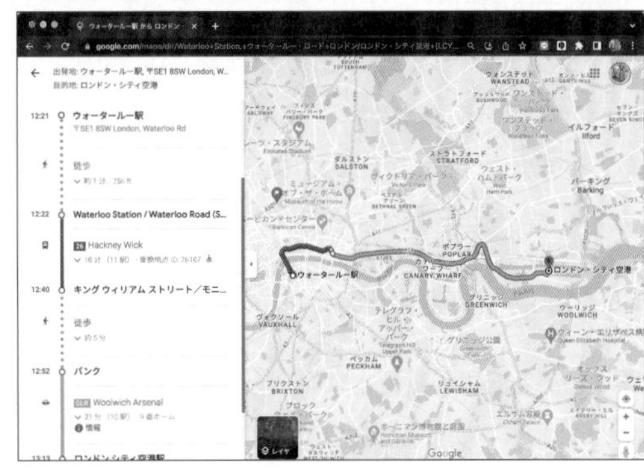

図4　Googleのルート検索では乗換案内も表示する

□ Wikipedia

利用者みんなで作り上げるオンライン百科事典

Webブラウザを使ってコンテンツを管理する**CMS**(Content Management System)の1つに、**Wiki**(ウィキ)というシステムがあります。**Wikipedia**(ウィキペディア)はこのWikiを使って百科事典を世界中のみんなで作ってしまおうというプロジェクトです。WikipediaはWikiと、百科事典を意味するencyclopediaを合わせた造語です。英語版からスタートしたこのプロジェクトは、現在、329種類の言語で展開されています。また、数多くの記事があり、日本語版では135万件、英語版では659万件、すべての言語を合わせると、記事数は6027万件以上になります(2022年12月現在)。

誰でも自由に利用・執筆できるWeb上の百科事典

Wikiは、文章をまとめるような作業を、協働して行うのに適したCMSです。当初、専門家だけでWeb上の百科事典を作ろうとしていたのですが、作業がはかどらなかったため、Wikiを利用して誰もが参加できるように方針を変えました。つまり、「大勢でよってたかって作れば、少数で作るよりいいものができる(かもしれない)」という発想です(図1)。

Wikipediaのコンテンツは誰もが自由に利用できます。これは、無料で閲覧できるというだけでなく、Wikipediaのコンテンツに基づいて作ったことを表示し、そうして作ったものもまた同じように自由利用を認めるならば、Wikipediaのコンテンツを変形、改変、頒布できます。Wikipediaのコンテンツを利用したサイトもたくさん登場しています。

Wikipediaで発生するいくつかの問題

誤りのある記事が掲載される

Wikipediaの記事は、専門家のチェックを経ているわけではないため、誤りがあることは避けられません。大勢の参加者によって次第に修正されていくので、誤りが多いわけではありませんが、記事が誤っている可能性はあります。したがって、Wikipediaの内容を利用する場合は、実際に一次資料にあたるなどしてその信憑性を確認しましょう。一次資料とは、直接の記録そのもののことを言います。きちんとした記事ならば一次資料に関する記載もあるはずです。

記事が誤りである可能性のほかに、記事が法律に違反している可能性もあります。特に、無断で他の文献の記述をコピーしたものは著作権法に違反します。

荒らし行為にあう記事がある

Wikipediaの記事には中立性が求められますが、これはなかなか困難なことです。主義主張の異なる執筆者がいると、相手の修正に対して再度修正をするなどの編集合戦が起きることがあります。特に、政治や宗教関係の記事にこのようなことが起こりがちです。また、いやがらせなどを目的とした荒らし行為が発生することもあります。

ガイドラインに反したこのような記事は、発見され次第、前の版に差し戻されます。Wikipediaではすべての履歴が保存されているので、差し戻しは容易です。また、継続して問題が起きている場合は、その項目を一時的に編集不可にする措置が取られます。特定の執筆者による場合は、その執筆者の編集を拒否することもあります。

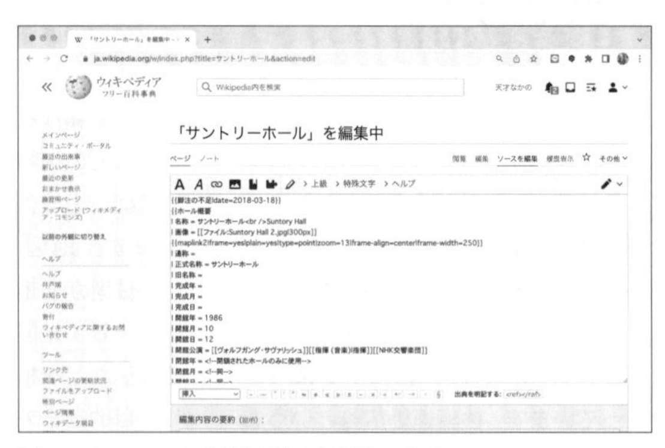

図1　Wikipediaの記事は誰でも編集できる

Wikipediaは寄付で運営されている

Wikipediaのコンテンツは、前述のようにボランティアによって執筆されています。しかし、Wikipediaのような利用者の多いWebサイトを維持するには、ハードウェアの保守・管理、インターネット回線などで多額の費用が必要になります。Wikipediaの運営に必要な費用はすべて寄付でまかなわれています。広告は一切ありません。

Wikipediaはウィキメディア財団というアメリカに本拠を置く非営利組織により運営されています。財団は事務やシステムを管理していますが、コンテンツへの干渉は行いません。基本的に執筆者たちの自律性にまかされています。Wikipediaは多くの人の協力によって成り立っているのです。

意図的な編集を監視するサービスも

誰もが執筆者になれるWikipediaでは、自分の利益になるように誘導する執筆者もいます。特に、企業や政府機関、有名人の項目などでよく見かけられます。ある証券会社が自社に不都合な情報を削除するといった事件が明るみになり、後に謝罪をするということがありました。

このような利害関係に敏感な企業や政府機関などの記事は、偏向した意図を持って編集されがちです。そこで、そのような編集を監視するWiki Scannerというサービスが生まれました。このサービスを利用すると、どの組織からどの記事に書き換えが行われたかを検索することができます。

中立的ではない編集はガイドラインに反するので、見つかり次第、前の版に差し戻すなどの対応が取られます。おかしな編集がないように監視をしている利用者もいますが、やはり対応までの時間差があることや、注目度の低い記事ではそのまま残ってしまう可能性があることなどを考慮しなければなりません。

Wikipediaを参照する

Wikipediaには，専門図書をしのぐほど詳細で正確な記事がたくさんあります。また，調べたい内容に関するキーワードを検索サイトに入れると，Wikipediaが上位に出てくることも多いです。しかし，Wikipediaの掲載内容をそのまま学校のレポートなどに書き写したりすることは一般に許されません。自分でその内容を理解して，自分の言葉でしっかり表現するようにしましょう。

また，いつでも誰でも内容を書き換えられるWikipediaは，いつ誰がどんな根拠で著述したのかを特定することが困難なので，参考文献として引用するのも不適当です。ただ，そこには貴重な知見が詰まっているので，Wikipediaの記述を手がかりにして，その元になっている資料にあたるというのは効果的な調べ方です。

テキストベースの独自タグ形式を用いるWiki

Wikipediaで用いられているのはWikiというCMSです。Wikiは、もともとWikiWikiWebという名前でした。Wiki Wikiはハワイ語で「速い」という意味で、ページの編集がすばやくできるという意味がこめられているそうです。その後、短縮されてWikiと呼ばれるようになりました。

Wikiの特徴は、HTMLを使わずにWiki形式という独自の記法でページを記述することです。Wiki形式の決まりごとはわずかであるため、誰でもすぐに習得できます（図2）。

各ページには、Wikiネームという、そのページのタイトルに相当するものがあります。Wikiネームは、別のページからWikiネームが示すページへリンクするときに使います。リンク指定の形式はWikiの種類ごとに若干異なりますが、Wikipediaであれば[[学校]]のようになります。

Wikiネームで示したリンク先のページが存在しない場合、そのリンクをクリックすると自動的に新規ページの作成画面になります。つまり、リンクが必要だと思ったら片っ端からWikiネームへのリンクにして、そのままページの記述を進めて構わないのです。このため、リンク先のページの有無を意識せずに執筆に専念できます。存在しないページは後から書けばいいのです。このあたりが「速い」と言われるゆえんでしょう。

Wikiでの記法	ブラウザでの表示
== セクション（節）の見出し == === サブセクションの見出し === ==== サブーサブセクションの見出し ==== * 箇条書きは簡単です。 ** 行頭をアスタリスク（*）で開始。 *** "*"が複数で入れ子に。	**セクション（節）の見出し** **サブセクションの見出し** **サブーサブセクションの見出し** ● 箇条書きは簡単です。 ● 行頭をアスタリスク（*）で開始。 ● "*"が複数で入れ子に。

図2　Wikiでの記法とブラウザでの表示

□ ネットショッピング

手軽にお得にネット通販、個人が不用品を売ることも

ネット上で行われる販売行為全般を**Eコマース**(Electronic Commerce：電子商取引。ECとも)と言います。ネットショッピングは代表的なEコマースです。

ネットショッピングの魅力は、なんといっても家に居ながらにして商品を選んで注文できることです。しかも、同じ商品を店頭で買うより安く、かつ送料無料で翌日には自宅に届くケースも少なくありません。

Amazonは世界最大のオンラインショッピングサイト

ショッピングサイトの中で、いち早く、かつ独自の方法で成長を果たしたのが「**Amazon**」(アマゾン)です。もともとAmazonの販売形態は自社倉庫に商品の在庫を抱え、ユーザから注文が入ると発送するというものでした。販売主はAmazon自身ですし、販売価格もAmazonが独自に設定しています。

現在のAmazonは、マーケットプレイスというサービスも展開しています。これは第三者の販売主と購入者に対して売買のスペースをAmazonが提供するというもので、日本のショッピングサイト「**楽天市場**」や「**Yahoo!ショッピング**」のショッピングモールに近い形態となっています。

Amazon、楽天市場、Yahoo!ショッピングは国内ネットショッピングの三大サイトと呼ばれ、あらゆる物を扱っています。他方、アパレル(衣料品)系商品だけを扱う「**ZOZOTOWN**」(ゾゾタウン)のようなショッピングサイトもあります。

個人がネットでものを売る

オークション(auction：競売)では、市場(いちば)の競りのように、最も高い金額で入札した人が品物を落札できます。特殊な売買形態ですが、**ネットオークション**の登場で身近になりました。国内では「**ヤフオク!**」が最大のオークションサイトです。多くの業者や個人が、さまざまな分野の品物を多数出品しています。スマートフォンからも利用しやすいオークションサイトとして、「**モバオク!**」も人気があります。

ネットオークションと並んで人気を集めているのがフリマ(flea market：蚤の市)形式のサービスです。オークション形式とは異なり、定額で出品し、欲しい人は早い者勝ちでその値段で品物を購入できます。スマートフォンにインストールした**フリマアプリ**を使い、売りたいものを撮影して手軽な操作で出品できるのが特徴です。フリマアプリとしては、メルカリが運営する「**メルカリ**」(国内ダウンロード数8000万、販売手数料10%)と、楽天グループの「**ラクマ**」(同3000万、6.6%)が有力です。両者は販売手数料や決済方法の種類に違いがあります。ほかにも10以上のフリマアプリがあり、特定の分野の商品を扱うことなどで差別化を図っています。

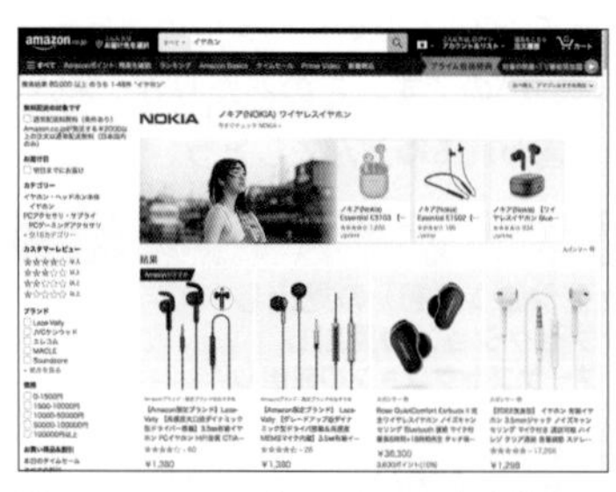

図1　Amazonで「ヘッドホン」で検索した結果。ここから各製品の詳細情報や、購入者からの評価を参照できる

図2　メルカリで「エレキギター」を探した結果の画面。売りたいものが手元にあれば、下部のカメラアイコンから簡単な操作ですぐに出品できる

図3　ラクマで「エレキギター」を検索した結果。画面構成はメルカリとほとんど変わらない

店頭で選び通販で購入 店舗がショールーム化

消費者にとって大変便利なネットショッピングですが、実物を手にとって吟味できないという弱点があります。そこで、ネットで見つけた商品を実店頭で確認し、自宅に戻ってネットで最安値で買える店を見つけて注文する**ショールーミング**と呼ばれる購入スタイルが流行しています。これは「店舗のショールーム化」とも言われ、小売店にとって死活問題です。

商品によっては、鮮度やアフターサービスなど、価格だけでは決められない要素が大きいものもあります。また、購入を決めてから実際に手にするまで一定の時間のかかる通信販売に対して、販売店では購入した商品をすぐに入手できることと、送料がかからないというメリットがあります。販売する側には、こうした価格以外の価値や利便性をいかに消費者にアピールして、売り上げにつなげていくかがこれまで以上に問われています。

家電量販店大手のヨドバシカメラは、ショールーミングを受け入れることで活路を開こうとしています。店内でWi-Fiの無料開放とスマホでの撮影行為を許可。そしてスマホで商品のバーコードを読み取れば、自動的に自社オンラインショップ「ヨドバシ.com」の商品ページに飛べるアプリを提供しているのです。ヨドバシ.comは送料が無料なことも大きな特徴です。

投資より購入目的が主流の クラウドファンディング

個人や小規模事業者がオリジナルの製品や新しいサービスを開発して販売しようとするとき、開発資金の調達や販売経路で悩むのが普通です。そういうときに利用できるのが、不特定多数の人から資金を集める**クラウドファンディング**という方法です。クラウドファンディングはCrowd（群衆）とFounding（資金調達）を組み合わせた造語で、クラファンと略されることもあります。国内では、Makuake（マクアケ）やCAMPFIRE（キャンプファイヤー）をはじめ、20以上のクラファンサイトが活動しています。

クラファンの形態には、購入型、寄付型、投資型があります。主流は出資者が対価として商品を受け取る購入型で、ネットショッピング感覚で気軽に参加する人が増えています。

クラファンの出品者は、たとえば「今度こういうアクセサリーを作りたいのですが、20万円の資金が必要です。1個2000円で売るので、欲しいと思う人はお金を出してください」といった具合で出資者（＝購入者）を募ります。出品者は資金調達と宣伝、販売をまとめて行うことができるわけです。一方、出資者は他では手に入らないユニークな商品やサービスを得ることができます。

先のアクセサリーの例では、プロジェクトの目標金額として20万円が設定され、「このアクセサリーが欲しい」という人100人が2000円ずつ出資すればプロジェクトが成功します。出品者は集まった資金を使って実際に製品を作り、出資者に配ることになります。目標金額以上のお金が集まって儲かることもありますし、目標金額に届かず、プロジェクトが不成立に終わって返金となる場合もあります。なお、クラファンサイトは集まった総額から10%程度の手数料を徴収します。

図4　クラウドファンディングの支援者募集ページの例。このプロジェクトではすでに目標金額に達している

ロングテール論と パレートの法則

図5は、商品を販売量の多い順に横軸に並べ、縦軸に売り上げをとったグラフです。このグラフは長く尾を引いたような形状から「**ロングテール**」と言われます。売れ筋商品の部分がヘッド、残りがテールとなります。

あまり売れないテール部に属する商品たちも、数を並べれば売れ筋のヘッド部に匹敵する売り上げになる。これがロングテール論です。

一方、売り上げの80%は20%の売れ筋商品で得られていると言うのがパレートの法則です。

展示スペースが限られる実店舗販売においては、パレートの法則に従って、売れ筋の商品を揃えるのが普通です。一方、通販やネット販売においては、商品を在庫しなくてもカタログや画面に商品を並べて販売することが可能ですから、ロングテール論に従ってテール部分でも儲けることができます。

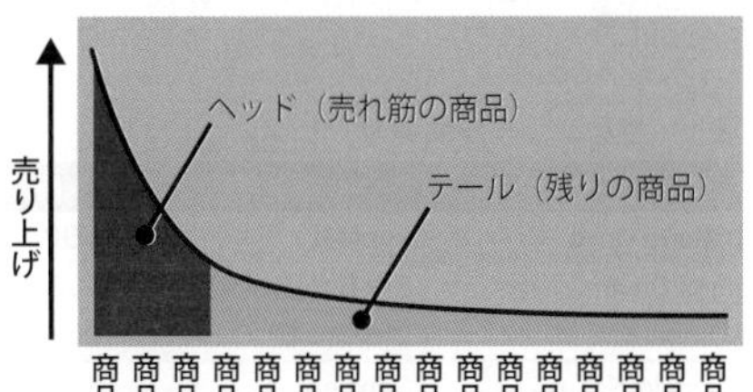

図5　ロングテールのグラフ

□ ファイル共有とクラウドストレージ

さまざまな端末でファイルを共有できるクラウドサービス

複数のパソコンや携帯端末を持っている場合、１台のパソコンで入力した文書、メール、写真、音楽、予定表、メモ、住所録などのさまざまなデータを、他のパソコンや端末からも利用できたら大変便利です。そのような使い方を**ファイル共有**といいます。

ファイル共有を実現する方法はいくつかあります。代表的なのが、クラウドサービスが提供する**クラウドストレージ**の中に用意したフォルダ（ディレクトリ）に共有したいファイルをアップロードして、複数のパソコンや端末からアクセスする方法です。

色々な会社がファイル共有サービスを提供しています（表１）。無料で数GBの容量を利用できる場合が多く、容量不足の場合は料金を支払うことでより多くの容量を利用可能です。

各端末で開いたファイルの内容を、ファイル共有サービスの内容と一致させることを**同期**といいます。同期が成功すると、たとえばパソコンと携帯端末とで同時に同じクラウドストレージ上のフォルダを開いていた場合、片方の画面でフォルダにファイルを保存したり削除したり内容を書き換えたりといった操作が、自動的に他の端末から見たフォルダとファイルにも反映されます。

使い方１：パソコンから自分でファイルを共有する

パソコンで同期を自動的に行うには、各社が配布しているアプリをパソコンにインストールします。

その後、アプリにアカウントを登録します（最初だけ、アカウントを作成する必要があります）。

あとは、アプリで指定されたフォルダにファイルを置くだけで、自動的に同期が行われます。

表１　主なファイル共有サービス

サービス名	提供会社	無料で利用できる容量
iCloud Drive	Apple社	5GB
Box Drive	Box社	10GB
Dropbox	Dropbox社	2GB
Googleドライブ	Google社	15GB
MEGA	Mega社	20GB
OneDrive	Microsoft社	5GB
firestorage	ロジックファクトリー	無制限

使い方２：スマートフォンやタブレットで利用する

スマートフォンやタブレットの場合も、各社が配布しているアプリをインストールし、設定する必要があります（図１、図２）。ただし、本体の記憶容量が小さいので、最初は共有サービスのフォルダ名とファイル名だけが同期されます。そのファイルを利用しようとすると、自動的にそのファイルだけが同期されます。また、一定期間の利用がないと、そのファイルは同期を解除され、スマートフォンやタブレットから削除されます。

同期が成功すると、たとえばスマートフォンで撮影した画像を、あとでパソコンで簡単に取り出すことができるようになります。

使い方３：ブラウザなどを利用する

専用のアプリをインストールしなくても、Webブラウザを利用してファイル共有サービスのサイトにアクセスし、ブラウザを利用してファイルをアップロード/ダウンロードすることも可能です。この場合は、同期は自動的に行われません。容量が小さいパソコンなどでは、ブラウザを利用する方がよいでしょう。

図１
iOS用Dropboxの画面

図２　Android用OneDriveのアプリアイコン

ソースコードの共同開発を支援するGitHub

GitHub（ギットハブ）は、プログラムのソースコードのバージョン管理を行うGitというシステムを応用したWebサービスで、チームでプログラム開発を行うときに特に有益です。

GitHubを使うと、ソースコードのどこをいつ誰が修正したかといった編集履歴が自動的に記録されるので、バグがどこで発生したかを特定するのに役立ちます（図3）。

GitHubは開発チーム内の連携を取るためのSNS的な機能も持っています。たとえば他のメンバーにソースコードの修正箇所と内容を通知したり、レビュー（プログラムを試用して評価すること）を行ってくれるように依頼したりすることができます。

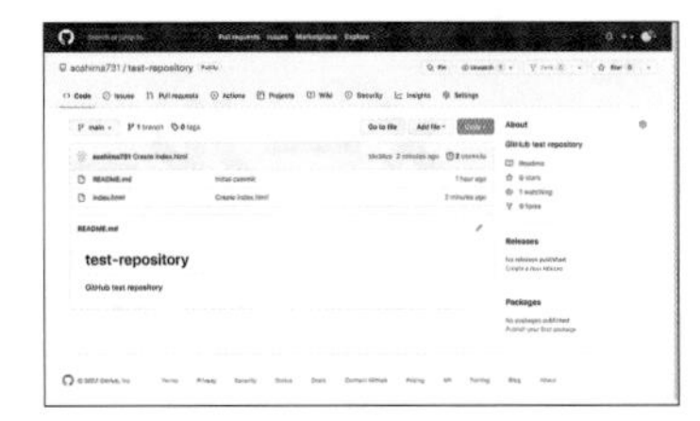

図3　GitHubの管理はこのブラウザの画面から行うが、詳細な制御はコマンドラインからコマンド入力で行う必要がある

チームでドキュメントを共同編集する

マイクロソフトはWord、Excel、PowerPointなどのOfficeアプリをブラウザ上で使えるようにしたOffice Onlineというサービスを無料で提供しています（図4）。パソコンのブラウザでOffice Onlineのページを開き、Microsoftアカウントでサインインすれば、アプリのインストールもなしにすぐにOfficeアプリが使えます。

各アプリはブラウザ上で動くので、WindowsでもMacでもスマホからでも利用可能です。各アプリで編集したドキュメントは、マイクロソフトの無料クラウドストレージOneDriveの中に保存されます。

同様のサービスはGoogleも提供しています。クラウドストレージのGoogleドライブに対して、Googleドキュメント（ワープロソフト）、Googleスプレッドシート、Googleスライドなどのオンラインアプリで編集したドキュメントを保存できます。

OneDriveもGoogleドライブも、各ドキュメントに対して共有設定ができ、複数のユーザが同一ドキュメントを開いて同時に編集することも可能です。

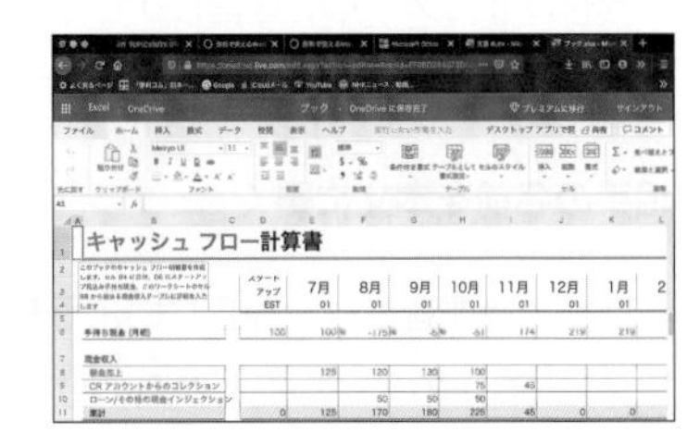

図4　Excel Onlineの画面

LAN内でのファイル共有

WindowsやmacOSは、それ自体がファイル共有機能を持っています。この機能を利用すると、LAN内の同じグループのパソコン間で、ファイルを閲覧したり、編集することが簡単にできます。

LAN内のファイル共有には、**NAS**（Network Attached Storage）という装置を利用する方法もあります。NASはLANに接続する大容量の記憶装置で、LANに接続された全てのパソコンからネットワークドライブとして共有可能です。

OSやNASのファイル共有では、フォルダやファイルごとに、閲覧のみ、編集許可などの設定を行うことができます。

ファイル共有サービスでは情報漏洩や著作権侵害に注意

多くのファイル共有サービスでは、ファイルの公開範囲の設定は、主に以下の4つになっています。

①自分のみ
②ログインした一部の人（ファイルごとに設定）のみ
③共有リンク（URL）を知っている人のみ
④検索対象にも入り、広く公開（共有リンクを知らなくても検索でたどり着ける）

公開範囲の設定は慎重に考える必要があります。また、共有リンクによる公開の場合は、そのURLの取扱いを重要にしておくべきです。

もし、共有対象のファイルに個人情報などプライバシーを侵害する情報が含まれていたり、無断公開ができない著作物が含まれていると、他人に迷惑をかけたり、犯罪行為に該当してしまう可能性もあります。

個人情報を含むファイルをファイル共有サービスで共有する必要が生じた場合は、そのファイルに、強力な（複雑な）パスワードを使った暗号化の処理をしておくべきでしょう。Microsoft Officeは、保存時のオプションで指定できます。それ以外の場合はパスワード付ZIPファイルにすると、万一ファイルが流出しても、中の情報を読みとられる可能性が減少します。

□ メールコミュニケーション

社会人として身に付けておきたいメールの作法

メール(電子メール)は文字だけのコミュニケーションで、相手の表情や雰囲気は分かりません。図1を例に説明します。

適切な件名を書く

件名を見ただけでメールの中身がわかるような、簡潔で的確な件名を付けます。携帯電話に慣れていると、件名を付けずにメールを送信しがちですが、件名はとても重要なので忘れないようにしましょう。

相手の名前を本文に書く

ほかの受信者には分からないよう**Bcc**で届いたのに、自分宛(**To**)のメールだと勘違いして全員に返信してしまうという事故も起きています。メール本文を

佐藤さん(**Cc**:辰己さん)

のような書き出しで始めれば、受信者が誤認することもなく、そのメールの位置付けも一層明確になるでしょう。

自分の名前を本文に書く

送信先に応じて必要な情報を追記することが望ましいでしょう。たとえば、生徒から先生へ送信するメールなら「1年2組34番の中野です。」のように名乗ることで、受信者のメール処理が格段にやりやすくなります。

適切な言葉遣い

誤字・脱字・誤用や、敬語・謙譲語の使用に留意するだけでなく、誤解されにくい、論理的かつ適切な日本語表現ができなければなりません。誰が読んでも同様の理解になるよう、主語や修飾関係を明確に記述する必要があります。また、言葉で表現しにくい微妙なニュアンスを、絵文字や顔文字などに託す場合もありますが、文字だけで意図したコミュニケーションができるよう、適切な日本語表現ができるようにしておくことが重要です。

署名の内容

メールの末尾には**署名**をつけるのが一般的です。ただし、面識のない人に送るメールに、自分の携帯電話の番号や自宅住所などを含む署名を付加するのは危険です。複数の署名を切り替えることのできるメールソフトもあります。相手に応じた署名を添付するようにしましょう。

添付ファイル

ファイルを添付する際の注意点が2つあります。

1つはファイルサイズです。目安として2MBを超える場合はメールではなく、Web経由でファイルをやり取りするサービスを利用しましょう。

もう1つはファイルの種類です。特殊な形式のものは、受信者側で開けるかあらかじめ確認しましょう。

また、わざわざ添付ファイルにしなくてもよいようなものは、メールの本文に書いて済ませるようにしましょう。

件名:12月2日 3限目「鉄道情報システム」の課題について

坂本先生,
鉄道情報学科 JR397003 中野由章です。

本日12月2日 3限目「鉄道情報システム」の課題について,質問させてください。課題設定は自由に行ってよいとのご指示でしたが,特に授業で取り上げられなかった内容でもよろしいでしょうか。

私は,「列車位置情報の提供と顧客満足度」について調査して,報告したいと考えています。もし,私の認識が誤っていて,課題は授業で取り上げたものに限られるならば,変更しなければなりません。

恐れ入りますが,来週水曜までにご指示いただけると助かります。

以上,よろしくお願い申し上げます。

追伸:直接お話しさせていただいた方がよい場合は,場所や時間等をご指定いただければそこに参ります。
--

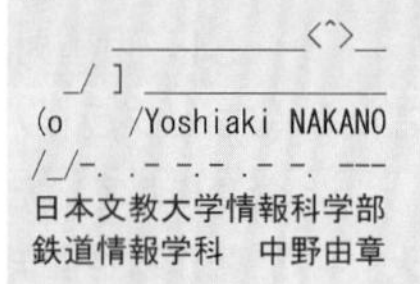

日本文教大学情報科学部
鉄道情報学科 中野由章

図1 適切な書き方をしたメールの例

メールを送受信する際のポイント

セキュリティを高める対策をする

添付ファイルなどを介してウイルスに感染することがあります。また、メール本文のプレビューだけで感染することもあります。通信は、TLS/SSLで行われていることを確認しましょう。そうでない場合、送受信されているメールの中身が盗み見られる危険性があります。また、OSやアプリケーションの最新バージョンへの更新やプロバイダが提供するセキュリティ機能などを活用しましょう。

知らない人のメールには応答しない

知らない送信者からのメールをむやみに開かないようにしましょう。メール本文にあるリンクをクリックするのは極めて危険です。「配信停止はこちら」などと書いてあるのは罠である可能性があります。反応せずに迷惑メールとして処理しましょう。

HTMLメールを使う時の注意点

文字だけのプレーンテキストメールではなく、Webページと同様に文字のフォント、大きさ、色を変えたり、写真や動画を本文中に埋め込んだりすることができる**HTMLメール**（リッチテキスト形式ともいう）がよく使われるようになりました。ただし、必ずしも送信側の意図通りに受信側で表示されるとは限りません。必要がないときは、テキストメール（プレーンテキスト形式ともいう）で送れば、送信データ量を減らすこともできます（HTMLメールしか扱えないメールアプリもあります）。

転送設定に注意する

パソコン宛のメールをケータイに転送する場合、ケータイで受信できない大きな添付ファイルがあると、送信者にエラーメッセージが届くことがあります。また、パソコンからのメールをケータイ側で受信拒否設定したままだとメールを受け取れません。転送設定を確認しましょう。

Webメール利用時の注意事項

Gmailなどの**Webメール**がよく利用されます。個人のスマホやパソコンなどで利用するときにはあまり気にしないことでも、ネットカフェなど共用のパソコンで利用する場合は、気を付けるべきことがいくつかあります。

- ログイン時、ユーザIDやパスワードをWebブラウザに記憶させない
- ログインしたまま席を立たない
- 利用終了時に確実にログアウトする
- 可能な限り、TLS/SSLで通信する

Webブラウザで、「プライベートウインドウ」や「シークレットウインドウ」と呼ばれるウインドウを利用すると、表示したページ、検索履歴、ダウンロード履歴、Webフォームの入力履歴、**クッキー**、ディスクキャッシュなど、保存したくないものをうっかり残すことなく、Webブラウザを終了することができます。

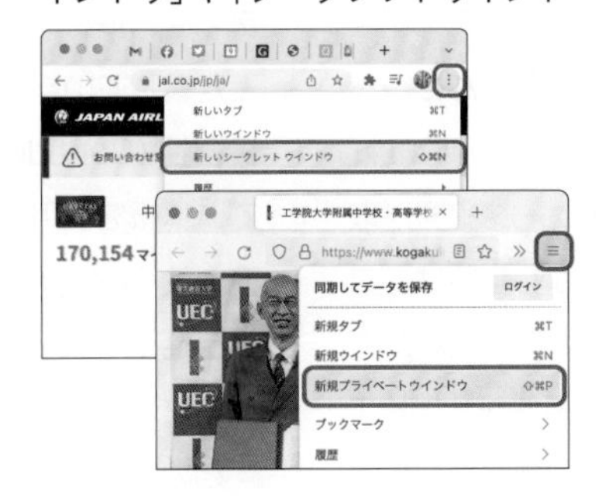

図2　シークレットウインドウ（左上、Google Chrome）/プライベートウインドウ（右下、Firefox）

図3　TLS/SSLの確認、確実なログアウト

ToとCcとBcc

メールを送信するときに、佐藤さんのメールアドレスは、通常「To」に入力します。メールの送信相手そのものではなく、佐藤さんに送った内容のメールを見ておいてほしい辰己さんのメールアドレスは「Cc」に入力します。会社なら、顧客に送るメールを、上司にも送っておくような場合に相当します。CcはCarbon copy（カーボン複写）の略です。この「To」や「Cc」に入力したメールアドレスは、メール受信者全員が見ることができます。

これに対し、「Bcc」はBlind carbon copyといって、この欄に入力した久野さんのメールアドレスは、受信メールのどこにも出てきません。つまり、誰に送ったか久野さん以外のメール受信者にはわからないのです。メール送信先を秘匿したままメールを送信したいときに、「Bcc」に入力します。相互には関係のない複数の人に、同一の内容を通知するときなどに利用します。

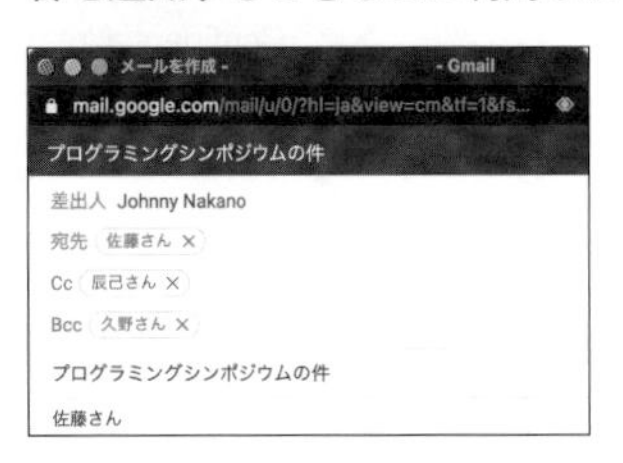

図4　To、Cc、Bcc

□ 情報セキュリティ

情報社会で安全に暮らすために必要な考え方

私たちは、さまざまな情報を扱うことができます。その中には、一部の人たちだけで共有したい情報や、なくなっては困る情報もあるでしょう。ところが、そのような情報を盗もうとしたり、破壊しようとしたりする犯罪者がいます。そのような犯罪者には、どのように立ち向かえばよいのでしょうか。

なぜ情報セキュリティが必要になったのか

コンピュータが開発された当初は、国家や巨大企業だけがコンピュータを使っていました。当時は、それを犯罪に使おうと言う人はほとんどいませんでした。

1960年代になり、コンピュータが普及し始めたアメリカでコンピュータ犯罪が始まりました。データを記録した磁気テープの持ち出しや、プログラム改ざんによる不正利子付与などの犯罪がありました。1970年には、日本で「情報公害」という言葉でコンピュータ犯罪が取り上げられるようになり始めました。しかし当時は、コンピュータを使っていたのはごく一部の人でした。たとえば1981年に三和銀行オンライン詐欺事件が発生しましたが、これは銀行の窓口職員による詐欺事件でした。

一方、インターネットは、1960年代後半に最初のものが構築されましたが、1990年までは大学や企業の研究者だけのものでした。当時は、「悪いこと」をしようとする人は冗談の一部として、あるいは自分の技術力の高さを誇示するといった目的でした。

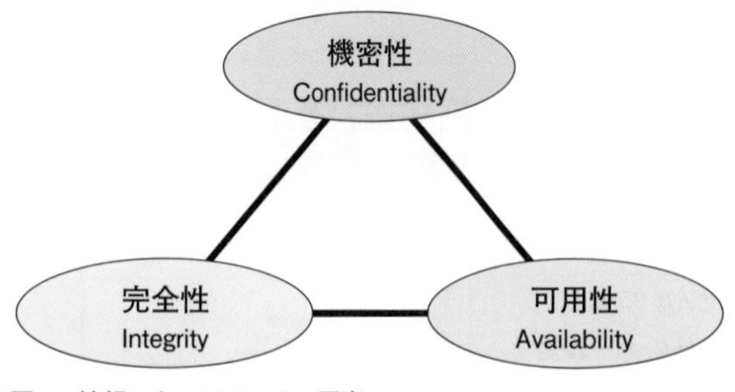

図1　情報セキュリティの3要素

1990年（日本では1991年）、インターネットの利用が民間企業に開放され、専門家だけでなく多くの人がインターネットを使うようになりました。特に、21世紀になってからの普及はめざましく、インターネットを介して「個人の思い」を伝え、仕事をし、Webで買い物も政治的な主張もできるようになりました。その結果、「悪いこと」をする人の目的が、他人のプライバシーの暴露や、顧客情報の入手、金銭目的、あるいは政治的な目的に変わり始めました。

情報セキュリティをどう考えればいいのか

日本産業規格JIS Q 27000などでは、**情報セキュリティ**を、情報の機密性、完全性、可用性を維持することと定義しています（図1）。

機密性（Confidentiality）：認可されていない者に対して、情報を使用させず、また、開示しないこと。

完全性（Integrity）：情報が正確・完全であること。

可用性（Availability）：認可された者が要求したときに、アクセス・使用が可能であること。

この3つを、英語の頭文字をとって、情報セキュリティのCIAと呼びます。

個人情報の流出は、機密性を損なう出来事です。Webサイトの改ざんは、完全性を損なわせる攻撃です。DoS（ドス）攻撃（denial-of-service attack、サービス妨害攻撃）は、大量のパケットを送りつけて可用性を侵害する攻撃です。特にDDoS（ディードス）攻撃（distributed denial-of-service attack、分散型サービス妨害攻撃）は、マルウェア（コンピュータ・ウイルス）に感染させて乗っ取った大量のコンピュータで一斉にDoS攻撃をしかけます。ランサムウェア攻撃は、マルウェアで情報を暗号化して読めなくし、金を払えば元に戻してやるが、払わないと情報を公開するぞと脅す攻撃で、完全性と機密性を侵害するものです。

情報セキュリティの事件

情報セキュリティを脅かすさまざまな事件が発生します。犯人の目的や手段、被害程度で分類してみましょう。

目的で分類

- ●金銭目的（最近増加中）
- ●政治目的（テロを含む）
- ●特定の宗教（実際は宗教の名を利用した宗教以外の活動）
- ●犯人が実力を誇示するため
- ●愉快目的

手段で分類

- ●システムの脆弱性を突くコンピュータウイルス感染
  - ・ランサムウェア
  - ・アプリ（プログラム）型
  - ・画像ファイル型
  - ・PDFファイル型
  - ・Webブラウザフラッシュファイル
  - ・オフィスファイル
  - ・USBメモリ経由
  - ・ネットワークファイル共有経由
- ●相手をだましてしまう
  - ・フィッシング
  - ・詐欺
  - ・宗教・政治を悪用した過激な主張

被害程度

多くの人を標的とした情報セキュリティの事件だけでなく、特定の人だけを標的とした「標的型攻撃」も発生しています。

- ●ネットワーク利用者全体
- ●ある企業のサービスを利用している人全体
- ●あるアプリやOSを使っている人全体
- ●特定の人（特に大企業勤務や政治家）

情報セキュリティを確保するために

正しい利用方法の普及

多くのソフトウェアやサービスは、情報セキュリティを確保できるように使い方が設計されています。おかしな設定や、おかしな利用方法のまま使おうとすると、機密性や完全性が守られなくなる恐れがあります。

犯罪者の目的を想像する

自分の情報を誰が必要としているか、それを入手した犯罪者が情報をどのように悪用するのかを想像してみると、守るべき情報セキュリティについて、より正しく、効果的な対策を考えることができるようになるでしょう。

事件・事故について知る

ほとんどの情報セキュリティ事件・事故は、既にどこかで発生しているものです。特に、普通の利用者が遭遇するものであれば、その数日前から誰かが被害に遭っていて話題になっています。自分の身の回りで何かおかしなことが発生していると感じたら、同じようなセキュリティ事件・事故が起こっていないか、Twitterや質問サイトを調べてみるといいでしょう。

また、日頃から、このような事件・事故のニュースを意識的に入手するようにしておくと、急いで判断しなければいけない状況でも、判断材料を探しやすくなります。

コンピュータのことを学ぶ

どんな事件・事故でも守れる万全な対策はありません。今までに発生したことがない事件や事故には、従来の対策は無防備です。しかし、コンピュータがどのようにして動いているのかを知っておくことで、見たことがないおかしな挙動に直面したとき、被害が少ない対応を取るための判断材料となります。

図2　Twitterによる警察庁の情報提供

情報セキュリティポリシーとCIO/CISO

企業や組織では、どのような情報資産をどのような脅威からどのように守るのかといった基本的な考え方や、運用するための規定や体制などを、きちんと決めなければなりません。その根本となるものが**情報セキュリティポリシー**です。情報セキュリティポリシーは、図3に示すように、基本方針、対策基準、実施手順の3つの階層で構成されます。このうち、上の2階層を合わせて狭義の情報セキュリティポリシーということもあります。

ただ、これらのポリシーや実施手順などを定めても、効果的に運用しなければ絵に描いた餅に終わります。そこで、組織には**CIO**（最高情報責任者）や**CISO**（最高情報セキュリティ責任者）を設けたり、常にPDCAサイクルを回してポリシーや実施手順などを改善していくことが重要になります。

図3　情報セキュリティポリシーの3階層

□ コンピュータウイルス

メールやWebの閲覧などで感染する悪意のあるプログラム

コンピュータや情報機器の利用者に、被害をもたらすように作成された悪意あるプログラムを、総称して**マルウェア**（Malware）と呼びます。その中で、正規のプログラムの一部を改ざんして増殖するものが**コンピュータウイルス**（Computer Virus）です。悪意あるプログラム全体をウイルスと呼ぶこともあります。これらが実行されてしまうと、パソコンなどの機器からデータを盗み出されたり、攻撃者の命令によって機器が遠隔操作されたりします（**遠隔操作ウイルス**）。

最近では、パソコンだけでなくスマートフォンを狙うマルウェアが急増しています。さらに、さまざまなモノがインターネットにつながるIoTの普及により、ネットワークカメラやルータなどのネット接続機器がマルウェアに乗っ取られる事態も発生しています。

ウイルスはどこからでも侵入する

ウイルスの侵入経路はさまざまです（図1）。メールの添付ファイルを開いたり、Webサイト上のプログラムやファイルをダウンロードしたりすることでウイルスに感染します。最近は特定の人や組織を狙った**標的型攻撃**が増えています。巧妙に真似された偽メールが感染源になるので、知人からのメールにも気を付けましょう。

利用しているWebブラウザなどに欠陥がある場合には、Webページを閲覧しただけで感染することもあります。セキュリティ上の問題を発生させるソフトの欠陥を**脆弱性**（ぜいじゃくせい）と呼びます。そのほか、USBメモリなどからウイルスが侵入することもあります。

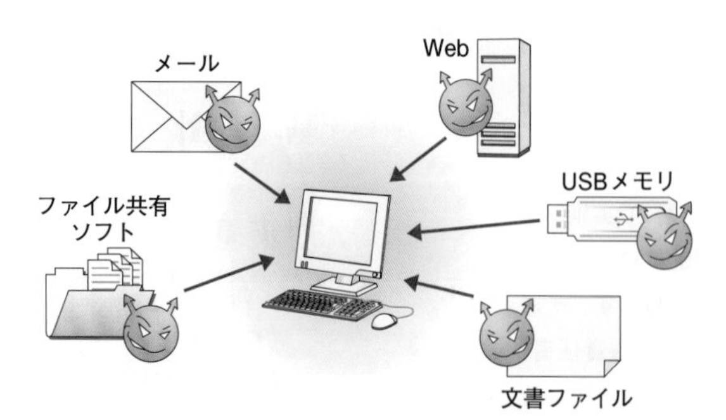

図1　コンピュータウイルスの侵入経路の例

複数の対策を組み合わせて防御する

ウイルスに感染しないためには、複数の対策を組み合わせて実施することが重要です（表1）。その1つが、**ウイルス対策ソフト**（セキュリティソフト）の利用です。ウイルスの検出･駆除に効果が期待できます。ただし過信は禁物です。出現したばかりのウイルスなどは検出できないことがあるからです。Windowsには、標準でWindows Defenderというウイルス対策ソフトが付属し、通常の利用であれば効果が期待できます。Macにも同様の仕組みがあります。スマートフォンはOSを最新の状態に保ち、公式アプリストア以外でアプリをインストールしない限り、ウイルス対策ソフトは不要です。

使っているソフトの脆弱性を解消することも重要です。脆弱性を解消するには、ソフトを最新版に更新する、あるいはメーカーが提供する更新プログラムを適用する必要があります。また、ウイルス対策ソフトに見せかけた**偽ウイルス対策ソフト**も出回っているので要注意です。

信頼できるWebサイトからソフトを入手することも大切です。また、ウイルスに感染してパソコンを使用できなくなった場合に備えて、重要なファイルについては、定期的に**バックアップ**を取ることも欠かせません。

表1　コンピュータウイルス対策の例。「これだけやれば大丈夫」という対策はない。複数の対策を組み合わせて、ウイルス感染の危険性を低くする

対策	効果
ウイルス対策ソフト （セキュリティソフト）を使用する	ウイルスを検出・駆除できる
最新版のソフトを使う／パッチを適用する	脆弱性を解消できる
信頼できるサイトからソフトを入手する	ウイルスの侵入を阻止できる
定期的にバックアップを取る	感染した場合でも復旧できる

実行してないつもりでもウイルス感染の恐れ

ウイルスはプログラムの一種です。このため、通常のプログラム（ソフト）と同じように、ユーザが実行しなければ動き出しません。

ところが、パソコンにインストールされているソフトに脆弱性があると、明示的に実行しなくてもウイルスが動き出して感染する恐れがあります(図2)。

攻撃者はソフトの脆弱性を見つけ出し、それを悪用するウイルスを作成します。メーカー側では、脆弱性が発見されると、それを修正した最新版や、修正するためのプログラム（**セキュリティ更新プログラム**）を提供します。

セキュリティ更新プログラムが提供される日（ワンデイと呼びます）までは、危険な状態が続きます。ワンデイ以前の対策がない状態での攻撃を**ゼロデイ攻撃**と呼びます。

脆弱性があるソフトの種類によって影響は異なります。たとえばWebブラウザに脆弱性があると、ウイルスが置かれたWebページにアクセスするだけで感染する恐れがあります。

WindowsなどのOSに脆弱性がある場合には、ネットワークに接続しただけでウイルスを送り込まれて感染する危険性があります。

また、文書ファイルを作成・閲覧するオフィスソフトに脆弱性があると、本来は安全なはずの文書ファイルを開くだけで、中に仕込まれたウイルスに感染する恐れがあります。

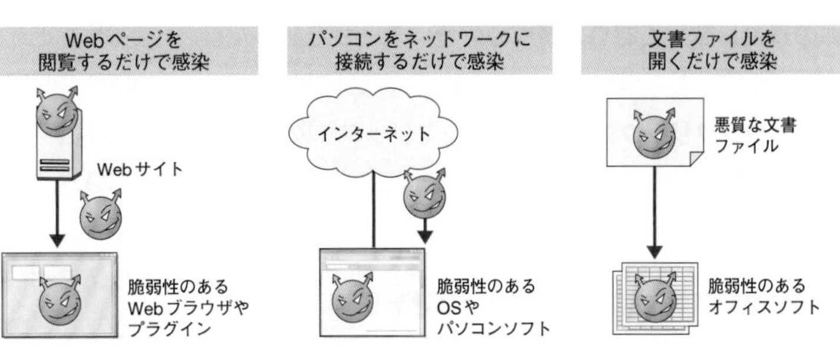

図2　脆弱性のあるソフトを使っている場合のウイルス感染例。ウイルスファイルを明示的に実行（ダブルクリック）しなくても感染する恐れがある

ウイルス作成罪が施行悪用を取り締まる

従来、ウイルスを作成した人物が罰せられることはまれでした。特定することが難しいことに加え、ウイルスの作成を罰する法律がなかったことが原因です。ウイルス作者が逮捕されたこともありますが、いずれも別件でした。

ところが2011年7月、いわゆる**ウイルス作成罪**が施行され、ウイルスの悪用そのものが犯罪になりました(表2)。

ウイルス作成罪と呼ばれていますが、実際には、ウイルスを作成したり保管したりしただけでは罪になりません。罪になるのは悪用目的のみです。

たとえば、ウイルス対策ソフトメーカーの開発者などが、研究や製品開発の目的でウイルスを作成する場合は該当しません。

ウイルス添付メールを送られて保管している場合や、ウイルスとは知らずにダウンロードした場合なども、悪用目的ではないので罪になりません。

バグ（プログラムミス）が原因で、ウイルスと同じような動きをするプログラムを作った場合も、故意ではないので対象外です。

ウイルス作成罪の施行以降、同罪による検挙が相次いでいて、犯罪の抑止力になっています。一方で、悪意のないソフト開発などにウイルス作成罪が適用される事件も起こり、功罪の両面があります。

表2　2011年7月に施行された改正刑法（いわゆる「サイバー刑法」）に含まれる、通称「ウイルス作成罪」の概要

内容	作成・提供*1・供用*2に関する罪	取得・保管に関する罪*4
罰則	3年以下の懲役または50万円以下の罰金	2年以下の懲役または30万円以下の罰金
要件	正当な理由がなく、他人のコンピュータで実行させる目的で、故意にウイルスを「作成」「提供」「供用」のいずれかをした場合に成立*3	正当な理由がなく、他人のコンピュータで実行させる目的で、故意にウイルスを「取得」あるいは「保管」した場合に成立

*1 ウイルスを悪用したい人物に渡すこと
*2 第三者が意図せず実行するような状態にウイルスを置くこと
*3 供用についてのみ、未遂を含む
*4 ウイルス作成罪と区別して、「ウイルス保管罪」と呼ばれることもある

ファイルを人質に身代金を要求するランサムウェア

2017年5月に、ランサムウェアの「WannaCry（ワナクライ）によるネット詐欺が世界的に猛威を振るいました。ランサムウェアとは、感染したパソコンのファイルを暗号化などによって使用不能にし、元に戻すことと引き換えに身代金を要求する不正プログラムです。身代金を支払っても、元に戻るとは限りませんし、身代金を再要求されることもあります。

国内では2020年11月にゲームソフト大手のカプコンがランサムウェアによる攻撃を受け、個人情報が漏洩したと発表しました。警察庁の発表では、ランサムウェア被害報告は2020年下期の21件から、2022年上期に114件へと急増しています。

□ ネット詐欺

インターネットのサービスを悪用した詐欺

インターネットも現実社会と同じようにさまざまな犯罪の舞台になっており、警戒心の低いユーザを狙った「ネット詐欺」も頻繁に発生しています。ネット詐欺の代表例は**ワンクリック詐欺**です。ワンクリック詐欺とは、インターネットの有料サービスに登録したと思わせて架空の料金を請求する詐欺のことです。

不当な高額請求には絶対に問い合わせをしない

詐欺師は、検索サイトの結果や迷惑メールのリンクからユーザを詐欺サイトに誘導します。詐欺サイトは、動画配信サイトやアダルトサイトなどに見せかけることが多いようです。ユーザが詐欺サイトに貼られたボタンや画像、リンクなどをクリックすると、「登録が完了しました」などと表示し、会員登録されたと思わせて不当な高額料金を支払うよう求めます（図1）。

請求画面には、ユーザの個人情報を把握しているように見せかけるデータが並ぶことがあります。しかし通常は、Webサイトにアクセスするだけで相手に住所や電話番号などを知られることはありません。「何かの間違いでは？」と業者に連絡してしまうと、メールアドレスや電話番号を把握されて請求が激化します。慌てずに不当な請求は無視することが重要です。

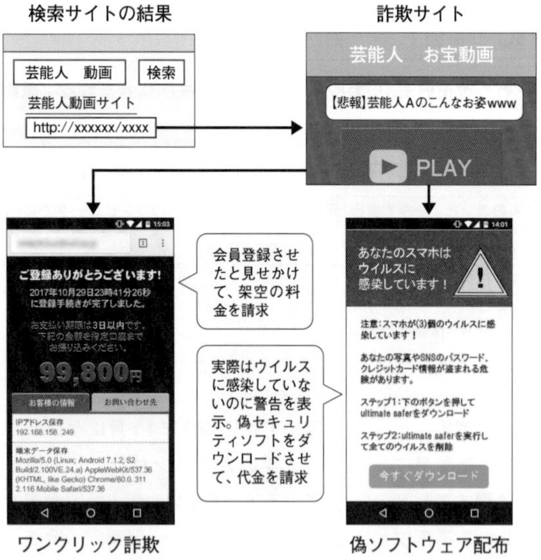

ワンクリック詐欺とともに気をつけたいのが、偽ソフトウェア（ボーガスウェア）配布です。Webサイトにアクセスした際に「ウイルスに感染しています」といった偽の警告を表示し、代金を請求するような偽セキュリティソフトをインストールさせます。

こうした警告が出ても、慌てずに対処することが重要です。画面の指示には従わず、念のため著名なセキュリティ対策ソフトでスキャンし直すとよいでしょう。

人間の心理のすきにつけ込む手法

ネット詐欺というと、情報通信技術を駆使して対象を陥れる印象があります。しかし、実際には、人間の心理のすきや行動ミスにつけ込む**ソーシャルエンジニアリング**が多くを占めています。利用者を装い管理者に電話でパスワードを聞き出したり、パソコン利用者の肩越しに入力情報を盗み見たりします。宅配便などを装ったSMS（ショートメッセージサービス）で、個人情報を入力させる手法も広がっています。

ネット詐欺にだまされた場合や、気になることがあった場合には、関係機関に相談しましょう。犯罪に関することは最寄りの警察のサイバー犯罪相談窓口（https://www.npa.go.jp/cyber/soudan.htm）、契約などに関することは最寄りの消費生活センターや国民生活センター（https://www.kokusen.go.jp/map/）が頼りになります。ワンクリック詐欺関連は、情報処理推進機構（https://www.ipa.go.jp/security/anshin/）が対応してくれます。

図1　ワンリック詐欺や偽ソフトウェア（ボーガスウェア）配布の典型的な手口。ワンクリック詐欺では、動画ファイルなどに見せかけたウイルスをダウンロードさせて、パソコン上で実行し、繰り返し料金請求画面を表示するという手口もある

偽メールで釣り上げるフィッシング詐欺

フィッシング(phishing)も、ネット詐欺の代表例の1つです。「釣り」のfishingと「洗練」のsophisticatedを掛けた言葉です。フィッシングは、ユーザのパスワードやクレジットカード番号などの個人情報を盗む詐欺です。手口は次の通りです(図2)。

詐欺師はまず、有名企業のWebサイトに似せた偽サイトを用意します。そして、偽サイトへのリンク(URL)を記載したメールや携帯電話のSMSを、その企業をかたって送信します。SMSを使ったフィッシングサイトへの誘導はスミッシングとも呼ばれます。

受信したユーザがリンクをクリックすると、ログインページなどに見せかけた偽サイトのページがWebブラウザに表示されます。そのページの指示に従ってパスワードなどを入力すると、詐欺師に送信されてしまいます。

偽サイトでは、本物のWebサイトから画像などをコピーしていて、見た目で偽物だと見抜くのは困難です。

フィッシングの被害に遭わないためには、漏洩すると困る情報を安易に入力せず信頼できるWebサイトだと確認してから入力するようにします。具体的には、Webブラウザのアドレスバーに表示されるURLを確認します。Webサイトの見た目は真似できても、URLは真似できないからです。また、SSL/TLSを使っていないサイトには個人情報の入力をやめましょう。

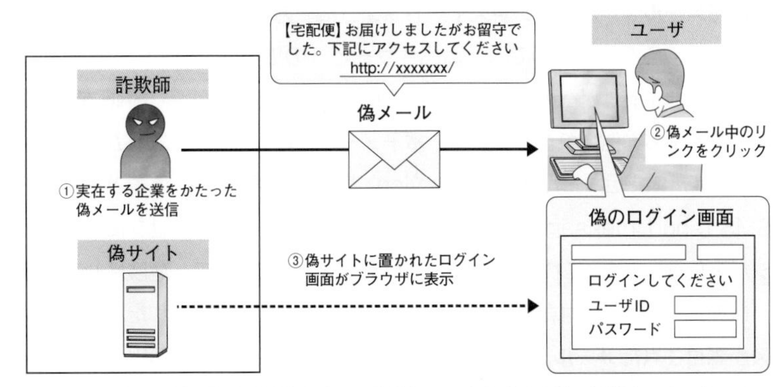

図2　フィッシング詐欺の典型的な手口。詐欺師は、実在する企業や団体をかたったメールを不特定多数に送信し、偽サイトにユーザを誘導。パスワードやクレジットカード番号といった個人情報を入力させて盗む

ユーザを狙うネット詐欺の数々

代表的なネット詐欺であるフィッシング詐欺では、さまざまな事例が生じています。一例が「クレジットカードを使った不正が発生しているので、暗証番号の変更をお願いします」といった電子メールが届き、情報を登録したところクレジットカード会社から高額な請求が届いたという詐欺です。

スマートフォンのSMSには、「お荷物が配達できませんでした」「Amazonの会費のお支払いに問題があります」などのメッセージが届いて、個人情報を抜き出すサイトに誘導されるスミッシングも増えています。

フィッシング詐欺以外の詐欺の1つが「偽販売サイト詐欺」です。売られているブランド品や各種高級品などが、実際は偽物だったり、商品を送ってこなかったりする詐欺のことです。ネットオークションも詐欺師のターゲットになります。

市価よりも割安な商品を落札して代金を振り込んだところ、商品は送られず、業者とも連絡が取れなくなりました。いわゆる「オークション詐欺」です。

無価値の情報を高値で販売する「情報商材詐欺」にも要注意です。「簡単にお金を稼ぐ方法」や「異性にもてる方法」などのノウハウを売るとしていますが、実際にはまったく異なる情報だったり虚偽の情報だったりします。

代表的なネット詐欺の手法であるフィッシング詐欺は、国内の報告件数が2018年までは毎月1000～2000件程度でしたが、2019年から急増し、2022年夏には10万件前後の規模になりました(図3)。Amazonやau、ドコモをかたる詐欺サイトの報告が増えています。

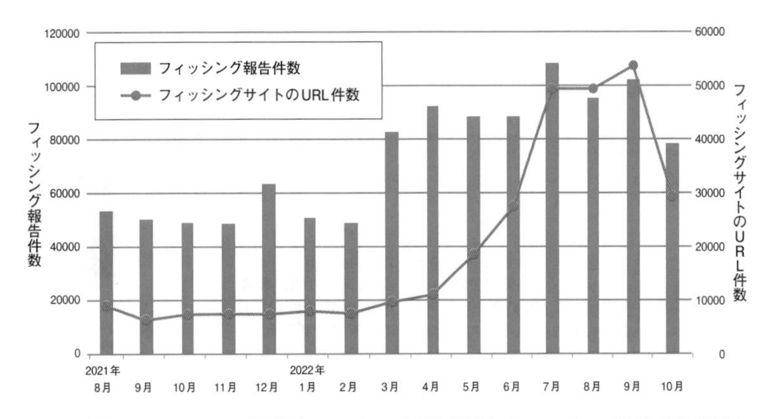

図3　急増するフィッシング詐欺(フィッシング対策協議会のフィッシング報告状況資料を基に作成)。フィッシング報告件数、フィッシングのURL件数ともに年々大幅な増加傾向にある。2022年夏には初めて月間10万件を超えた

迷惑メールとスパム

犯罪への落とし穴にもなる、注意したい悪質なメールやメッセージ

迷惑メールは、パソコンやスマートフォンに一方的に送られてくる電子メールです。商品やサービスの広告、アダルトサイトなどへの勧誘などを目的にしており、大量、無差別に送信されます。また、電子メールだけでなく、SNS（Social Networking Service）や携帯電話のSMS（short message service）でも迷惑なメッセージが来たりします。これらを総称して**スパム**と呼びます。

迷惑メールは不快なだけでなく、コンピュータウイルスが添付されたメール、架空料金請求のメール（図1）、フィッシングを行うメールなど犯罪に結び付くものも少なくありません。不幸の手紙のように、受信者に複数の人に転送することを求める**チェーンメール**も迷惑メールの一種です。最近では、チェーンメールは電子メールからSNSにシフトが進み、デマやフェイクニュースの拡大を手助けすることにもつながっています。

迷惑メールへの対処方法としては、まず、知らない発信者や不審な発信者のメールは、開かないで捨てることです。また、メールに書かれた不審なURLにアクセスせず、添付ファイルは絶対に開かない（画像ファイルを偽装したコンピュータウイルスの可能性もある）ことも重要です。さらに、不正請求などは無視し、抗議や問い合わせはしないようにしましょう。

差出人:
宛先:
隠す
元気？
2017年9月17日 0:05
この間の写真です。
み・て・ね
http://www.friend.example.jp/main?loginkey=023455c20822d987f50e1dc4a42

ある日、スマートフォンに「元気？」という件名でメールが届き、「この間の写真です。み・て・ね」というメッセージとURLが書かれていました。先日の同窓会の写真だと思ってURLをタップすると、見知らぬサイトにつながり、写真はありませんでした。「変だな」と思ったものの、それきり忘れていました。すると後日、登録料と称して多額の請求メールがスマホに届きました。実は、架空料金請求のメールだったのです。

図1　架空料金請求の迷惑メールの例

友人からのメッセージが実はスパムのワナ

SNSを利用したスパムは、サービス名を付けて**Twitterスパム**や**Facebookスパム**、LINEスパムなどと呼ばれることもあります。スパムを受け取るだけでなく、意図せずに、自分のアカウントからスパムを発信してしまう危険性もあるので十分に注意する必要があります。

たとえばTwitterでは、自分がフォローしている友人のツイートが発端になったりします。魅力的なコンテンツが紹介されているそのツイートに書かれたURLをクリックまたはタップすると、何かの許可を求める画面が現れます。これは「連携アプリを認証」する画面です。しかしもし、この連携アプリがスパムを発信するアプリだった場合、認証してしまうと、自分のアカウントからスパムが投稿されることになります（図2）。

Facebookでも同様に、インストールするとアカウントを悪用するFacebookアプリの存在が確認されています。友人からのメッセージだからといって安易に信用せず、Twitterの連携アプリやFacebookアプリを利用する際には、どんなアプリなのかを慎重に見きわめることが重要です。

図2　Twitterスパムの例。友人のツイートにあるリンクをタップすると、連携アプリの認証を求める画面が現れる。この連携アプリがもしスパムを発信するアプリだった場合、自分のアカウントが勝手に使われて、自分も友人と同じようなツイートを投稿してしまう

迷惑メールの現状——全メールの4割程度に

迷惑メールには、広告宣伝メールや架空請求メール、フィッシングメールなどがあります。広告宣伝メールは、商品やサービスについて広告するメールですが、アダルト系、出会い系のメールなど青少年に悪影響を及ぼす内容のものや、ドラッグなど違法な商品を広告するものもあります。さらに、メールに表示されたボタンをクリックするだけで契約料を請求する、あるいは身に覚えのない料金を請求する詐欺目的のメール、フィッシングメール、ウイルスメールなど悪質なメールも多くあります。

すべての電子メールのうち、迷惑メールが占める割合は半分程度と言われています。総務省の調査「電気通信事業者10社の全受信メール数と迷惑メール数の割合」によると、2022年9月時点で35.44%でした。以前は7割を超えていた時期もありましたが、最近は4割前後で推移しています。

迷惑メールの総量は落ち着いてきていますが、取引先や自社の経営者層などになりすまして偽の電子メールを送って入金を促すといったビジネスメール詐欺（BEC：Business Email Compromise）は、世界的に増えています。アメリカのインターネット犯罪苦情センターの調査によると、2021年のアメリカにおけるBECの被害額は24億9600万ドルに上り、4年前の2017年の約4倍に増えています。

海外だけでなく国内でもBECによる詐欺が起きています。巧妙な日本語の偽メールが送付され、金銭被害が生じることも増えています（図3）。

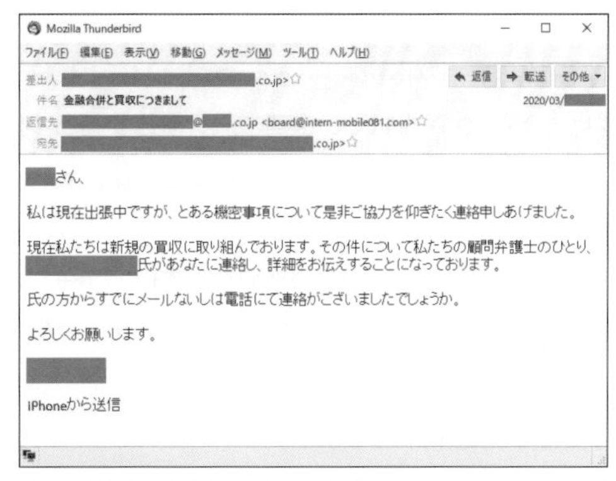

図3　日本語で巧妙に作られたBECのメール。2020年3月に実際に送られたものを加工。情報処理推進機構（IPA）の資料より転載

対策の法律は作られたが効果は限定的

迷惑メール対策のために、2002年には「特定電子メールの送信の適正化等に関する法律」（**特定電子メール法**）が施行されました。特定電子メールとは、同意を得ていない人に送る広告宣伝メールのことで、同法では次のことなどが義務付けられています。

- 特定電子メールであることを表示する（「未承諾広告※」）
- 住所、名称、メールアドレス発信元の表示
- 受信拒否の通知を受けるメールアドレスの表示
- 受信拒否の通知をした人への再送信禁止
- 自動生成プログラムを用いて作成した架空アドレス宛の送信の禁止
- 受け取る承諾を得ていない広告メールなどの送信の禁止

ネットワークプロバイダなどの電気通信業者は、迷惑メールを減らすために、利用者が送信可能なメール数を制限し、制限数を超えた送信者を利用停止にしたり、迷惑メールへのフィルタリングや受信者が登録したアドレスのメールしか受信しない機能などを提供し、迷惑メール撃退のノウハウをWebサイトなどで提供するなどの対策をとっています。

しかし、送信者を特定できないような方法で規制をすり抜けて、大量の迷惑メールが依然として送信され続けています。迷惑メールを送ろうとする人は、そのような対策に引っかからないように工夫をするからなのです。

自動判定して止めるフィルタリング

迷惑メールをブロックするために、携帯電話会社やGmailなどのメールサービスが提供しているのが迷惑メールの**フィルタリング**機能です。迷惑メールを自動検知し、ユーザへの配信を止める機能などを提供しています。

迷惑メールと判定されたメールは、迷惑メールフォルダにいったん格納され、一定期間がたったら自動的に削除されます。ただし、必要なメールが迷惑メールと誤検知される可能性もあります。「必要なメールが届かない」と感じたときは、迷惑メールフォルダを見てみて、もし誤検知されていたら、迷惑メール指定から外す操作を行いましょう。

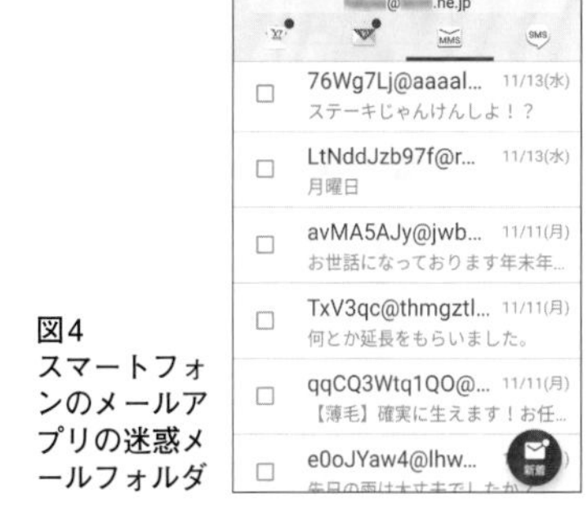

図4　スマートフォンのメールアプリの迷惑メールフォルダ

□ 暗号化

重要なデータを盗難・盗聴から守るための技術

パソコン、携帯電話、スマートフォンなどには、大切なデータが保存されています。肌身離さず持ち歩いていない限り、それらに近づくことができる第三者に、保存されているデータを盗まれる危険性があります。

インターネット経由でやり取りしているデータについても同様です。たとえば、WebブラウザからWebサイトに送信した個人情報を、通信経路の途中で、第三者に盗聴される恐れがあります。

大切なデータを盗難や盗聴から守るために不可欠なのが、暗号技術を用いた**暗号化**です。暗号化すれば、第三者に大切なデータを読まれる危険性を最小限にできます。

「鍵」と「暗号アルゴリズム」でデータを変換する

暗号化とは、元のデータを、**鍵**（暗号鍵）と呼ばれる秘密のデータを使って、特定のルールで変換することです（図1）。変換に使うルールは、暗号アルゴリズムと呼ばれます。「DES」「AES」「RSA」などが代表的です。

暗号化されたデータは、「暗号文」ともいいます。暗号文は、使用した鍵と暗号アルゴリズムがわかれば、元のデータに戻せます。この戻す操作を**復号**といいます。

一般的には、鍵を知らなければ、暗号文を元に戻せません。しかしながら、鍵や暗号アルゴリズムに問題がある場合には、鍵を知らない第三者でも元に戻せます。鍵を知らずに暗号文を元に戻すことは、復号ではなく**解読**と呼びます。暗号化したからといって、絶対に読まれないわけではないのです。

通信途中のデータはSSL/TLSで暗号化して守る

ネットワークを通じてデータのやり取りをしている場合に心配なのが、データの盗聴です。通信の仕組み上、経路上のネットワークに接続しているほかのパソコンには、やり取りしているデータを盗み見される恐れがあります。

それを防ぐために、SSL（Secure Sockets Layer）/**TLS**（Transport Layer Security）という技術が使われます（図2）。SSL/TLSでは、データを暗号化して送信し、受信側で復号します。暗号化されているので、鍵を知らない第三者が解読することは事実上不可能です。

SSL/TLSの機能は、現在ではすべてのWebブラウザが備えており、Webサイトが対応していれば自動的にSSL/TLSで通信します。Webサイトのアクセスでは、暗号化しない「http」の通信に対して、SSL/TLSで暗号化した「https」で通信を行います。https通信では、Webブラウザに錠や鍵のマークが表示されます。クレジットカード情報といった大事な情報をやり取りする場合には、SSL/TLSが使用されていることを必ず確認しましょう。

一般的に「SSL/TLS」と両技術を併記しますが、脆弱性が見つかったSSLは現在は使われていません。

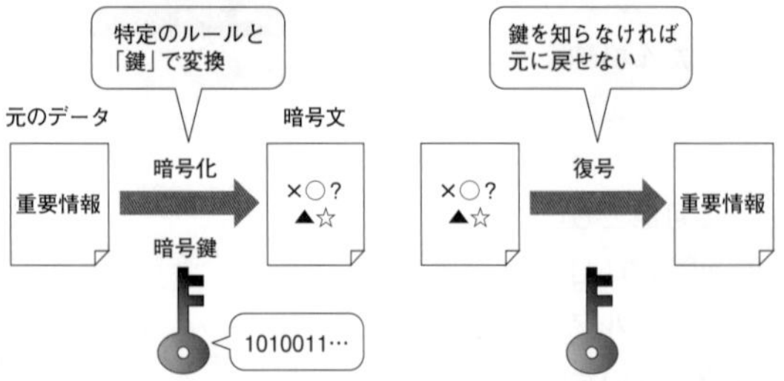

特定のルールと「鍵」で変換
元のデータ
重要情報
暗号化
暗号鍵
暗号文
×○?▲☆
1010011…
鍵を知らなければ元に戻せない
×○?▲☆
復号
重要情報

図1　暗号の概略。ユーザーが指定した「鍵」データを使って、特定のルール（暗号アルゴリズム）で変換する。鍵を知らない人が、変換されたデータを元に戻す（復号する）ことは非常に困難

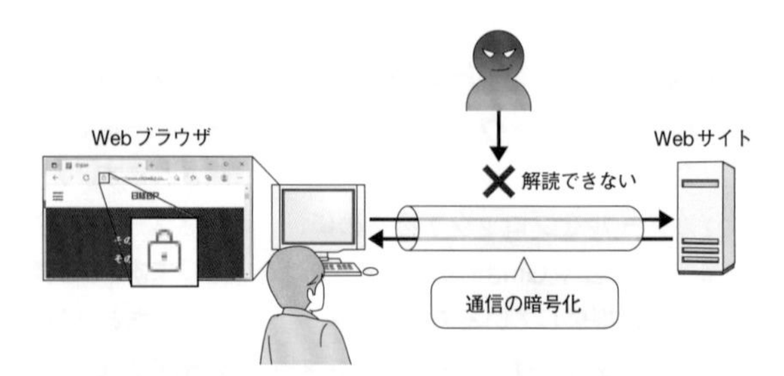

図2　通信データを暗号化して守るSSL/TLSのイメージ。SSL/TLSで通信している間は、Webブラウザに錠マークなどが表示される

暗号に関わる3つの基礎要素

暗号は、「共通鍵暗号」、「公開鍵暗号」、「ハッシュ関数」の3つの基礎要素を理解することが大切です（図3）。

共通鍵暗号は、データの暗号化と復号に同じ鍵を使う暗号方式です。一方、**公開鍵暗号**は、暗号化と復号に別の鍵を用いる暗号方式です。公開鍵で暗号化したデータは、その対となる秘密鍵でしか復号できません。

もう1つは、任意のデータを一定の長さ（たとえば256ビット）のデータに変換する**ハッシュ関数**の一種です。暗号方式ではありませんが、暗号には欠かせない要素です。元のデータをわずかでも変更すると、変換後のデータ（ハッシュ値と言う）にも反映されるため、データが改ざんされていないかどうかを調べられます。

これらは、多くの場合、組み合わせて利用されます。たとえばSSL/TLSでは、これら3種類をすべて組み合わせて、データの暗号化、改ざん検出、Webサイトの認証を行っています。

共通鍵暗号

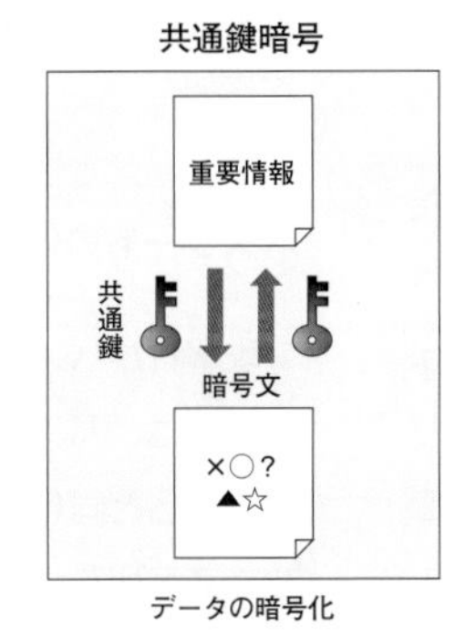

データの暗号化

公開鍵暗号

重要情報
公開鍵（誰でも利用可能）
秘密鍵（受信するユーザだけが所有）
暗号文
×○?
▲☆

データの暗号化/認証

ハッシュ関数

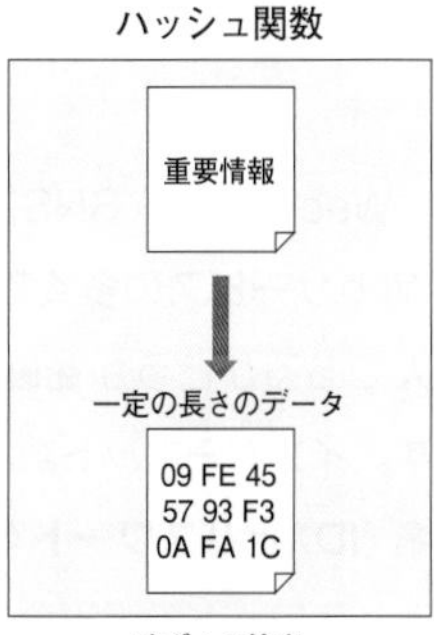

改ざんの検出

図3　SSL/TLSの要素技術。公開鍵暗号技術の一種を使って、盗聴されても情報が漏れない方法で共通鍵暗号の鍵を共有し、以降は共通鍵暗号でデータをやりとりする。また、公開鍵暗号技術の応用である電子署名を使って、サーバのドメイン名が改ざんされていないことを確認する。その際に、ハッシュ関数の一種が使われている

なりすましと改ざんを防ぐ電子署名

暗号化技術は、電子文書が本当にその作者によって作られたものか、また途中で誰かに改ざんされていないかを証明することにも使われます。その仕組みを電子署名と言います。

上で説明した公開鍵暗号とハッシュ関数を使って電子署名を実現する方法の一つを説明します（図4）。

まず送信側は、ハッシュ関数を使い、電子文書からハッシュ値（メッセージダイジェスト）を生成します。次に、このハッシュ値を送信側の秘密鍵で「暗号化」して、電子署名を作ります。そして、この電子署名を、電子文書とともに相手に送ります。

一方、電子署名付き電子文書を受け取った受信側は、電子署名を送信側の公開鍵で「復号」します。これによって送信側で計算したハッシュ値が復元されます。また並行して、受け取った電子文書からハッシュ関数を使ってハッシュ値も計算します。最後にこれら2つのハッシュ値を比較します。もし一致すれば、電子文書が改ざんを受けていないこと、送信者がなりすましではないことが証明されます。なぜなら、電子文書が少しでも変更されるとハッシュ値も変わるので、受信側で計算したハッシュ値と送信側で計算したハッシュ値が同じということは、改ざんされていないということになります。同時に、送信側の公開鍵で復号できたということは、送信側しか持っていない秘密鍵で暗号化した証となります。これで、なりすましではないということもわかるのです。

これは考え方の一例で、実際にはさまざまな方法が使われています。

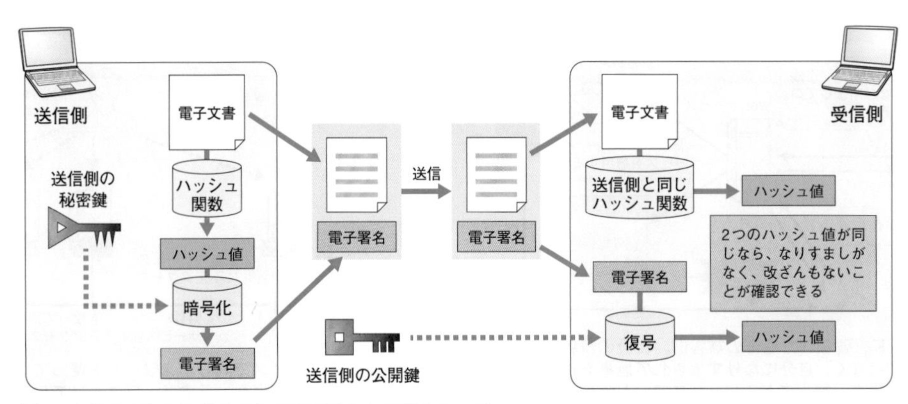

図4　なりすましと改ざんを防ぐ電子署名の仕組みの一例

□ パスワード

情報セキュリティの基本、秘密の文字列で本人を確認

Webメール、SNS、ネットショッピングといったWebサービスの多くでは、サービスを利用する人が本人であるかどうかを確認する手段として**認証**を行います。インターネット認証の最も基本的な方法が、ユーザ名（**ID**）と**パスワード**を利用するものです。入力したIDとパスワードの組み合わせが正しければユーザ本人だと判断し、サービスを利用可能にします。

ユーザIDは公開されることが多いので、重要になるのはパスワードです。パスワードは、ユーザ本人であることを証明する「鍵」になります。その鍵を破られて第三者にWebサービスを悪用された場合の被害はとても大きくなります（図1）。

パスワードを破られると被害は甚大

たとえば、Webサービスに登録している**個人情報**を盗まれる恐れがあります。盗まれた個人情報は、売買されたり、ネット詐欺などに悪用されたりする恐れがあります。

金銭的被害につながることもあります。パスワードを破られたサービスがネットバンキングなら、別の口座に送金されてしまうかもしれません。

被害は自分だけにとどまりません。自分になりすまされて、他人への攻撃や詐欺などに悪用される恐れもあります。

パスワードの使い回しは厳禁

攻撃者がパスワードを破る方法はさまざまです。単純な方法は、パスワードを推測することです。たとえば、ユーザ名と同じ文字列や、「password」といったありがちな文字列をパスワードとして試します。

相手の個人情報を知っている場合には、そのユーザの誕生日や電話番号などを試すこともあります。パスワードとして使用できる文字の組み合わせをすべて試す**総当たり攻撃**もあります。

近年増えているのは、あるWebサービスから不正に入手したユーザIDとパスワードのリストを使って、別のWebサービスにログインする手口です（図2）。このような手口の被害に遭わないためには、同じパスワードを使い回さないことが何よりも重要です。「パスワードは覚えろ」と言われていた時代もありましたが、覚えろと言われれば、簡単なパスワードにしたり、同じパスワードを使いまわしたりすることになりかねません。そこで、今は「パスワードは保存せよ」が推奨されるようになりました。また、「定期的に変更せよ」も逆効果になることがあるので、十分複雑なパスワードであれば定期的な変更は不要だと言われるようになりました。

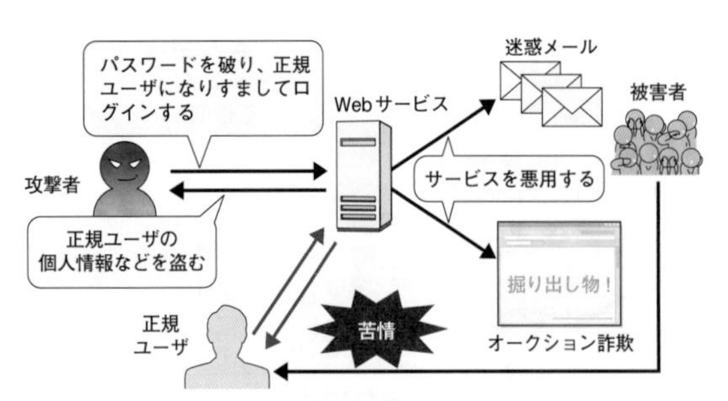

図1　パスワードを破られた場合の被害例。自分の情報や金品を盗まれるだけではなく、自分になりすまされて悪事を行われる恐れがある。その場合、被害者からは、パスワードを破られたユーザが犯人に見える

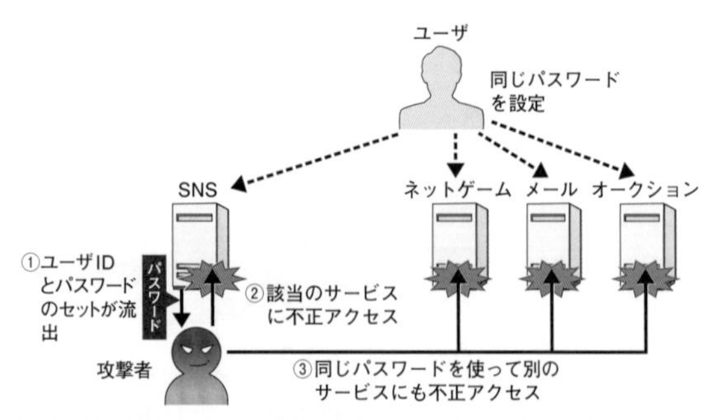

図2　複数のサービスで同じパスワードを使っていると、どこか1カ所から流出した場合、そのサービスだけではなく他のサービスについても、芋づる式に不正アクセスされる危険性がある

パスワード自動作成機能を使う

パソコンやスマートフォンには、自動でパスワードを作成・保存・入力する機能が備わっています。図3はiPhoneの「強力なパスワード」作成機能です。作成されたパスワードは、サーバのドメイン名、ユーザ名と組み合わせて、クラウドに保存され、次回のログイン時にはユーザ名とともに自動入力されます。スマートフォンでは自動入力の際に指紋認証や顔認証によってさらに安全性を高めています。

このような機能は、パソコンやスマートフォンのOS以外に、Google Chromeなどのブラウザにも備わっています。また、1Passwordなどのパスワード管理専用アプリも販売されています。

このような自動入力の利点として、フィッシング詐欺に騙されないという点があげられます。フィッシングは、本物そっくりのサイトに誘導してパスワードなどを入力させる詐欺です。本物のサイトとの違いはドメイン名（URL）だけですが、スマートフォンの小さな画面では見分けがつきにくいことがあります。自動入力機能を使えば、ドメイン名が厳密に一致しないとパスワードは入力されませんので、フィッシング詐欺が防げます。

2022年に、LastPassというパスワード管理ソフトのサーバが第三者に侵入されるという事件がありました。パスワードはユーザが設定したマスターパスワードで暗号化されていますが、安易なマスターパスワードを使っていれば、パスワードが漏れる可能性がありますので、対処が必要かもしれません。

Username: test

Password: dussoq- 強力なパスワード

図3　iPhoneのブラウザSafariの「強力なパスワード」作成機能。この画面では「dussoq-covHut-sasco5」というパスワードが作成され、入力された

セキュリティを高めるさまざまな認証方法

認証には大きく分けて3通りの方法があります。

- 知識認証（what you know）
- 所有物認証（what you have）
- 生体認証（what you are）

知識認証の典型的な例はパスワードによる認証です。簡単なので昔から使われてきました。しかし、情報機器に弱い人でも情報機器を使わなければならない現在では、パスワード管理をユーザに任せるのが困難なこともあります。パスワードを忘れる人や、安易に友だちに教えてしまう人もいるでしょう。

そこで、学生証や職員証のようなカードを使った所有物認証が、学校や企業で使われるようになりました。
ところが、所有物認証では、置き忘れにより他人に使われてしまうといった事故も起こります。そこで、置き忘れることのできない自分の身体（顔、指紋、静脈など）を使った生体認証（バイオメトリクス）も使われるようになりました。特にスマートフォンでは顔認証や指紋認証がよく使われています。しかし、生体認証を突破されることもありえますし、逆に、マスクをしたり指に怪我をしたりして使えないこともあります。

より安全性を高めるために、パスワード（知識認証）とカード（所有物認証）のように異なった種類の認証を組み合わせる2要素認証（多要素認証）が用いられることが増えてきました。

例として、パソコンでログインする際に、IDとパスワード以外に、あらかじめ登録した自分のスマートフォンにショートメールで番号（ワンタイムパスワードともいいます）が送られてきて、その番号をパソコンに入力しなければならないような認証がよくあります。これは、パスワード（知識認証）とスマートフォン（所有物認証）を組み合わせた2要素認証ですが、2段階認証とも呼ばれています。専用のアプリや機器に表示される番号を使うこともあります。パスワードだけの認証より安全ですが、巧妙なフィッシング詐欺はこれを突破してしまいます。

新しいサイトを利用する際に、そのサイトでユーザ名・パスワードを設定する代わりに、すでに利用しているサイト（GoogleやTwitterやFacebookなど）の認証を利用してログインする**ソーシャルログイン**があります。これにはOAuth（オーオース）やOpenID Connectなどの仕組みが使われています。しかし、Twitterで認証したつもりが、ツイートの認可をしてしまって、勝手にツイートされるといったトラブルもよくあります。パスワードが漏れたわけではないので、Twitterでアプリ連携を外せば止まります。

パスワードをいっさい使わず、PCやスマートフォンでの生体認証を利用して公開鍵暗号技術でWebサーバに認証してもらう**パスキー**という仕組みが、iOS、macOS、Android、Windowsなどで使えるようになり、今後の広まりが期待されています。

□ ネットワーク利用の際のリスク

ネットを安全に活用するために知っておきたい注意点

ネットでは、対面や電話での会話と違って相手が誰かを確認しにくく、その意図をつかみにくいため、トラブルが起こることがあります。顔文字や絵文字を上手に利用すれば自分の意図をうまく伝えることも可能ですが、相手が自分の思ったとおりに理解してくれるとは限りません。また、返事がすぐに来る、反応がすぐにあると思ってはいけません。相手の通信状況や家庭環境などによって、返事に時間がかかることもあります。

「匿名社会」であることを常に意識して

出会い系サイトや**コミュニティサイト**などでは、利用者同士が直接会うことを意識しています。また、SNS（Social Networking Service）を出会い目的で利用する人もいます。真面目な交流を目的としたサイトもありますが、問題となっているサイトの多くは詐欺や性交渉の相手を探すサイトです。これらの仕組みや罠を知って、トラブルや犯罪に巻き込まれないようにしましょう。

誰が書いたかわからないだろうと、ネットに誹謗中傷やウソを書き込んだり、殺人予告などを書き込んだりする事件が起きています（図1）。しかし、ほとんどの場合は書き込んだ人が特定され、威力業務妨害などの容疑で逮捕される人も出てきています。ほかにも、自分がアルバイトをしていた飲食店に有名人が来たという話をSNSに書き込んで解雇された人や、試験でカンニングをしたことを書き込んで学校から怒られた人もいます。

自分の名前、学校名、メールアドレスなどの個人情報を不特定多数の人が集まるサイトに書き込まないことはもちろんですが、投稿写真から住所がわかってしまうこともあります。スマホで撮った写真はGPSによる位置情報が含まれています。位置情報をオフにせずに自宅で撮った写真を投稿すると、自宅の正確な場所がバレてしまい、付きまといなどの被害に遭う危険があります。

アカウント乗っ取りによる詐欺事件も

友人のSNSアカウントが乗っ取られて、友人になりすました犯人による詐欺事件も起こっています。典型的な手口は次の通りです。まず犯人は、何らかの方法で手に入れたID／パスワードを使って友人のアカウントでログインします。そして、「プリペイドカードを買って、カードに書いてある番号を教えて」といった投稿をします（図2）。犯人の言う通りに番号を教えると、プリペイドカードの金額分を搾取されてしまいます。

SNS提供事業者も認証方式を強化するといった対策を講じていますが、こうした乗っ取り事件は後を絶ちません。親しい友人の言うことだからといって安易に信用せず、金券の一種であるプリペイドカードの番号をSNSに投稿するのはやめましょう。

ニセA君
このA君の
書き込みは
本物かな？

図1　ネットにはニセの人物が書き込みをしているかもしれない

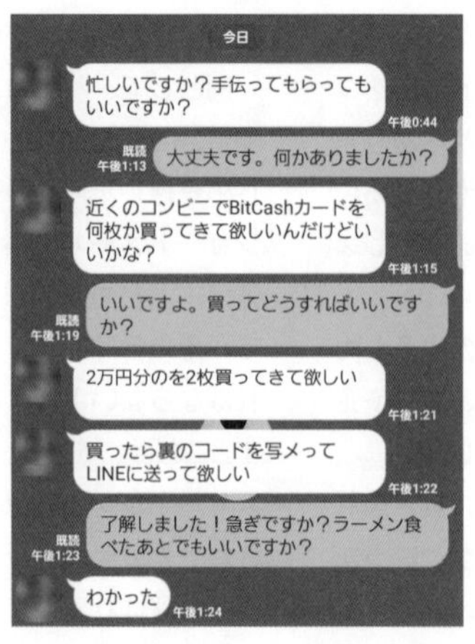

今日
忙しいですか？手伝ってもらってもいいですか？
午後0:44
既読
午後1:13
大丈夫です。何かありましたか？
近くのコンビニでBitCashカードを何枚か買ってきて欲しいんだけどいいかな？
午後1:15
既読
午後1:19
いいですよ。買ってどうすればいいですか？
2万円分のを2枚買ってきて欲しい
午後1:21
買ったら裏のコードを写メってLINEに送って欲しい
午後1:22
既読
午後1:23
了解しました！急ぎですか？ラーメン食べたあとでもいいですか？
わかった
午後1:24

図2　SNS乗っ取りによる詐欺の典型例

事件に巻き込まれる危険性もあるSNS

警察庁によると、スマートフォンを所有する青少年の増加に伴い、SNSへのアクセスをきっかけとした児童（18才未満の少年少女）に対する事件が増える傾向にあると言います。SNSを通じて面識のない被疑者と被害児童が知り合い、交際や知人関係等に発展する前に被害に遭うというもので、被害に遭った児童は2021年では1812人。前年からは0.4%減少したもののおおむね横ばい状態で、依然として高い水準で推移しています。そのきっかけとなった最初の投稿者の割合は、被害児童からの投稿が72.6%を占めています。サイト種別では、Twitterに起因する被害児童が36.9%を占め、Instagram、KoeTomoなども増加しています（図3）。

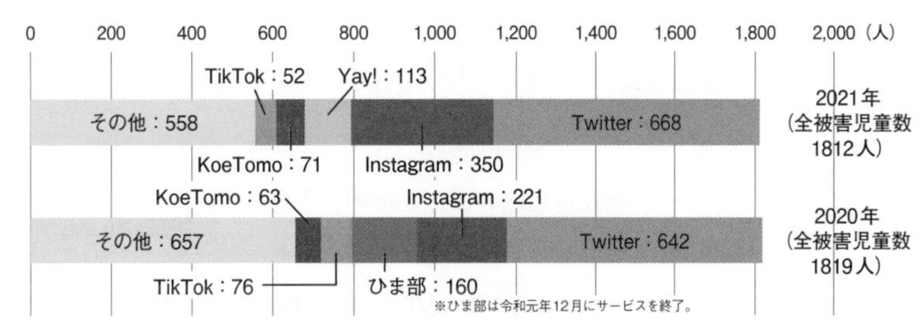

図3　2021年は「Twitter」に起因する被害児童が36.9%を占める。「Instagram」「Yay!」「KoeTomo」に起因する事犯の被害児童数が前年比で増加している。（出典：警察庁の統計データ「【SNS】被害児童数が多いサイト」より）

増大するトラフィックに揺らぐネット中立性

写真や動画をSNSに投稿したり、高画質の映画やテレビ番組をネット配信で視聴したりする時代になり、インターネットトラフィックは着実に増えています。こうした大量データの発生に、インターネットサービスプロバイダ（ISP、携帯電話事業者などを含む）は頭を悩ませています。トラフィックが10倍になっても、接続料金を10倍にすることは難しいからです。

そこで多くのISPは、動画配信事業者などからお金を取ってインフラを整備する代わりに、その事業者のトラフィックを優先するサービスの提供を主張しています。このような構想に対し、**ネットワーク中立性**（ネット中立性）に反するとして反対する人々もいます。ネット中立性とは、ISPや政府がインターネット上のすべてのデータを平等に扱うべきとする考え方です。

動画配信事業者がISPに対価を支払って優先権を確保し、高い料金で高画質サービスを提供することは、理にかなった経済行動のように思えます。その一方で、ISPが恣意的にトラフィックを制御することには問題があります。あるISPがライバル会社のWebサイトへの接続を制限したら、それはどう考えてもフェアではありません。

アメリカでは、2017年12月に米連邦通信委員会（FCC）がネット中立性原則の撤廃を決めました。これに対し、その撤回を求める訴訟が起こされるなど、さまざまな団体が反対を表明しており、いまも議論が続いています。

増加を続けるネットいじめ

ネットの書き込みなどによる「いじめ」が学校内で増えています。文部科学省の調査では、2021年度に起こったいじめは小学校が約50万1000件、中学校が約9万8000件、高等学校が約1万4000件で、そのうち、ネットいじめはそれぞれ9454件、9783件、2454件ありました（図4）。件数としては小学校、中学校が多いですが、すべてのいじめに対する割合は高等学校が高く、17.3%に上っています。

もっとも、これは学校が把握している数で、実際にはもっと多いでしょう。ネットいじめを受けて自殺したり不登校になったりする児童、生徒もいます。

特に最近はSNSによるいじめが増えていると言われています。SNSによるいじめが深刻なのは、当事者間のクローズドな空間で外からいじめの存在がわかりづらいこと。後から追求しようにも、投稿を削除してしまうといじめの証拠が残りません。いじめられていると感じたときは画面キャプチャを取り、証拠を残すことも重要です。

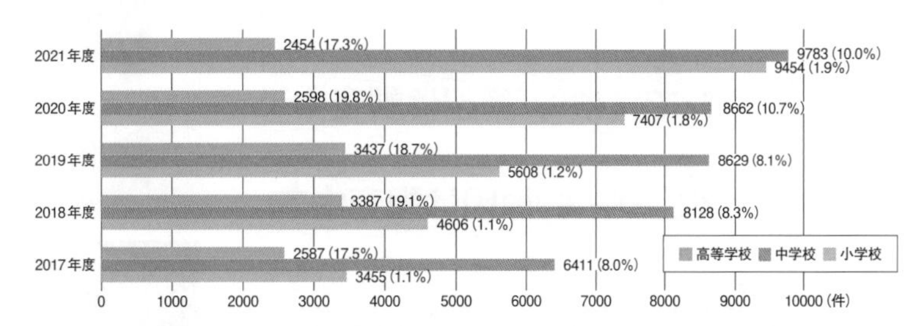

図4　ネットいじめの状況。文部科学省の「児童生徒の問題行動・不登校等生徒指導上の諸課題に関する調査」の中の「いじめの態様」のうち「パソコンや携帯電話等で、ひぼう・中傷や嫌なことをされる」の数値を基に作成。カッコ内はいじめの全認知数に対する割合

□ メディアリテラシー

情報を正しく受け取り活用するための心得

情報を伝えたい人は、どんな目的で、どんな内容を伝えようとしているのか、それを正確に知ることはとても大切です。伝え方が良くないと、せっかくいい情報でも、情報を受け取った人に、その内容が正確に伝わらないこともあります。**メディアリテラシー**（Media Literacy）とは、情報を伝えるメディアをどのようにとらえるのか、そして、メディアをどのように利用するのかを考える能力のことです。

書き方で印象が変わる：見出しが与える印象

あるレストランが提供した料理を食べた人が食中毒になったという事件があったとします。それを新聞で図１上のような見出しで報道すると、読んだ人はＡレストランに問題があると感じるでしょう。一方、図１中の見出しで読んだ人は、事件が起こったことはわかりますが、それがどのようにして起こったかを考えようとはしません。もし、図１下のような見出しで書かれたら、読んだ人はＢ社の食材に問題があると感じるでしょう。このように、見出しの書き方で読んでいる人の印象は大きく変わります。

事実を伝えようとした人の意図が見出しに表れることと、表現方法も微妙に変化することを知っておきましょう。私たちには、見出しの印象だけでなく、その裏に隠されているかもしれない事実を読みとく能力、つまりメディアリテラシーが求められているのです。

Ａレストランで食中毒、原因は調査中

レストランで食中毒、原因は調査中

レストランで食中毒、
原因はＢ社から仕入れた食材か？

図1　見出しによって印象が変わる

無意識に読みとってしまう：文と色が与える印象

図２の３枚のスライドは、同じ写真を利用していますが、文章の内容やフォント、背景色が異なると、その写真を見たときの印象が異なります。なぜでしょうか。それは、私たちが無意識のうちに、フォントや背景色が持つ意味を読んでいるからなのです。

SNSで拡散していくフェイクニュース

インターネットとSNS（Social Networking Service）が普及した現在は、**フェイクニュース**（虚偽のニュース）にも十分に注意する必要があります。

ネット上で多くのフェイクニュースがSNSによって拡散され、人々の投票行動などにも影響を与えているとして、大きな問題となっています。その背景には、より注目が集まる記事を書くと大きな儲けにつながるというネットの仕組みを悪用するユーザの存在があります。また、面白そうなニュースを見つけると、ニュースソースも確認せずに投稿をシェアしてしまうSNSユーザの行動にも問題があると言えます。

その一方で、自分にとって都合の悪い報道をフェイクニュースと呼んでメディアを糾弾する政治家も現れ、批判を浴びています。

月は地球の唯一の衛星である。
太陽系の衛星中で5番目に大きい。

うさぎ　うさぎ　なに見て　はねる
十五夜　お月さま　見て　はねる♪

満月の夜、その男は突然
叫び声を上げ…

図2　同じ写真の異なる見せ方

情報操作を見抜くためのグラフリテラシー

情報操作とは、正しい情報のうち、情報の送り手に都合がいい情報のみを組み合わせたり、重要な事実をあえて伝えないことで、偏った見解を自然に感じさせる手法のことです（図3、図4）。

一方、**隠ぺい**とは、ものごとを隠すことです。たとえば、国内で農作物が不作になったり、洪水が発生しても、それを国民に伝えないようにすることで、国民の動揺を抑えようとします。また、10個の事件のうち、ある1つを伝えると、報道機関に多くの人からさまざまな苦情が届き、残りの9個が伝えられなくなると判断されるときは、その1つを報道対象から外すことがあります。

ほかにも、ある内容を伝えるためにインタビューを行った様子をテレビなどで報道することがあります。その際に、数値は正確に伝えつつも、放送時間の大半を、送り手の都合がいい意見を述べた人の映像にしてしまうと、映像を見ている人は、インタビューの結果の数値よりも映像の印象を強く残します。

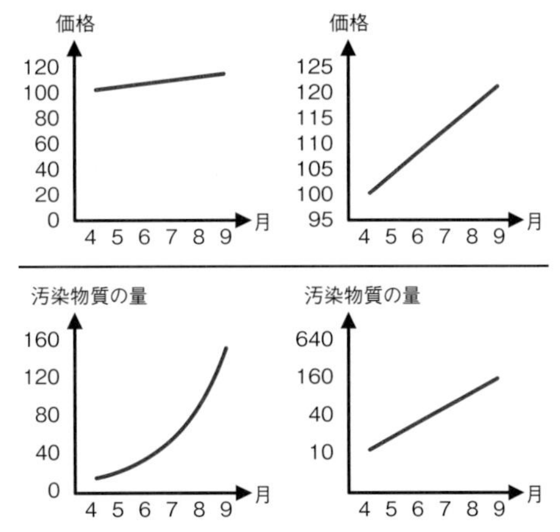

図3　注目させたいものを効果的に見せる手法の例。あるものの値段の平均が4月には100円だったのが、9月に120円になったとき、グラフの縦軸を95から125にしておけば、大きく変化しているように見える。また、縦軸を対数軸という軸（たとえば1目盛が4倍になる）とすることで、大きな変化を小さく見せることもできる

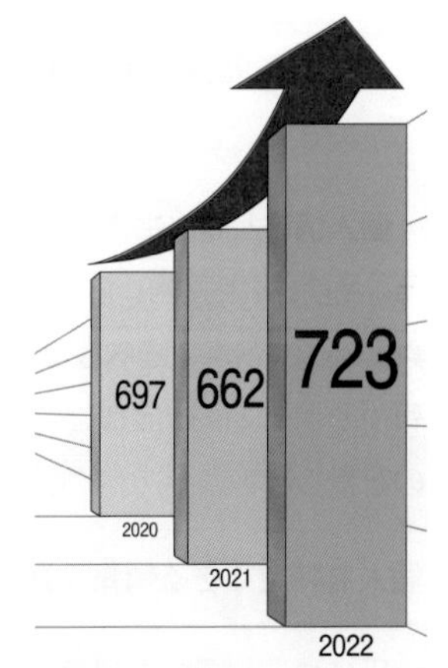

図4　3Dグラフを利用した情報操作の例。2020年から2021年は、実際には微減となっている。だが、3Dを利用したグラフの効果で、3年連続で増え続けているように見せている

情報操作の原因とその影響

過失による誤情報

出版社や報道機関は、可能な限りていねいに取材・調査を行い、可能な限り内容を正しく伝えようとしていますが、科学的に複雑な事象などを扱う場合に、誤った内容を公表してしまうことがあります。たいていの場合は、公表された内容を見た専門家から訂正依頼が入り、内容訂正が行われますが、必ず訂正されるとは限りません。

フィッシングとアフィリエイト

たとえば、感動的な話や思わず笑ってしまう話のWebページを、何も注意せずにシェアすると、それが、**フィッシング**被害を招いたり、アフィリエイトサイト（広告収入を稼ぐためだけのサイト）に誘導されてしまうこともあります。

デマ（故意によるもの）

誤った情報の中でも、意図的（故意）に公表されているものを**デマ**といいます。デマの多くは報道機関ではなく、個人から個人に噂として伝わっていきますが、インターネットが普及した現在では、デマがTwitterや掲示板を利用して広まっていくこともあります（ごくまれに報道機関がデマを検証せずに報道することもあります）。

内容の訂正報道

誤った内容が公表されたとはっきりしたときは、出版社・報道機関は内容の訂正報道を行います。しかし、ほとんどの訂正は、元の内容よりはるかに小さな扱いしか受けません。そのため、訂正されたことを知らない人が多数います。

ステマ

こっそりと情報を伝える手法のうち、商品宣伝などに関わるものをステルスマーケティング、略して**ステマ**と呼ぶことがあります（stealthは「秘密」という意味）。本当は客がいないのにアルバイトで雇った人（サクラと呼ばれる）に並んでもらって人気店のように見せる、商品宣伝とは分からないようにしながら掲示板やTwitterなどで特定の商品やサービスを称賛する、あるいはライバルを誹謗中傷するなどの例が見られます。

釣り

5ちゃんねるなどのWeb掲示板に、多くの人が注目する内容、虚偽の内容を、誇張された表現などで書き込み、その書き込みを読んだ人がどのような反応をするかを楽しむ行為のことを**釣り**ということがあります。書き込まれた内容が釣りなのか、そうでないのかをすぐに見抜くことは簡単ではありません。他の掲示板や報道などと照らし合わせることが必要です。

□ 個人情報と情報社会のルール

取り扱い注意の「個人情報」と知っておくべき「法律」

個人情報とは、生きている個人についての情報で、住所、名前、電話番号、体重や体のサイズ、病歴、収入、写真、映像や音声、趣味など、多くの人が公開している情報から他人には知られたくない情報まで、さまざまなものを指します。

個人を特定できる情報が「個人情報」になる

氏名やIDはそれだけで、個人が特定できる情報です。また「日本人」「学生」などの情報は、それだけでは個人を特定できませんが、他の情報と組み合わせれば個人を特定できる場合があります。他の情報と組み合わせ、照合することで、個人を特定できる情報も個人情報と考えられます（図1）。

たとえば学校や先生は、児童生徒の成績や体調、家庭のことを知っているほうが適切な指導ができます。また、Webサイトで洋服を購入する際、自分の体のサイズと送付先を販売業者に知らせるように、私たちはサービスを受けるために、住所やメールアドレスだけでなく、趣味や生活、身体に関する情報を提供することもあります。このように、注意を払ってうまく個人情報を活用すれば、人々が豊かなコミュニケーションを築き、企業や団体などが事業や活動をスムーズに効果的に行えます。

スマートフォン（スマホ）が普及しはじめてから急速に増加しているのが、アプリを利用した個人情報の漏洩です。中には、あらかじめ同意画面を利用して同意させたうえで、スマホの電話帳データを利用して友人関係を推定して利用者を増やそうとするものもあります。一方で、おすすめ動画アプリのように個人情報と何ら関係がないアプリが、勝手にスマホから電話帳データを読み出して外部に送る詐欺アプリと呼べるものもあります。

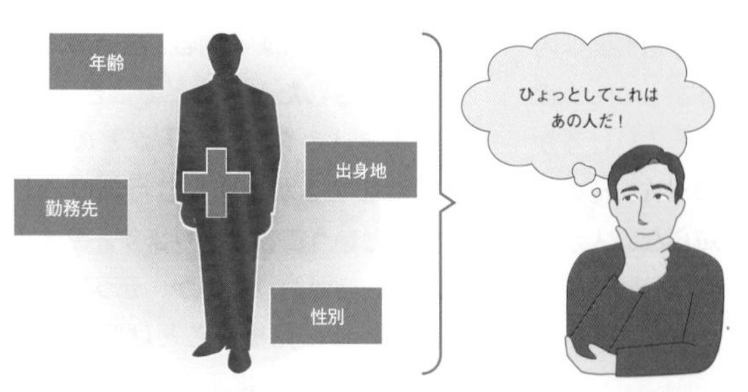

図1　他の情報と組み合わせることで個人を特定することができるものも個人情報

繰り返される個人情報漏洩事件

日本ネットワークセキュリティ協会（JNSA）の調査（速報値）によると、2018年の個人情報漏洩件数は443件、漏洩人数は約561万人でした。漏洩原因で最も多いのは「紛失・置き忘れ」（26.2%）ですが、「不正アクセス」によるものも20.3%ありました。

発覚は最近でも実は長期間にわたって情報漏洩が続いていたケースもあります。知らぬ間に個人情報が漏洩している可能性があります。身に覚えのないクレジットカードの請求がないかチェックする、ログインパスワードを複数サービスで使い回さないようにする、といった自衛策を講じることも大切です。

個人情報を取り扱うときには、次の点に注意しましょう。（1）取得の目的と用途を、その個人に明らかにしてから取得する。（2）厳重に管理し、不要になったら消去する。（3）目的や用途に変更が必要な場合は、その本人から許諾を得る（オプトイン）。

例えば、あるカフェでは、顧客にポイントカードを発行し、そのときに、「お店からのお買い得情報の送付先」として、氏名・メールアドレス・生年月日を取得しています。このとき、顧客に無断で、他の目的でメールを送付できませんし、また、顧客情報を、他の会社に売り渡すこともできません。さらに、メールアドレスを使って複数の名簿を突き合わせてしまうことも、無断で行ってはいけません。

肖像権とパブリシティ権

スマートフォンで写真を撮って、それをすぐに送信したりWebサイトに載せたりできるようになりました。撮影や送信が簡単にできる分、肖像権、個人情報に対する配慮が求められます。

ある人の顔かたちや姿などの写真や映像なども、個人を特定できる個人情報として保護されますが、同時に、自分の写真や映像を無断で撮影され、公表されないという**肖像権**という権利が認められています。肖像権は、法律で明文化された権利ではありませんが、最高裁判所の判例（昭和40(あ)1187、平成15(受)281など）で人間の基本的な権利（日本国憲法で定める基本的人権）と認められています。このように日本国内では、法令（憲法、法律、条例）で定めていないことについては、判例を基準に考えることになっています。

一方、タレントやスポーツ選手、俳優など著名人の肖像には経済的な価値があり、無断でWebページに載せたりすると**パブリシティ権**の侵害と見なされます。これは、著名人の肖像を財産として保護する権利です。著名人の写真をWebページで使ったり、写真を販売したりするには許諾を得る必要があります。

「知らなかった」ではすまされない

現在の日本の法律では、「法律を知らなかった人」が犯した行為が法律に触れた場合であっても、それは犯罪として取り扱われます。つまり、「そんな法律があるなんて知らなかった」ではすまされないのです。インターネットに関わる法律でも、何が違法行為になるのかを把握しておきましょう。

法律	内容
日本国憲法	肖像権に関しては、それを定めている法律がない。基本的人権として憲法で守られていると考える
著作権法	「著作物」と「著作者」の権利を保護する法律。著作物には小説、絵画、映画、音楽のほかプログラムなども含まれる
個人情報保護法	個人情報を持つ企業や団体などに、個人情報の適切な管理を義務付ける法律
不正アクセス禁止法	ネットワークにつながったコンピュータに対する不正アクセスを禁止する法律。セキュリティホールを突いた攻撃やWebページ改ざん、他人のユーザIDやパスワードを無断利用したなりすまし行為も不正アクセスとなる
出会い系サイト規制法	不特定多数の人同士が知り合って性的な犯罪に巻き込まれることを防止するために作られた法律
民法	個人や法人間の財産や身分などの関係について規定する法律。詐欺行為や相続なども民法で定めている
刑法	犯罪を犯した人に刑を科すことを定めた法律。電子計算機損壊等業務妨害罪、電子計算機使用詐欺罪なども刑法で定めている。掲示板などで他人の名誉を傷つけたりする行為に適用される名誉毀損罪も刑法で規定されている
青少年保護育成条例	青少年（18歳未満）の健全育成とその環境整備のために各都道府県で制定されている条例。正式名称や内容は都道府県によって若干異なる。インターネットカフェでのフィルタリング活用なども定めている

EU域内で実施されている厳格な個人情報保護規則

欧州連合（EU）域内における個人情報に関する厳格な規制として、一般データ保護規則（General Data Protection Regulation、**GDPR**）が2018年5月から実施されています。個人情報を本人がコントロールする権利を明文化し、域外への個人情報の移転を厳しく取り締まることがGDPRの目的です。

GDPRにより、個人情報を収集する企業・組織は、利用目的などを事前に明示したうえで明確な同意を得なければならないなど、さまざまな義務が課せられました。違反した場合は、最大2000万ユーロまたは全世界の売上高の4%のうち、大きい方の罰金が科せられる可能性があります。

EUに拠点を持っていない日本企業でも、EUに居住する人にインターネットを介して物品を販売する場合などはGDPRの対象となります。

マイナンバーと個人情報

個人番号（**マイナンバー**）制度は、行政の効率化や、公正な社会保障の受給や納税を実現するために2016年に始まりました。住民票を持つ人全員に割り振る12桁の番号を税や年金、雇用保険などの行政手続きに使います。

個人番号を含む個人情報は「**特定個人情報**」と呼ばれ、企業などには厳格な管理が義務付けられています。原則として一生同じ番号を使うため、個人番号をキーとしたさまざまな情報を突き合わせることで、多大なプライバシー侵害につながる恐れがあるからです。ただし単体の個人番号が漏洩したとしても、さほど危険はありません。個人番号だけで、行政手続きや商取引などができるわけではないからです。

□ 知的財産権

訴訟問題にもなりえる、知的創作物の作者が保有する財産権

精神的、知的な活動によって生み出された創作物における「財産的な価値を持つ情報」のことを知的財産と言い、知的財産を創作した人の持つ権利が**知的財産権**です。知的財産としては、書籍や音楽などの著作物、発明や考案、デザインや商標などがあります（図1）。

知的財産はコピーされやすい

知的財産権の考え方が必要になった背景には、これらが複製や無断使用に弱いという特質が関係しています。映像、音楽、ゲームなどは、ネットから取り込んだり、大量のコピーを作ったりすることが容易にできます。さらに他国で海賊版が出回ったりします。これが創作者に無断で行われると、創作者にとっての利益が損なわれます。利益が得られないとなると、時間や手間、費用をかけて創作しようと気持ちを削ぐ結果となり、商品開発や技術開発が進まなくなってしまいます。

このような理由から、法律によって知的創作物の創作者を保護し、創作物を一定期間、独占的に使うことを認めたものが知的財産権です。もし知的財産権が保護されなければ、他人にまねされて、研究開発費が回収できず、次の創造や開発を続けることが難しくなります。そうなると、事業者は知的財産を囲い込むようになり、同じような研究や研究への投資が並行して行われるようになって、社会的な無駄が発生する可能性もあります。消費者にとっても、類似品が増えて品質が保証されにくくなり、よい商品やサービスが受けにくくなるでしょう。

知的財産とビジネス

知的財産を持つことは、利益につながります。そこで多くの企業がさまざまな特許、デザイン、ロゴ（商標）などを登録しています。

情報技術（IT）産業で、この知的財産を巡って2011年から争いを続けていた企業がApple社と韓国サムスン電子です（図2）。Apple社の「iPhoneシリーズ」とサムスン電子の「Galaxyシリーズ」について、特許のほかデザインなどに関する裁判が世界各国で行われました。アメリカにおける裁判は、カリフォルニア州の連邦地方裁判所が2018年5月、5億3900万ドル（約590億円）の損害賠償をAppleに支払うようサムスン電子に命じました。これを受けて同年6月に両社の和解が成立し、8年に及ぶ法廷闘争は幕を閉じました。

デザイン（意匠権）
組立製造方法（特許権）
プログラム（著作権、特許権）
ディスクの記録方式（特許権）
CPUなどのLSI（回路配置権）
CDトレイの構造（実用新案権）
ブランド、ロゴマーク（商標権）
TOPICS

図1　身の回りにある知的財産の例

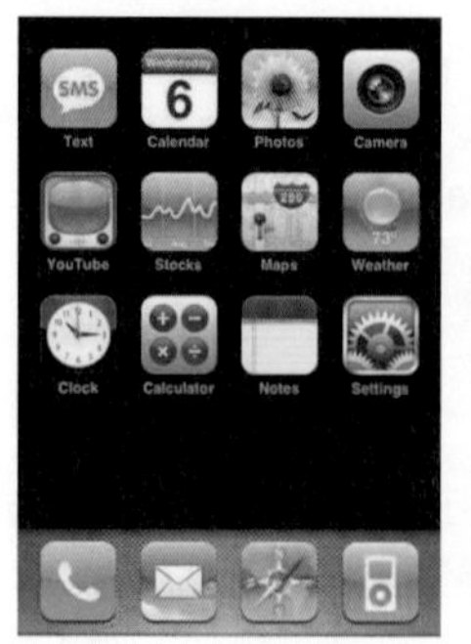

図2　Appleの「iPhone」（左）とサムスン電子の「GALAXY S」（右）のインターフェース画面。Appleはアイコンの配置やデザインに関するデザイン特許（日本の意匠権に相当）を米国で取得しており、サムスン電子の特許侵害を主張した（日経デザイン　2011年9月号より）

知的財産権には どんなものがあるか

知的財産には、発明や科学的発見、デザイン、商標、文芸・学術・美術・音楽作品、実演・レコード・放送などがあり、これらの創作者に知的財産権が認められます。知的財産基本法では「発明、考案、植物の新品種、意匠、著作物その他の人間の創造活動により生み出される物、商標、商号その他事業活動に用いられる商品又は役務を表示するもの、営業秘密その他の事業活動に有用な技術上又は営業上の情報をいう」と定義しています。

知的財産は法律で保護されていて、そのうち特許権、実用新案権、意匠権、商標権を**産業財産権**と呼び、特許庁が所管しています。また、不正競争防止法は、権利を保護することが目的ではなく、不正な競争の防止と不正行為によって生じた損害の賠償について定めています（表1）。

表1　知的財産権の種類

		根拠となる法律	内容	保護期間
産業財産権	特許権	特許法	発明者に独占的な権利を与えて発明の保護、利用を図る	出願から20年
	実用新案権	実用新案法	物品の形状、構造やその組み合せに関する考案の保護利用を図る	出願から10年
	意匠権	意匠法	意匠（工業デザイン）の保護、利用を図る	出願から25年
	商標権	商標法	商標（商品やサービスを表す表示）の保護、利用を図る	登録から10年（更新可）
著作権		著作権法	著作物などの著作者の権利の保護を図る	原則、著作者の死後70年
半導体回路配置利用権		半導体集積回路の回路配置に関する法律	半導体集積回路の回路配置の適正な利用の確保を図る	登録から10年
育成者権		種苗法	植物の新たな品種を保護し、品種の育成の振興を図る	登録から25年
営業秘密などの保護		不正競争防止法	コピー商品の譲渡や輸出入、営業秘密の不正取得、技術的制限手段の効果妨害装置の提供などを禁止する	

権利を取った国だけで 有効な「属地主義」

情報が国境を越えて行き交う現代は、知的財産権もグローバル化の波にさらされています。

知的財産権は、権利を取得した国でだけ効力がある**属地主義**をとっているため、国際的なトラブルも起きています。日本のゲームソフトやCD、キャラクターグッズ、工業製品など多種多様のものが他の国で偽造されています。また、外国のブランド商品のニセ物がたくさん日本に持ち込まれています。権利保護と公益というバランスの中で、世界的規模で知的財産を考えていくことが必要になっています。

産業の発展に 不可欠な商標権

商標は、商品やサービス業務に付けられる「商い」の「標識」、いわゆるブランドで、商標権は登録した商標を独占的に使える権利です。商標は、商品やサービスを販売、提供している会社や人を示し、品質保証や、他の商品やサービスとの違いをアピールするもので、産業の発展や消費者の利益に必要なものです。商標は私たちがいつも目にするもので、類似の商標に関する裁判や、日本の有名企業や商品の名前にそっくりな外国の商品の話題などを新聞で見かけます。

商標は文字、図形、記号やその組み合わせなどですが、1996年の商標法の改正で、立体商標も認められました。立体商標には、ケンタッキーフライドチキンのカーネルサンダース人形、早稲田大学の大隈重信像、不二家のペコちゃんなどがあります。2014年には、乗り物として初めてホンダの小型オートバイ「スーパーカブ」が立体商標として認められました（図3）。

2015年からは音、動き、位置、ホログラム、色彩の登録制度がスタートしています。2017年3月には「色彩のみからなる商標」として初めて、トンボ鉛筆のMONOブランド（図4）と、セブン-イレブン・ジャパンの店舗や商品に使われる3色のコーポレートカラーが認められました。これらに続き、2018年には、三井住友フィナンシャルグループとファミリーマートのブランドカラーも商標登録されました。

図3　乗り物として初めて立体商標登録が認められたホンダの「スーパーカブ」

PLASTIC ERASER
MONO
Tombow PE-04A

図4　色彩のみからなる商標として登録が認められたトンボ鉛筆のMONOブランド。青、白、黒3色の組み合わせが商標として認められた。写真はその代表的な商品である「MONO消しゴム」

□ 著作権

文化の健全な発展のため、小説、絵画、音楽などの著作者に与えられる権利

著作権とは小説、絵画、論文、コンピュータプログラムなどを創作した人が自分の著作物を独占的に利用できる権利のことです。著名な作家が書いた小説だけでなく、ごく普通の生徒・学生が学校の授業で作った作文にも、ちゃんと著作権があります。

複製権と著作者人格権

著作権のなかでも、特に重要な権利が**複製権**と**著作者人格権**です。

複製権とは、著作物のコピーを作る権利のことです。コピーといっても、コピー機で作ったものだけがコピーではありません。たとえば、美術作品を写真に撮影した場合、出来上がった写真には、元の美術作品の著作権が生じます。映画館でビデオカメラで映画を撮影すると、撮影された動画ファイルには、元の映画の著作権が生じます。このように、複製の意味を広く捉えて、その権利を保護するのが複製権です。

複製権のほかに、上演、上映、演奏、口述、展示などの権利や、他人に配るときの頒布、譲渡、貸与などの権利、そしてネットワークなどを使った公衆送信などの権利もあり、これらを著作物の財産権といいます。

一方、著作者人格権は3つに分かれます。まず「公表権」とは、作者がまだ公表していない著作物を公表していいかどうかを決める権利のことです。次に「同一性保持権」とは、作者が作った通りに公表したり複製したりすることを決める権利です。最後に「氏名表示権」とは、作者の名前（あるいはペンネーム）などを表示するかしないかを作者が決める権利です。著作者人格権は、すべて作者が持っていて、他人に譲渡することはできません。また、公表権は、いったん公表されてしまったものには使えないという決まりがあります。

創作時点で自動的に発生
ただしオリジナリティが必要

ある人が、小説、詩、曲、絵を創作して作品（著作物）が生まれた時点で、著作権は自動的に発生します。©や「Copyright…」のような表記を付ける必要はありません。ただし、著作権には著作者のオリジナリティが必要です。たとえば、都道府県名を単純に書き並べただけのものは、オリジナリティがありませんからそれに著作権もありません。すでに考えられているような表現には著作権は発生しないのです。

多くの人が著作物を利用すると、著作者はその対価として印税などの形で収入を得ます。その収入を基に、次の創作に取りかかることができます。しかし、作品がコピーされて勝手に販売されてしまったら、著作者の収入は減り、作品を生み出せなくなります。そうしたことがないようにと著作権が保護されています。

著作権の制限をうけない場合

著作権者が権利を行使できない場合は、利用者は著作物を自由に利用できます。主な例としては、私的利用、図書館、引用、教科書などでの利用、視覚・聴覚障害者の利用、営利を目的としない上演、論説、政治上の演説、報道、バックアップ、修理などいくつもあり、法令などで細かく規定されています。

確かに譲り受けました。でも内容は勝手に変更しません。
著作権
対価を受け取ることで、著作権を渡します。

図1　著作権を譲り受けても内容を勝手に改変してはならない

「引用」と言える利用は範囲が限定的

引用という形態なら、他人の公表された著作物を著作権者の承諾なしで使用できます。しかし、「コピーする分量が少なければ引用」「マルシーマークで著作者を明記すればいい」など、間違った解釈をしている人も大勢います。利用方法が「引用」と言えるためには、図2のように3つの要件を満たしている必要があります。

「××さんはこう言っているが、自分はこう思う」と言いたいときは、出所と引用であることを明記して、元の著作物の一部を改変せずに使います。このように、著作権法における「引用」と言えるケースは非常に限られています。この条件に当てはまらなければ、著作権法に反するコピーです。

1 主従関係
自分の文章があくまで主であり、引用は従であること
2 明瞭区別性
引用部分を明確に区別したうえで引用文は改変しないこと
3 出所明示
著作物の題名や著作者名などの出所を明らかにすること

図2 「引用」を満たす3つの要件

デジタルで変わる著作権

著作権は他人の著作物を自分勝手に利用してはいけないという意味がある一方で、自分の著作物を自分の望まない方法で他の人に利用されないという意味もあります。インターネットで情報発信できる現在では、多くの人が直接関係する問題になっています。多くの情報がデジタル化されているため、誰もが簡単に、完全な複製を作ったり、それをインターネットなどで送信できたりするようになりました。

このことから、著作権法もインターネットに対応した変化が求められ、2012年10月1日には

- コピー防止の仕組みが入った著作物を、むりやりコピーすると違法
- 違法に（権利者が許可せず）アップロードされた著作物を、違法と知りながらダウンロードする行為に対する刑事罰化

などの変更がありました。

その一方で、著作物の円滑な利用を促進するため、著作権法の一部が改正されています。たとえば学校の授業では、他人の著作物を使用して作成した教材を、著作権者の許諾を得ることなく、オンデマンドの遠隔授業などで使用できます。ただし、著作権者に補償金を支払うことは必要です。補償金の分配などは、SARTRAS（授業目的公衆送信補償金等管理協会）という組織が行います。

著作者が認めれば利用できる

著作権法では、著作者の許可を得れば、適正な方法、範囲で利用することができます。これを著作物の「利用許諾」または「ライセンス」を得ると言います。著作者は許諾をする際、利用の範囲や対価、利用の範囲などを限定する場合があります。

一方で、著作者の中には「権利を行使しなくてもよい」や「自分の作品を多くの人に読んでもらうため、特定の条件では著作権を主張しない」という人もいます。このような人々のためになるのがNPOの**クリエイティブ・コモンズ**（CC）です。CCでは、著作者は著作権を保持しながら一定範囲の自由な利用を認めていることの表示方法を定めています（図3）。

自由な利用を認めている著作物としてはオープンソースソフトウェアもありますが、CCはソフトウェアに適用することを推奨していません。ソフトウェアには、GPL（GNU General Public License）など別のライセンス体系があります。

図3 クリエイティブ・コモンズ（https://creativecommons.org）では利用の範囲を4つの項目で示すようにしている

保護される期間は原則著作者の死後70年

著作物の利用を進めるため、著作権による保護期間は制限されています。著作権は原則として、著作者の死後（共同著作物では最後に死亡した著作者の死後）70年まで存続すると定められています（死亡した年の翌年の1月1日から起算）。保護期間の過ぎた著作物は自由に利用できます。

ただし、著作者が無名か変名または団体名義の場合は公表後70年、映画は公表後70年と定められています。

以前は著作者の死後50年でしたが2018年12月30日に、20年延長されて70年となりました。

□ 情報システム

コンピュータとネットワークで社会を支えるさまざまなシステム

コンピュータを単独で使用するのではなく、たくさんのコンピュータをネットワークを利用して接続して、それぞれのコンピュータに、それぞれの役割を持たせるとき、そのたくさんのコンピュータとネットワークの全体を**情報システム**と言います。社会や個人が活動するときに必要な情報を、収集、蓄積、処理、伝達、利用するための仕組みです。私たちが暮らす社会は情報システムによって支えられているのです。

ATM（Automated Teller Machine、現金自動預け払い機）はその一例です。ATMが広く普及したことによって、今では銀行の口座からお金を引き出すことがコンビニエンスストア（コンビニ）でもできるようになりました。列車の座席予約システム、コンビニの**POS**システムなども情報システムです。スマートフォンで動画を見たり、友だちと連絡しあったり、商品を購入したりするインターネット上のサービスも、情報システムによって提供されているのです。情報システムが発達することによって、私たちの生活はとても便利になっています。

情報システムの活用例「POSシステム」

情報システムの活用例として、コンビニのレジを見てみましょう。コンビニのレジには、商品の値段の合計やお釣りの金額を計算するだけでなく、いろいろな機能が付いています。レジでは、商品に付けられたバーコードを読み取り、商品データベースと照合して値段を調べます。そして、いつ何が売れたかという情報を蓄積し、在庫管理や発注に活用します。

このように販売時点で商品情報を記録するシステムをPOS（Point Of Sales、ポス）システムと言い、1970年代のアメリカで導入が始まりました。POSシステムを導入した店舗では、商品管理の手間を減らし、品揃えを充実させられたので、利益の増加につながりました。そして、スーパーマーケットやコンビニでは、POSは必要不可欠なものになりました。

コンビニチェーンなどでは、各店のPOSシステムを本社のネットワークにつなぎ、その情報を倉庫の配送システムと連動させることで、各店への商品補充さえも自動的に行う情報システムを作り出しました（図1）。さらに、売上を記録する際に、品名だけでなく、曜日や時刻、購入者の性別と年齢層などを記録します。そのデータを活用することで、どの商品がどんな人に何時頃に売れるのかを細かく予想し、売れ行きのいい商品を無駄なく仕入れられるようになりました。

こうして得られた売れ行き情報は、メーカーに伝えることもあります。メーカーは、データを分析して新製品開発の参考にするなど、データ活用が進んでいます。情報システムによって得られた情報を活用することで、社会や生活が便利で豊かになっていくのです。

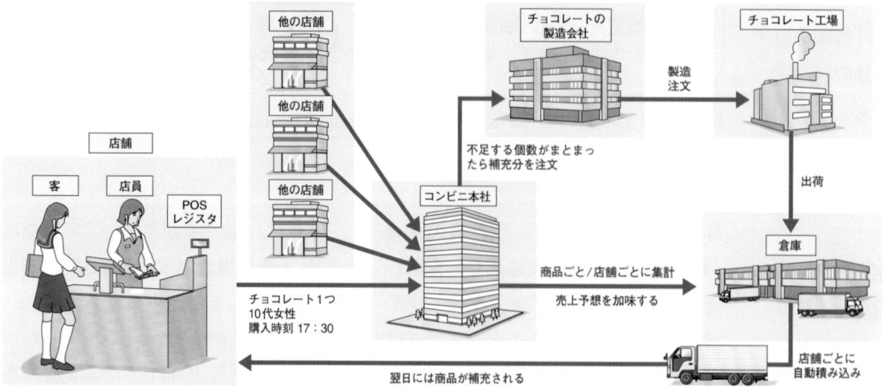

図1　複数のPOSシステムを組み合わせた情報システム

情報システムが与える社会への影響

情報システムが普及したことで社会がどのように変わってきたか、いくつかの例を取り上げてみましょう。

運送・流通のトレーサビリティ

トレーサビリティ（追跡可能性）とは、荷物や商品がもともとはどこからやってきて、いまはどこにあって、最終的にはどこに行くのかという情報を、その荷物や商品に関係している人が知ることができる、ということです。たとえば、小荷物や書留を出すと、業者は荷物番号を記した伝票を渡してくれます。この番号を、その業者がWebで提供している位置追跡サービスに入力すると、自分が出したものが、今どこにあるのか、相手に届いたのかがわかるようになりました。また、スーパーマーケットで販売されている食肉や野菜などの商品の値札に、どこで生産されたのかがわかるようなバーコードや生産者番号などが印字されるようになりました（図2）。

メディアの変化と文化・政治のグローバル化

デジタルカメラが普及する以前は、事件の様子を撮影してもすぐに写真を作ることも、それをすぐに遠くに送ることもできませんでした。しかし、報道機関の情報システムができたことから、記者は取材現場から記事や写真、動画をすぐにWebサイトやテレビ番組で公開できるようになりました。インターネットの発達は、一般の人がSNS（Social Networking Service）を使って写真や動画を自由自在に発信することも可能にしています。こうした情報システムの発達により、私たちは、他の国や地域の政治体制や文化の様子を簡単に知ることが可能になりました。このことが「政治のグローバル化」を進展させています。しかし、一部の国の独裁的な政治家にとっては、これは不都合になることがあります。そのような国では、国民がインターネットを利用して他国の情報を得ることを禁止しています。一方で、SNSの政治利用についての危惧や、私企業による言論コントロールへの不満など、新しい課題も生まれています。

文化の変化

通信カラオケでは、中央のセンターですべての曲に関するデータを一元管理しています。各曲のリクエストはネットワークによって人気ランキングとして集計されます。ネットワーク上で不特定多数の人と一緒に参加するオンラインゲームは、仮想世界での交流が現実の世界の人間同士の出会いの機会となることもあります。

図2　牛肉のトレーサビリティ。値札に記載された番号（左）から、牛の個体を識別できる（右）

社会基盤になるシステム危機管理体制も重要

首都圏など大都市圏の鉄道やバスは、朝夕などにはとても多くの便が運行されています。現在では、列車やバスの位置や遅延情報がスマートフォンなどの画面上で手軽に確認できるようになっています（図3）。これは、列車やバスの位置情報を取得して、現在位置や時刻表とのズレを表示する情報システムの利用方法の1つの形態です。

利用者に情報を提供する一方で、列車やバス、航空機などの運行情報や、空港で離着陸を指示する航空管制情報は、公共交通機関の運行を安全で正確に行うための社会基盤でもあります。

たとえば航空管制システムでは、航空機の機種、重さ、風の強さ、風の方向、気象レーダーからの情報、各航空会社から提供された情報などを利用して、人間が行う管制業務をサポートしています。

ただし、航空管制システムのように高度化した情報システムでは、万が一のトラブルがあった場合に人間が対応できるかという問題があります。情報システムは有益ですが、情報システムが動作しなくなったときに事故やトラブルの発生を防ぐ危機管理対策も必要です。バックアップシステムを用意するほか、人間が対処できるようなマニュアルの整備や事前の訓練実施など、十分な対策が求められます。

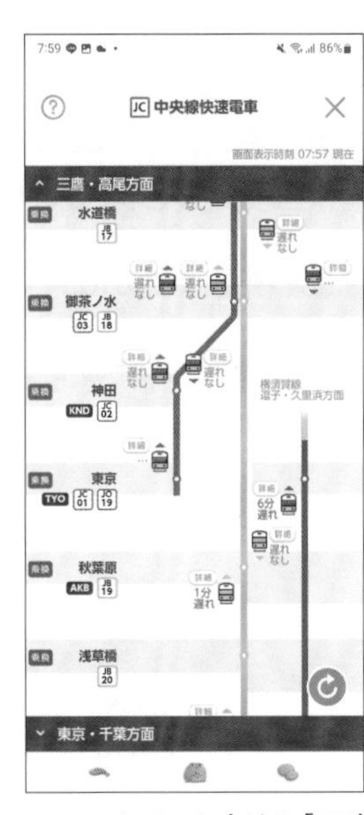

図3　スマートフォン向けの「JR東日本アプリ」でリアルタイム運行状況を確認。列車の遅れや混雑具合もわかる

□ 産業システムとICT

製造業と物流分野で先行していたICTの活用が農業・漁業でも始まった

IT（Information Technology：情報技術）という言葉が日常的に使われるようになりましたが、最近は官公庁や学校を中心に、ITに代わって**ICT**（Information and Communication Technology：情報通信技術）という用語が使われるようになってきました。

ICTが注目されるのは、多様な業種で仕事の効率を向上させ、社会問題となっている人手不足の解消や、コストと環境負荷の低減につながると期待されているからです。

ものづくりを効率化するICT

コンピュータ上で設計を行うことを**CAD**（キャド：コンピュータ支援設計）と言います。現在は製品の形状を立体物として画面上で編集できる3D CADソフトを使って設計するのが普通です。部品を製造するためには部品の形を彫り込んだ金型（かながた）を作る必要があり、そこで使われるのが**CAM**（キャム：コンピュータ支援製造）です。CAMソフトは自動工作機を制御する**NC**（エヌシー：数値制御）プログラムを出力します。

金型を作る前に試作品を作って設計に問題がないかを確認するのが普通です。**3Dプリンタ**を使って素早く試作品を作ることを**ラピッドプロトタイピング**と言います。

農業・漁業・建設業でのICT

限られた耕作地と人手の中で生産量を向上させるのが**精密農業**と呼ばれる技術です。過去の肥料量と収穫量の関係、土壌分析、農家間の収穫量のばらつきなどのデータを蓄積し、そのデータに基づく農場管理によって収穫量と品質の向上を目指します。自動化に関しては、**GPS**装置を搭載した自動操縦トラクター、ラジコン飛行機や**ドローン**による農薬散布が実用化されています。

農業における最大のリスクが気象です。そこで、気象庁から逐次配信される気象ビッグデータをリアルタイムで解析して、1平方km単位、30分ごとの天候を72時間先まで予測して農家に配信するサービスが開発されています。漁業用の気象予報サービスでは水温、潮流、波高、赤潮情報なども配信されます。

鉱石の採掘現場などで働くダンプトラックの自動運転化は10年前から実現しています。現在は、ICT建機などと呼ばれるブルドーザーやショベルカーの自動化も進んでいて、熟練した人間以上の精度で自動的に整地できます。

物流システムとICT

私たちが日頃利用している宅配サービスでは、業者のWebサイトで荷物の問い合わせ番号を入力すれば配送状況を確認できます。管理番号のバーコードを印刷したシールを荷物に貼り付け、これを宅配業者が荷受け、営業所への到着、トラックへの積み込みの各段階で端末に読み込ませています。その情報は、携帯電話網を介してセンターのサーバに送られます。

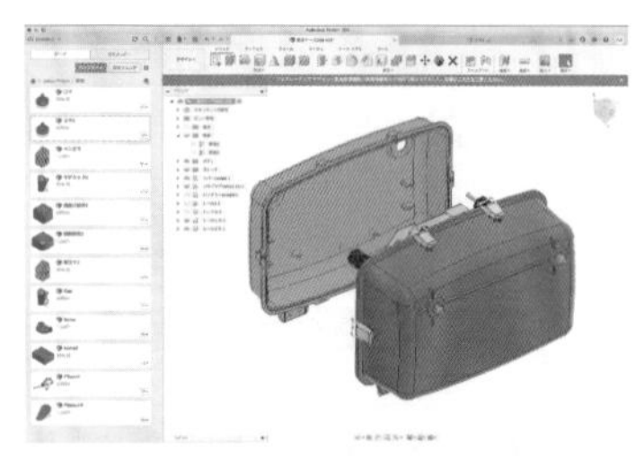

図1　現在ほとんどの製品は、3D CADを使ってPCの画面上で設計されている

図2　世界の鉱石採掘現場などで実用化されているコマツの無人ダンプトラック

図3　宅配便のドライバーが使うタブレット（ポータブル端末）とプリンタ、通信用の携帯電話、カード決済端末

3Dプリンタと3Dスキャナ

3Dデータから立体モデルを作り出す3Dプリンタにはいろいろな造形方式の製品がありますが、基本的な原理は共通しています。3Dモデルの垂直方向のたとえば0.1mmごとの断面形状を計算し、それらの断面を1層ずつ積み重ねて造形するのです。これを積層造形方式と言います。積層ピッチ0.1mmで高さ10cmのモデルを作るには1000回の断面造形が必要で、かなり時間がかかります。

実際に層を形成する方式には、DLP(光造形方式)、FDM(熱溶解)方式、インクジェット方式などがあります。低価格3Dプリンタの多くはFDM方式で、ペン先から熱で溶けたプラスチックを押し出して、一筆書きのように断面を描いて行きます。金属で造形できる3Dプリンタもあります。

3Dプリンタの主な用途は、製品の試作と、趣味の工作です。造形に時間がかかるので、製品の量産に使うのには向いていません。ただし、部品を少量生産するために3Dプリンタを使う事例もあります。

3Dプリンタで立体物を造形するには、3D CADソフトや3D CGソフトを使って3Dデータを作成する必要があります。立体物の形を3Dスキャナで読み取って3Dデータ化する方法もあります。

図4　Formlabs社の光造形方式の卓上3Dプリンタ「Form3」

バーコードと2次元コード

物流分野のICTでは、各商品を識別し、情報と関連付けるための技術が基本となります。昔から使われてきたのが**バーコード**で、現在はQRコードなどの**2次元コード**や、**RFID**(無線ID)技術を応用した**電子タグ**(ICタグ、RFタグ)も使われています。

国内の多くの商品に付けられているバーコードは**JANコード**と言って、国番号、メーカー番号、品物の番号がコード化されています。

2次元コードは格納できる情報量が多いことから多様な分野に応用されています。

ユニクロ等の小売業者で採用が始まったICタグは、一見バーコードが印刷された普通の商品タグに見えますが、内層にゴマ粒より小さなICチップとアンテナが内蔵されていて、レジ端末のRFIDリーダーに近づけると記録している情報が読み出されます。

図5　商品に付いているJANコードの例

図6　電子部品に付いている管理用2次元コードの例

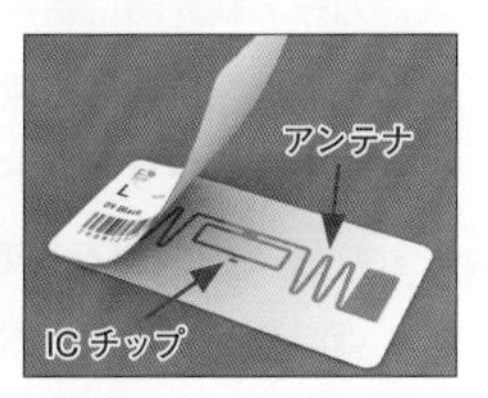

図7　ユニクロの商品タグに埋め込まれたICタグ

物流の拠点倉庫をロボットで効率化

ネット通販業者のアマゾンは、世界各地にある拠点倉庫で「Amazon Robotics」という商品管理システムの導入を進めています。このシステムでは、仕入れた商品を倉庫に収める棚入れ作業と、出荷する商品を探して取り出すピッキング作業をロボットが行います(図8)。作業員がコンピュータ端末で商品を指定すると、ロボットが収められた棚を探して持ってきてくれるのです。どの商品がどの棚に入っていて、その棚は倉庫のどこにあるのか、といった情報は、もちろんコンピュータで管理されています。

倉庫の自動化は、ほかにも例があります。図9はニトリグループのホームロジスティクスのロボット倉庫「オートストア」で、隙間なく12段に積まれたコンテナの上をロボットが走行するシステムとなっています。スペース効率が高いのが特徴です。

図8　アマゾンの倉庫内を自動走行するロボットたち。商品が入った棚を下から持ち上げ、移動する

図9　ロボット倉庫「オートストア」。ロボットが走行する縦横のレールの下に、商品を格納したコンテナが並ぶ

©オカムラ

□ 電子マネー

ICカードやスマートフォンの操作など「電子的な情報」でやり取りされるお金

電子マネーとは「紙や金属のお金」に代わる「電子的な情報だけで表現されるお金」のことです。情報をやり取りすることで、紙や金属のお金を支払ったり受け取ったりするのと同じことであると約束されたお金です。電子マネーの種類と特徴を確認しましょう（表1）。

さまざまな方式の電子マネー

プリペイド番号を利用する方法の場合、利用者はコンビニエンスストアなどでプリペイド番号が書かれたカードを購入し、その番号を利用してネット決裁をします。「Amazonギフト券」や「iTunes Card」、「LINEプリペイドカード」などがあります（図1）。この方式の特徴は、カード購入時に番号が有効になることです。購入前のカードが盗まれても無効です。

磁気による**プリペイドカード**方式では、カードの発行会社が残高の情報を書き込んだ磁気カードを販売します。買い物をすると、お店ではそのカードに書き込まれている残高を読み込んで書き直します。残高情報はカード上の磁気情報なので、改ざんされる恐れがあります。

現在では、**ICカード**方式のプリペイド型電子マネーが広く普及しています。その特徴は、残高がカードの中に記録されていて、内蔵しているIC（小型のコンピュータ）でデータの計算を行って残高を書き換えることです。残高の書き換えには高度な暗号の解読が必要なため、犯罪者による詐欺を防げます。さらに、カード自身が計算能力を持っているので、電子マネーの発行会社ごとに異なる暗号鍵を解読することで、１枚のカードで複数の電子マネーの発行会社に対応できるようになりました。

2013年3月23日からは、図2の鉄道系のICカード乗車券が相互利用できるようになっています。

電子マネーに似た決済手段に、デビットカードがあります。プリペイド方式ではなく、商品を購入したときの代金を銀行口座の残高の範囲内で即時引き落としで決済する仕組みで、電子的なお金である電子マネーとは異なります。

スマートフォンと電子マネー

ICカード方式の電子マネーは、携帯電話やスマートフォンでも利用できます。日本では「おサイフケータイ」の名称で利用されています。流通系や鉄道系のICカード方式の電子マネー、クレジットカード決済などが利用できます。アップル社のiPhoneもICカード方式に対応し、「Apple Pay」と呼ぶ電子決済の仕組みを通じてさまざまな電子マネーを利用できるようになりました。

図1　LINEプリペイドカード

- Kitaca
- PiTaPa
- PASMO
- ICOCA
- Suica
- はやかけん
- manaca
- nimoca
- TOICA
- SUGOCA

図2　相互利用できる鉄道系ICカード

表1　各種の電子マネーとデビットカード、クレジットカードの特徴

	プリペイドカード	ICカード方式電子マネー	センター管理型電子マネー	デビットカード	クレジットカード
現金への交換	不可能	不可能	不可能	可能	不可能
残高（限度額）の記録場所	カードの中	カードの中（種類によってはセンターにも記録）	データセンター	データセンター	データセンター
暗証番号（署名）	不要	不要	不要	必要	必要
使用者の支払い	利用前（預金）	利用前（楽天Edy、Suica、ICOCA、WAON、nanacoなど）、利用後（PiTaPaなど）	利用前	利用時（預金から即時引き落とし）	利用後
利用確認	磁気データを書き換える	内蔵ICと電波でやり取り	カードやQRコード、スマートフォンの非接触ICで読み取った情報をもとにセンターとやり取り	ネットワークを通じてホストコンピュータに照会	署名または暗証番号の入力

電子マネーの仕組みを守る法律「資金決済法」

ICカード方式のプリペイドカードで商品を購入しようとする人は、あらかじめお金を支払ってチャージを行っておきます。チャージをした人が現金で支払った場合、その現金は、電子マネーの発行会社（バリューイシュアと呼ばれます）が定期的に回収しています。電子マネーの発行会社は、回収した現金と、その店が書き換えた残高（売り上げとチャージ）をつじつまが合うように精算して、最終的にその店が持つ銀行口座に振り込みます。

しかし、電子マネーの発行会社が電子マネーを大量に発行し、後になって倒産してしまうと、多くの人がお金を支払ったのに、引き換えができないということになってしまいます。そこで万が一、電子マネーの発行会社が倒産してしまったときに備える「資金決済法」が定められています。

これは、発行した電子マネーの総残高の半額の現金を国に預けるという法律です。預けられた現金は、電子マネーの発行会社が倒産したときに、被害者の救済に利用されます。

FeliCaを利用したICカード

現在、日本ではソニーが中心となって開発したFeliCaが普及しています。単体のICカードのほか、スマートフォンにも多く搭載されています。JR東日本のSuicaを例に見てみましょう。

購入したばかりのSuicaには、JR東日本専用の、暗号に利用するための鍵と、改札口が解読できる暗号を作るための鍵が書き込まれています。

図3に示すような通信と計算が、わずか0.1秒で完了しています。

FeliCaの解読には暗号を利用しているので、別のカードからの返事を解読することができません。最初に乱数を送ってそれの解読結果を送り返してもらっているのは、通信内容を他のコンピュータに傍受されることで起きる成りすましの危険を防ぐためです。また、複数枚のFeliCaが同時に電波を受信しても、各カードが乱数時間待機してから返事をするので、電波の混信を防ぐことができます。

【1】準備
a. 暗号化された乱数を作り、改札口のアンテナから電波として常に発信

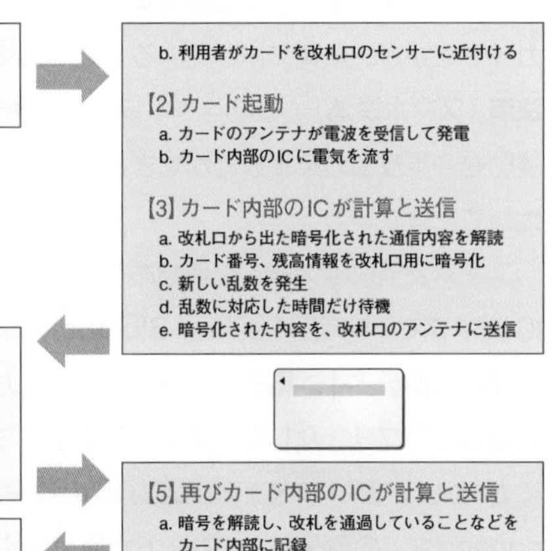

【4】改札口のコンピュータが計算と送信
a. 暗号を解読。暗号が解読できれば偽造ではない正しいカードとして認識
b. 通過可能かどうかを判定
c. 通過可能ならば、カードに向けて通過に必要な情報を暗号にして送信

【6】改札口の動作
a. 改札口のドアが開く

図3　Suicaを利用した自動改札の動作

チェーン店などで導入進むセンター管理型電子マネー

プリペイド方式の電子マネーは、カード内に残高情報を書き込み、専用のリーダーを使って決済時に残高を書き換えるものが一般的でした。ところが、最近では残高情報をセンターで管理するセンター管理型の電子マネーも増えています。物理的なカードやスマートフォンが表示するQRコードやバーコード、非接触ICカード機能などを使い、決済する時点でセンターの残高情報を書き換える方式です。カード内に残高情報が存在しないため、カード改ざんによる不正利用が防げます。

チェーン展開する飲食店や小売店などで、飲食や商品購入などの際の支払いに使える企業独自の電子マネーが提供されています。身近なものでは、ファミリーマートやTSUTAYAなどで利用できる「Tマネー」、スターバックスコーヒーで利用できる「スターバックスカード」などがあります。

企業規模にかかわらず独自の電子マネーの仕組みを利用できる共通プラットフォームもあります。バリューデザインのバリューカードは、モスバーガーの「モスカード」など、約800社で使われています。カード型だけでなく、スマートフォンで利用するクラウド型電子マネーの「Value Card」も提供しています（図4）。

図4　ValueCardの仕組みを使った企業の独自電子マネー。上のモスカードはカード型、下のロゴのAnimatePayはクラウド型の電子マネーを使う

□ スマートフォン決済

スマートフォンがお財布代わりに

スマートフォン単体で決済できる便利な機能

現金を使わない**キャッシュレス決済**が広がっています。日本は世界的に見ると現金決済がまだ多い国ですが、経済産業省によればキャッシュレス決済の比率は2021年に32.5%で、10年前の約14%から大きく拡大しています。キャッシュレス決済の中心はクレジットカードですが、急速に伸びているものに**スマートフォン決済**（スマホ決済）があります。スマホを持っていれば買い物や乗り物の乗車などができることから、利用が拡大しています。

スマホ決済には大きく2種類あります。1つは非接触ICタイプで、NFC、FeliCa、Bluetoothなどの無線通信技術を使います。電子マネーやデビットカードなどを登録したアプリを介して、スマートフォンを専用の端末にかざして使います。Suicaなどの交通系、Edyやnanacoなどの電子マネーカードが使えます。

もう一つが**QRコード決済**（コード決済）です。二次元コードのQRコードや、バーコードを介して決済します。あらかじめスマートフォンにアプリをインストールして使う点は同じです。決済は、前払い（プリペイド、チャージ）、即時払い（リアルタイムペイメント）、後払い（ポストペイ）があります。PayPay、LINE Pay、d払い、au PAY、楽天ペイ、メルペイ、ゆうちょPayなどが代表的です。

2種類の使い方で店舗の導入を推進

QRコード決済では、決済時の利用方法が2種類あります。一つはスマートフォンの画面に表示させたQRコードやバーコードを店舗側のスキャナで読み取ってもらうコード支払い（ストアスキャン）です。もう一つは、店舗側で掲出したQRコードをスマートフォンアプリによってカメラで読み取る読み取り支払い（ユーザスキャン）です（図1）。

コード支払いは、店舗側ではクレジットカード決済などの仕組みと併用できるため、既にキャッシュレス決済の仕組みを備えている店舗などで導入しやすい方法です。一方の読み取り支払いは、店舗にスキャナや決済端末などの特別な機器が不要で利用できるため、個人商店などがキャッシュレス決済を導入する際のハードルが低い点が特徴です。

前払い式のプリペイド型QRコード決済で、利用時の仕組みを見ていきましょう。まずスマートフォンにQRコード決済サービスのアプリをインストールします。利用前にサービスにチャージをします。チャージの仕方は、アプリと連携させた銀行口座やクレジットカードから入金する方法や、コンビニエンスストアの決済端末に現金を投入して入金する方法などがあります。

決済時には、コード支払い、読み取り支払いのいずれの方法でも、店舗でQRコードなどを読み取ったあとに支払う金額を入力して、「支払う」などのボタンをタップします。こうすることで、QRコード決済サービスの側で、個人のチャージの残金から店舗の口座に資金移動され、支払いが完了するのです（図2）。

図1　店舗側に置くPayPayのQRコードステッカー

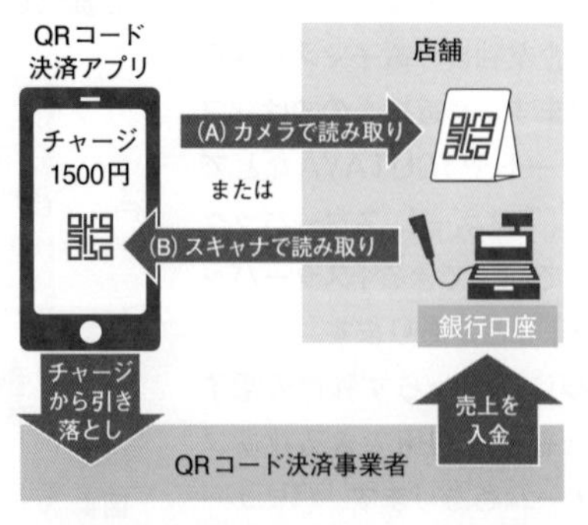

図2　QRコード決済ではQRコード決済事業者を介してチャージした残金が店舗の銀行口座に資金移動する

中国のアリペイが先行 国内でもサービスが普及

スマホを利用して買い物を行うアイデアは、2008年、中国のアリペイがモバイル決済サービスを開始した頃に始まります。その後、中国ではさまざまなモバイル決済が登場しました。当時、日本ではスマホ決済はほとんど使われておらず、多くの決済は現金（紙幣、硬貨）や、Suicaに代表されるICカードを利用したものが主流でした。

スマホ決済が中国で急速に普及した背景としては、紙幣や硬貨の偽造対策があるというニュースもありました。

アリペイを経営するアリババグループ（阿里巴巴集団）は、アリペイにさまざまな機能を持たせています。特に、2017年9月にサービスを開始した顔認証決済は、スマホ決済を超えた新たな決済手段です。安全性や信用性の点でも、単にパスワードや4桁の暗証番号で認証を行う従来の決済方法よりも、信頼性があるとされています。

国内では2019年10月の消費税増税の直後の消費冷え込み対策の一つとして、政府はキャッシュレス支払いによるポイント還元を実施することを決定しました。このとき、スマホ決済を利用するキャッシュレス決済サービスに多くの企業が参入しました。

現金を持ち歩かずに使える利便性と、ポイント還元などのキャンペーンにより、QRコード決済を中心としたスマホ決済は普及期に入っています。一方で、QRコード決済は多くのサービスが乱立して、混乱を招くことにもつながっています。また導入する店舗などの企業では、当初は無料だった手数料が有料化されたことで取り扱いを中止するような動きも出ています。

そうした中でQRコード決済は、鉄道などの交通での利用の検討が始まるなど、利用の幅を拡大しています。JR東日本はQRコード乗車を2024年に一部の地域で開始する予定です。

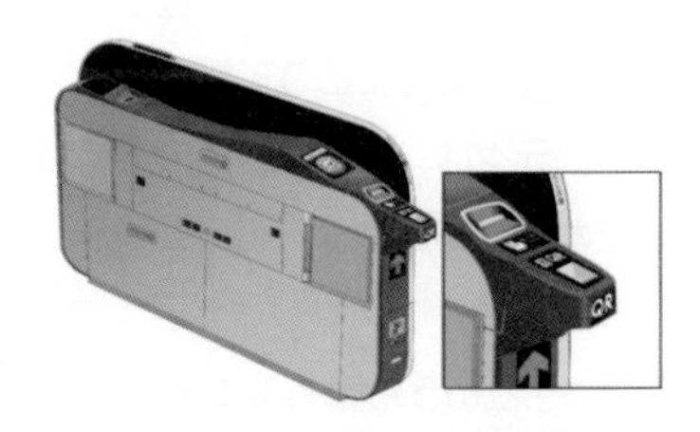

図3　JR東日本が導入を進めるQRコード対応自動改札機の開発中のイメージ（出典：東日本旅客鉄道の発表資料より）

スマホ決済で使われる情報技術

スマホ決済には、さまざまな情報技術が使われています。

- スマホカメラ
- QRコードによるデータ読み取り
- **GPS**（安全性確保のため）
- 携帯電話ネットワーク
- **SSL/TLS**、**電子署名**
- 残高データベース
- 決済店からの売上情報を送る決済ネットワーク
- **2段階認証**

これらの技術は、それぞれ別々に開発されたものですが、こういった技術を組み合わせることで、スマホ決済のような利便性の高いサービスが実現しているのです。

スマホ決済でのセキュリティ事故

スマホ決済は便利ですが、便利すぎて悪用される可能性に気が回らなくなってしまっては困ります。2018年、PayPayがサービスを開始した直後には、犯人が自分のスマホに他人のクレジットカード番号と名前、そしてクレジットカードのセキュリティコード（3～4桁の数）を強引に認証させ、不正利用していたことが発覚しました。この事件以降、PayPayではセキュリティコードの認証はクレジットカード会社を経由するように変更され、このような詐欺事件はなくなりました。

一方で**フィッシング**詐欺も急増しています。本物そっくりなWebページに誘導するメールやSMS（ショートメッセージサービス）を送りつけ、不注意なユーザからスマホ決済のアプリの残高を送金させるという手口です。

ほかにも、ユーザスキャン型の店舗のQRコードを店員に気づかれないように交換し、その店の売上を別の店の売上にした、という詐欺もありました。

気を付けたい 使い過ぎと年齢制限

スマホ決済は硬貨や紙幣などの現金を利用することがないため、ついつい使い過ぎてしまう、という人もいます。利用金額と自分が持っている残高を見てよく注意をしておくべきでしょう。また、チャージ金額に月当たりの上限を決めておくことも有効です。

多くのスマホ決済の場合、いくつかの入金方法がありますが、クレジットカード払いの場合は、クレジットカードの所有者が代金を支払えるかどうかの調査が必要になります。そのため、年齢制限を課している事業者もあります。未成年がスマホ決済サービスを利用する際は、年齢制限がないサービスを選ぶことが必要で、さらに、あらかじめ入金をしておくべきでしょう。

□ サブスクリプションとシェアリングサービス

ICTを活用して登場・普及してきた、サービスの新たな提供形態

モノの購入代金やサービスの利用料をその都度支払うのではなく、月単位や年単位で一定期間利用できる権利に対して料金を支払う形態を**サブスクリプション**と言います。元々は、新聞や雑誌の定期購読をあらわす言葉でしたが、今では映像・音楽コンテンツやPCアプリや自動車などもサブスクリプションで提供されていて、「サブスク」という略語もよく使われています。

また、近年、ICT（情報通信技術）を活用して、効率よく車や自転車や部屋などを貸し出す**シェアリング**と呼ばれる新たなサービスの形態も広まりつつあります。

サブスクリプションで提供されるPC用アプリケーション

PC用のアプリケーションを販売するには、昔はプログラムを収めたCDやDVDが入ったパッケージで販売する形態が中心でしたが、高速なインターネット環境が普及した近年はネットからダウンロード販売する形態が中心となってきました。

アプリケーションを開発・販売しているメーカーにとっては、いかにしてユーザを自社製品で囲い込み、さらにいつでも最新の機能を利用できるようにアップデートさせるかが課題となっていましたが、それを解決する方策として、ダウンロード販売をさらに前進させたサブスクリプションが広がりつつあります。

WordやExcelなどのMicrosoft Officeでは、2021などの年数が付いた買い切りのデスクトップ版の販売とは別に、「Microsoft 365」という名称のサブスクリプションの形態でも提供されています。

また、世界中の写真家やデザイナーが利用しているPhotoshopやIllustratorなどのプロ向けのアプリケーションはフルセットのパッケージだと50万円近くもする高額製品でしたが、2012年、開発・販売元のAdobe Systems社は月額6千円ほどですべてのアプリケーションを利用できるという思い切ったサブスクリプション制を導入しました。当時は業界内でも驚きをもって受け止められましたが、以来、同製品のサブスクリプションのユーザ数は右肩上がりに増え続け、同社の売上高も順調に伸びてきたことから、最も成功したサブスクリプション事例の一つとされています。

サブスクリプションで提供される音楽・映像コンテンツ

一定料金を支払えば音楽が聴き放題、動画が見放題になるサブスクリプションサービスも、Amazon、Apple、AWA（アワ）、Hulu（フールー）、LINE、Netflix（ネットフリックス）、Paravi（パラビ）、Spotify（スポティファイ）、YouTube、U-NEXT（ユーネクスト）など、多くの会社が提供しています。

ネットから音楽・動画のコンテンツが配信されるサブスクリプションでは、レンタルのように店舗に借りに行ったり返却しに行ったりする必要がないし、視聴したいコンテンツが貸し出し中で借りられないということもありません。音楽や動画のサブスクリプションは、高速で安定したネット環境が広く整備されて、動画を快適に視聴できるスマートフォンをほとんどの人が所有している情報通信社会にマッチしたサービスといえます。

図1　音楽や映画をサブスクで提供するAmazonプライム

多種多様なサブスクリプション

さまざまなモノやサービスもサブスクリプションで提供されています。

情報通信技術とは関連性がないように見えても、商品の検索・申し込み・返却、店頭でのサブスクリプションの確認などをスマホの専用アプリを使って行っている例もあり、インターネットやスマホといった情報通信技術を活用したものといえます。

書籍・コミック・雑誌のサブスク

ネット書店最大手のAmazonではKindleというサービス名で多数の書籍を電子ブックの形態で販売していますが、定額で一部の電子ブックが読み放題となる「Kindle Unlimited」というサブスクも行っています。

コミックを中心としたサブスクとして人気を集めているのがエヌ・ティ・ティ・ソルマーの「コミックシーモア」です。

また、NTTドコモの「dマガジン」では、週刊誌、ファッション、旅行、料理など、さまざまな分野の電子ブック形態の雑誌を定額で読むことができます。

ゲームのサブスク

ソニー・インタラクティブエンタテインメントの「PlayStation Now」はPS4＆PS3用のゲームを、任天堂の「Nintendo Switch Online」はNintendo Switch用のゲームを定額で遊べるサブスクサービスです。

知育玩具やおむつのサブスク

トラーナ社の「トイサブ」では、子どもの成長に合わせて買い換える費用が負担となっている知育玩具をサブスクで提供しています。

BABY JOB社の「手ぶら登園」は、定額で保育園におむつを届けることで、保護者の負担を軽減できるサブスクとして注目されています。

ファッションやコスメのサブスク

定額で新作新品の洋服が借り放題になるサブスクを提供しているのがストライプインターナショナル社の「MECHAKARI」です。

ヴィトン、エルメス、グッチなどの有名ブランドのバッグを定額でレンタルできる「Luxus」（ラクサス・テクノロジーズ社）というサービスもあります。

また、コスメ・コム社の「BLOOM BOX」は、ビューティーアドバイザーが500以上のブランドの中から自分に合ったコスメをセレクトして、毎月4～5ブランド分のコスメを届けてくれるサブスクです。

自動車のサブスク

トヨタグループのKINTO社が行っている「KINTO」はトヨタの新車に月額料金で乗ることができる車のサブスクです。

ナイル社の「定額カルモくん」やコスモ石油マーケティング社の「コスモMyカーリース」など、トヨタ車以外の自動車にも定額で乗れるサブスクもあります。

資源を有効に共有するシェアリングサービス

インターネット、スマートフォン、GPS、電子マネーといった情報通信技術の普及に伴い、自動車や宿泊場所などをシェアリングするサービスが広まってきました。

自動車と自転車のシェアリング

街中の駐車場の一角にカーシェアリング用の自動車が停まっているのを見かける機会が増えました。タイムズモビリティ社の「タイムズカーシェア」やオリックス自動車の「オリックスカーシェア」などがあります。

昔からあるレンタカーとは異なり、カーシェアリングでは無人の駐車場に停めてある車の鍵をスマホの専用アプリを使って解錠・施錠しますので、24時間いつでも貸し出し・返却することができます。支払いもスマホで済ませることができます。

一方、車内の清掃や給油などは利用者の意思に任されているため、利用者のマナーが問われる面がありますが、これもシェアリング（分け合う）というサービスの特徴といえます。

近年、首都圏を中心に、自転車を貸し出すサイクルシェアリングも広まりつつあります。OpenStreet社の「HELLO CYCLING」、ドコモ・バイクシェア社の「ドコモ・バイクシェア」はいずれもスマホの専用アプリを使って、コンビなどの駐車場に置いてある電動アシスト付き自転車を検索・予約し、暗証番号か交通系ICカードを使って解錠して利用する仕組みです（図2）。

宿泊場所のシェアリング

自宅の部屋や所有するマンションなどを旅行客に貸し出す「民泊」を、情報通信技術を利用して使いやすくしたのが「Airbnb（エアービーアンドビー）」です。部屋の検索に始まり、予約・鍵の受け渡し・決済に至るまでのさまざまな連絡や手続きがインターネットを介して行われる点が特徴です。

図2　HELLO CYCLINGでは、専用アプリを使って、電動アシスト自転車のバッテリーの残量まで確認したうえで予約できる

□ 組み込みシステム

家電製品や自動車にもコンピュータが組み込まれている

身の回りの多くのものにもコンピュータが入っています。たとえばテレビ、エアコン、自動車などです。こうした、機器に組み込まれたコンピュータを**組み込みシステム**（エンベデッドシステム）と言います。

私たちの生活の中にある組み込みシステムの例と、その働きを紹介します。

エアコン

温度センサで室温と外気温を調べ、室温が設定温度になるように熱交換機やファンなどの動作を制御します。

洗濯機

洗濯物の量を自動的に計測し、ユーザが指定したコースに従って注水、洗濯、すすぎ、脱水などの処理を制御します。

体脂肪計付き体重計

使用する人の身長や年齢などのデータと、計測した体重値、および微弱電流センサの値を利用して、体脂肪率や代謝率を計算し、表示します。

AED（自動体外式除細動器）

電気ショックで患者の心臓の動きを回復させるAEDは、心電計で心臓鼓動を検出し、その状態に応じて適切な電気ショックを送ります。人の命に関わるため、その組み込みシステムには高い精度と信頼性が要求されます。

自動車

エンジン制御にはじまり、変速機、ブレーキ、パワーウインドウ、エアバッグ、ワイパー、ウインカー、室内灯、カーナビ、オーディオなど、あらゆる箇所がそれぞれ独立した組み込みシステムで制御されています。1台の車両に搭載されている組み込みシステムの数は、普及車でも50以上と言うから驚きです。

組み込みシステムの要はマイコン

組み込みシステム用のCPUを**マイコン**または**MCU**（マイクロコントローラユニット）といい、用途別に多様なものが作られています。スマートフォンをはじめとした通信機器の多くは、英国のARM（アーム）社が設計した32ビット以上のCPUコアを使った高性能なマイコンを採用しています。また、カーナビのような高解像度ディスプレイを装備する機器の場合は、CPUコアとともにグラフィックス処理用のGPUコアを集積したマイコンを使っています。

家電製品に使われているマイコンはワンチップマイコンと言って、プログラムが書き込まれたROM、RAM、液晶ディスプレイコントローラや**GPIO**（汎用入出力ポート）、A/Dコンバータなどの回路を1つのチップ内に集積しています。ワンチップマイコンは、ごく少数の電子部品を接続するだけで組み込みシステムとして完成します。たとえばGPIOには操作スイッチを直結できますし、A/Dコンバータにセンサをつなげば、温度などのアナログ情報を入力できます。CPUコアのビット数は、体温計や赤外線リモコンのように機能がごく単純なものの場合は4ビットで、必要に応じて8ビットや16ビットのものが使われます。

現在あらゆる機器が組み込みシステムで制御されている理由は、コスト的なメリットと正確さにあります。機能がシンプルなマイコンなら1個100円もしないのです。

図1　オーディオ機器の赤外線リモコンの裏蓋を外して見た内部。ワンチップマイコンのほかに、わずかな電子部品だけで必要な機能が実現されている

組み込みシステムで使われるOS

大型液晶ディスプレイや大容量ストレージを備えるような高度な組み込みシステムの場合、システム的にパソコンに近いものとなり、制御プログラムの開発には大きな手間が掛かります。そこで、ある程度規模の大きな組み込みシステムでは、基本的な処理を担当する**組み込みOS**を搭載しています。

組み込みOSは、パソコン用の汎用OSとは異なり、性能の低いCPUと少ないメモリで動く必要があります。また、多くの場合**リアルタイム性**といって、応答速度が高いことを求められます。これを満たすOSは**リアルタイムOS**と呼ばれます。

赤外線リモコンのような単純な機能の製品においては、組み込みOSは必要とされません。

以下では代表的な組み込みOSを紹介しましょう。

μ ITRON

東京大学の坂村健名誉教授を中心とするTRON（トロン）プロジェクトが開発したITRON（アイトロン）という汎用OSをベースに作られた組み込みOSの仕様がμ ITRONです。この仕様に沿って作られたOSは、私たちの身の回りの家電製品や通信機器、自動車などに搭載されています。高い信頼性から人工衛星の制御システムに使用可能とされ、小惑星探査機「はやぶさ2」にも採用されています。

Windows Embedded/10 IoT

スーパーのPOS、銀行のATM（現金自動預け払い機）などでは、マルチメディア機能やグラフィックス表示を行う必要から、マイクロソフトがWindowsをベースに作った組み込みOSであるWindows Embeddedシリーズが使われてきました。このOSは2021年にサポートが終了します。マイクロソフトは代わりにWindows 10カーネルを採用したWindows 10 IoTという組み込みOSを用意しています。

Android

スマートフォンやタブレットのOSとして知られるAndroidですが、組み込みシステムでも活躍しています。Javaでプログラム開発がしやすいこと、高度なGUIを持つアプリケーションを開発可能なこと、ライセンス料がかからないことなどが大きなメリットです。

Windows Embedded Compactのサポート切れにより、いろいろな製品で採用が増えているそうです。

LinuxやBSD系のOS

ブロードバンドルータやビデオレコーダなどの機器、NAS（Network Attached Storage）などのネットワーク機器では、インターネット普及の初期からサーバに使用されてきたUnix（ユニックス）を基本にした**Linux**（リナックス）や**BSD**（ビーエスディ）系のFreeBSD等のOSが用いられています。ネットワークを利用するうえで便利な機能がそろっているからです。

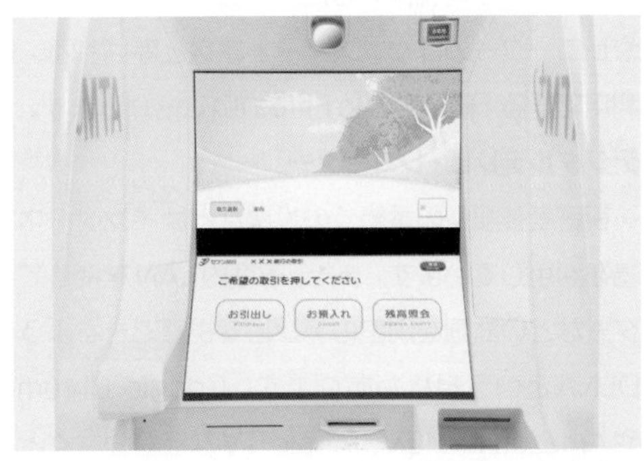

図2　ATMの組み込みシステムは、タッチパネル付き画面での操作が必要なため、GUIに対応した組み込みOSが採用されている。写真はセブン銀行が導入したNEC製のATMの画面

炊飯器の組み込みシステム

マイコン制御の炊飯器は、設定した時間にご飯を炊き上げてくれます。たとえば18:00の炊き上がりを指示した場合、炊飯に50分かかるとすれば、炊飯器のマイコンは内蔵時計の時間が17:10になったらヒーターの加熱をスタートし、50分後に加熱を終了すれば良いわけです。この制御は機械的なタイマーや電気回路で実現することもできます。しかし、マイコンで制御した方がシンプルかつ安価で、しかも正確に制御できるシステムを作ることが可能です。

図3に炊飯器の組み込みシステムの概略図を示します。ボタン操作の入力、液晶ディスプレイへの表示、温度センサからの温度情報入力、ヒーターの制御などをマイコンが行っていることがわかります。

マイコン内のROMには、外気温に応じて加熱時間を調整したり、俗に「はじめちょろちょろ中ぱっぱ」と言われる火力調整を行うようなプログラムが書き込まれています。

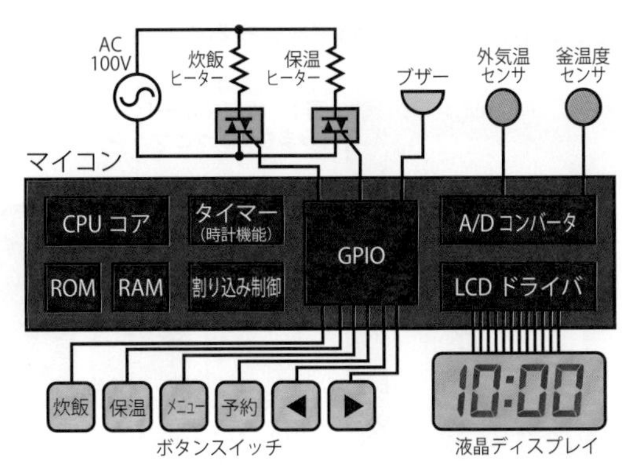

図3　マイコン炊飯器のシステム図

□ IoT (Internet of Things)

あらゆる「モノ」がネットにつながる

私たちの周りには、さまざまな情報機器があります。これらの機器をインターネットにつなげることで、さまざまな活用ができるようになります。このときにできるネットワークのことを、**IoT** (Internet of Things、**モノのインターネット**) と呼びます。

暮らしのIoT(スマート家電)

以前は、家庭でインターネットにつながる装置といえばパソコンが代表例でした。ここでは、デジタルテレビやレコーダーのほか、**スマート家電**と呼ばれる、家庭で利用できる「暮らしのIoT」について紹介します。

デジタルテレビ・レコーダー

視聴者参加型の番組での投票などはインターネット接続を利用しています。また、家庭内LANを使ってレコーダーなどの動画を別室のテレビで視聴できるようにするDLNAという規格もあります。Google ChromecastやAmazon Fire TV、Apple TVなどをつなぐと、ネット配信動画をテレビで見られるようになります。

ライブカメラ

撮影している動画をインターネットを介して配信するサービスをライブカメラと言います。以前は主に観光地や公共施設に設置されていましたが、近年は設置費用が下がってきたことから、家庭への導入も可能になりました。高齢者やペットの様子を見守ることもできます。

見守り家電

湯沸かしポットや照明リモコンなどをインターネットに接続することで、動作しているかどうかを外部から確認できるようになります。この方法で、遠隔地にいる家族(主に高齢者)が平穏に暮らしているかどうかを知ることも可能です。家電製品ではなく、人感センサでも十分に機能を果たせます。

インターネット必須ではなくなってきた

実際にはインターネット以外のネットワークを利用したものでも、インターネット由来の技術を利用しているものをIoT機器と呼ぶことがあります。

小さな電子ブロックを無線でつなげる「MESH」

ソニーの「MESH」は、Bluetoothでつながる専用のブロックを使い、IoTシステムを簡単に作れるツールです。光るブロック、ボタンを押すブロック、各種センサを搭載したブロックなどがあり、「部屋に人が入ってきたら写真を撮影する」といった仕組みを作れます。学校のプログラミング教育への活用も進められています。

スマホとつながる乾電池「MaBeee」

外観は乾電池ですが、スマートフォンとBluetoothでつながり、アプリを使って電池の出力を制御できるのがMaBeeeです。たとえば、電池式の照明のオン/オフや、電池で動く鉄道模型などのスピードをスマホからコントロールできるようになります。

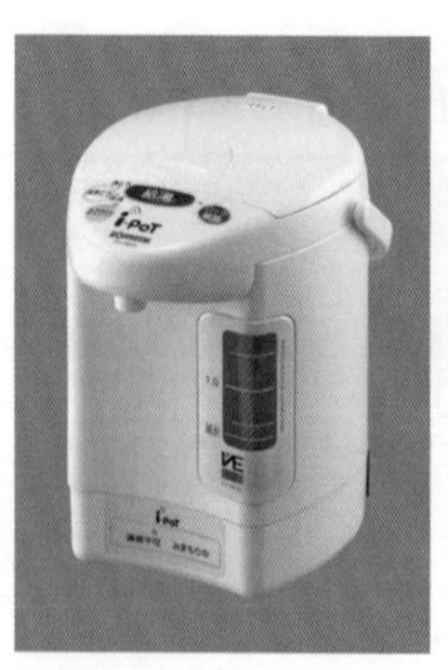

図1 象印マホービンの「みまもりほっとライン」

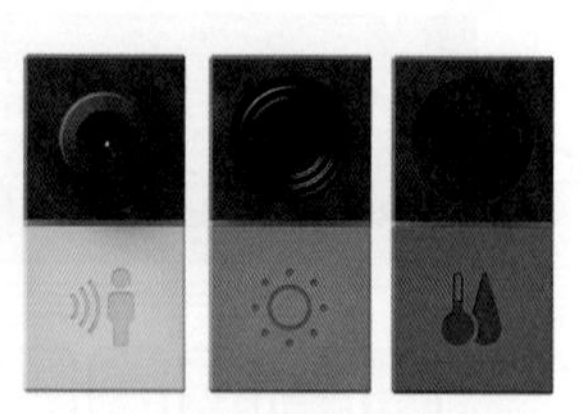

図2 ソニーの「MESH」。左から、人感、明るさ、温度・湿度のセンサを搭載したブロック

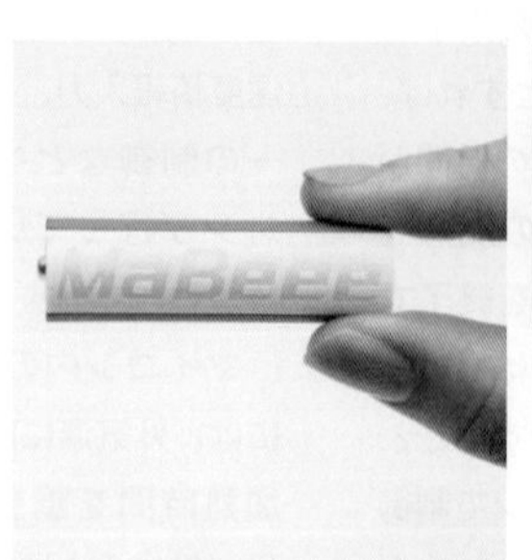

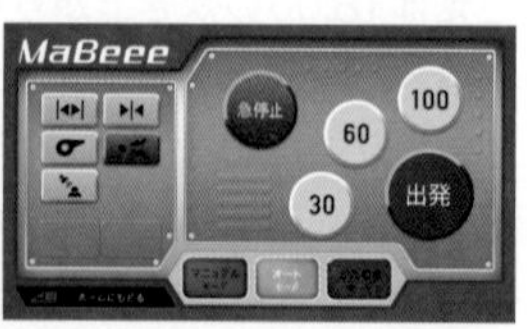

図3 乾電池型IoT製品のMaBeee(左)と電車型玩具用アプリ

社会で使われる産業用IoT

企業や公共機関などでも、IoTは活用されています。

建設機器を監視するコマツ

建設機器メーカーのコマツでは、販売するブルドーザーやショベルカーに搭載されたセンサと衛星回線を利用して、稼働状況をKOMTRAXサーバにアップロードしています。建設機器のユーザは、サーバから稼働状況をダウンロードし、使用効率を把握したり故障しそうな機器を把握したりして、修理や買い替えを検討することもできます。KOMTRAXは2001年から全ての建設機器に標準搭載しました。世界中のIoTの先駆けとも言える先進的な仕組みです。

自動販売機などの監視

自動販売機には商品を補充する必要がありますが、どの自動販売機にどの商品を補充すべきかを事前に調べるのは大変です。一方、商品を多めに持って補充して回るのは非効率的です。そこで、自動販売機に携帯電話と同じ通信機能をもたせ、不足しそうな商品のデータを集めることで、効率的な商品補充が可能になっています。ここで使われているのが、インターネットで利用されているさまざまな技術です。

ホンダよる交差点の改善

多くの運転手が急ブレーキを踏む場所は交通事故を誘発しやすい場所です。こうした場所の道路や信号などを改善すれば、交通安全につながります。ホンダは埼玉県や千葉県と共同で、急ブレーキポイントの情報を共有する取り組みを行っています。

またホンダは、アメリカのオハイオ州で2018年10月から、スマート交差点の実証試験を始めました。これは車同士や車と路上設備との間で無線通信するなどの方法で、交通を安全かつ効率的にしようとする取り組みです。まだ実験段階ですが、今後はこうした仕組みが普及していくでしょう。

図4　KOMTRAXに対応するコマツの建設機器

IoTを支える技術と制度

LPWA

LPWA（Low Power Wide Area）とは、低消費電力・広域の無線技術の総称です。具体的な通信規格としてはLoRaWANなどがあります。LPWAを利用すると、広い範囲で低コスト、低消費電力（たとえば電池1本で数年間動作）で通信させることができます。自動販売機や屋外照明、信号機、自動車などさまざまな対象が、LPWAで通信することが期待されています。

IFTTT

新しくIoT機器を開発するときによく利用されるのが、IFTTT（IF This Then That、イフト）というサービスです。GoogleやFacebook、Twitterなど、各種サービスがIFTTTに対応しています。このIFTTTに身近な気温センサや明かりセンサなどを登録しておくと、たとえば一定の気温に達したらスマートスピーカーが話したり、暗くなったらツイートしたりするといった連携が可能になります。このようにして、IoTに適した環境を作り出すことができるようになります。

IFTTTが普及している理由の1つとしては、難しいプログラムを書かなくても実現できるようになっていることが挙げられます。利用者は「ルール」と「アクション」を組み合わせるだけで、連携ができます。これをアプレットと言います。また、すでに自分が作ったアプレットを有料で公開することができます。企業が自社のハードウェア製品に関わるIFTTTのレシピを公開することによって、ハードウェアの売上増を期待できるのです。

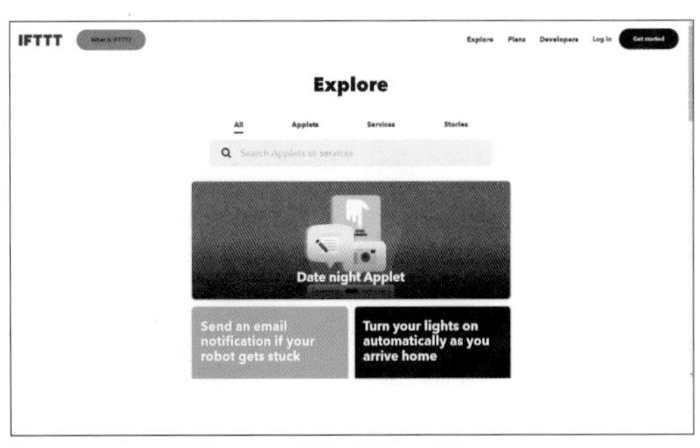

図5　IFTTTのWebサイト

コネクティッドホームアライアンス

IoTは、さまざまな機器をネットワークで接続することで活用が広がります。しかし、各機器のつなぎ方がバラバラでは接続できません。日本では、「コネクティッドホームアライアンス」という団体が2017年7月に設立され、IoTを活用した生活を考えることになりました。この団体には、ぐるなび、東急、日本マイクロソフト、パナソニックグループ、ビックカメラ、三菱地所グループ、美和ロックなど多くの企業が参加しています。

□ 音声認識とAIアシスタント

声だけで操作できるコンピュータの登場

人間とコンピュータの間には、相互に理解するためのインタフェースが必要です。コンピュータやスマートフォンに情報を入力するとき、キーボードやタッチパネルを使うことが多いでしょう。慣れれば便利なキーボードやタッチパネルですが、手が汚れていたら使いにくいですし、手元に機器がなければ使えません。人間同士がコミュニケーションする際に声を使って会話をするように、コンピュータに声で指示を出したり話しかけたりできれば、コンピュータの使い道はさらに広がります。そこで**音声認識**の技術が求められました。

音声認識技術は、1950年代から研究が始まり、さまざまな手法が開発されてきました。現在では、人工知能(AI)の実現手法の1つであるニューラルネットワークなどを活用して、さまざまな人の声から音声を認識できるようになりました。

音声認識をコンピュータとのインタフェースにするためには、発音した音を認識できるだけでなく、何を話したのかを理解する必要があります。ここで使われるのが、音声から話し言葉の意味を理解する**自然言語処理**です。自然言語処理でもAIが用いられることが多くあります。

音声認識を身近にするAIアシスタント

音声認識を一般に広めたのは、AppleのSiriです。2011年に発売したiPhone 4Sに搭載し、「Hey Siri」と話しかけて起動した後に、音声でコマンドを入力したり情報を問い合わせたりすることができます。このように、音声認識技術を活用して、音声によるコンピュータの操作を実現する機能を**AIアシスタント**(あるいは**バーチャルアシスタント**)と呼びます。

AIアシスタントは、コマンドや質問を声で話しかけることで、コンピュータやスマートフォン、その他の機器を操作したり、問い合わせに音声で返答したりします。AIアシスタントには、AppleのSiriのほか、GoogleのGoogleアシスタント、AmazonのAlexa、MicrosoftのCortanaなどがあります(表1)。

AIアシスタントを活用したスマートスピーカー

AIアシスタントを搭載した身近な機器が、**スマートスピーカー**です。Google Home/Google Nest MiniやAmazon Echoシリーズ、AppleのHomePod miniなどが代表的です(図1、表1)。インターネットに接続して使うことで、話しかけた音声を音声認識技術でコマンドとして捉え、内蔵するスピーカーを使って指定された音楽を再生したり、問いかけに音声で返答したりします。単体で使えるため、生活の中に浸透している家庭も少なくありません。

そうした中でLINEも、LINEのキャラクターの形状をしたCLOVA Friendsなどのスマートスピーカー製品を提供していました。しかし2022年10月に販売を終了、スマートスピーカー向けのCLOVA Assistantと呼ぶAIアシスタントサービスも2023年3月で終了しました。AIアシスタントを提供する企業にとって、収益化の難しさが現実のものになってきているようです。

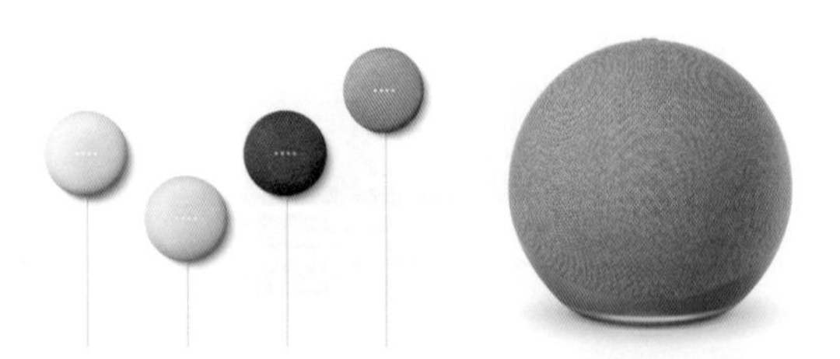

図1　Google Nest Mini(左)とAmazon Echo dot(右)の本体

企業名	AIアシスタント	搭載した主な製品
Amazon	Alexa	Amazon Echoシリーズ(Amazon)、ヘッドホン、テレビ、自動車など各社製品
Apple	Siri	iPhone、AirPods、Apple Watch、HomePod、Mac、AppleTV、CarPlayなど(Apple)
Google	Googleアシスタント	Google Nest Mini、Google Pixcel Watchなど(Google)、スマートスピーカー、タブレット端末など各社製品
LINE	CLOVA	Clova WAVE、Clova FRIENDSなど(LINE、販売終了)
Microsoft	Cortana	Windows PC

表1　主なAIアシスタントとAIアシスタントを搭載した製品

多様な使い方ができるAIアシスタント

AIアシスタントは、音声を使ってコンピュータなどの情報機器とやり取りする様々なシーンで活用できます。

一方でAIアシスタントは日常的に私たちが会話をしていても反応しません。起動して音声認識を始めさせるときは、特定の合言葉（**ウェイクワード**）を話しかけます。Siriならば「Hey Siri」、Googleアシスタントならば「OK Google」、メルセデス・ベンツの自動車のMBUXというインフォテイメントシステムならば「Hi,Mercedes!」と話しかけます。その後に発話した言葉に対してだけ、音声認識をするのです。

AIアシスタントの使い道は多様です。1つは、AIアシスタントを搭載したスマートスピーカーなどの機器や連携した機器を操作することです。スマートスピーカーで音楽を再生させたり音量を調整したりするほか、連携したテレビや照明をオン/オフするような操作も可能です。

2つ目はAIアシスタントを使って問い合わせをする用途です。天気や為替レートなどのリアルタイムの情報を知るほか、百科事典のように蓄積した情報を尋ねることもできます。

3つ目は、日本語だけでなく、多言語に対応しているAIアシスタントの機能の活用です。AIアシスタントを使うことで、音声で話しかけた言葉を翻訳したり通訳したりすることが可能です。

幅広く使われるAIアシスタント

音声で操作できる機能を様々な機器に追加できるAIアシスタントは、スマートフォンやスマートスピーカー以外にも幅広く使われています。パソコンやスマートウオッチなどの情報機器の音声操作はもちろん、テレビやレコーダーなどの音響機器にもAIアシスタントが実装されるようになりました（図2）。

自動車にもAIアシスタントの採用が進んでいます。自動車の運転中にエアコンやカーナビ、オーディオなどを操作すると運転から注意が離れます。音声で「少し寒い」「○○レストランに行きたい」「◇◇の曲をかけて」と話しかけるだけで操作が可能になり、利便性と安全性を両立できるためです（図3）。

図2　テレビのリモコンに用意された音声操作用のボタン

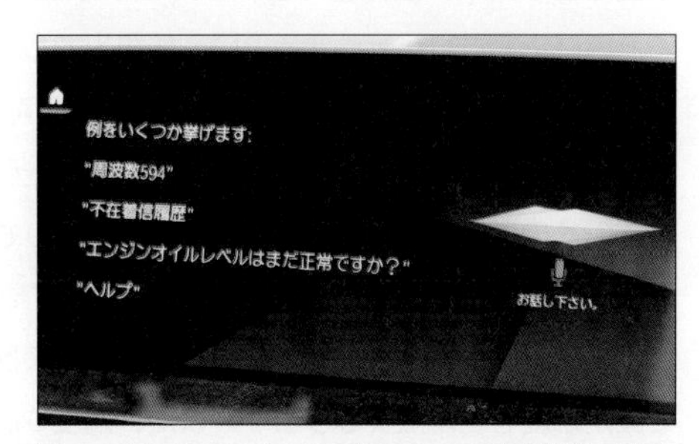

図3　インフォテイメントシステムを音声操作できる自動車も増えてきた

スマートスピーカーを作るさまざまな技術

スマートスピーカーなどの音声技術を利用したさまざまな製品を支えている技術には、以下のものがあります。

- 音声自動認識
  （音を文字に起こす技術）
- 発話内容を理解する技術
  （AIアシスタント）
- ネットワーク接続
  （主に無線LAN技術）
- 自動発声技術
  （文字を発声する技術）
- 内容に基づいた情報処理技術
  （赤外線リモコン発光器など）

これらの技術は、ここ数年で劇的に進化しました。その結果、これらを組み合わせることで、スマートスピーカーを実現できるようになりました。

スマートスピーカーのユーザインタフェース

人間がコンピュータを操作するときの操作部分（入力機能）や情報提示部分（出力機能）のことを、ヒューマン・コンピュータ・インタフェースと言います。これらの研究領域をヒューマン・コンピュータ・インタラクション（HCI）と呼ぶこともあります。

スマートフォンの場合、入力は画面へのタッチやマイクロフォン、出力は画面やスピーカーなどです。タッチ操作のほかに、音声自動認識アプリが利用者の発声を聞いて解釈し、検索サイトなどを使って情報を調べ、その結果を画面に表示していました。

これらのインタフェースの、入力を音にのみ頼るのがスマートスピーカーです。キーボードや画面タッチを使えないことから不自由にも思えますが、逆に、音声だけしか使えないことから操作が単純になります。出力は、スピーカーからの音声や音楽だけでなく、部屋の電灯やオーディオ、空調の操作などが可能な機種もあります。

□ センサと計測制御

温度・位置・動きなどのデータを計測し、それに応じた制御を行う

エアコンのセンサと計測制御

昔のエアコンは、異なる熱膨張率（温度によって膨張する比）を持つ2つの金属を貼り合わせた「バイメタル」という部品を使って、一定の温度に達するとスイッチが動作するようになっていました。たとえば、夏に冷房の設定温度を28度にしておくと、部屋が冷えて28度を下回るとエアコンは完全に止まり、そして28度を超えると再びエアコンが動作するという仕組みでした。

しかし、この方法では、細かい温度制御は不可能です。たとえば、夏に屋外から室内に入ると、暑さを強く感じます。そのとき、エアコンは適切な28度よりも低い温度にしたいと人は感じることでしょう。一方で、低い温度のまましばらく時間が過ぎると、今度は寒く感じるので設定温度を上げたくなります。また、湿度や風量、人間が部屋のどこにいるのかなどによっても、快適さが変わってきます。そこで、**センサ**で温度・湿度・時間・人間の位置などを調べて、そのデータを元にしてエアコンをコンピュータで制御し、人間が快適に感じる気温の変化や風速の変化を実現できるようになりました。

さまざまなセンサ

温度センサ

冷凍食品用の冷凍庫であればマイナス30度でも精密に測れるようになっています。一方で、自動車のエンジンの内部にあるセンサは、何百度ものガスや金属の温度を測れるようになっています。

加速度センサ

その物体の加速度（大きさと方向）を調べるセンサです。加速度がわかると、その物体が、どこに向けて、どのように移動しているかがわかります。また、本体が振られたりしていることもわかります。

GPS

GPS（Global Positioning System）は、現在地の緯度経度などの情報を、専用の衛星から発せられる電波の伝わり方を利用して求めるシステムです（図1）。GPSの信号処理をするためのアンテナとチップがスマートフォンやカーナビなどに搭載されています。GPSで調べた情報と、地図の情報を重ね合わせ、さらに建物や道路、行楽地の情報を表示することも可能です。

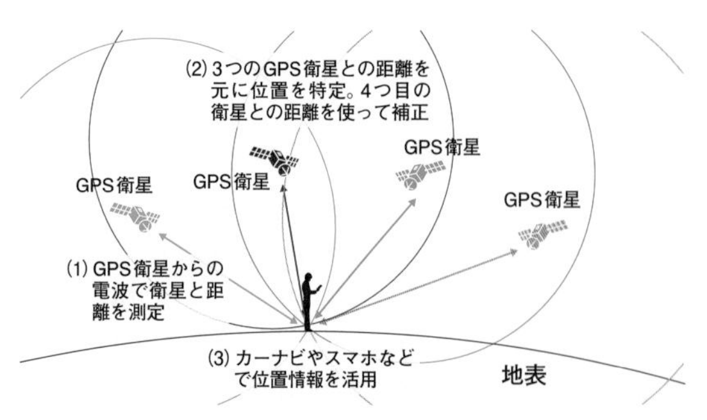

図1　GPSで位置を測定する仕組み

センサを使った機器とビッグデータ

各種のセンサを使うことで、コンピュータは人間による手動制御よりも賢く機器を自動制御できるようになりました。カメラやセンサの情報から、前の車や歩行者の動きを察知して自動ブレーキをかける衝突被害軽減装置を搭載した自動車は急速に普及しています。

家庭ではお掃除ロボットの利用が進んでいます。屋外では無線操縦式の小型ヘリコプターであるドローンが、カメラや各種のセンサを搭載して報道や災害対策などに使われています。

一方で、センサから得られた大量のデータを解析して、人間の行動や自然現象などを統計的に分析することもできるようになってきました。この大量のデータをビッグデータと呼びます。これまでわからなかった新しいことが解明される可能性がありますが、プライバシーの侵害などデータの取り扱いに注意する必要があります。

特殊な用途で使われる多様なセンサ

明るさセンサ、3Dセンサ、モーションセンサ

スマートフォンの画面の明るさを周囲の明るさに応じて制御するような場合には、明るさセンサを使います。一方で、カメラも多様なセンサとして使えます。明るさを判断できるほか、複数のカメラを使ったり、照射した光の反射をカメラでとらえたりすると、距離を測る3Dセンサになります。画像データを分析すれば人や物の動きを捉えるモーションセンサになります。

気体センサ・ガスセンサ

エアコンのガスが流れる部分や、ゴミの焼却炉、自動車・飛行機などのエンジンの内部、排気管の内部などに取り付けられています。ほかにも、家庭や事務所、航空機や鉄道車両などに火災検知のために利用されています。また病院などの人工呼吸器にも使われています。

気圧センサ

大気圧を測定するセンサです。現在地情報と気圧情報から気象データとして利用するほか、スマートフォンに搭載した気圧センサのデータから現在地の高度の情報を得て屋内などのナビゲーションの精度を高めるためにも使います。

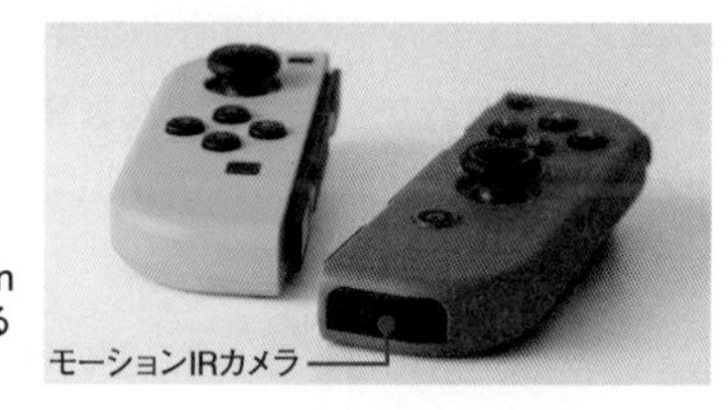

図2 Nintendo SwitchのJoy-Conには、形状や動き、距離を測れる「モーションIRカメラ」がある

センサを利用した身近な機器・装置

スマートフォン

スマートフォンにはカメラ、加速度センサ、GPSなど多様なセンサが搭載されています。スマートフォンの動きや向き、置かれた位置などの情報を使うことで、画面の縦横の制御や地図アプリへの自分の場所の情報の表示などを実現しています。

ウェアラブルデバイス

スマートウォッチやスマートバンドなどのウェアラブルデバイスは、加速度センサなどから運動や睡眠などの活動状況を把握するほか、心拍センサで体の状況を分析できます。

カーナビ

自動車を目的地まで誘導するカーナビゲーションシステム（カーナビ）も、センサのデータを活用した機器です。位置情報を知るGPS、車速センサ、方位センサなどから得られたデータを元に、現在地や進行方向を割り出して地図上に表示します。

車の衝突被害軽減や運転支援装置

自動車には、数多くのセンサが搭載され、安全の確保や燃費の良い走行に役立っています。

その中でも急速にセンサの利用が発達しているのが、衝突被害軽減システムや運転支援システムの分野です。この分野では、自動車に取り付けたカメラやレーダーなどのセンサ情報を使って、車や歩行者などを検知して衝突を避ける衝突被害軽減ブレーキが早く普及しました。

現在では、複数のカメラやレーダー、GPSなどの情報を使って、高速道路の運転時の特定の条件の下で、ハンドルから手を離して運転することも可能な高度な運転支援システムを搭載した車も販売されています。

ドローン

無人で飛行する航空機やヘリコプターを指し示すドローンも、センサを利用して飛行します（図4）。ドローンは、人間が遠隔操縦する場合と、ドローンに組み込まれたプログラムや人工知能が自律航行する場合とがあります。ドローンには映像を確認するカメラや、姿勢を制御するためのジャイロセンサ、位置を把握するためのGPSセンサなどが組み込まれ、遠隔操縦や自律航行のための情報を提供しています。

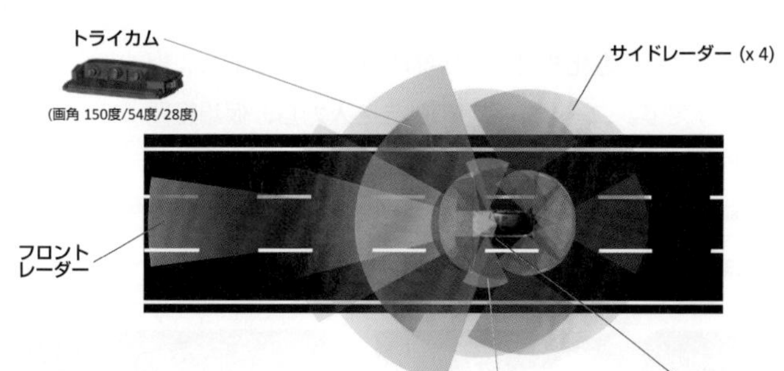

図3 日産自動車の運転支援技術「プロパイロット 2.0」。カメラやレーダーなどの複数のセンサを利用して高精度な運転支援を行う

図4 さまざまなセンサを利用するドローン。写真はヤマハ発動機の農薬散布用ドローン「YMR-08 AP」で、姿勢制御のジャイロセンサや位置情報を取得するGPSセンサの情報を基に自動散布を行う

□ VRとウェアラブルデバイス

最新のマンマシンインターフェースが導く便利で楽しい世界

コンピュータが作り出す仮想世界の中に、人間が入り込むことができたら……。そんなSF映画のような体験を実際に可能にする技術が**VR**（バーチャルリアリティ：**仮想現実**）です。

現在一般的なのは、ゴーグル型の**HMD**（ヘッドマウントディスプレイ）を使ったVRシステムです。HMDはヘッドセットとも呼ばれます。3Dディスプレイが内蔵されていて、装着したユーザーの視覚に高解像度で広い視野角の立体映像が飛び込んできます。それによって仮想世界に入り込んだような没入感を味わえることがVRの特徴です。本格的なVRシステムでは、ユーザーの頭の動きに連動して映像が回転します（図1）。

VRと共に注目されているのが**AR**（オーグメンテッドリアリティ：**拡張現実**）です。実際の映像や位置情報にコンピュータの情報を組み合わせて、現実世界を拡張した仮想世界を作って提示します。ARの実用例として、スマホのカメラが写している風景と3DCG画像をリアルタイムで合成して画面に表示するタイプのゲーム（ポケモンGO、ハリポタGO）やカタログアプリ（図2）があります。

ARをさらに進化させたのが**MR**（Mixed Reality：複合現実）です。ユーザーの手の動きを入力し、仮想空間の中で物を動かしたり操作することができます。

VR、ARは、専門技術を習得させるための教育システムにも応用されています。たとえば松屋フーズが導入しているファストフード店向けVRトレーニングシステムでは、HMDを装着して接客技術をゲーム感覚で学ぶことができます。

医療の世界でも応用が期待されています。外科手術の様子を医学生たちがHMDで見学するといった応用のほか、手術ロボットをAR経由で遠隔操作するシステムが開発されています。

広告、製品マニュアル、メンテナンスマニュアルのAR化も検討されています。それらをARアプリ化してスマホにインストールしておき、スマホのカメラで対象物を写すと、画面に関連する情報（文字や3Dグラフィックス）が対象物に重ねて表示されるのです。

いつでもどこでも使えるウェアラブルデバイス

身に付けてどこでも使える端末を**ウェアラブルデバイス**といい、メガネ型や腕時計型、体に貼り付けるコイン型などがあります。Apple社の「**Apple Watch**」（図3）などの**スマートウォッチ**は、最も身近なウェアラブルデバイスです。

メガネ型の**スマートグラス**を使うと、ARを常時利用できる環境が実現できます。HMDと違って軽量、目で見た風景に情報を重ねて表示可能、内蔵バッテリーで駆動といった特徴があります。両手で作業しながら必要な情報を読み取れるため、生産や物流の現場での活用が期待されています。

図1　2016年10月に発売されたVRゲームシステムのPlayStation VR。ゴーグル型のVRヘッドセットを装着してプレイする

図2　家具を自分の部屋に置いた様子をスマホの画面上で見られるARカタログアプリ「IKEA Place」

©Inter IKEA Systems B.V. 2017

図3　Apple Watchシリーズ8は、手首皮膚温、心拍数、血中酸素濃度などを測定できる。搭載する心電図アプリは厚生労働省から「医療機器」として認定されている

VR、ARに必要な機材

2021年12月現在、一般のユーザーが本格的なVRゲームを楽しむには、SIEの「PlayStation 4/5」とPlayStasion VRをセットで買うのがほぼ唯一の方法で、総額で8万円ほど必要です。

PCゲームのマニアにとっては、メタ（旧フェイスブック）社の「Oculus Quest2」やHTC社の「VIVI」シリーズなどのHMDをパソコンに接続して使うという方法があります。

スマホを装着するタイプの簡易HMDなら、1000円以下のものもあります（図4）。これを使えば、YouTubeにアップされている360度動画や3D映像を手軽に楽しめます。ただし本格的なHMDに比べて視野角が狭く、没入感は乏しくなっています。

業務の世界で使われている本格的なMR機材に、マイクロソフトのHoloLens 2があります（図5）。種別としては、視界に情報を重ねて表示するスマートグラスです。手の動きを検出するカメラを内蔵していて、仮想映像にタッチしたり、ジェスチャーで操作できるのが特徴です。

360度動画を撮影するためには、専用のカメラシステムが必要です（図6）。

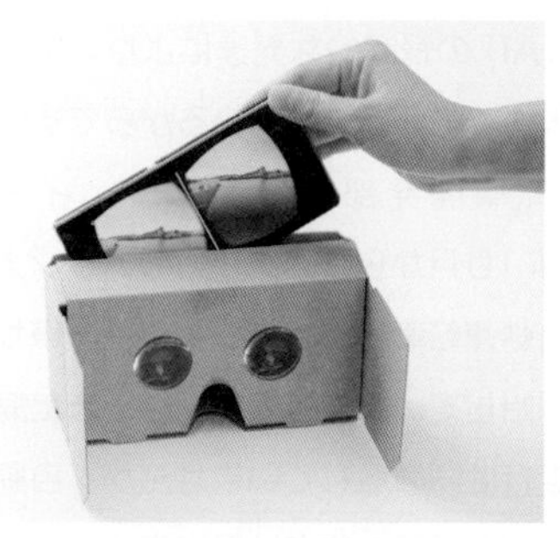

図4　スマホをセットして使用する簡易HMD「ハコスコ タタミ2眼」。ダンボール製ハウジングにプラスチック凸レンズ2枚を組み合わせたシンプルな製品

図5　マイクロソフトのスマートグラス「HoloLens 2」。透過型3Dディスプレイ、3Dスピーカー、装着者の手の動きを検出するカメラ、そしてコンピュータを内蔵する

360度全方向撮影が可能なデジタルカメラ、コダック「PIXPRO4KVR360」。前後に2つの超広角レンズを搭載。3840×1920ピクセルの4K UHD動画も撮影可能

HMDとウェアラブルデバイスの構造

HMDには、小型の高解像度ディスプレイが2個内蔵されていて、その画面をレンズで拡大して両眼で見ることで、広い視野角と立体視を作り出す3Dディスプレイとなっています。高級な製品ほどレンズの性能が良く、安価な製品では視野角が狭い、映像が歪む、色ズレが見られるといった問題が出ることがあります。

スマホを使う簡易HMDの場合、スマホの画面をレンズで拡大して眼で見るようになっています。

スマートグラスは、メガネのガラス部分にハーフミラーが組み込まれていて、そこに小型ディスプレイの映像を投影することで、風景と映像を重ねて見られるようにしています。

Apple Watchには、装着者の心拍数と血中酸素濃度を測るセンサーが内蔵されています。加速度センサーで装着者の歩数や運動量も計測可能です。これらの情報は、ユーザーの健康管理に役立てることができます。

VRの問題点と課題

普及が始まったばかりのVRには、以下のような問題があります。

- 大きく重いHMDを頭に付けなければならないうえ、それを装着した姿は自然とは言い難い
- 本格的なHMD製品は価格が高い
- VR酔いと呼ばれる、乗り物酔いのような状態になることがある（体調やアプリにもよる）
- 規格化されていないため、たとえばPlayStasion VRのHMDをXboxにつないで使うといったことができない
- 対応するアプリケーションがまだ少ない
- 人間の感覚のうちVRが対応するのは主に視覚と聴覚だけで、たとえば現実の自動車では体感できる遠心力や加減速、振動などは家庭のゲーム機で表現することが難しい（ただし、振動を表現する機能を持ったゲームパッドやハンドルは存在する）

しばらく前にブームになりかけた3Dディスプレイは、結局普及しませんでした。専用のメガネを装着しないと立体に見えないことと、対応コンテンツの不足が主な原因です。同様に専用の機材とコンテンツを必要とすることは、VRの最大の問題点といえます。

□ ロボティクス

人工知能（AI）でロボット工学の世界が飛躍的に拡大

ロボティクスとは

最近、「**ロボティクス**」という言葉をよく聞くようになりました。大学でも、「ロボティクス学科」という名前の学科が急速に増えています。ロボティクスとは、広い意味での「ロボット工学」を指します。

ロボットと言えば、「鉄腕アトム」や「ガンダム」、「ターミネーター」などの人型ロボットを思い浮かべる人が多いと思います。確かにこれらもロボットですが、現在世の中で最も活躍しているロボットは産業用ロボットでしょう。自動車の組立工場などで動き回っているロボットアームがその代表格です。最近のロボット研究は、これらだけでなく、介護支援用ロボットスーツや、ソフトバンクの「Pepper」のようなコミュニケーションを目的としたものも実用化されてきています。また、車の自動運転なども本来人間が行うことを**自動制御**するという意味ではロボットと言えます。このように、ロボットと言ってもその概念は幅広く、これらを包括する表現として「ロボティクス」が多用されるようになってきました。

ロボティクスという概念そのものは決して新しいものではありませんが、私たちの生活に密接に関わってくるようになり、従来では空想の世界に過ぎなかったことがどんどん実現してきています。

人工知能とロボティクス

なぜ最近ロボティクスが注目されているのでしょうか。それは**人工知能（AI）**の飛躍的な発達により、ロボットの活躍する場が大きく広がってきているからです。

Googleの自動運転車開発部門であるウェイモ（Waymo）は2020年10月から、アメリカのアリゾナ州において、無人の自動運転車を使ったタクシー配車サービスを一般向けに開始しています。日本では、まだ完全な自動運転の公道走行は認められていませんが、自動ブレーキなどの運転支援システムなどは既に身近なものになりつつあります。

長崎県にあるテーマパークのハウステンボス内ほか全国十数カ所にある「変なホテル」は、フロントスタッフ、クローク、コンシェルジュ、ポーターなど、ホテル従業員の大半を人間ではなくロボットに置き換えた営業を行っており話題になっています。

ロボ・ガレージの「KIROBO（キロボ）」は、国際宇宙ステーションに滞在して若田光一宇宙飛行士と日本語で会話しました。宇宙飛行士のような孤独な環境にいる人に対し、ロボットが精神的なサポートをできるかというコミュニケーション実験の一環でした。

図1　2021年10月に岐阜で実施されたハンドルのない自動運転バスの走行実験

図2　人型のロボットが出迎えてくれる変なホテルのフロント

図3　KIROBO（キロボ）

ロボット工学三原則

SF作家のアイザック・アシモフが1950年に著した「I,Robot」(邦題「われはロボット」)の中で、「2058年の『ロボット工学ハンドブック』第56版」という仮想の本が登場します。その中に、次のような記述があります。

- **第一条：**ロボットは人間に危害を加えてはならない。また、その危険を看過することによって、人間に危害を及ぼしてはならない。
- **第二条：**ロボットは人間に与えられた命令に服従しなければならない。ただし、与えられた命令が、第一条に反する場合は、この限りでない。
- **第三条：**ロボットは、前掲第一条および第二条に反するおそれのない限り、自己を守らなければならない。

これは、SF小説ですが、その中で論じられた人間への安全性、命令への服従、自己防衛の3点が「**ロボット工学三原則**」として、実際のロボット工学においても大原則として生きているというのは興味深い話です。

図4　ロボット掃除機ルンバを開発したiRobot社の社名も、アイザック・アシモフのI,Robotから来ている

サイボーグ型ロボット

サイボーグと言えば「サイボーグ009」や「攻殻機動隊」のようなSFアニメの世界を想像するかもしれませんが、身体を改造するのではなく外部からサポートする形では、既に利用されているものがあります。たとえば、病気やけがで通常の歩行が困難になった人の歩行機能を支援したり、改善・再生して治療したりするロボットもあります。脳から神経を通じて筋肉へ送られる微弱な生体電位信号を皮膚表面で検出することで装着者の意思を読み取り、認識した動作に合わせてパワーユニットを駆動します。これにより、歩行をアシストしてくれます。

このほか、人間では持ち上げることのできない重量物を運ぶロボットも開発されており、災害救助などでの活躍も期待されています。

図5　ATOUN（アトウン）の装着型パワードスーツ「NIO」（プロトタイプ）。100kgの重量も軽々と持ち上げられるという

私たちの生活を支える身近なロボット

さまざまなロボットが私たちの生活を支えています。身近なものとしては、「ルンバ」のような掃除ロボットを挙げることができるでしょう。スイッチを入れるだけで、人に代わって部屋中隅々まできれいに掃除してくれます。

また、**AGT**も活躍しています。AGTとは、自動案内軌条式旅客輸送システム（Automated Guideway Transit）のことで、日本では新交通システムと一般に呼ばれています。無人運転のものも多く、東京の「ゆりかもめ」や大阪の「ニュートラム」など、都市部を中心に普及しています。1981年2月に開業した神戸の中心地とポートアイランドを結ぶ「ポートライナー」が日本初のAGTです。これは世界初の自動無人運転方式としても注目を集めました。現在では、通勤・通学の手段としてだけでなく、神戸空港への旅客輸送も担っています。このAGTをロボットと呼ぶには違和感があるかもしれませんが、速度、位置、ドアの状態など外界の情報をセンシングし、それに基づいて列車の運行をコンピュータにより制御しているのは、ロボットの一形態とみなすことができます。

このように、ロボティクスは私たちにとってとても身近な技術なのです。

図6　神戸新交通のポートライナー

「ロボティクス」を名称に持つ学部や学科が増加

日本でロボティクスを学べる大学は数多くありますが、大阪工業大学のロボティクス＆デザイン工学部をはじめ、日本工業大学、千葉工業大学、金沢工業大学、中部大学、立命館大学、近畿大学、宮崎大学など、「ロボティクス」が名称に入る学部学科が増えてきています。

□ AI（人工知能）

人間の知能の代わりをする人間が作った知能

私たちが普段、いろいろなものを考えるとき、どのようにして考えているでしょうか。人間が考えることをコンピュータに代理させせようとするならば、人間は何をどう考えているのかを分析し、同じように考える仕組みを作る必要があります。この仕組みこそが、**AI**（Artificial Intelligence、**人工知能**）です。

AIを利用するさまざまな仕組み

AIを利用すると、どんなことができるでしょうか。ほんの一部を紹介しましょう（表1）。

実は、ここに挙げたことは、すべて実現しているわけではありません。先を読む前に、どれが実現していて、どれが近い将来実現するか、考えてみましょう。

現在、画像・音声認識は問題なくできます。チェス・将棋・碁では人間はもはやAIに勝てません。自動運転も実用化が進んでいます。一方で、株価の予測などは非常に困難です。

AIが人間を2045年に追い越す？

最近のAI技術の発展は目覚しいものです。アメリカのレイ・カーツワイルという未来学者が、「地球上の全人類よりも、地球上のAIの方が、より高い知能を持ち、後戻りできなくなる」状況をシンギュラリティ（技術的特異点）と呼び、2045年に到来すると予想したのです。

こんなことが本当に起こるのでしょうか。答えはだれにもわかりません。ひょっとしたら、2045年になっても、われわれは使いにくい表計算シートと格闘しているかもしれません。

表1　AIを利用してできること

画像認識	写真にネコが写っているのか、それともイヌが写っているのかを、自動的に判断することができます
音声認識	雑音が多い環境での音声認識や、はっきりと発声していない場合の音声認識も可能です
気象災害の予知	気象衛星などの気象データやTwitterなどのデータを利用し、気象災害の発生を予知することができます
運転	気象条件などが悪くても、電車や自動車、飛行機を人間の代わりに運転・操縦し安全な移動を実現します
司法（裁判と弁護）	人間の裁判官よりも正確に裁判や弁護活動を行うことができます
診察	体温や脈拍、X線写真画像などを利用して病名を判断します
株や為替の価格予測	特定の銘柄や通貨の価値が上がるのか下がるのかを、過去のデータを元に判断することができます
顧客の案内	電話の自動応答システムや店舗などで顧客の要望を聞いて、適切に対応します（図1）
雑談の相手	人間が話す内容を分析して、話者がつまらないと思われない程度に雑談の相手をすることができます
ゲーム対戦	チェスや将棋、囲碁のプロ棋士に勝つことができます（図2）

図1　「IBM Watson」によるバーチャルアシスタント機能を搭載している日本航空のアプリ「HAWAIICO」

図2　GoogleのAI「AlphaGo」と対戦する中国のプロ囲碁棋士・柯潔（カ・ケツ）九段

（写真：ロイター／アフロ）

人工知能の分類

そもそもAIには正確な定義はないのが現状です。たとえば、今どきのエアコンは、温度管理を賢くやってくれます。その場合、「AI内蔵」と宣伝すれば、たくさん売れます。このような理由で、身の回りには「AI」がたくさんあります。しかし、そのAIは「この値がいくつ以上ならAと判断し、そうでなければBと判断する」のような単純な判断をしているだけかもしれないことを心にとめておきましょう。

機械学習とそれ以外

昔の人工知能は、「もしこの値がいくつ以上ならAと判断し、……」のような人間が与えたルールをたくさん組み合わせて作られたものがほとんどでした。しかし、これでは、複雑な状況に対応するのが困難です。そのため、人工知能の研究は、大量のデータから機械（つまりコンピュータ）がルールを自動的に学習する「機械学習」という分野に次第に移行しました。

教師あり学習

機械学習は大きく分けて3通りに分類されます。

一番わかりやすいのが「教師あり学習」です。例えば、気温や湿度などの情報を与えて、その日のアイスクリームの売上を予測するAIを作りたいとします。そのためには、過去の気温・湿度などと、アイスクリームの売上の膨大なデータを用意し、機械に学習させます。すると、機械はルールを導き出すので、それを売上予測に使うことができます（図3の左）。

この場合、正解（アイスクリームの売上）を教えてくれる教師がいるので、このような機械学習は「教師あり学習」と呼ばれます。

教師なし学習

ある植物の集団の、花びらの長さと、がくの長さを調べて、散布図を描いてみたところ、いくつかの種類に分類できることがわかりました。このような分類の問題では、あらかじめ「この花はこの種類」という情報を教えなくても、散布図からたとえば3種類に分類できるといったことがわかります。

花びらとがくであれば2次元の散布図で分類できますが、もっとたくさんの量のデータが与えられたときでも、うまく分類してくれる機械学習があります。この類を「教師なし学習」といいます。

別の例をあげれば、教師なし学習AIに犬と猫の画像を大量に与えれば、いちいち「これは犬」「これは猫」と教えなくても、機械が犬と猫に分類してくれるでしょう。しかし、「犬」「猫」ということばは機械は知らないので、単に「A」「B」のような分類になります（図3の右）

強化学習

機械に最初はランダムに判断させ、うまくいったらその判断をほめて強化し、うまくいかなかったら強化しないということを延々と繰り返せば、機械はうまく判断するコツを学習します。これが強化学習です。

たとえば機械とゲームマシンをつないで、ブロック崩しゲームを延々とさせると、最初は機械はランダムに行動しますが、そのうちコツを覚え、最後には人間よりうまくゲームするようになります。

碁で人間の名人に勝ったDeepMind（Googleの子会社）のAlphaGo（アルファ碁）というプログラムは、最初は大量の棋譜から教師あり学習で学習しましたが、その後は強化学習で自己対戦を繰り返して強くなっていきました。AlphaGoの後継のAlphaGo Zero以降では、最初の教師あり学習を省略して、強化学習だけでAlphaGoより強くなりました。

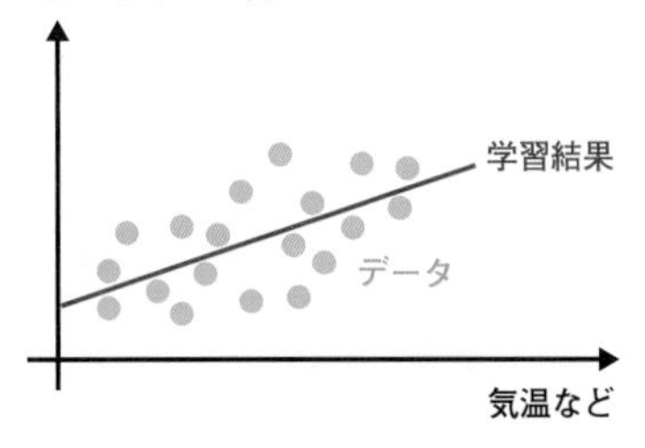

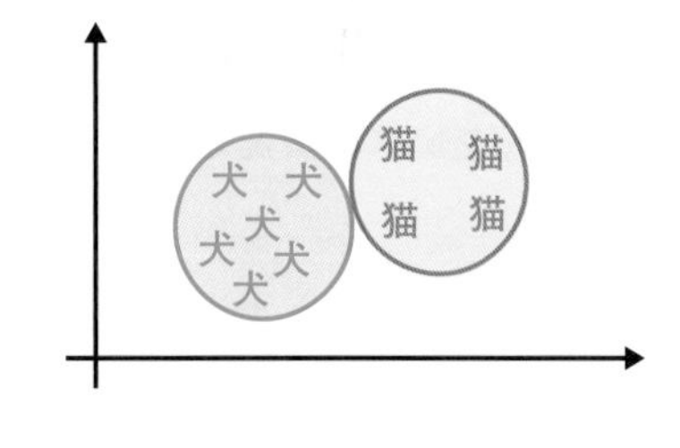

図3　教師あり学習と教師なし学習

ニューラルネット、ディープラーニング

機械学習のアルゴリズムは、さまざまなものが提案されてきました。その中の一つが、人間の脳の仕組みに似たニューラルネットです。ニューラルネットは、コンピュータの能力が低い時代にはあまりうまくいきませんでしたが、コンピュータの処理能力が高まり、インターネットのおかげで用意できるデータ量も増えるにつれ、だんだん強力になってきました。特にニューラルネットの段数を増やしたディープラーニング（深層学習）が可能になると、他の機械学習アルゴリズムをしのぐ性能を発揮することがわかりました。ただ、データ量が少ない場合には、現在でもニューラルネット以外の方法が適切です。要はケースバイケースで、何でもディープラーニングにすれば性能が上がるわけではありません。

□ Society 5.0

社会は進化し続けている

私たちが暮らす社会は、どんどんと進化しています。日本では、今後実現すべき社会のあり方として、**Society 5.0**という言葉が使わるようになりました。これは、一体どんな社会なのでしょうか。

現在の私たちは、Society 4.0

日本政府によって2016年に策定された「第5期科学技術基本計画」では、Society 1.0を狩猟社会、2.0を農業社会、3.0を工業社会、4.0を情報社会と位置づけています。狩猟社会では偶然に発見した動物を食用にして人は生き、農業社会では植物を育て収穫することで人は生きてきました。いずれも、自然を利用していたのに対して、工業社会ではものを製造・加工して、それを利用して生活できるようになりました。現在の私たちが生活する情報社会では、私たちが生活する上で発生して観測されることが、数値や文字などで表され、データとなって利用されています。しかし、いくつものデジタルデータを自由自在に組み合わせて利用することは、まだ、余り進んでいない状況で、それを実現させるのが、Society 5.0の社会です。

Society 5.0での学校

今の私たちの社会、Society 4.0での学校を考えてみましょう。文字、画像、音などはデジタルで表現され、そのデジタルデータを利用しています。教科書やプリントは電子組版やワープロなどで作成されています。大学入試センターの試験ではマークシートが用いられます。大学では自分が履修したい授業をシステムに登録することもあります。また、学校によっては学生証がICカードになっていて、出席を読み取る機器が教室に取り付けられていることもあります。学校によっては保護者に向けてSNSを利用しているところもあるでしょう。

現在では、これらのデータを統合して分析したり、活用したりすることは、まだ十分に行われていません。しかし、Society 5.0では、教科書・教材・学習・テスト・進学・保護者への連絡など、さまざまなデータを連携させて自動的に活用が進んでいくようになることが期待されています。

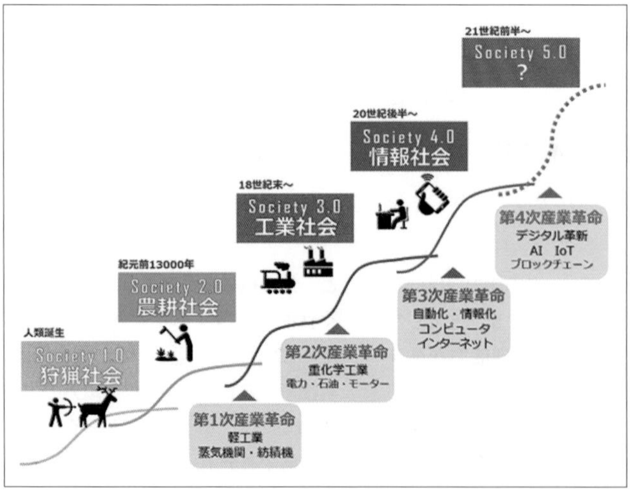

Society 5.0 での企業・行政

現在の、Society 4.0での企業・行政を考えてみましょう。データの多くは、既にデジタルになっています。しかし、そのデータを集めて、処理・分析・判断するのは、まだ人間の仕事です。例えば、取引先との納品・売上データを集めて自社の帳簿にまとめたり、毎月の売上データを見て新商品や新サービスの開発を判断をしたりなど、市民サービスのために行政がデータを連携させる計画を立案するのは人間の仕事です。Society 5.0では、こういったデータを統合して分析して企業活動や行政活動が実施されます。その結果、これまでにない新しい価値が創造されるのです。

図1　新たな社会「Society 5.0」。日本経済団体連合会（略称：経団連）の説明資料より抜粋

Society 5.0での学校

未来の学校で利用される技術や制度、その一部はすでに実現しつつつあります。

GIGAスクールとデジタル教科書

日本では、2020年度にGIGAスクール構想が大幅に前倒して実施され、小学校・中学校では生徒1人1台の、自分専用のパソコンで学習することが実現されます。また、デジタル教科書も公式の教科書として認められるようになります。デジタル教科書は、内容の拡大・縮小や、共有、動画や音声など、紙の教科書にはない機能が期待できます。

遠隔授業と映像教材の普及

2020年以降、教員が授業用のビデオを作り、YouTubeなどの動画サイトにアップロードすることも珍しいことではなくなりました。また、オンライン学習のサイトも普及しています(図2)。

eポートフォリオ

1人1台の学習用パソコンが普及すると、デジタル教科書、教材のドリル(練習問題)などの学習履歴を管理できるようになります。こうした学習履歴をまとめたものを、eポートフォリオと言います。これらのデータを利用して、ひとりひとりに適した進学先や就職先の提案もあるでしょう。

学校のバーチャル化

Society 5.0の社会では、ネットのみで成立する学校が普及するでしょう。ドワンゴのN高校は、その先駆者です。建物はなくても、実質的に学校の機能を果たすバーチャル学校が、さらに増えていく未来が訪れようとしています。

図2 オンライン動画学習サービス「Schoo(スクー)」

Society 5.0での企業

RPA

たとえば、ある企業で毎月行っていた、経費や交通費などの定型的な会計処理を代行するRPA(ロボティック・プロセス・オートメーション)と呼ばれるシステムの利用が始まっています。労働者は単純作業から解放され、より高度な判断が必要な作業に専念できるようになります。さらに、AIを活用することにより、非定型業務を自動化するRPAの研究・開発も進んでいます。

在宅勤務(Work from Home)

たとえば、カルビーは、2017年には在宅勤務期間を設定して、働き方改革をしていましたが(図3)、2020年新型コロナウイルス感染爆発を契機として、率先して企業全体で在宅勤務を基本とするように変わりました。このような在宅での就業を可能としているのは、遠隔会議システムや、クラウドファイルストレージなどの、情報技術そのものです。

企業経営とAI

企業経営において、AIを利用した判断が増えつつあります。今後は、株主などの出資者や、顧客との間に信頼関係が生まれ、より、その企業が成長していくことができるでしょう。

図3 2017年の「テレワーク・デイ」当日のカルビーのオフィス風景。以前から在宅勤務期間を設定して職場環境の新しい形を模索していた

DXと、私たちの未来

社会が、デジタルデータを利用して、大きく変化していくことを、デジタル・トランスフォーメーションと言います。DXと書かれることもあります。学校のみならず、企業(商店、製造業、農業、漁業、サービス業)、公的機関など、さまざまな組織が利用しているデジタルデータを、さらに上手に活用することで、私たちの生活はより豊かになるだけでなく、地球環境の保護や、格差の解消なども実現されることが期待されています。

しかし、その一方で、不安や問題点も指摘されています。たとえば、個人情報の適切な利用ルールの制定と倫理の浸透がされていないこと、ITに通じた人が先に恩恵を継受することによる格差の拡大、そして、人間よりもコンピュータが優先されてしまうことによる、雇用問題です。こういった問題を解決することができて、初めて、社会全体のDXが達成され、Society 5.0になると言えます。

□ 二進法

コンピュータ処理に適した、0と1だけを使って数を表す方法

コンピュータは、数をどのように扱っているのでしょうか。コンピュータの内部では、電子部品の「電圧が高いか低いか」に従った動作を組み合わせて動作しています。そこで、この電圧の高低のパターンを数として扱っています。それが**二進法**の考え方です。

記数法とは数を記す方法

数を紙にメモするとき、どのように書きますか？

● **アラビア数字を使う**	1, 2, 3, 4, …
● **漢数字を使う**	一、二、三、四、…
● **「正」の字を使う**	一、丅、下、正、正、…
● **英語を使う**	one、two、three、four、…

こういった数の書き方を記数法といいます。

ここで5枚のカードを利用して数を表す方法を紹介しましょう。5枚のカードのそれぞれに、1、2、4、8、16の意味を持たせ、表裏でその数の有無を表すことにします。カードが表（■）か裏（□）かを記号で表すと、図1のようになります。

二進法を利用して数を書くときに、カードの表と裏や、■と□を使うのは面倒なので、通常は数字の「0」と「1」を使います。

1、10、11、100、101、110、…

このままだと十進法と見分けがつかないので、混乱しそうなときはその数をカッコでくくって、右下に小さく2を書いたりします。数学の本では表記が異なります。

$31 = (11111)_2$
$100 = (1100100)_2$

一方、コンピュータの内部では、電圧が高い、低いという2種類の状態を利用してデータを処理しています。そこで、上の例にあるカードの表裏を電圧の高低に対応させることで、数値を取り扱うことができます。この方法が二進法です。

コンピュータ内部にあるCPUでは、1つの数に用いるビットの個数を最初に定めています。これをCPUの**ビット長**といいます。数（整数）を16ビットで取り扱うCPUは、図2のように使わない左側のビットを0で埋めています。

16 8 4 2 1
□ ■ □ ■ ■ = 11
16 8 4 2 1
■ ■ ■ ■ ■ = 31

図1　カードで数を表す

$(0000000000000011)_2 = 3$
$(0000000000001011)_2 = 11$
$(0000000010000101)_2 = 133$

図2　16ビットCPUでの数表現

十六進法

二進法は2つの数字を利用した数の表し方ですが、私たちが数字と思っている個数よりも多くの文字を数字として使うこともできます。

たとえば16種類の文字を数字の代わりに利用して数を表す方法を**十六進法**といいます。

コンピュータ内部のデータを二進法で記述すると桁が多くなって読みづらくなるので、二進法との変換が容易な十六進法がよく使われます。16個の文字はひらがなでもカタカナでもいいのですが、0から9までの数字とAからFまでのアルファベットを利用するのが一般的です（表1）。

表1　十六進法の増え方

二進法	十進法	十六進法
0000	0	0
0001	1	1
0010	2	2
0011	3	3
0100	4	4
0101	5	5
0110	6	6
0111	7	7
1000	8	8
1001	9	9
1010	10	A
1011	11	B
1100	12	C
1101	13	D
1110	14	E
1111	15	F
10000	16	10
10001	17	11
	≀	
11110	30	1E
11111	31	1F

十進表記から二進表記への変換

十進表記を二進表記に変換する方法について考えてみましょう。

- その数が偶数なら二進表記の一の位は0
- その数が奇数なら二進表記の一の位は1

したがって、その数を2で割って余りを調べると、二進表記の一番右側の値がわかります。そのときの商は、元の数の右端の数字を取り去ったものと同じですから、その商を再び2で割ることで、元の数の右から2番目の値がわかります（図3）。

```
2) 25
2) 12  … 1   ↑ この順に左から右へ並べる
2)  6  … 0
2)  3  … 0     したがって 25＝(11001)₂
2)  1  … 1
    0  … 1
```

図3　十進表記から二進表記への変換方法

二進表記から十進表記への変換

二進表記から十進表記への変換として、ホーナーの方法を紹介します。ホーナーの方法とは、多項式の値を高速に計算する工夫です。例として$(101011)_2$をホーナーの方法を利用して二進表記→十進表記に変換してみましょう（図4）。

まず（1）のように書きます。

次に、左上から下に数値をそのまま書きます（2）。

斜め右上に転記するときに2倍します（3）。

上から下に数を加えます（4）。

この作業を繰り返すと、最後には$(101011)_2$の十進表記43を得ることができます（5）。

```
(1) 2| 1  0  1  0  1  1
     ------------------

(2) 2| 1  0  1  0  1  1
     ------------------
       1

(3) 2| 1  0  1  0  1  1
          2
     ------------------
       1

(4) 2| 1  0  1  0  1  1
          2
     ------------------
       1  2

(5) 2| 1  0  1  0  1  1
          2  4 10 20 42
     ------------------
       1  2  5 10 21 43
```

図4　二進表記から十進表記への変換方法

二進法での計算

十進法での和の計算は、次のように、小さい位から順番に行います。

1. 一の位の和を求める。繰り上がりがあるかどうかも調べておく。
2. 十の位の和を求める。そのとき、一の位からの繰り上がりも一緒に加える。そして、百の位への繰り上がりがあるかを調べる。
3. 百の位の和を求める。そのとき、十の位からの繰り上がりも一緒に加える。そして、千の位への繰り上がりがあるかを調べる。
4. 以後、どんどん大きな位へと同じことを続けていく。

二進法で表された数同士の和も、まったく同じように小さい位から大きな位へと、順番に行っていきます。ただし、二進法での和は「0＋0＝0、0＋1＝1＋0＝1、1＋1＝10」の3種類しかありません。各桁の計算が簡単になる代わりに、桁数が大きくなるので、繰り上がりなどの手間が増えます。

十進法：8＋3＝11

二進法：$(1000)_2+(11)_2=(1011)_2$

掛け算、割り算も同様です。たとえば十進法では、ある数を10倍した数は右端に0を付けた数と同じ、10で割った商は右端の数を取り外した数と同じです。同じように二進法では、ある数に2をかけた数や2で割った数は、右端に0を付けたり右端の数を取り外したりすることで計算できます。

$(1101)_2\times2=(11010)_2$

$(1100)_2\div2=(110)_2$

$(1101)_2\div2=(110)_2$あまり1

負の数を二進法で表記する

コンピュータの内部にあるCPUでは負の数を補数という考え方で扱います。補数とは、最初に決められた「ある数」と、補数を求めたい数との差のことです。たとえば、最初に24という数を定めておくと、「19の補数は5」となります。そこで「19を－5とみなす」考え方が補数を使用した負数表現です。ちょうど55分を「5分前（＝－5分）」と言うようなものです。

図5は、ある数を16（4ビットで表せる最大数＋1）と定め「13」の補数が「3」となることを示した図です。4ビットで13の二進表記は「1101」です。補数を使った負数表現では、この「1101」を「-3」とみなすのです。

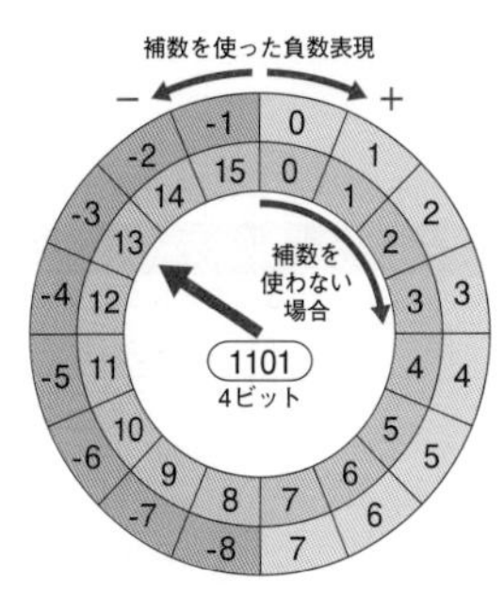

図5　4ビットで正負の数を表す場合。補数を使った負数表現で1101を-3とみなす

□ ビットとバイト

コンピュータで処理するデータの基本単位

パソコンや携帯電話のカタログ、インターネットの利用情報などには、頻繁にビット（bit）やバイト（byte）という単語が出てきます。これらはデータの量を表す単位です。

8ビットが1バイト、1024バイトが1KB（キロバイト）

まず**ビット**ですが、これはデータの最小単位を表します。デジタルデータは「0」または「1」を用いた二進法で表しますが、この「二進数字」の英語であるbinary digitを略してビットと呼んでいるのです。1桁の二進数字、つまり「0」または「1」のどちらかの値をとる場合、それを1ビットといいます。略して表記する場合は小文字のbを使います。

このビットを8桁並べたものが**バイト**です。8ビットあると2^8＝256通りのパターンがあるので、欧文で使われる文字・記号・数字にそれぞれ番号を付けて識別できます。文字を表すことを考えた場合のデータの最小単位といえます。略記する場合は大文字のBを使います。

一般にネットワークのデータ転送速度や、アナログデータをデジタル化するときなどは、単位としてビットを使います。一方、メモリ容量やファイルサイズの単位としては一般にバイトを使います。

英語などのヨーロッパの言語での一般的な位取り十進法では、thousand、million、billionと、1000（3桁）ごとに位が上がります。これに合わせて、十進法で大きな数字を表す場合、k（キロ、1000）、M（メガ、100万）、G（ギガ、10億）のように記号を使って表記する桁を減らします。

ビットやバイトでも1000ごとに位が上がるのが原則ですが、コンピュータに関する数値の一部では、コンピュータにとって計算が簡単になるように、2の累乗の中で1000に近い2^{10}＝1024ごとに位を上げるようにしているものもあります。このため、一般的に（小文字のkと区別するために）大文字のKで1024を表すことにして、1024バイトを1KB（キロバイト）のように表記します。こうすれば、1KBは「大体1バイトの1000倍」と捉えることができます。

表1　ビットとバイトの表記法と、大きさの目安

単位	身近なデータ
b（ビット）	電源のオン／オフ
B（バイト）	メールの本文（数十～数百バイト）
KB（キロバイト）	新聞1ページの文字（数十KB）、小さいデジカメ写真
MB（メガバイト）	iPod用音楽1曲、大きいデジカメ写真
GB（ギガバイト）	CD1.5枚分、動画ファイル
TB（テラバイト）	DVD200枚分
PB（ペタバイト）	1カ所のデータセンターにあるハードディスク容量
EB（エクサバイト）	人類が1年に生み出すデジタルデータ（数百EB）

通信と補助記憶関連は10の累乗で表記

このように、コンピュータの世界では、10の累乗と2の累乗の表記が混在しています。プロセッサや主記憶関連では2の累乗で表記しているのですが、通信関連や補助記憶関連は10の累乗で表記しています。

たとえばIntelのCore i7プロセッサは、1次キャッシュに命令用32Kバイトとデータ用32Kバイトを内蔵していますが、このKは2の累乗の意味で使っています。一方、カタログなどで「10TBのHDD（ハードディスクドライブ）」などのように使われているディスク容量のTは、10の累乗の意味で使っています。また、「通信速度を1Gbpsに高めた高速なギガビットイーサネット」といった説明を聞いたことがあるかもしれませんが、このGも10の累乗の意味です。

図1　スマートフォンなどに使われるmicroSDカードにも「64GB」といった容量が表記されている

10の累乗と2の累乗はだんだん差が開く

数字が大きくなると、10の累乗と2の累乗の差が大きくなってきます。確かにK（キロ）では1000と1024でその差は2%しかありませんが、Y（ヨッタ）ではその差は21%にもなります。このような10の累乗と2の累乗の値の違いの混乱を避けるために、IEC(International Electrotechnical Commission）という国際標準化団体では、K、M、Gなどの接頭辞を本来の定義どおりの10の累乗に用い、これとは別に2の累乗の接頭辞を定めました。それがBinaryの「i」を付加した、Ki（キビ）、Mi（メビ）、Gi（ギビ）、Ti（テビ）などというものです。ただし、これらの呼び方は一般には普及していません。

表2　10の累乗と2の累乗の差の増大率

接頭辞	10の累乗	2の累乗	増大率
K（キロ）	10^{3}	2^{10}	2%
M（メガ）	10^{6}	2^{20}	5%
G（ギガ）	10^{9}	2^{30}	7%
T（テラ）	10^{12}	2^{40}	10%
P（ペタ）	10^{15}	2^{50}	13%
E（エクサ）	10^{18}	2^{60}	15%
Z（ゼッタ）	10^{21}	2^{70}	18%
Y（ヨッタ）	10^{24}	2^{80}	21%

サイズと速度から通信時間を見積もる

光ファイバを使ったインターネット回線は、通常100M～1Gbpsの通信速度があります。つまり、1秒間に最大1億～10億ビットのデータを送れるということです。このインターネットで1GB（ギガバイト）の動画データを送るとすると、何秒かかるでしょうか。

まず、1GB（ギガバイト）は1024で位取りしているので、これを1000に変換します。

1×1024×1024×1024
＝1073741824

なので、1GBは10億7374万1824バイトです。

次に、ビットとバイトが混在しているので、単位をビットに合わせます。バイト数に8を掛ければビット数になります。

1073741824×8＝8589934592

なので、85億8993万4592ビットです。

インターネットが最大1Gbpsであるとすると、1Gビット（10億ビット）を1秒間に送れます。したがって、データを送るのにかかる時間は

8589934592÷1000000000≒8.6

なので、約8.6秒だと導けます。

ただし、この計算は2つの理由で正確ではありません。1つは、インターネット回線の実質的な通信速度は、最大通信速度より遅いからです。どれぐらい遅くなるかはさまざまな条件によって変わります。

もう1つは、通信の際に送るのがデータ本体だけではないからです。インターネット上でデータを送るためには、そのデータに宛先や内容を示す情報を付加する必要があります。エラーが起こるとデータを送り直すこともあります。このように、本体とは別のデータも送る必要があるので、通信速度全部をデータ本体を送るのに使えるわけではないのです。

それでも、1GBの動画データを送るのにかかる時間が、数秒か、数分か、数時間か、は大きな違いです。上記のような計算をすれば、大体どれぐらいかを見積もることができます。

CPUの性能を決めるビット数とは

パソコンやOSのカタログには32ビットや64ビットといった数値が書かれています。これは、そのCPUやOSが、一度にどの大きさのデータを処理できるかを表しています。32ビットCPUは、0から4,294,967,295（2の32乗から1をひいたもの）までの整数を扱うことができます（負の整数を扱わない場合）。もし、それより大きなデータを扱わなければならないと、32ビットの単位に分割して処理する必要があるので、余分な手間がかかり高い性能が出せません。一般的にはCPUやOSのビット数が多いほど数値計算においては高い性能が出しやすくなります。

また、CPUやOSのビット数はどの大きさのメモリにまでアクセスできるかに関係します。たとえば32ビットCPUまたはOSでは最大4,294,967,296バイト（4GB）のメモリにアクセスすることができます。これが64ビットCPUまたはOSでは18,446,744,073,709,551,616バイト（16EB）という巨大なメモリにアクセスできることになります。

ただしこの数値はCPUやOSだけで決まるわけではありません。ハードウェアやアプリケーションソフトウェアがどのように作られているのかにも関係します。

つまり仮にCPUが64ビット対応だとしても、それ以外のハードウェア、OS、アプリケーションソフトウェアなどがいずれも64ビットに対応していなければ、本来の性能を最大限に引き出せないのです。

□ 標本化・量子化・符号化

アナログデータをデジタルデータに変換するための理論

デジタルとは、何かの量を数値（整数）で表すことです。これに対して自然界に存在するさまざまな情報のほとんどはアナログ情報です。アナログとは、量が連続的に変化することです。アナログは幅や長さといった連続した量を、デジタルは個数やある時刻における量を示すことにそれぞれ適しています。たとえばカップに注ぐコーヒーの量の変化はアナログですが、コーヒーにいくつ角砂糖を入れるかはデジタルと言えるでしょう。

コンピュータはデジタル情報しか扱えないので、アナログ情報をデジタル情報に変換する必要があります。この変換作業は、標本化（サンプリング）、量子化、符号化という処理に分かれます。音というアナログ情報をデジタル情報にする処理を例に説明します。

曲線を折れ線で近似する

音のアナログ信号は連続的に変化する波の形です。この波の高さを一定の時間ごとに読み取る作業を**標本化**と言います（図1）。標本化したそれぞれの時点での波の高さのことを標本（サンプル）と呼びます。それぞれの標本はあらかじめ決めた段階のどれに近いかを比較し、数値データにします。この作業を**量子化**と呼びます（図2）。そして最後に、こうして得られた数値データを二進法で表し、コンピュータで扱える形にすることを**符号化**と言います（図3）。

アナログ信号の波は曲線ですが、デジタル情報は折れ線になります。実際のアナログ信号とデジタル信号の間には量子化の際に常に一定の誤差が生じます。これを量子化誤差と呼びます。折れ線をアナログの曲線に近づけるには、標本化の時間間隔を短くする（標本化周波数を上げる）か、量子化の段階を増やして符号化する（量子化ビット数を増やす）必要があります。どちらの方法もデータ量は多くなります。このように、デジタル情報を元のアナログ情報に近づけようとすればするほど、データ量が大きくなります。

1秒間にやり取りできるデータ量は**ビットレート**と呼ばれており、bps（bit per second、ビット/秒）という単位で表します。たとえば、**標本化周波数**8kHzで標本化したアナログ信号を、**量子化ビット数**8ビットで量子化・符号化すると、ビットレートは8kHz×8ビット=64kbpsとなります。音楽のデジタルデータの場合、ビットレートが高いほど再現性が高くなります。

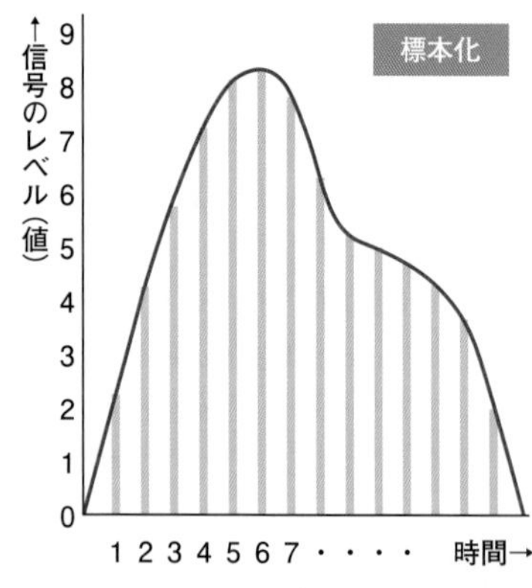

図1　標本化のイメージ。連続した波形から、一定時間ごとに値を読み取ることを標本化と言う

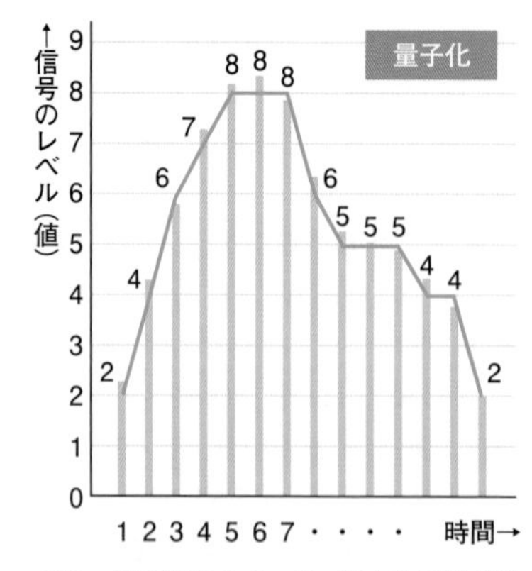

図2　量子化のイメージ。標本化で読み取ったアナログ値を近似値化して記録することを量子化と言う

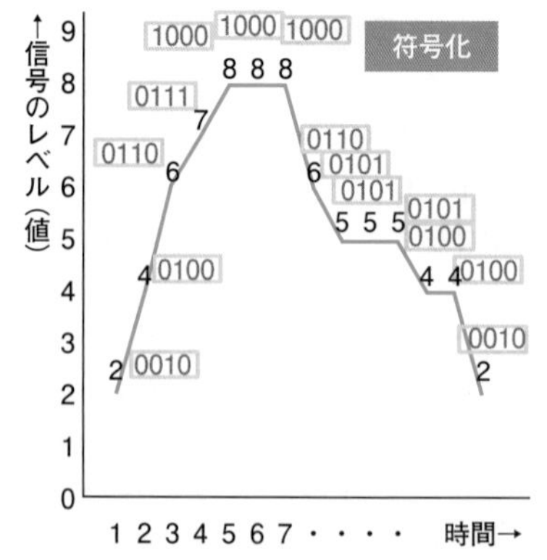

図3　符号化のイメージ。量子化した数値を量子化ビット数（たとえば4ビット）で符号化する

元の波を再現するのに必要な標本化の間隔とは

アナログ音をデジタル化する場合に、標本化の間隔はどのように決めればよいでしょうか。音とは空気の振動が波として伝わっていく現象です。1秒間に含まれる波の数を周波数と言い、ヘルツ（Hz）という単位で表します。たとえば1秒間に500個の波があれば、その波の周波数は500Hzであると言います。ちなみに1つの波が伝わる時間は秒を単位とした周期で、周波数とは逆の関係になっています。したがって、500Hzの波の周期は、1秒÷500＝0.002秒です。

この波の山の部分と谷の部分を読み込んでおけば元の波を再現できます。つまり最低限の目安として、元の信号の周波数の2倍より大きい周波数で標本化しなければならないことになります。この標本化する周波数のことを標本化周波数（あるいはサンプリング周波数）と言い、1秒間に標本化する回数を表します（図4）。

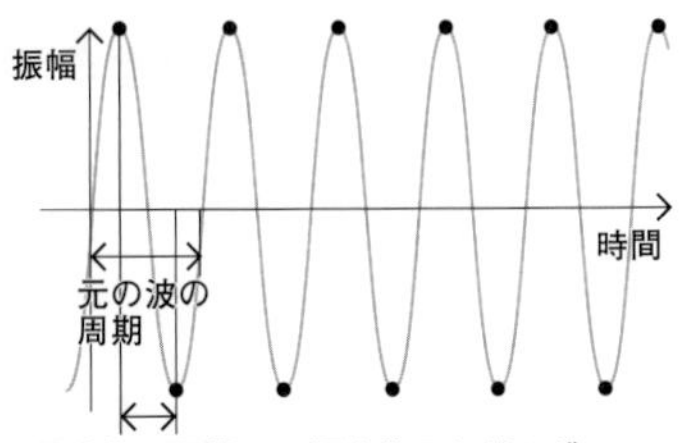

図4　波と標本化の間隔の関係。元の波の周波数の2倍超の周波数（周期は1/2より小）でなければ標本化できない

必要になるデータ量を考えてみよう

標本化周波数と量子化ビット数を上げるほど、最終的なデジタルデータ量が大きくなり、アナログからデジタルへの変換に高い処理性能が要求されます。このため、用途や機材に合わせて、適切な標本化周波数と量子化のビット数を決めます。

デジタル電話は音声に対して、8kHz（1秒間に8000回）の標本化周波数で8ビットの量子化を行っています。一方、音楽CDは44.1kHz（1秒間に4万4100回）の標本化周波数で16ビットの量子化を行っています。1秒間当たりの情報量を比べると、電話は8000×8＝6万4000ビットであるのに対し、音楽CDは44100×16＝70万5600ビットであり、約11倍（音声トラックを2つ持つステレオ音声の場合は、さらに倍の141万1200ビット、約22倍）あることになります。

同じデジタル音声でも、携帯電話は1秒当たり4750～1万2200ビットとかなり低速で標本化しています。電波を使うので、なるべくデータ量を少なくするためです。電波状況が悪くなると標本化周波数を下げ、余ったビットを誤り訂正にまわして、総合的に音声品質を確保しています。

量子化誤差を小さくするには

量子化を行う際には、取り込んだアナログ量を近似値に丸めてしまうため、量子化誤差が発生します。アナログ量が量子化の1ビットの違いよりも小さな量で変化しているような場合は、量子化の際に全部が同じ値に変換されてしまい、デジタル情報は何も値が変化していない、というものになってしまいます。

この量子化誤差をなるべく小さくするためには、量子化する際の刻み幅を細かく設定すればよいと言えます（図5）。これはデジタル化する際に必要なビット数を決める目安となります。256段階で量子化するには8ビット（2の8乗＝256なので）が必要です。もっと細かく6万5536段階で量子化するには16ビット（2の16乗＝6万5536）が必要になります。

アナログデータの種類によっては、標本値の範囲によって量子化の刻みを変えることで、データ量を減らすことができます。常に量子化の刻みを同一にする方法を均一量子化（あるいは線形量子化）と言います。これに対して頻繁に現れる標本値の付近を細かい刻みにして、あまり現れない標本値の付近を粗い刻みにする方法を不均一量子化（あるいは非線形量子化）と言います。

電話の音声は8ビットの不均一量子化です。音声は周波数や音の大きさが比較的一定で、標本値が狭い範囲にあるため、刻みを変えることが有効です。一方、音楽CDは16ビットの均一量子化です。さまざまな音色と音量の楽器があるので、どの標本値でもある程度細かい刻みにしないと、元の音が再現できなくなるからです。

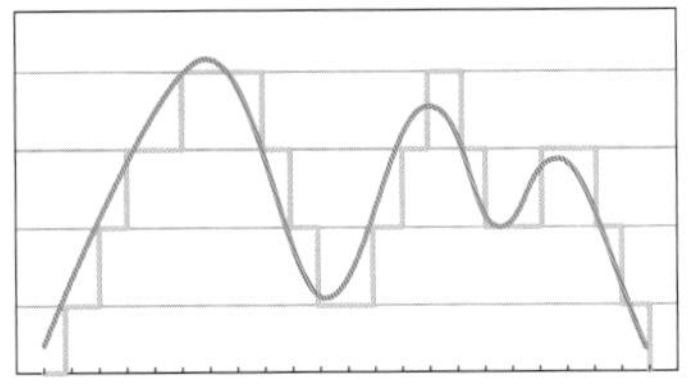
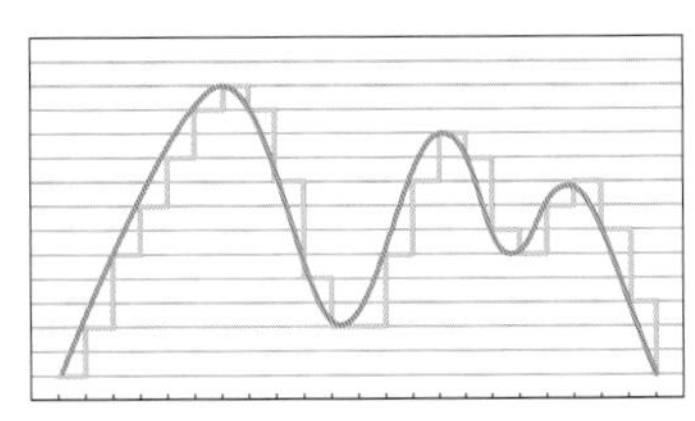
図5　量子化の刻み幅が大きい場合（左）より小さい場合（右）の方が、量子化誤差が少なくなる

□ エラー検出とエラー訂正

間違ったデータを発見したり、正しいデータに修正する仕組み

インターネットで通信を行う場合、多くのサーバを経由して情報が伝達されるため、通信経路上のどこかでデータにエラーが起こるかもしれません。また、CDなどの媒体からデータを読み取る際に、読み取り面が汚れていたり傷付いていたりするとエラーになるかもしれません。コンピュータの世界ではデジタルデータの各ビットに意味があるため、ほんの少しのエラーでも、全体の意味が異なってしまうことがあります。

エラーが発生する理由には、雷や機器の電源オン/オフによるノイズ、機器そのものの故障などがあります。1つひとつのエラーが起こる確率は低くても、多数のサーバーを経由したり、長距離通信を行ったりする場合には、エラーが発生する可能性が高まります。そこで必要になってくるのが、エラーを検出して再送したりエラー箇所を訂正したりする技術なのです。

余分なビットをエラー検出用に追加

では、どのようにするとエラーが起こったことがわかるのでしょうか。元のデータに対して、エラー検出のための情報を付加すればいいのです。一番シンプルなエラー検出の仕組みである**パリティチェック**を説明します。

通信を行う際、通常はデータを7ビットまたは8ビットをひとまとまりとして扱います。このまとまりに対して1ビットをエラー検出用として付加します。付加したビットを「パリティビット」といいます。

パリティビットを含めたデータ全体で、すべてのビットを足したものが偶数になるよう、パリティビットを0と1のどちらかにするかを決めます。「1のビットの数が偶数になるように」と言い換えても同じですね。この方式を偶数パリティチェックといいます。逆に奇数になるようにする方式が奇数パリティチェックです（図1）。

偶数パリティチェックを採用しているシステムで、「01000101」というデータを送ることを考えます。1が3個（奇数個）あるため、全体で1の個数を偶数にするにはもう1個1が必要です。したがって、パリティビットの1を加えた「010001011」を送信します。

通信中にエラーが発生して左から4ビット目が1に変化したとします。つまり「010101011」を受信したということです。このデータ中の1の個数は5個（奇数個）です。データは必ず偶数個の1を含んでいなければいけませんから、エラーが起こったことがわかります。エラーを検出したら、送信元にもう一度データを送ってもらい、正しいデータを受け取ります。

ところが、4ビット目のほかに5ビット目もエラーで0から1に変化したらどうでしょうか。「010111011」の中の1の個数は6個（偶数個）なので、エラーと見なされません。つまりパリティチェックは偶数個のビットのエラーは検出できないのです。パリティチェック方式では、複数のデータが同時にエラーを起こすと、それらが相殺されて正常な状態とみなされてしまう場合があります。通信におけるエラーは、連続して起きる場合が多く、その場合はエラーを見逃してしまう恐れがあります。

これを回避するためには**CRC**（Cyclic Redundancy Check：巡回冗長検査）という方法が有効です。CRCでは、送信データをまとまったブロック単位ごとに特定の数で割った結果の余りをエラー検出符号として使用します。受信側でエラー検出符号から逆算すれば誤りを検出できます。ただし、検出能力が高くなる半面、誤り検出のために付加しなければいけないビット数も大きくなるという、トレードオフの関係になります。

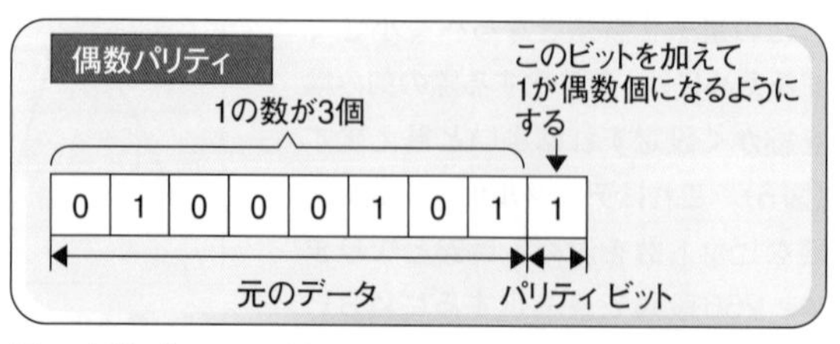

図1　偶数パリティの例

ISBNやバーコードの誤り検出方法

パリティチェックは二進表記のデータに対するエラー検出方法ですが、十進表記のデータに対して十進数を付加することでエラーを検出する方法があります。この付加する数をチェックディジットといいます。

商品に付いているバーコードや、書籍のISBN（International Serial Book Number）にもこの方式が採用されています。一般的に、これらはともに13桁のコードになっていて、最後の1桁がチェックディジットになっています。

これらのチェックディジットは、次の方法により求めることができますから、身近なバーコードやISBNで確かめてみましょう。

```
978482229221[8]
|↓|↓|↓|↓|↓|↓|
(7+4+2+2+2+1)×3=54  ①
↓ ↓ ↓ ↓ ↓ ↓
9+8+8+2+9+2    =38  ②
```

右端がチェックディジットです。右端から2番目、4番目、6番目、…の数を足し、それを3倍します。①

右端から3番目、5番目、7番目、…の数を足します。②

①で求めた結果の下1桁と、②で求めた結果の下1桁を足します。

4 ＋ 8 ＝ 12　③

③で求めた結果の下1桁を、10から引きます。

10 － 2 ＝ 8

この結果が、チェックディジットと一致すればよいのです。

2次元コード

2次元コードの1つである**QRコード**は、1994年にデンソーの開発部門（現在のデンソーウェーブ）が開発し、今や世界中で利用されています（図2）。

QRコードは、コードが汚れていたり、破損していても、データを復元する機能つまりエラー訂正機能を持っています。エラー訂正レベルは4段階用意されており、ユーザがレベルを設定できます。レベルLが約7%、Mが約15%、Qが約25%、Hが約30%の訂正能力を持っています。これは、QRコード全体がどの程度まで欠損しても、その誤りを訂正できるかを示しています。レベルを上げればエラー訂正能力は向上しますが、エラー訂正用のデータが増えるため、QRコードのサイズ（面積）は大きくなります。

図2　QRコードの例

エラー訂正が可能なハミングコード

インターネットでのデータ転送では、エラーを検出したら再送してもらうことにより正しいデータを受け取れます。しかしCD-ROMやDVD-ROMのような記録媒体の場合、間違ってデータが記録されてしまうと、何度読み出してもエラーになってしまいます。そこでエラーの検出だけではなく、訂正に必要な情報を付加しておく必要があります。エラー訂正が可能な代表的な手法に**ハミングコード**チェックがあります。

1950年に登場したこの方式は、開発者であるアメリカのベル研究所のハミング（Hamming）氏にちなんだものです。高い信頼性を要求されるようなサーバ用のメモリなどで利用されており、2ビットまでのエラー検出と1ビットのエラー訂正が可能です。

この方式では、4ビットの伝送データ列に対して3ビットのハミングコードを付加します。付加したビットは、データ列をd0、d1、d2、d3としたとき、3ビットのp0、p1、p2をd0、d1、d2、p0、d3、p1、p2という変則な並びとして付与します。ここでp0、p1、p2は次の式で表現されます。

$p0=d0 \oplus d1 \oplus d3$

$p1=d0 \oplus d2 \oplus d3$

$p2=d1 \oplus d2 \oplus d3$

式に含まれている⊕とは、排他的論理和（Exclusive OR）という演算子です。上の式では1つのハミングコードビットpm（m＝0～2）の値を決める3つのdn（n＝0～3）ビットのうちのいずれか1つだけ1か、または全部のビットが1であるとき、1となります。たとえばp0ビットは、d0＝d1＝0、d3＝1のときは1になります。

このコード体系では以下のe0～e2ビットの値を基に計算を行い、表1を参照することでエラービットの位置を判別します。e0～e2の値がすべて0の場合は、エラーが発生しなかったことになります。

$e0=p0 \oplus d0 \oplus d1 \oplus d3$

$e1=p1 \oplus d0 \oplus d2 \oplus d3$

$e2=p2 \oplus d1 \oplus d2 \oplus d3$

表1　ハミングコードで訂正する場合のテーブル

e0の値	0	0	0	0	1	1	1	1
e1の値	0	0	1	1	0	0	1	1
e2の値	0	1	0	1	0	1	0	1
エラービット	なし（正常）	p2	p1	d2	p0	d1	d0	d3

□ 文字コード

コンピュータは文字１つ１つに固有の番号を振って処理

人間は文字をその形状で区別しますが、コンピュータは文字の形状を認識するのが苦手なため、英字の「A」は41、「B」は42……、ひらがなの「あ」は3042、「い」は3044……というように、個々の文字に重複のない固有の番号を振って、その番号を文字とみなして処理する仕組みになっています（図1）。

C	o	m	p	u	t	e	r
43	6F	6D	70	75	74	65	72

図1　コンピュータの内部では文字はすべて数値の並びとして処理している（ここでは十六進表記）

どのような文字の集まり（文字集合）に対して、どういった番号を割り振るかを定めた仕組みを**文字コード**と言います。「符号化文字集合」と呼ぶこともあります。

また、番号の振り方を「エンコーディング（符号化）」と言い、**JIS漢字**と**シフトJIS**とEUC-JPというように、用途に応じて、同じ文字集合に対して、異なるエンコーディングが規定されることがあります。

社会や経済の国際化に合わせて文字コードも国際化

コンピュータの初期にはメーカー各社がバラバラに文字コードを決めていましたが、これでは異機種間でデータ交換を行う際に不便なため、標準化が図られました。もっとも標準とされる文字コードはアメリカで開発された**ASCII**（American Standard Code for Information Interchange、アスキー）で、A～Zの英大文字、a～zの英小文字、0～9の数字、＋や$などの記号が収録されています。その後、ASCIIをベースに一部の文字を各国の通貨記号などに置き換えた国別・地域別の文字コードを経て、世界中の文字をすべて収録することを目指して開発された**Unicode**へと至っています。

社会や経済の急速な国際化と歩調を合わせて、文字コードも国際化の道をたどってきたと言えます。

日本の文字コードとUnicode

英語やフランス語といった欧米諸国の多くの言語は数十種類の文字種しかないため、すべての文字を１バイトで表現できます。それに対して、日本語はひらがな・カタカナ・漢字・英字と文字種が多いうえに、漢字は数も非常に多いため、世界で初めて２バイトで１文字を表現する文字コードであるJIS X 0208（JIS漢字）が開発されました。

JIS漢字には６千字の漢字が収録されていましたが、それでも「漢字が足りない」という声があがったのを受けて、JIS X 0212（補助漢字）とJIS X 0213（拡張漢字）が追加で開発されて、３つの文字コードの合計で１万３千字の漢字が規定されました。

国際的な標準規格にもなっているUnicodeには、日本の３つの文字コードの文字のほか、英語やフランス語などのラテン文字、アラビア文字、キリル文字、中国の簡体字漢字、韓国のハングルなど、世界中の言語の文字が収録されています。2022年９月に発表された最新版Unicode 15.0には９万７千字の漢字を含む15万字近い文字が収録されていて、引き続き、文字を追加する検討が行われています。

Unicodeの普及によって、国境をまたいだコミュニケーションが円滑にできるようになっただけでなく、様々な国の文字が交じった文書やWebページ等も簡単に作成できるようになりました（図2）。

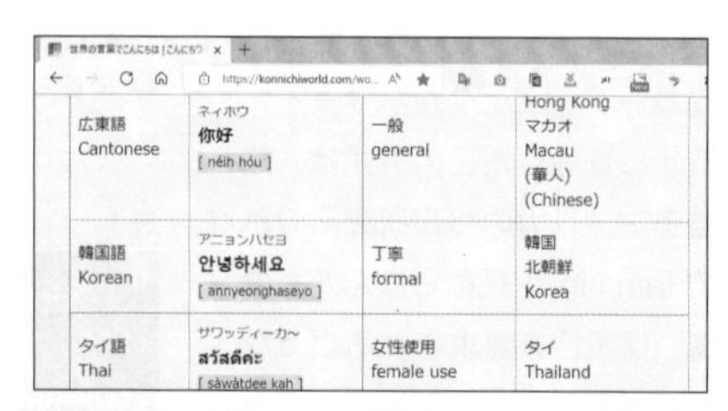

図2　多言語の文字が交じった「世界中でこんにちは」といったWebページを簡単に作成できるのもUnicodeのおかげだ

文字コードを指定して目的の文字を入力する

英数字はキーボードを打つだけで入力できますし、漢字もその読みから変換して入力できます。このため、日ごろ、文字コードを意識することはあまりありませんが、読み方のわからない漢字は、その文字コードを基に入力することができます。

最近の漢和辞典には漢字の読み方、意味、熟語などの解説と併せて、たいていその漢字の文字コードが記載されています。Windowsに標準添付するMicrosoft IMEでは、漢和辞典で確認した文字コードを入力した後に「F5」キーを押すと、その文字コードにあたる漢字が入力候補として一覧表示されるので、目的の漢字を選択します（図3）。

獣鏡は魏から邪馬台国に贈られ
で製造された仿製鏡(ほうせいき

1	仿	[環境依存]
2	抑	
3	4EFF	

図3　漢和辞典で調べた文字コード「4EFF」を入力した後に「F5」キーを押すと、各種文字コードでこの番号に相当する文字が候補として一覧表示されるので、目的の漢字を選択する

漢字の異体字を使い分け

漢字の形は国が“漢字使用の目安”として定めた常用漢字の形が標準として社会で広く通用していますが、常用漢字表に載っていない漢字についてはパソコンの画面上に表示される字形と書籍や雑誌などの字形が異なる場合があるという問題点が主に初等教育の現場から指摘されてきました。また、東京都葛飾区の「葛」字や逗子市の「逗」など、地名を表す漢字の形は自治体の正式名称にも関係しますので、その点からも統一が望まれてきました。

そこで、2000年に常用漢字表に載っていない漢字の標準的な形を定めた印刷標準字体が発表されたのを受けて、JIS漢字や拡張漢字などの文字コードの漢字の字形も2004年に変更されました。

同じ字なのに微妙に形が異なる漢字を「異体字」と呼びますが、異体字の1つひとつに新たな文字コードを追加すると、入力するのも検索するのも面倒になります。そこで、Unicodeでは元の文字コードに子番号を付加することで、この異体字を使い分ける「IVS」という新しい仕組みが開発されました。

この仕組みに対応したOSとアプリケーションの組み合わせでは、たとえば東京都葛飾区の「葛」と奈良県葛城市の「葛」をそれぞれの自治体の正式名称の漢字で表すことができます（図4）。

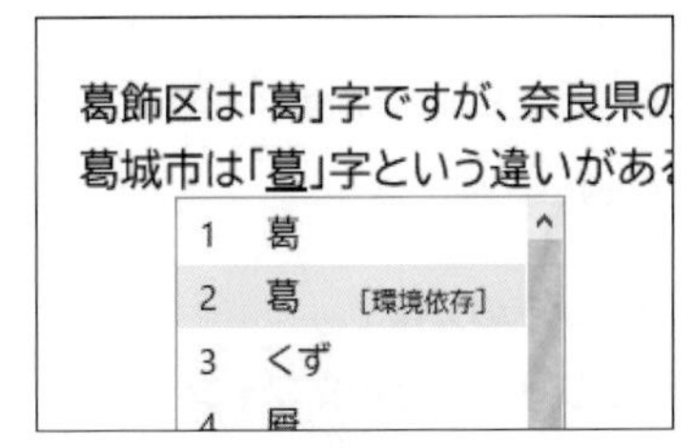
葛飾区は「葛」字ですが、奈良県の
葛城市は「葛」字という違いがあ
1 葛
2 葛 [環境依存]
3 くず

図4　Microsoft IMEで「葛」字を入力するには、入力候補の中で［環境依存］のコメントが付いている漢字を選ぶ

世界中で使われる絵文字

2010年には、日本の携帯電話に起源を持つ絵文字がUnicodeに追加されました。“感情を表現する文字”として世界中から認められたものですが、実際にメールやSNSの中で絵文字が使えるようになると、「人物をあらわす絵文字の肌の色が白と黄色ばかりで、黒が少ないのは人種多様性が欠落している」という議論が沸き起こりました。

そこで、ユーザが絵文字の肌の色を既定色から他の5色に変えられる仕組みがUnicodeに追加されました。

その後、「警察官の絵文字が男性だけしかないのはおかしい」といった指摘を受けて、さまざまな職業の人物の絵文字の性別を変えられる仕組みも追加されました。

パソコンやスマホのOSではバージョンアップする都度、たくさんの絵文字が標準フォントに追加されていますし、絵文字を入力する際に肌の色や性別を変えられる機能も順次、搭載されています。たとえば、最近のAndroidでは、絵文字を入力する際にさらに肌の色と性別を選べるようになっています（図5）。

SNSなどで世界中の人たちが手軽にコミュニケーションを図れる時代において絵文字が人種や性別に基づく差別を助長することがないよう、さまざまな仕組みが開発されてきたわけです。

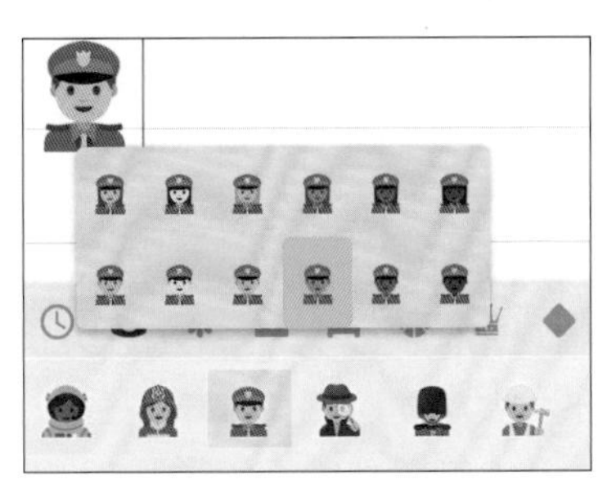

図5　警察官の絵文字を長押しすると、肌の色や男女の選択肢が現れる

□ フォント

文字を表示・印刷するのに必要な字形データ

コンピュータや携帯電話などの情報機器の内部では文字はすべて番号（文字コード）として扱われています。そして画面上に表示したり印刷したりするときに、あらかじめ用意してある文字の形を記録したデータに基づいて1つ1つの文字を描画する仕組みになっています（図1）。この字形データを「**フォント**」と呼びます。

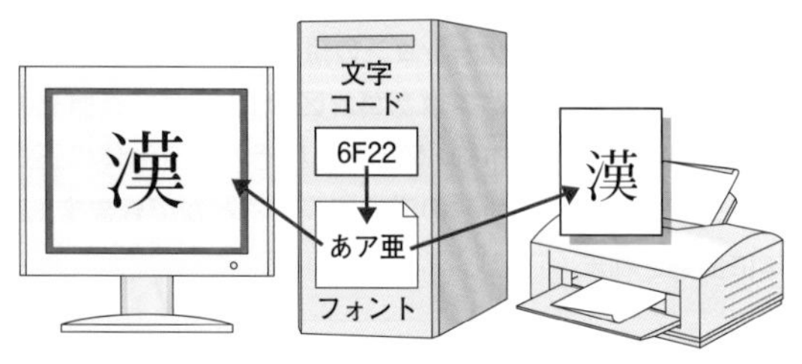

図1　コンピュータの内部で処理している文字コードを画面表示したり印刷したりするときにはフォントを用いて文字の形として表す

フォントの分類1
欧文フォントと和文フォント

パソコンに付属しているフォントには、英字と数字のほかにフランス語やドイツ語などのヨーロッパ諸言語の文字を収めた「欧文フォント」と、英数字のほかに日本語のひらがな・カタカナ・漢字・各種記号を収めた「和文フォント（日本語フォント）」があります。

フォントの分類2
等幅フォントとプロポーショナルフォント

Windowsには、長年、仮名と漢字のすべての文字が等しい幅で並ぶ「MS明朝」「MSゴシック」と、縦長の「し」や小さな「っ」などの仮名が狭い幅で並ぶ「MS P明朝」「MS Pゴシック」が標準添付されていました。前者を等幅（とうはば）フォント、後者をプロポーショナルフォントと呼びます。

「MS明朝」「MSゴシック」では英字まで等幅で並ぶため、日本語の文章中の英単語の見栄えが良くありませんでしたが、Windows 10/11の和文フォント「游明朝」「游ゴシック」では仮名と漢字は等幅で、英字はプロポーショナルのハイブリッド型に改善されています。

游明朝
ミリタント militant は闘士という意味だ。

MS明朝
ミリタント militant は闘士という意味だ。

図2 「游明朝」では仮名と漢字は等幅、英字はプロポーショナル。英字の書体が一新されたこともあって、英単語が混じった文章も読みやすいし、見た目も美しい

フォントの分類3
ビットマップフォントとアウトラインフォント

廉価な電子辞書や乗り物の行き先表示パネルなどでは文字の形を点の集まりで表す**ビットマップフォント**が、パソコンやスマートフォンでは文字の形をその輪郭線で表す**アウトラインフォント**が主に用いられています。

前者では文字を拡大すると一つひとつの点が目立ってしまう（図3）のに対して、後者では拡大しても滑らかに表示・印刷されます（図4）。

図3　電車の行き先表示に使われているビットマップフォント

図4　ポスターなどで大きな文字を使っても、アウトラインフォントなら文字の輪郭がギザギザにならない

内容や目的に応じて書体を使い分ける

Windowsには、「MS 明朝」「游明朝」などの明朝体フォントと、「MSゴシック」「メイリオ」「游ゴシック」などのゴシック体フォントが標準添付されています。明朝体（みんちょうたい）は癖がなく読みやすいことから本文によく用いられるのに対して、**ゴシック体は線が太く目立つことから見出しに用いるのに適しています**（図5）。さらに、アプリによっては丸ゴシック体、角ゴシック体、ポップ体、行書体、楷書体など、さまざまな書体のフォントが添付されています。

学校に提出するレポートは明朝体とゴシック体だけを用い、催しを告知するポスターにはポップ体を用い（図6）、年賀状や暑中見舞いの宛名には楷書体を用いるというように、文書の内容や目的に応じて、最適な書体のフォントを使うようにしましょう。

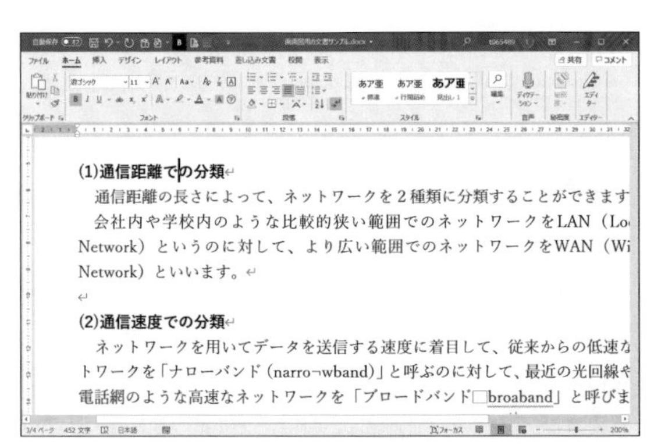

図5　本文には癖がなく読みやすい明朝体を用い、見出しの箇所だけは目立つゴシック体を用いるのが一般的な使い分けだ

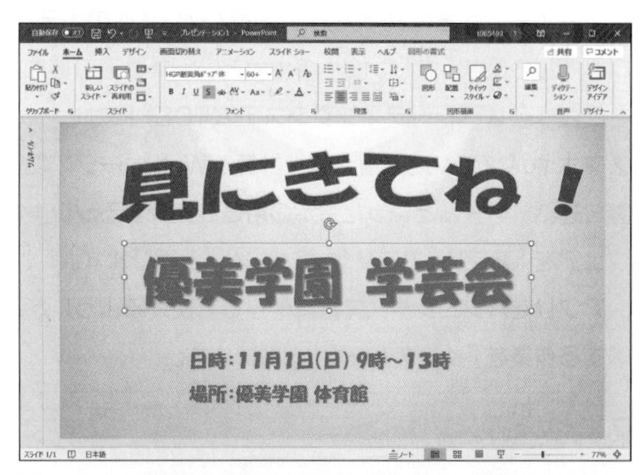

図6　楽しい雰囲気を前面に出すため、「学芸会」「見にきてね！」にはポップ体のフォントを使用したが、日時と場所は読みやすさを考えて、丸ゴシック体を使用した

特殊なフォントを使うとそのまま再現されないことも

ハガキ作成ソフトなどに付いていた特殊なフォントを使った文書ファイルを、そのフォントがインストールされていないパソコンで開くと別のフォントで代替表示されてしまうことがあります。オリジナルとまったく異なるイメージになってしまうので、注意しましょう（図7）。

図7　ハガキ作成ソフトに添付していたフォントを用いて作成したPowerPoint文書を同じフォントがインストールされていないパソコンで開いたところ。別のフォントで代替表示されて、味気ないポスターになってしまった

読みやすさに配慮したUDフォント

読みやすさに配慮してデザインされた**ユニバーサルデザインフォント（UDフォント）**が開発されました。高齢者や障害者、外国人はもちろん、一般の人が遠方から見る場合にも見間違える恐れが少ないことから色々な場面で採用されています。

Windows 10/11にも明朝体とゴシック体のユニバーサルデザインフォントが添付されています（Windows 10は2018年秋以降）。PowerPointでも「游ゴシック」の代わりに「BIZ UDPゴシック」を使うと、スライドの文字が格段に見やすくなります。

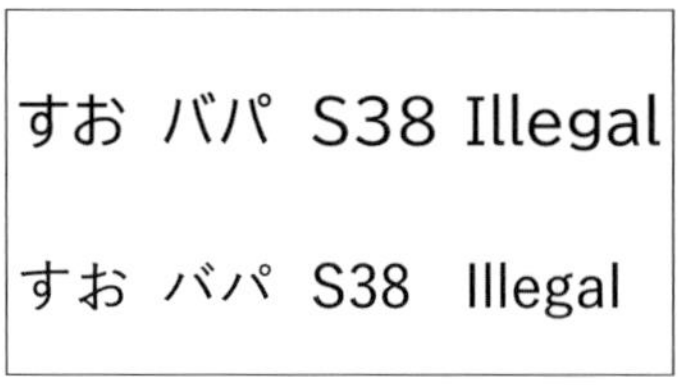

すお バパ S38 Illegal

すお バパ S38 Illegal

図8　上はWindows 10/11に追加された「BIZ UDPゴシック」フォント。「す」「お」など線で囲われた空間部分が広くて見やすいほか、濁点と半濁点や形の似た英数字も見間違えにくい。下は「游ゴシック」

□ アプリ（アプリケーション）

スマホやパソコンで動かす応用ソフトウェア

キーボードからの文字入力、ディスプレイへの表示、ファイルの保存、プリンタへの出力といった共通の機能を提供する**オペレーティングシステム**（OS）に対して、スマホやパソコンで文書作成・計算・Webページの閲覧・通話・ゲームといった特定の用途を実現するソフトウェアを「**アプリ**（**アプリケーション**）」と呼びます。

アプリをパソコンやスマホに保存して使えるように準備する作業を「**インストール**」と言います。

スマホの定番アプリ

iPhoneやAndroidなどのスマホでは、OS機能の一部としてWebの閲覧、メール送受信、音楽再生などを行えるアプリが入っているほか、機種によってはユーザの多くが利用しているLINEやFacebookなどのコミュニケーション系アプリが最初からインストールされていることがあります。出荷時にアプリをインストールする形態を「**プリインストール**」と言います。

また、スマホに搭載されている無線LAN（Wi-Fi）、電話機、カメラ、GPS（全地球測位システム）、FeliCaなどの近距離通信機能、加速度センサなどの機能を効果的に使うため、

- 街中のWi-Fiアクセスポイントを見つけて、簡単に接続できるアプリ
- 無料で通話できるアプリ
- 写真を面白おかしく加工するアプリ
- QRコードを読み取るアプリ
- 現在地から目的地までの経路を検索する乗り換えアプリ
- 交通機関やコンビニなどで支払える「おさいふケータイ」アプリ
- 歩いた歩数をカウントする万歩計アプリ

など、世界中のメーカーによって多彩なアプリが開発されていて、多くのユーザに利用されています。

パソコンの定番アプリ

Windowsや macOSを搭載したパソコンの場合も、Webの閲覧、メモ書き、画像の閲覧アプリ、動画再生、日本語入力ソフト、電卓、PDF文書を閲覧するためのビューアなどのアプリがそれぞれのOSの機能の一部として入っています。さらに、家電店で売られているパソコンにはたいていビジネスの現場で文書作成や表計算などを行える「Microsoft Office」と、ウイルスを検出して感染を防ぐセキュリティソフトがプリインストールされています。それ以外にもたくさんのアプリが販売あるいは無償で公開されています。無償で使える**フリーソフト**を集めて公開しているWebサイトもあります（「窓の杜」、「Vector」など）。無償のものも含めて、パソコンの世界では表1のようなアプリが定番とされています。

また、OSのLinux、WebサーバのApache、オフィスソフトのLibreOfficeなど、プログラムのソースコードを公開して自由に改変・再頒布することを認めている**オープンソースソフトウェア**（**OSS**）もあります。

表1　パソコンの主な定番アプリ

	Windows	MacOS
日本語入力	Microsoft IME ATOK	ことえり ATOK
Web閲覧	Microsoft Edge Google Chrome Firefox	Safari Google Chrome Firefox
写真閲覧	フォト	プレビュー
写真加工	フォト Adobe Lightroom	写真 Adobe Lightroom
動画再生	映画＆テレビ VLC media player	QuickTime Player VLC media player
ファイル共有	Dropbox OneDrive Google ドライブ	Dropbox iCloud Google ドライブ
オフィスソフト	Microsoft Office	Microsoft Office iWork（Pages/Numbers/Keynote）
PDF閲覧	Microsoft Edge Adobe Acrobat Reader	プレビュー Adobe Acrobat Reader

アプリの入手とインストール

従来、パソコンにプリインストールされていないアプリを利用するには、家電店などで売っている**パッケージソフト**を購入し、CDやDVDなどのインストールディスクを使ってインストールする方法が一般的でした。しかし、光回線などの高速なブロードバンド環境が普及してきたことから、近年はインターネット上のサイトから入手する**ダウンロードソフト**が広まっています。

多くのユーザがスマホで慣れているネット上からダウンロードしてアプリをインストールする方法が、パソコンの世界にも拡がってきたと言うこともできます。

ネット上からアプリをインストールするには、「**アプリストア**」からダウンロードする方法と、個々のアプリを開発したMicrosoft社やAdobe Systems社などのメーカーのWebサイトからダウンロードする方法があります。

アプリストアを利用する

アプリストアは、世界中のメーカーが開発した各OS用のアプリをApple社、Google社、Microsoft社が承認して、有償あるいは無償で提供しているサイトです（表2）。

表2　標準的なアプリストア

OS	ストア名
iOS/iPadOS	App Stote
macOS	App Store
Android	Google Play
Windows	Microsoft Store

アプリストアでは事前審査で合格したアプリだけが公開されるため、ウイルスが潜んでいるような悪意のあるアプリが公開されることは基本的にありません。初心者でも安心して利用できるのがメリットです（図1）。しかし、Google Playの場合、Google社の審査は甘いと指摘されていて、実際、危険なアプリが公開され、問題を引き起こしたことがあります。

図1　Androidアプリをインストールするときには、「詳細」で「アプリの権限」を確認するとよい

定期購読方式でアプリを利用する

アプリの料金はCDやDVDなどのメディアの代価として支払うものではなく、アプリの使用の許諾（ライセンス）に対する代価として支払います。

一度購入したら半永久的に使い続けることができる「**永続ライセンス方式**」に対して、近年、増えているのがユーザの使用期間に応じて料金を支払う「**サブスクリプション方式**」です。元々は雑誌の定期購読を意味する言葉ですが、アプリの購入方式に転用されたものです。このサブスクリプション方式では、アプリの利用開始時および更新時に、インターネットや電話を用いて、アプリの利用者が正規のライセンスを持っていることを確認する**アクティベーション**という手続きを行います。

アプリを利用するユーザにとっては、①導入時にかかる初期費用を永続ライセンス方式より低く抑えることができる、②短期間の使用であれば、トータルの費用を永続ライセンス方式より低く抑えることができる、③使用期間中、常に最新バージョンを使うことができる、といったメリットがあります。

Webブラウザ上で動くWebアプリ

GmailやFacebookなどのWebサービスでは、スマホやパソコンにインストールする形式のアプリとは別に、**Webアプリ**という形式でもアプリが提供されています。

それぞれのサイトにアクセスしてログインするだけで、自動的にアプリがダウンロードされて、Webブラウザ上で動作する仕組みとなっています。

Webアプリは、単体アプリと比べると機能が限定されている場合もありますが、わざわざスマホやパソコンにインストールする手間をかけなくても、それぞれのサービスを手軽に利用できるところがメリットです。

また、アプリを勝手にインストールすることを禁止されている企業やインターネットカフェなどのパソコンで、そういったサービスを利用する方法としてもよく利用されています。

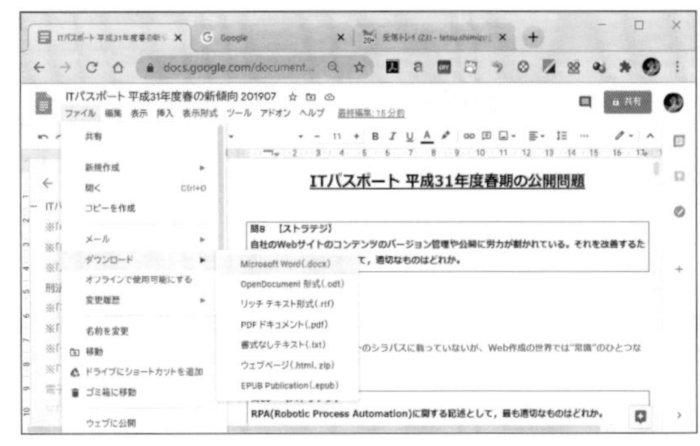

図2　Googleが提供するWebアプリ「Googleドキュメント」の機能は限定的だが、WordやExcelなどのファイル形式の読み書きもできる

□ オフィスソフト

仕事や学習に欠かせないアプリケーションをひとまとめ

文書を作成する**ワープロソフト**、表形式でさまざまな計算を行う**表計算ソフト**、効果的にスライド発表するのに役立つ**プレゼンテーションソフト**、電子メールをやり取りするメールソフトなど、仕事を行ううえで欠かせないいくつかのアプリケーションをひとまとめにしたパッケージを「**オフィスソフト**」と呼びます。英語表記（Office Suite）に従い、「オフィススイート」と呼ぶこともあります。

オフィスソフトの定番 Microsoft Office

そんなオフィスソフトの実質的な標準となっているのが、Microsoft社が開発・販売している**Microsoft Office**です。Windows版のほか、macOS版もあります。

お馴染みのWord、Excel、PowerPoint以外に、メールやスケジュールなどの情報を管理するOutlook、電子メモソフトのOneNote、個人～小企業向けのデータベース管理ソフトのAccessなど、多くのアプリから構成されています。ただし、家電店で売られているパソコンにはPowerPointがインストールされていない等、Microsoft Officeの販売形態や対応OSによって収録されているアプリの種類は異なります。

Webアプリやモバイル用 Microsoft Officeも

近年、アプリの多くがWebブラウザ上で動作するWebアプリとして提供されるトレンドに合わせて、Webブラウザ上で動作するWord、Excel、PowerPoint、OneNoteが「Office on the web」という名称で提供されています。機能は限定されているし、デスクトップ版で作成した文書のレイアウトが崩れる場合もありますが、インターネットとWebブラウザが使える環境さえあれば、文書内容を確認できるのがメリットです。

また、iOS/iPadOSやAndroidを搭載したスマホやタブレット用のモバイル版の各アプリも提供されています。スマホやタブレットは画面が狭い、文字入力がしづらいといった制約があるうえに、各ソフトの機能もかなり制限されているため、ゼロから文書を作成する用途より、移動中の乗り物の中で文書の内容をスマホで確認したり修正したりといった用途でおもに利用されています。

なお、Webアプリ版とモバイル版はどちらも無料で利用できますが、Microsoft Officeの有償ライセンスのアカウントでサインインあるいはインストールすると、各ソフトで利用できる機能が追加される仕組みとなっています。

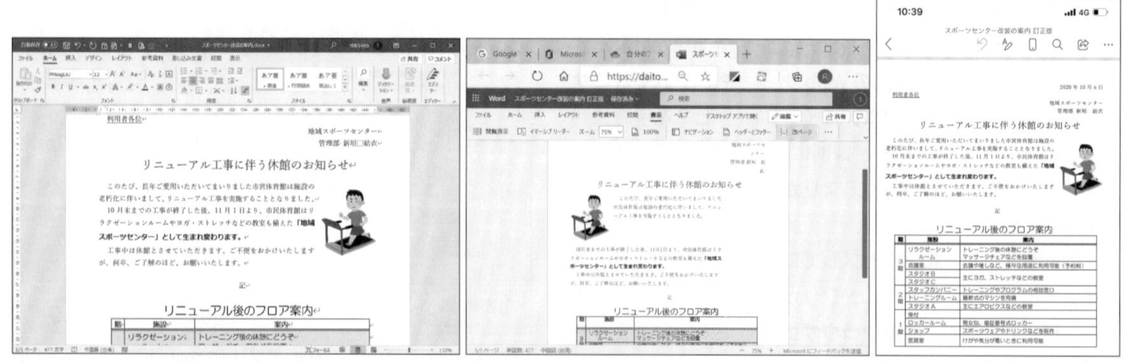

図1　デスクトップ版のWordで作成した文書ファイル（左）をWebアプリ版（中）やモバイル版（右）で開くとレイアウトが崩れる場合があるが、内容の確認は十分できる

使用条件や仕様が異なる3つのMicrosoft Office

デスクトップ版のMicrosoft Officeには、購入方式が異なる3つの製品があります（表1）。

1つめは製品名に「Microsoft Office 20XX」というように数字が入っている永続ライセンス方式の製品で、一度購入すれば半永久的に使い続けることができます。

2つめは以前「Office 365」という名称だった「Microsoft 365」で、契約期間に応じた料金を支払うサブスクリプション方式が特徴です。WordやExcelなどの各アプリは最新のバージョンを利用できます。所属している大学や高校がMicrosoft 365を教育機関として契約している場合、学生は自宅で使っているパソコンにも無償でMicrosoft Officeをインストールすることができます。

3つめは購入したパソコンにプリインストールされている「Microsoft Office 20XX」です。永続ライセンスよりお得な半面、そのパソコンでしか使えないという制約があります。

永続ライセンスとプリインストールでは新機能は追加されないのに対して、Microsoft 365では随時、新機能が追加されるという違いもありますが、不用意に新機能を使うと別環境で機能しないことがあるので注意が必要です。

なお、Microsoft社は2022年11月に開催したオンラインイベントで「Microsoft Officeのブランド名をMicrosoft 365に変更する」と発表しました。本書ではまだ旧称を使っていますが、実際の製品やサービスは順次、新名称に訂正されています。

表1　3種類のMicrosoft Officeの違い。プリインストールはパソコンによって異なる場合がある（2022年11月時点）

	永続ライセンス 2021	サブスクリプション Microsoft 365	プリインストール 2021
使用期間	半永久	申し込んだ期間	パソコンの使用期間
費用	最初に1度だけ	月額または年額	パソコン代金に含まれる
インストール可能台数	2台まで（同時使用可能）	無制限（5台まで同時使用可能）	インストールされていたパソコン1台だけ
次期バージョンへのアップグレード	保証なし（有償）	無償で可能	保証なし（なし）
添付するクラウドサービス	なし	1TBまで保存可能	1TBまで保存可能（2年目以降は有償）
アップデート	セキュリティ関係のみ	随時、新機能も追加	セキュリティ関係のみ

スマホに特化した「Office」アプリ

iOSとAndroidを搭載したスマホなどのモバイル版アプリとして、WordやExcelなどのアプリとは別に、「Office」という名前の新アプリが追加されました。

Word、Excel、PowerPointの3つのアプリの基本機能に加えて、カメラで撮影した写真を文字認識してOfficeデータに変換する機能やPDF文書に手書きサインを書き加える機能など、スマホの特徴や用途を生かした機能が搭載されています。

図2　「Office」はWord、Excel、PowerPointの機能を1つに集約したスマホ専用アプリ

Microsoft Office以外のオフィスソフト

数はそれほど多くはないものの、コスト的な理由などで、Microsoft社以外の企業や団体が開発したオフィスソフトを利用している企業や官公庁や学校もあります。

いくつかあるMicrosoft Office以外のオフィスソフトの中で比較的、利用者が多いのは、「LibreOffice（リブレオフィス）」（The Document Foundationプロジェクト）と「Googleドキュメント」（Google社）です。前者はパソコンにインストールして使うアプリで、後者はWebブラウザ上で動作するWebアプリで、どちらも無料で利用することができます。

LibreOfficeはMicrosoft Officeとのデータの互換性が高い、Microsoft Officeの各アプリと機能や使い方が似ている、Windows用のほかにmac OS用とLinux用もある、オープンソースソフトウェアとしてソースコードが公開されているといった理由から、標準オフィスソフトとして採用している理系の大学や学部もあります。

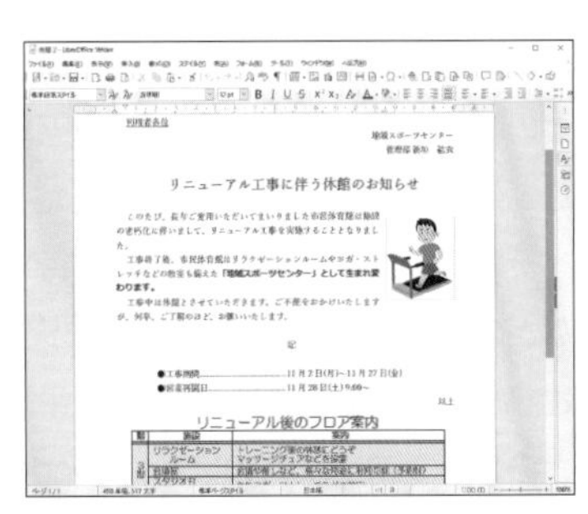

図3　Wordで作成した文書をLibreOfficeで開いたところ。文書のレイアウトが崩れることもほとんどなく、忠実に表示される

□ 文書ファイルとPDF

目的に応じて使い分けられるさまざまな文書ファイル形式

ワープロソフトや表計算ソフトなどでは、通常、文書内容を独自のファイル形式で保存しますが、そういったアプリケーション独自のファイル形式とは別に、異なるアプリケーション間でデータ交換を行ったり、どんな環境でも内容を閲覧できるように開発されたファイル形式があります。

文字情報だけのテキストファイル

文字情報だけのファイルを「**テキストファイル**」といいます。お互いのファイル形式を直接読み書きできないアプリケーション間で文字情報のデータ交換をする際などにテキストファイルが利用されています。

テキストファイルを編集するには、通常、**テキストエディタ**と呼ばれる種類のアプリケーションを用います。Windowsには「メモ帳」、macOSには「テキストエディット」が付属しています。

表計算ソフトやデータベースソフトの場合、データ交換を行う際に値の区切りを正しく識別する必要があるため、値と値の間をカンマで区切った「**CSV** (Comma Separated Value) 形式」のテキストファイルがよく利用されます。

装飾情報を伴うおもな文書ファイル

Wordなどのワープロソフトが作成する文書ファイルには、文字情報だけでなく、文字のフォントやサイズなどの装飾、中央揃えや右揃えなどの段落の配置、表や図などの情報も記録されています。

そこで、文字情報に加えて、文字の装飾、段落の配置などの情報を伴った状態でデータ交換を行うために開発されたファイル形式が「**リッチテキスト**」です。Wordなどのワープロソフトのほか、Windowsに付属する「ワードパッド」やmacOSに付属する「テキストエディット」がこの文書ファイルの読み書きに対応しています。

編集が必要のない文書のファイル形式

ワープロソフトで作成した文書ファイルを異なる環境で開くと、レイアウトやフォントなどの見た目が微妙に変わることがあります。そこで、どんな環境でもオリジナル通りのイメージで再現するように開発された文書形式が**PDF** (Portable Document Format) です。

お役所の申請書類、製品のカタログやマニュアルなど、利用者が中身を変更する必要のない文書を公開・発行する際のファイル形式として広く利用されています。

PDF形式の文書ファイルを閲覧するには、以前はPDFを開発したAdobe Systems社が無償で公開している**Adobe Reader**というソフトをダウンロードしてインストールする必要がありました。しかし、最近のWindowsやmacOSには最初からPDF文書を閲覧する機能が搭載されていますし (図1)、スマホにも同様の機能が最初から搭載されています。また、Microsoft EdgeやSafariなどのWebブラウザにもPDF文書を表示する機能が内蔵されています。

このようにどんな環境でも特別な準備をすることなく内容を閲覧できるのも、PDFの大きなメリットです。

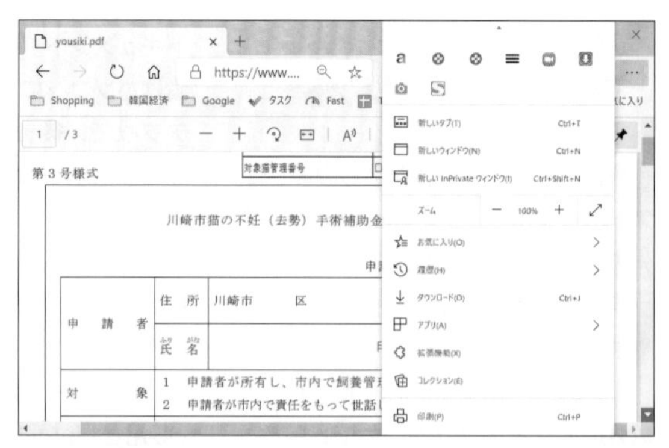

図1　最近のOSなら、役所のWebサイトなどで公開されているPDFの文書名をクリックすれば、ブラウザ内にそのまま表示される (図はWindowsのEdge)

オフィスソフトの文書も標準化されて仕様が公開

2003までのバージョンのMicrosoft Officeの文書ファイルの仕様が一般に公開されていなかったのに対して、仕様を完全にオープンにして開発された文書ファイルが「ODF(Open Document Format)」です。国際的な標準規格にもなっています。LibreOfficeなどのオフィスソフトが既定のファイル形式として採用しています。

一方のMicrosoft Officeも2007というバージョンの時にXMLに準拠した新しいファイル形式に変更された際、「OOXML(Office Open XML)」という国際的な標準規格となって、仕様が公開されるようになりました。

ODFもOOXMLもワープロ、表計算、プレゼンテーションの3種類のアプリケーションのファイル形式が公開されています。

PDF文書を作成する

PDF形式の文書を作成するには、Adobe Systems社 のAdobe Acrobatという有償ソフトを用いるのが本来の方法でしたが、現在ではWindowsやmacOSといったOSにPDF作成機能が標準搭載されているほか、Microsoft Officeなど、編集中の文書をPDF形式で出力する機能が搭載されているアプリケーションも増えています。

どの方法の場合も、元となる文書自体はワープロソフトなどを用いて作成します。そのうえで、プリンタとしてPDFを選択して印刷を実行するか、ファイルの種類としてPDFを選択して保存を実行すると、PDF形式のファイルとして保存される仕組みになっています。

さらに、作成方法によっては、

- 文書の中で使われているフォントをPDF文書内に埋め込む
- PDF文書にパスワードを付けて、閲覧・印刷・文書内容のコピーを制限する(セキュリティの設定)
- コメントやしおりを追加する

といった設定や編集を行えます。

PDFにコメントや手書きメモを追加する

PDF文書に対して高度な編集を行うにはAdobe Acrobatなどの有償ソフトを利用する必要がありますが、無償ソフトのAdobe Readerでもコメントを追加したり手書きで図形や字を追加したりといった簡単な編集を行えます。

たとえば、授業時に配布されたPDF文書に対して、すぐにその場で、先生が重要と話した箇所を赤線で囲ったり、先生が話した注意事項を書き加えたりしておけば、後で分からなくなってしまわずに済みます(図2)。

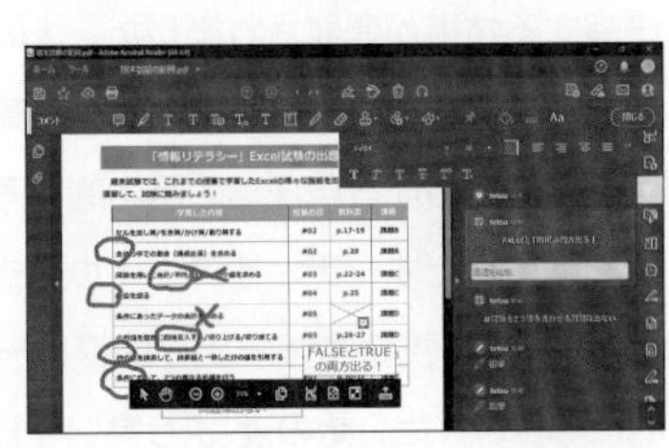

図2　Adobe Readerを使って、PDF文書に対して、手書きで図を描いたり、コメントを追加したりできる

電子署名を添付して文書の正当性を保証する

ワープロ文書は第三者が名前を詐称して文書を発行する恐れがありますし、作成者以外の人が内容を改ざんすることも容易にできてしまいます。

それに対して、PDFではそもそも内容の書き換えが容易にできないことに加えて、**電子署名**(デジタル署名)を添付することによって文書の作成者が間違いなく本人であること、さらに文書作成後に内容が改ざんされていないことを証明する仕組みが用意されています。

これまで企業の伝票類は紙で保存することが義務付けられていましたが、2005年に「e-文書法」が施行されたことに伴って、電子媒体で保存することも認められました。そのため、こういった用途でもPDFの利用が急速に広まりつつあります。

PDF文書へ署名を添付する作業や添付している署名を確認する作業は無償版のAdobe Readerでも行えます(図3)。

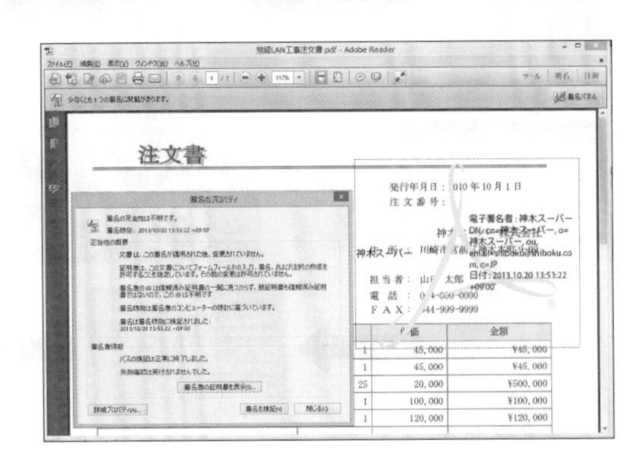

図3　PDF文書に添付していた署名をクリックして、作成者や改ざんされていないことを確認する

□ オーディオファイル

高圧縮・高音質を両立し、音楽の保存や流通が容易に

音楽をデジタルデータで表現するには、2つの方法があります。1つは音の波形をデータ化する**PCM**(パルス符号変調)という方法です。音の波形を時間軸方向に細かく切り刻み(標本化)、それぞれの時間での音の大きさを適当なビット数の二進データで表現(量子化)します。PCM方式はCD(コンパクトディスク)で実用化されました。

普及期を過ぎ、音質が重視される時代に

PCM方式で記録した声や音楽は、1秒あたり100KB以上のデータ量があります。そこで、人間の聴覚特性を利用してデータ量を大幅に（たとえば10分の1程度に）圧縮する技術が開発されました。人の可聴範囲外の音域については情報を削除、あるいは情報量を減らして記録するというのが音声圧縮の基本的な考え方です。その技術を応用したオーディオファイル形式の元祖と言えるのが**MP3**で、携帯型オーディオプレーヤに応用されて有名になりました。その後、より高い圧縮率と高音質を目指したり、**デジタル著作権管理**（**DRM**：Digital Rights Management）に対応させるなどしたオーディオファイル形式が数多く開発されました。

オーディオプレーヤや記録メディアの記憶容量が増大した現在、データ量を減らすことよりも音質が重視されつつあります。CDより高い音質で音楽を記録したデータを**ハイレゾ音源**（Hi-Res）と言います。

楽器の演奏をデータ化するSMF

音楽をデジタルデータで表現するもう1つの方法は、音ではなく楽譜（演奏の手順）をデータ化するものです。ファイル形式としては、SMF（スタンダード**MIDI**ファイル）が代表的です。データから実際に楽器の音を再生するには、ピアノやギターなど、いろいろな楽器を模した音を出すことができるシンセサイザソフトまたは専用のハードウェアを使用します。

通信カラオケのシステムも、多くがSMFを利用しています。カラオケの端末で選曲すると、ただちにセンターからSMFデータが光ファイバなどを経由して送られ、カラオケの装置が再生を行います。

なお、SMFは人間の声の記録には対応できません。

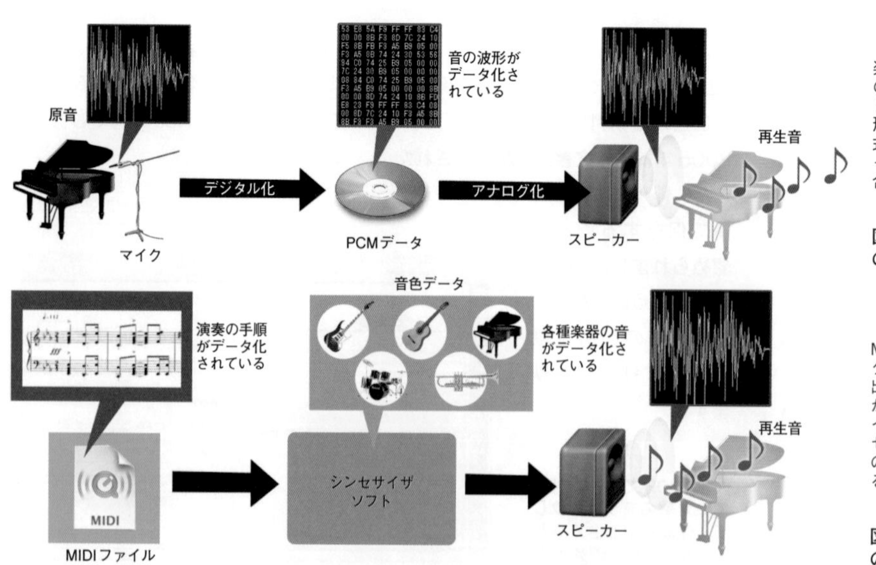

楽器の演奏音を、1秒間に数千回の割合で取り込んで、デジタル化して保存する。実質的には、音の波形を記録することになる。PCM方式は、データ量が非常に大きくなってしまうので、圧縮技術を組み合わせて利用するのが一般的。

図1　PCM方式の記録と再生の様子

MIDIファイルには、このタイミングでこの楽器からこの音程の音を出して…といった楽器の演奏手順がデータ化されている。MIDIファイルを再生するプレーヤにはシンセサイザ機能があり、各種の楽器の音で演奏を再生することができる。

図2　MIDIのファイルの再生の様子

CDを超える高音質のハイレゾオーディオ

ハイレゾとは、ハイ・レゾリューション（高解像度）のことです。

JEITA（電子情報技術産業協会）は、ハイレゾ音源の定義として、「CDスペックを上回ること」としています。ここでCDスペックとはサンプリング周波数44.1kHz～48kHz/量子化16ビットとされていて、たとえば44.1kHz/24ビットや96kHz/16ビットで記録された音源はハイレゾを名乗ることができます。

一方、日本オーディオ協会は、96kHz/24ビットに対応する機器をハイレゾオーディオロゴ対応機器と定義しています。

ハイレゾ音源をハイレゾとして再生するには、プレーヤ、アンプ、スピーカー（ヘッドホン）がすべてハイレゾに対応している必要があります。

図3　日本オーディオ協会が設定した2種類の推奨ロゴ

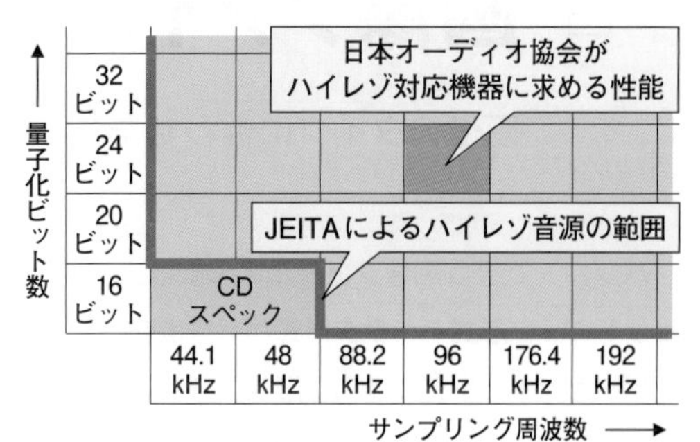

図4　JEITAと日本オーディオ協会によるハイレゾ音源の範囲と機器の性能

音声コーデックの種類

オーディオファイルの中には、音声**コーデック**と呼ばれる技術（規格）でデータ化された音声が格納されています。音声コーデックには表1のようにいろいろな種類があります。MP3に代表される一般の音声コーデックは**非可逆圧縮方式**を採用していて、データサイズは小さくなりますが、音声の品質はある程度劣化します。逆に、ハイレゾに対応した音声コーデックであるALACとFLACは、ロスレス（**可逆圧縮**）とよばれる方式を採用していて圧縮前の情報を100%再現できますが、データサイズは大きくなります。

表1　主なコーデックの種類

種類	規格名	ファイル拡張子（格納先）	特徴
一般の音声圧縮（非可逆圧縮方式）	AAC	.aac、.mp4、.m4a	MP3の後継の音声コーデック。地上波デジタル放送などが使用
	ATRAC	.omg、.oma、.aa3	ソニーの音声コーデック。ウォークマンなどが使用
	DTS	.dts	Digital Theater Systems。DVDやBDがサラウンド音声で使用
	MP3	.mp3	音楽配信や携帯型オーディオプレーヤで使われる有名な音声コーデック
	Vorbis	.ogg	パテントフリーの音声コーデック。動画形式WebMが音声用に採用
	WMA	.asf、.wma	マイクロソフトの音声コーデック。デジタル著作権管理（DRM）に対応可能
ロスレス音声圧縮（可逆圧縮方式）	ALAC	.mov、.m4a	アップルのハイレゾ音声コーデック。iPod、iPhone、ウォークマンなどが対応
	FLAC	.fla、.flac	オープンソースのハイレゾ音声コーデック。ウォークマンなどが使用
その他	SMF	.mid	MIDIの演奏ファイル
	WAVE	.wav	Windowsの起動音、終了音などの効果音。圧縮無しなのでデータ量が大きい

読み上げソフトとボーカルソフト

パソコンや各種の装置が合成音声でしゃべる場面は、生活の中で普通に見かけます。YouTubeやニコニコ動画には、読み上げソフトで音声を付けた動画や、ボーカルソフトに歌わせたコンテンツが多数登録されています。

読み上げソフトとしてはフリーの「ソフトーク」や「棒読みちゃん」が人気です。テキストファイルを入力し、読み上げた結果を音声ファイルとして保存することができます。

ボーカルソフトとしては**ボーカロイド**（VOCALOID、ボカロ）シリーズが主流です。メロディーと歌詞を入力したうえ、各種のパラメータを調整して歌声に抑揚を付けることができます。ボーカロイドは人間の声からサンプリングした数100から1000以上の音声素片（歌声の断片）を元に、それらを合成、変換して歌声を作り出します。

2021年7月、全く新しい音声合成サービスCoeFont CLOUDが始まりました。誰でもネット経由で自分の声をCoeFontとして登録でき、また登録されている他の人のCoeFontを使って高品質な音声でテキストを読み上げできる有料サービスです。CoeFontの登録には100ほどの短文を自分で読んで録音したあと、サーバ側で数時間かけて深層学習が行われます。

□ 画像ファイル

画像のタイプに合わせた各種のファイル形式が存在する

パソコンで扱う画像ファイルの形式は大きく2種類、**ビットマップ形式**と**ベクタ形式**があります。

ビットマップ形式は**ラスタ形式**とも言って、画像をたくさんの点の集まりとして扱い、それぞれの点の色情報を記録したものです（図1）。デジタルカメラで撮影した画像データが代表例です。ビットマップ形式の画像を構成する1つ1つの点を、**画素**、**ドット**、あるいは**ピクセル**と言います。

これに対してベクタ形式の画像データは、たとえば三角形を描いたときに、3つの頂点の座標、内部の塗り方、線の幅と色などを記録します（図2）。ビットマップ形式に比べて少ない情報量で図形を記録することができるほか、図形を拡大縮小させても画質が劣化しないことを大きな特徴としています。ベクタフォントがその応用例です。ただし、ベクタ形式は図形をデータ化するための形式であり、写真の保存には使えません。

色を定量的に表現する方法（表色法）は多種ありますが、コンピュータの世界では色を光の3原色である赤（R）、緑（G）、青（B）の3色の組み合わせとして表現する**RGB表色系**が主に使われます。また、赤、緑、青の光の強さをそれぞれ256段階で数値化するのが一般的です。表現可能な色の数は256の3乗の1677万7216色であり、人間が知覚可能な色の数をカバーできるため、この色数を**フルカラー**と言います。

画像圧縮のメリットとデメリット

デジタルカメラでは、画像ファイルのサイズを10分の1から50分の1以下に圧縮可能な**JPEG**（ジェイペグ）形式のファイルとして保存するようになっています。圧縮のおかげで、一定の容量のメモリカードにより多くの画像を保存することができますし、インターネットで画像をダウンロードする時間を短縮できています。

ただし、JPEG形式で圧縮保存された画像は、元の画像と100％同じではなく、ノイズが混ざるなどの画質の劣化を伴っています。このような、元の画像を完全には再現できない圧縮方式を**非可逆圧縮**といいます。

iPhoneなどのiOSデバイスは、HEIF（エイチイーアイエフ）という新しい画像圧縮ファイル形式に対応しています。同じ画質の写真のファイルサイズが、JPEGよりもさらに小さくなるという圧縮効率を誇ります。

画像ファイルの形式には、他にもいろいろな種類があります。**GIF**（ジフ）形式や**PNG**（ピン、ピング）形式は、元データと100％同じデータを再生できる**可逆圧縮**方式を採用しています。

横300画素×縦300画素、合計9万の画素で構成されたビットマップ画像の例。右はその一部（10×10画素）を拡大した様子。ビットマップ画像が多数の小さな画素の集合体であることがわかる

図1　ビットマップ形式の画像と画素

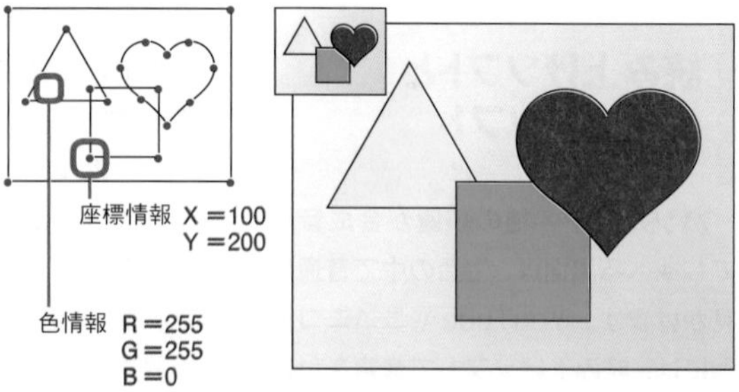

座標情報 X＝100 Y＝200

色情報 R＝255 G＝255 B＝0

ベクタ形式の画像は、図形要素の頂点の座標と色をデータ化している（左）。表示サイズを拡大縮小しても画質の劣化がない（右）。また、データ量も少なくて済む

図2　ベクタ画像のデータと表示の例

代表的な画像ファイル形式

JPEGは写真画像に適した圧縮方式を採用していて、写真画像に対して高い圧縮率と高画質を両立しています。しかし、単純なイラストをJPEG形式で保存すると、画質の劣化が気になることがあります（図3）。

単純なイラストの保存には、可逆圧縮方式を採用するGIF形式やPNG形式が適しています。ただしGIF形式は、色数の多い画像については256色以下に色数を減らしてしてから保存する必要があるため、画質劣化が発生します（図4）。その代わり、GIF形式はアニメーション表示が可能という、他の画像ファイル形式にはない特徴を持っています。

低画質モードでJPEG形式で保存したイラスト。輪郭部の周囲に大量のノイズが現れている

図3 JPEG形式で保存したイラストの一部

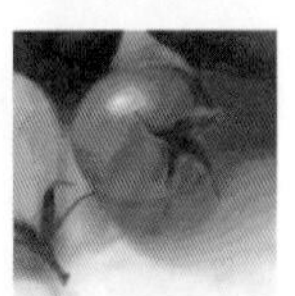

256色への減色により、色の変化が段階的になっている

図4 GIF形式で保存した写真画像の一部

表1 代表的な画像ファイル形式の特徴

形式	圧縮方式	特徴
JPEG	非可逆圧縮	Webの標準的な画像ファイル形式。デジタルカメラの保存形式としても一般的
HEIF	非可逆圧縮	iOS11以後が対応するファイル形式で静止画と動画に対応。圧縮効率が高いが、処理に時間がかかる
WebP	非可逆圧縮/可逆圧縮	Googleが開発したオープンな画像ファイル形式。Webページの画像ファイル形式として普及しつつある
GIF	可逆圧縮	256色までしか扱えない。アニメーション表示が可能
PNG	可逆圧縮	GIFの改良版でフルカラー対応。アニメーション表示に対応したAPNG形式もある
BMP	圧縮なし	Windowsで使われるファイル形式。圧縮しないのでファイルサイズが大きい。Webでは普通使用されない
SVG	可逆圧縮	ベクタ画像保存用のファイル形式。ビットマップ画像とベクタ画像を合成して扱うことが可能

JPEG画像の圧縮率は画質と関係がある

JPEG形式は、保存時に圧縮率（画質モード）を指定することができます。写真画像の場合、データ量が元画像の10%になる程度の圧縮（中画質モード）であれば、画質の劣化は見た目にほとんど分かりません（図5）。

5%以下の高い圧縮率（低画質モード）で保存された写真画像の場合、ブロックノイズやモスキートノイズが発生して画質が悪く見えることがあります（図6）。

画像に軽くモザイクがかかったように見えるのがブロックノイズです。

モスキートノイズは、色が大きく変化する輪郭部分に現れるランダムなノイズです。

拡大して観察しても、画質の劣化にほとんど気がつかない

図5 普通画質モードで保存した画像（1200KBの元画像から75KBに圧縮）

拡大してみると、モスキートノイズやブロックノイズが出ていることがわかる

図6 低画質モードで保存した画像（1200KBの元画像から20KBに圧縮）

画像表示と編集アプリケーション

JPEGファイルを開いて画像を表示するだけなら、OSに標準装備されている機能でできます。画像の編集を行うには、そのためのアプリ（表2）を用意する必要がありますが、無料のアプリもたくさん存在します。

表2 代表的な画像編集アプリケーション

アプリケーション	特徴と機能
Adobe Photoshop	世界的に最も有名な画像編集アプリで、高度な画像編集が可能
Adobe Lightroom	写真を加工、編集するアプリ。パソコン版とスマホ版がある
AFFINITY Photo	高性能な画像編集アプリ。Windows、Mac、iPad版がある
GIMP	日本語版無料ながら有料ソフト並みの機能を持つの画像編集アプリ
Pixlr	無料で利用できる、Webベースの画像編集アプリ。かなり高機能
CLIP STUDIO PAINT	マンガやイラストを描くためのアプリ。通称クリスタ
Adobe Illustrator	ベクタ形式のイラストを編集するアプリとして最も一般的
AFFINITY Designer	ベクタ形式とビットマップ形式の両方に対応するイラスト編集アプリ

□ 動画ファイル

高圧縮技術で長時間録画やインターネットでの配信が可能に

一般家庭でも使われているビデオカメラは、1秒あたり数十枚のスピードで風景を撮影して、メモリカードなどの媒体に画像情報を記録します。記録された1枚1枚の画像は静止画なのですが、それらを撮影時と同じスピードで画面に連続表示すると、人間の目には自然な動画として映るのです（図1）。

動画のデータ量は膨大で、そのままではDVDディスク1枚にたった数分しか録画できません。そこで、映像データを数十分の1に圧縮する技術が開発されました（図2）。そのおかげで、DVDディスクやメモリカードといった限られた記憶容量のメディアに数時間の動画を録画することや、ハイビジョン映像のデジタル放送、インターネットでの動画配信などが可能になりました。

代表的な動画圧縮の規格である**MPEG-2**は、DVDや地上デジタル放送に採用されています。**MPEG-4**はテレビ電話や携帯電話向けに、通信速度が遅い条件での映像配信のために作られた動画圧縮規格で、MPEG-2以上の圧縮率を実現しています。Blu-ray Discの録画では、MPEG-4の技術を元にした**MPEG-4 AVC**（**H.264**）という規格が使われています。

動画ファイルの形式

パソコンで扱う動画ファイルには、MP4、AVI、MOV、FLVなどいろいろな形式があります。これらの動画ファイルの中には、圧縮された動画データと、圧縮された音声データが入っています。動画ファイルを再生するためのアプリである**動画プレーヤ**は、動画と音声を同期させて再生します。動画プレーヤによって、再生可能な動画ファイル形式に違いがあります。

圧縮されているといっても動画はデータ量が多いため、動画ファイルの全体をダウンロードするには時間がかかります。そこでWeb上の動画配信サービスは、動画ファイルのダウンロードを進めながら同時に再生表示を行う**ストリーミング**という技術を採用していて、Webブラウザもこれに対応しています。だからWeb上の動画を観るとき、最初に少しデータを溜め込んだあと、すぐに再生がスタートするのです。先行してデータを溜め込む（バッファリング）ことで、通信状態が悪くても再生の一時停止が起きにくくなっています。

図1　動画表示の原理

毎秒数十回のスピードで連続撮影した静止画像を画面に連続表示すると、人間の目には映像がなめらかに動いているように見える。原理はパラパラ漫画と同じ。連続撮影・表示のスピードは一般に毎秒30枚または60枚。

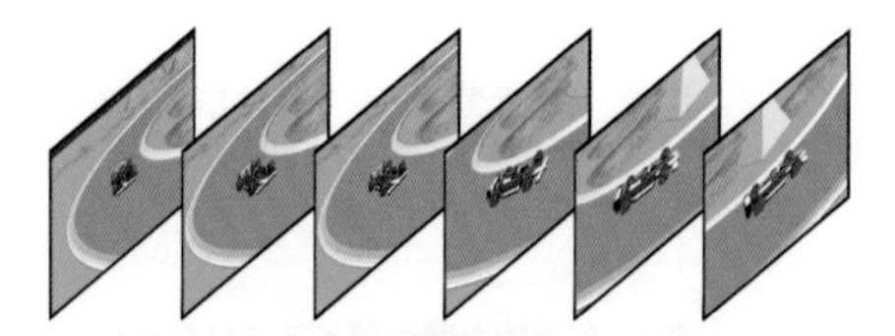

図2　動画圧縮の手法

基本的には、動画を構成する1枚1枚の静止画像を、JPEGと同様の非可逆方式で圧縮する。そして、さらに高い圧縮率を得るために、動き補償という技術を取り入れている。前後のコマ（フレーム）を比較して、動きのある部分だけを抽出してデータ化する。動きのない部分は、1コマ前のデータを利用して再生する。

動画を構成する連続する静止画像は、大部分は変化がなく、動いているのは一部だけなのが普通。動きのある部分だけを抽出してデータ化することで、データ量を大幅に減らすことができる。

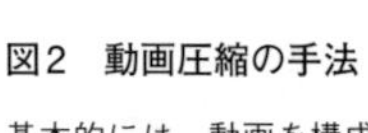

動画ファイル形式とコーデックの関係

動画ファイル形式は、動画データと音声データの入れ物であることからコンテナとも言って、表1のようにいろいろな種類があります。一方、圧縮技術は**コーデック**と言い、こちらも表2のように各種あります。

自分が使っている動画プレーヤが対応している種類の動画ファイルなのに再生できない、ということが時々あります。これは、その動画ファイルの作成に、動画プレーヤが未対応の新しい種類のコーデックが使われている場合に起きる問題です。そのコーデック用のプラグインをWeb上から見つけて動画プレーヤにインストールすることで、再生できるようになることもあります。

表1　主な動画ファイル形式（コンテナ）

形式名	拡張子	概要
MPEG-1/MPEG-2	.mpg	MPEG-1またはMPEG-2の技術で圧縮された動画のファイル
MPEG-4	.mp4	MPEG-4の動画ファイル。コーデックはMPEG-4に限らず、H.264やその他のものも使用可能
Windows Media	.asf .asx .avi .wmv	Microsoft社の動画ファイル形式で、ASF、ASX、AVI、WMVなど複数の種類ある
QuickTimeMovie	.mov	Apple社の動画技術QuickTimeの動画ファイル。コーデックは各種のものが利用できる
Flash Video	.flv .f4v	Webページに動画を埋め込むのに利用されてきた。開発元のアドビシステムズはFlashからHTML5への移行を進めており、今後はFlashを使用しないことを推奨している
HEVC	.mov .hevc	次世代の動画圧縮規格H.265による動画ファイル。iOS 11以後が採用
Ogg	.ogv	非営利団体Xiph.Orgのオープンソースの動画ファイル形式。Theoraという標準コーデックを用意
WebM（ウェブエム）	.webm	Googleのオープンソースの動画ファイル形式で、コーデックはVP9、AV1など。YouTubeも採用
MKV	.mkv	Windows10から標準対応となった動画ファイル形式。海外では既に主流となっている

表2　主な動画圧縮技術（コーデック）

コーデック名	概要
MPEG-1	ビデオCDに使われていた圧縮技術。1.5MpsのビットレートでCDに約1時間の記録が可能だが、画質は良くない
MPEG-2	DVDも採用している、最も代表的な動画圧縮技術。ITU H.262として標準化されている
MPEG-4	低速度の通信回線を通じて動画を配信することを目的として開発された。携帯電話での動画配信などに利用されている
MPEG-4 AVC	各種圧縮技術の集大成により、MPEG-2の2倍以上の圧縮率を実現。演算処理が単純化されているのも特徴
ITU-T Hシリーズ	国際電気通信連合の通信標準化部門（ITU-T）によって標準化された動画圧縮方式。H.262、H.264、H.265などの種類がある
VP9	Googleのオープンソースのコーデック。ロイヤリティーフリーで利用可能
AV1	非営利団体のAlliance for Open Mediaが開発した、オープンでロイヤリティフリーなコーデック

ビデオ編集ソフト

Windows 7までは、付属アプリのWindows Media PlayerでDVDや動画ファイルを再生可能でした。Windows 8/10の同Playerでは動画再生機能が削られたため、別途再生アプリを用意する必要があります。

パソコンで動画を編集するには、ビデオ編集アプリを使います。複数の動画データや音声データを素材として、ビデオ編集ソフトで1本の作品に編集したうえで、最終的に1つのファイル形式とコーデックを選んで動画ファイルとして保存します（図3）。ファイル形式とコーデックは多くの種類から選択可能です。

動画編集ソフトで編集した動画ファイルをDVDディスクやBDディスクに焼くには、別の専用ソフトを使う必要があります。その際、**ファイナライズ**という処理を施さないと、他のパソコンやDVDプレーヤで再生できないので注意しましょう。

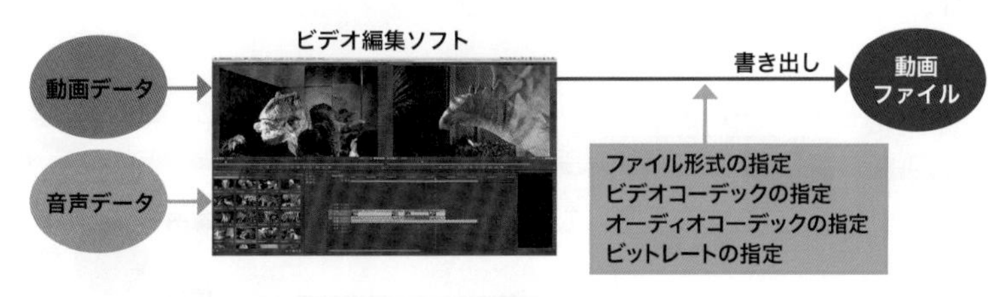

図3　ビデオ編集ソフトと動画ファイルの関係

表3　代表的な動画再生と編集アプリケーション

アプリケーション	特徴と機能
Windows DVD Player	マイクロソフト純正のDVD再生アプリ。1750円（税別）の有料
VLC Media Player	無料の人気メディアプレーヤ。Windows、Mac、Unixに対応
AviUti（エーブイアイユーティエル）	WindowsとMacで使える高機能な無料動画編集ソフト
VideoPad（ビデオパッド）	無料の動画編集ソフト。WindowsやMac、iOS、Androidなどに対応
Final Cut Pro（ファイナルカットプロ）	Mac用のプロ向け動画編集ソフト
iMovie（アイムービー）	iPhoneやMacで使えるアップル純正の動画編集ソフト

□ 情報デザイン

Society 5.0時代におけるデザインとコミュニケーション

情報の表現

自分の伝えたい情報を正確に、かつ効果的に相手に理解してもらうために、表現するための方法を「情報デザイン」といいます。効果的に伝えるためには図や色、などを使って情報を整理したり、構造化したり、抽象化するなどの技術が必要とされます。

適切にデザインするためには、人間の行動や心理状態、能力を考えて、受け止める側の特徴をよく考えて設計する必要があります。設計の方法として、視覚的な表現の工夫、情報の可視化や構造化などがあげられます。

視覚的な表現の工夫

・文字への工夫（読みやすく）

文字から受け取る印象は、どのような書体で書かれているか、ということから判断されます。変わった文字で資料を作ると印象的に見えることがありますが、内容に集中しづらくなります。文字に特徴がない方が受け手は内容に集中することができます。資料では、明朝体やゴシック体で作るようにして、書体を統一することが大切です。

・配色への工夫

色には、色相・明度（明るさ）・彩度（鮮やかさ）の三要素があります。色の違いを色相といい、色相の関係を表現した図を色相環といいます（図1）。

色は見る人によって印象を変化させます（図2）。そのため、どのような色を使ってもよいということはなく、明度や彩度の高すぎる色よりは、落ち着いた色が好まれます。また、使う色は4色までにとどめ、「背景色、文字色、メイン色、強調色」に分類するようにします。また、色の組み合わせも重要です。明度が似ていて彩度が高いとき、文字がみづらくなります。同じ色でも、人の目の性質によって見え方はさまざまです。赤色、緑色が識別しづらい人も多くいますし、感覚過敏をもつ人の中には、発色の強い色やコントラストの強い色の組み合わせ、たくさんの色が使用されているものは刺激が強すぎるため気分が悪くなってしまいます。誰もが心地の良い配色ができるように心がけましょう。

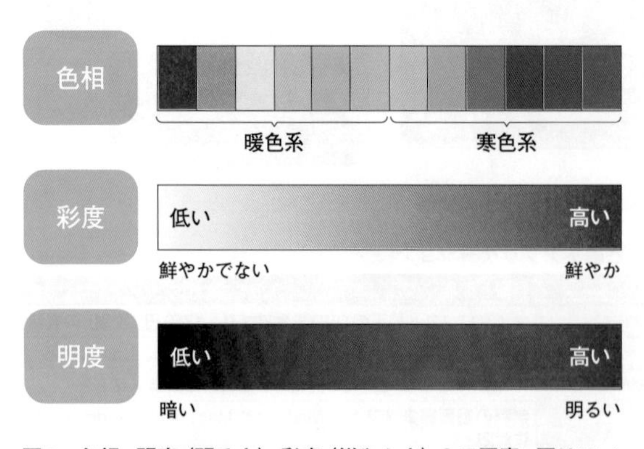

図1　色相・明度（明るさ）・彩度（鮮やかさ）の三要素。図はWebサイト「伝わるデザインの基本ー研究発表のユニバーサルデザイン」（https://tsutawarudesign.com/）を参考に作成

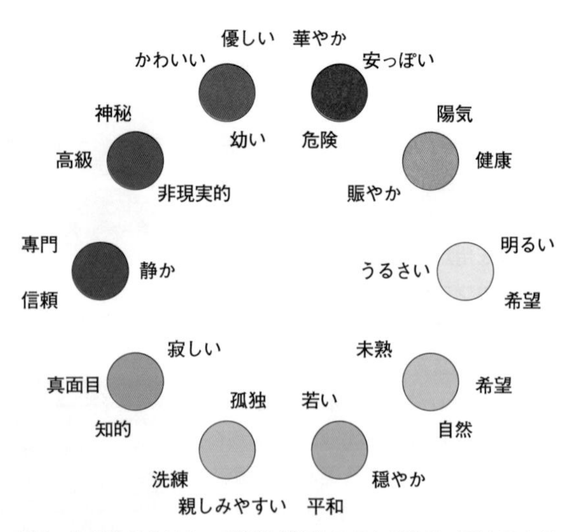

図2　色は見る人によって印象が変わることがある。図はWebサイト「伝わるデザインの基本ー研究発表のユニバーサルデザイン」（https://tsutawarudesign.com/）を参考に作成

図やグラフに可視化

・表やグラフ

収集したデータをグラフや表などにまとめて視覚的に表現し、特徴を正確に伝えるための手段としてグラフや表を使います。データの正確な値を伝えるためには表を、データの全体的に傾向を見せたい場合にはグラフを用います。グラフは伝えたいデータの特徴に合わせて適切な種類を選択することが重要です（図3）。

・抽象化した図

電化製品の取り扱い説明書などのように、文字のみで説明されているものより、図で表現されているほう情報が、読み取りやすい傾向があります。

大量の情報から必要なところだけを抽出して、分かりやすく表現することを「抽象化」といいます。アイコンや路線図がその例になります。インフォグラフィックは、言葉や数字だけでは伝わりづらい情報を「整理」「分析」「編集」してイラスト・チャート・グラフ・表・地図などで表現したものです。文字だけでは読んでもらえない情報を明確に伝わるように特徴づけて作られた図として注目されています。

●目的に応じた8タイプの基本グラフ
図解の目的
目的に適した基本グラフ
要素の大きさを示したい
① 棒グラフ
少数の要素における割合を示したい
② 円グラフ
量タイプ
時間軸に沿った要素の変化を示したい
③ 折れ線グラフ
時間軸に沿った総量の変化を示したい
④ 面グラフ
変化タイプ
量のばらつきを示したい
⑤ ヒストグラム
要素同士の関係性を示したい
⑥ 散布図
中央値・最大値・最小値・四分位数を示したい
⑦ 箱ひげグラフ
標準値に対する差異を複数の観点で示したい
⑧ レーダーチャート
分布タイプ

図3　分かりやすい資料を作るには、利用する目的に応じて、グラフを使い分けることも重要

情報を構造化し整理

情報の全体を俯瞰し、要素どうしの関係性を分かりやすく整理して表現することを構造化といいます。例えば、料理のレシピは文章よりも箇条書きにした方が分かりやすい表現です。プログラムの作成手順も、フローチャートのような流れ図で表現すると作業が明確になります。情報の流れや因果関係を伝えるために、「並列」「順序」「分岐」「階層」などで表現できます（図4）。また、レイアウトの工夫も重要です（図5）。

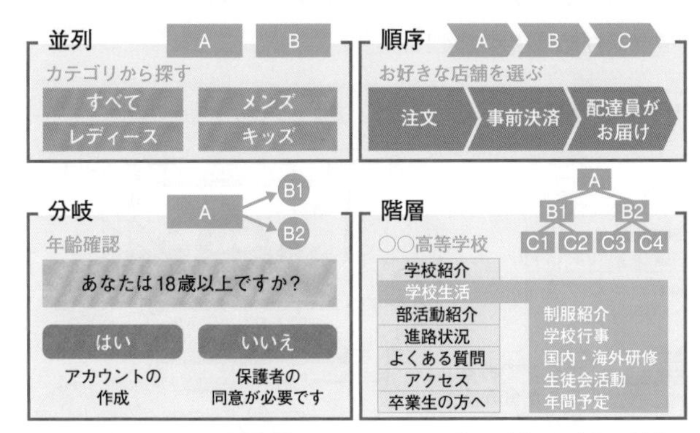

図4　情報の流れや因果関係を伝えるために、「並列」「順序」「分岐」「階層」といった表現方法がある

✕余白がない
情報を整理して伝える

○余白あり
情報を整理して伝える

✕グループ化なし

学校行事と学習行事
- 始業式
- 中間試験
- 英語検定
- 特別講座
- 夏期講習
- 期末試験
- 修学旅行
- 文化祭
- 体育祭
- 冬期講習
- 終業式

○配置でグループ化

学校行事
- 始業式
- 体育祭
- 修学旅行
- 終業式
- 文化祭

学習行事
- 中間試験
- 特別講座
- 期末試験
- 夏期講習
- 英語検定
- 冬期講習

図5　分かりやすくするために、レイアウトを工夫することも重要。例えば文字の背景部分に余白を作ったり、項目を整理してグループ化したり、レイアウトを統一したり、といった工夫が考えられる

□ 情報のユニバーサルデザイン

誰もが使いやすいようにする情報表現の工夫

情報とは、必要とする人が入手して、受け取って理解した時点で初めて情報となります。情報の送り手は、情報を必要としている人にどうすればそれを、理解できる形で届けることができるかを考えなくてはなりません。

人間には生まれつき「赤色と緑色の区別がつきにくい人」や、「左で物事を行う方がやりやすい人」がいます。また、年齢を重ねるにつれて視覚・聴覚が衰えてきたり、動作がスムーズに行えないようになっていきます。いかなる個人の属性や置かれた状況に関わらず、全ての人が使いやすいデザインにするためには、どのような工夫が必要かを考えてみましょう。

ユニバーサルデザイン

コンピュータに限らず、道具や施設を利用するときに困難を感じている人に対して、困難を取り除いた状態を「バリア（障壁）フリー（なくす）」と言います。道路や駅のホームなどに設置された点字ブロックは視覚に障害のある人のためにバリアフリーを実現する工夫の一つです。一方、なるべく多くの人にとって使いやすくする工夫のことを「ユニバーサルデザイン」と言います。公共の施設の中には、目的の場所へスムーズに誘導するための案内板（サイン）があります。文字だけではなく、ピクトグラムという絵にすることで、文字が読めない障害がある人や、日本語がわからない海外の人向けに情報を伝わりやすくしています。ユニバーサルデザインは、「初めからバリア（障壁）がないように設計する」考え方が元になっています。

世の中には、情報を伝えるためのさまざまな方法があり、その一つとしてデザインがあります。デザインの使いやすさを考える尺度として、「アクセシビリティ」と「ユーザビリティ」があります。「アクセシビリティ」は、多くの人が、必要な情報にたどりつくことができるかどうかの尺度です。また、「ユーザビリティ」は情報にたどりつくまでの過程を困難にしないようにサポートできているか「アクセシビリティ」を高めるものさしになります。

私たちが情報を伝えるために何かをデザインするときは、「ユーザビリティ」と「アクセシビリティ」が高くなるように、できる限りユニバーサルなデザインを目指すことが重要になります。

Webデザインの中にみる「ユーザビリティ」と「アクセシビリティ」

Webページは情報を得る上で、現代では欠かせないツールとなりました。Webページのデザインを例に「ユーザビリティ」と「アクセシビリティ」を考えてみましょう。ユーザビリティの問題点の例としては、使いにくい、分かりにくいといったことです。また、アクセシビリティの問題点の例としては、人が得たい情報をスムーズに取得できないという点です。

ユーザビリティ・アクセシビリティは共通の関係で、アクセシビリティのガイドラインを満たすことによって、それがユーザビリティの向上につながるというケースがあります（図1）。

ユーザビリティへの配慮

トップページに戻るためのリンクを配置

トップページへ

お問い合わせ

お名前　姓 必須　名 必須

エラー：お名前を入力してください

OK

ユーザーの入力ミスがあれば、その場で教えてくれる仕組み

ボタンであることが分かるデザイン

アクセシビリティへの配慮

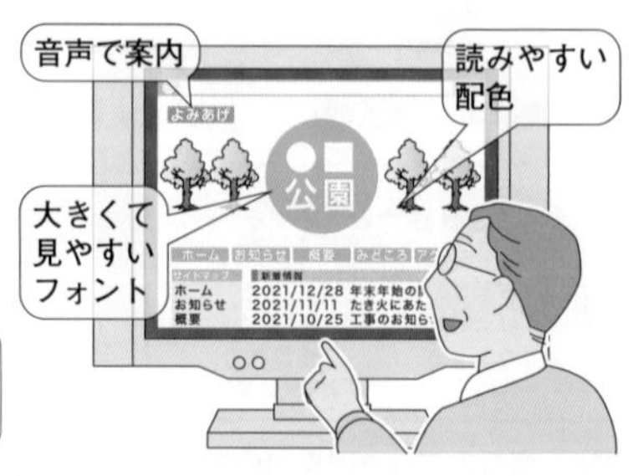

図1　ユーザビリティ・アクセシビリティの例

カラーユニバーサルデザイン

人間の色の感じ方は一様ではなく、遺伝子のタイプや目の疾患によって色の見え方が異なる人が多く存在します。色覚特性ともいわれますが、日本では男性の20人に一人、女性の500人に一人にいるといわれています。視力は変わりませんが、色の組み合わせについて一般の人と見え方が異なります。こうした多様な色覚を持つさまざまな人に配慮して、全ての人に情報が正確に伝わるように配慮されたデザインを「カラーユニバーサルデザイン」と言います。昔は白黒で情報を伝えるのが一般的だったのが、現代では、電子機器や家電製品を中心に何色も違う色に点灯して情報を伝え分けるのが当たり前になりました。公共施設でもカラフルな説明表示があふれ、駅では各路線が色分けされて表示され、路線図や時刻表は多様な色の線や文字で塗られています。情報を強調するために色を使うことは大切ですがその色を使うことで、情報が得づらくなっている人もいることに配慮しなければなりません。色から受け取るイメージを意識してデザインを設計することは、一般の人にとって「スマートで見やすいデザイン」となります（図2）。

【以前のもの】

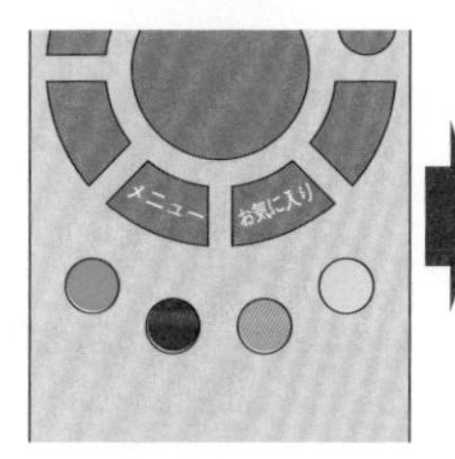

【現在のもの】

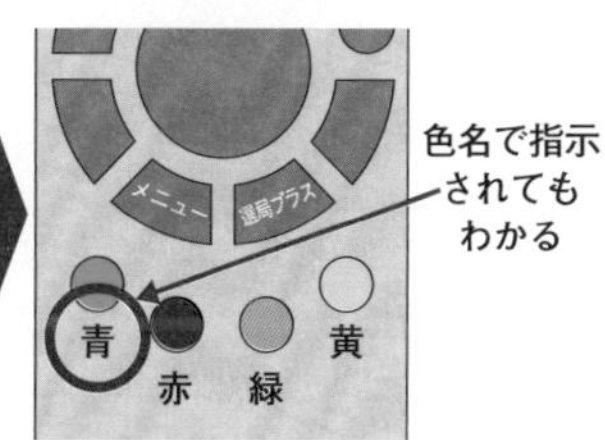

色名を記載することで、色覚タイプの違う人とのコミュニケーションをしやすくする。

図2　色名を記載することで、色覚特性の違う人でもそのボタンが何色か分かる（カラーユニバーサルデザイン機構（CUDO）のWebサイト、https://www2.cudo.jp/wp/?page_id=86より転載）

ユーザビリティとユーザインタフェース

人間は、見る・聞く・触れる・感じるなどの感覚を通して情報を得ています。必要な情報にたどり着くまでには、さまざまなツールを利用することになります。情報の受け渡しを担う役割を持つ部分を「ユーザインタフェース」と言います。「ユーザインタフェース」は「ユーザビリティ」を高める大切なポイントになります。

最近では、多様なユーザインタフェースが開発されています。共通しているのは、人間が見て直感的に使いやすくできていること、誤った操作につながらないこと、また間違った操作をしても訂正できることです。70～80年代初めにはCUIがメインで、文字で命令を入力して操作を行っていました。最近では、人間の自然な動作で操作するNUI（ナチュラル・ユーザ・インタフェース）へと移り変わってきています（図3）。

図3　Google社が開発した「カメラスイッチ」。簡単な顔の動きでスマートフォンを操作できる

アフォーダンスとユーザインタフェース

私たちの周りにはたくさんのツールがあります。ツールにはさまざまな形状や色などの特徴があり、それによって私たちの行動は影響されていきます。例えば、ドアノブの形状を見て、押すのか引くのか回すのかを判断します。これはドアノブのデザインによって正しい行動に導いています。このようなモノと人の動作との関係性のことを「アフォーダンス」と言います。また正しい行動につなげるためのヒントとなるものを「シグニファイア」と言います。スマートフォンのボタンは「押す（タップ）」という行動を起こしやすい形状になっています（図4）。メニューを選択するという「アフォーダンス」につなげるヒントとしての「シグニファイア」だといえます。

図4　スマートフォンのボタンは「押す（タップ）」という行動を起こしやすい形状になっている

□ サーバとネットワークサービス

ネット上のサービスはサーバが提供

ネットワークサービス

ネットワークサービスはネットワーク経由で何らかの価値を提供するものです。Webブラウザから使うことのできるサービスをWebサービスと呼ぶこともあります。

情報の提供

天気や気象、道路交通情報や乗り換え案内、地図の情報、株価や経済情報、各種ニュースなど、さまざまな情報を提供するサービスがあります。音楽や動画などを鑑賞できるものもあります。

コミュニケーション

TwitterやLINEなどメッセージを伝達したり、Facebookやブログなど自分の情報を公開してコミュニケーションできるサービスや、Gmailをはじめとするメールのやり取りを可能にするサービスなどがあります。

ストレージ

企業や学校などのユーザのファイルをLAN内でまとめて保管しておくためにファイルサーバが用いられます。

ファイルサーバの機能をネットワークのサービスとして提供するものとして、Dropbox、Google Drive、iCloud Drive、OneDriveなどがあり、これらを活用するとさまざまな場所で自分のファイルが利用可能となります。

B to C、C to C

B to C（Business to Consumer）とは企業と消費者がネット経由で取り引きすること、C to C（Consumer to Consumer）とは消費者同士がネット経由で直接取り引きすることを一般に表します。ネットショップやフリーマーケット（例：メルカリ）、オークション（例：ヤフオク！）など、店舗や個人間での購入や取り引きができるものがあります。

サービスを利用する方法としては、Webブラウザから使うもの、専用のアプリを使うもの、その両方が可能なものなどがあります。

クライアントサーバ方式

ネットワークサービスを使えるようにするには、ユーザがサービスを利用しようとしたときに、ネットワークのどこかにそのサービスを動かしてくれるコンピュータとソフトウェアが必要です。この、サービスを提供してくれているコンピュータやソフトウェアのことを**サーバ**（server）と呼びます。

これに対して、ユーザがサービスを利用するために使うコンピュータ（スマートフォンなどを含みます）やその上で動くソフトウェアのことを**クライアント**（client）と呼びます。そして、サーバとクライアントからなる形の情報システムを、**クライアントサーバシステム**（client-server system）と呼びます（図1）。

サーバはいつでもサービスが使えるように常時稼働し、大量のデータを保管していて、きちんと管理されていて、多数のクライアントにサービスを提供します。

ネットワークサービスを提供するもう一つの方式として、P2P(peer-to-peer)方式があります。P2P方式ではサーバは存在せず、全てのコンピュータは対等であり、サーバの役割も分担しています。個々のコンピュータのネットワークからの離脱や故障への対策が予め組み込まれているので、耐故障性に優れています。

P2P方式を採用しているものとして、ファイル転送サービスのBitTorrentや、合意形成を得るための仕組みであるBlockchain（Bitcoinなどの仮想通貨はこの仕組みを利用）などがあります。

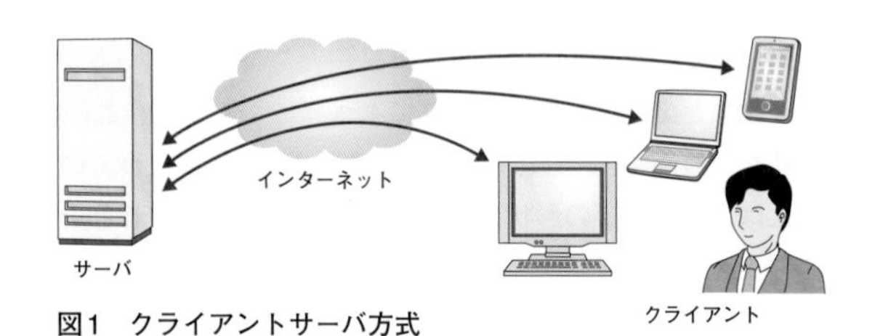

図1　クライアントサーバ方式

サーバと認証

ネットワークサービスのサーバがしていることを整理してみましょう。情報サービスなどで誰が見ているかを区別しない場合は、クライアントからの要求に応えて情報を返すだけなので比較的簡単です。クライアントは複数（多数）あるので、クライアントからの接続を待ち、接続されたら要求（何が必要かの情報）を受け取り、情報を返せばよいのです。

しかし、コミュニケーションサービスなどでは、「誰が」書き込んでいるのかを管理する必要があります。この場合は、接続時にまず認証（authentication）を行います。典型的には、ログイン処理を行い、ユーザIDとパスワードを受け取って手元のデータと照合し、一致しているときは正規ユーザであることを記録し、先に進みます（IDとパスワードの入力は面倒なので、クライアント側のソフトが記憶していて自動で送信することもあります）。そして、その接続状態を保ったまま必要なやり取りを行い、終わったら接続を切断します（図2）。

ただしWebサービスの場合は、ずっとサーバとクライアントを接続したままだとサービスできるクライアント数が限られてしまうため、別の方法が使われます。具体的には、認証がOKになるとサーバは乱数に基づいて「**クッキー**」と呼ばれるデータを生成してクライアントに返し、接続を切ります。クライアントが次にサーバに接続するときには、そのクッキーを付けて送ります。そうすると、サーバ側では先ほどのユーザの続きということが分かるので適切に処理できるというわけです。

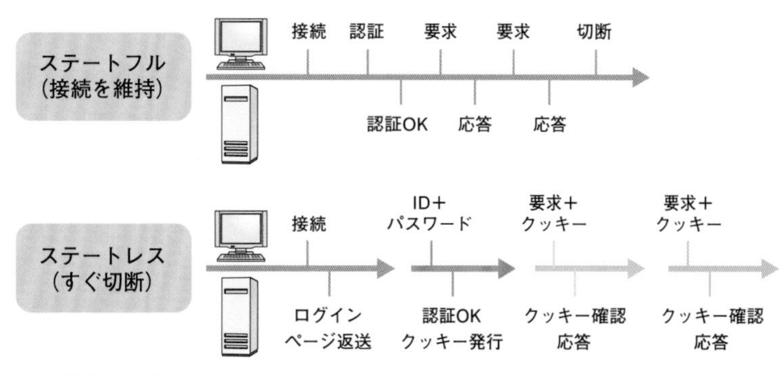

図2　認証のしくみ

ストリーミングとダウンロード

音楽や動画をサーバから取り寄せて視聴する場合、普通に音声や動画のファイルを置いてダウンロードさせたのでは、ファイル形式によっては、ダウンロードが終わるまで視聴できず、不便です。動画のインデックス部分をファイルの先頭に持っていくことで、ダウンロードしながら再生できるようにすることは可能ですが、早送りなどは苦手です。それ以上に、コンテンツ提供側にとって、ダウンロードしたファイルが残ってしまうと、映像や音源を有料で売るという観点から不都合でした。

このため、ネットで音声や動画のデータを平均したペースで送出し、受け側でそれをすぐ再生する方式が開発されました。これがストリーミングで、そのためのプロトコル（通信規約）がストリーミングプロトコル、その機能を提供するサーバがストリーミングサーバです。ストリーミングは生放送にも適しています。

ただし、Web経由で使うことが多いにもかかわらず、ストリーミングのためにRTMP（Real Time Messagging Protocol）など専用のプロトコルを使うため、通常のWebブラウザではそのまま再生できず、プラグイン経由で再生するなどの繁雑さがあります。最近は、HTTP Live Streaming（HLS）、HTML5 Media Source Extensionsなど、ブラウザが直接対応しているプロトコルもあります。

YouTubeなどでは、ストリーミングとダウンロードの両方の特徴を持った方式として、動画・音声ファイルを短く区切って送ることにより、遅れを最小限にとどめ、早送りも可能にしています。この方法であれば、特別なストリーミングサーバを使う必要がなく、オンデマンドの（ユーザごとに個別に動画や音声を要求する）場合は使い勝手もよく有利です。

ただし、ダウンロードしたファイルを保存することも不可能ではないので、YouTubeではダウンロードしたファイルを残すことをライセンスで禁止しています。

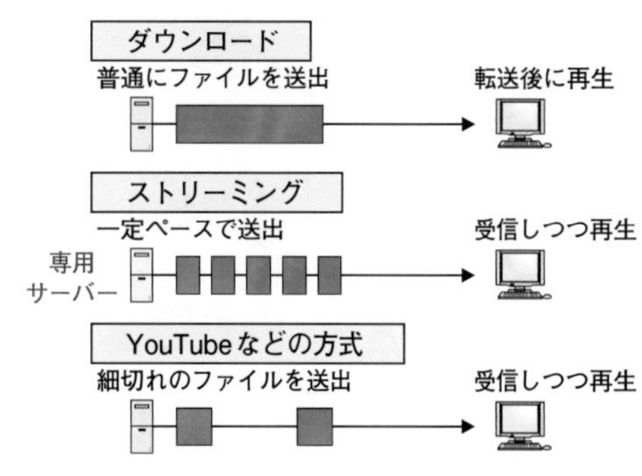

図3　ストリーミングとダウンロードの違い

□ インターネットの仕組み

スマートフォンやパソコンが情報をやり取りするための仕組み

インターネットは、全世界に張り巡らされたコンピュータネットワークのことです。もともとは、米国の大学や研究機関を結ぶ小さな研究ネットワークとして始まりました。今では生活に欠かせない社会基盤です。

有線や無線のネットワークを介してつながる

動画やメール、Webサイトの閲覧、LINEやTwitterのやり取り、オンラインゲームなどで日常的に使うインターネットは、パソコン、携帯電話、スマートフォンからどのようにつながっているのでしょうか。ここで、インターネットの仕組みを見てみましょう（図1）。

まずパソコンがつながる経路を確認します。パソコンは無線LAN（Wi-Fi）の電波や有線LANのケーブルを使って**ブロードバンドルータ**につながります。ブロードバンドルータは、家庭とインターネットへのアクセス回線をつなぐ装置です。家庭からは電話線や光ファイバをアクセス回線として使って、アクセス回線事業者の収容局につながります。さらにアクセス回線事業者のネットワークを介して、**プロバイダ**のネットワークに接続するのです。

一方、携帯電話やスマートフォンは、無線を使って携帯電話の基地局とデータをやり取りします。基地局は携帯電話事業者の有線ネットワークに接続し、その先はプロバイダのネットワークにつながっています。

実体はプロバイダが相互接続したネットワーク

パソコンとスマートフォンなどがつながっているプロバイダとはどのようなものでしょうか。プロバイダは**インターネットサービスプロバイダ**（Internet Service Provider）の略で、ISPやインターネット接続サービス事業者とも呼ばれます。プロバイダは、IX（Internet Exchange）と呼ぶ施設を介して、相互に接続しています。このようにしてプロバイダ同士がつながったネットワークこそが、インターネットなのです。世界各国のプロバイダがIXを介して相互接続して、巨大なインターネットを構成しています。

なおインターネットは、データを小分けにて送ります。小分けにしたものを、小包を意味する**パケット**（Packet）と呼びます。インターネットでは**IP**（Internet Protocol）パケットを使ってデータをやり取りしています。

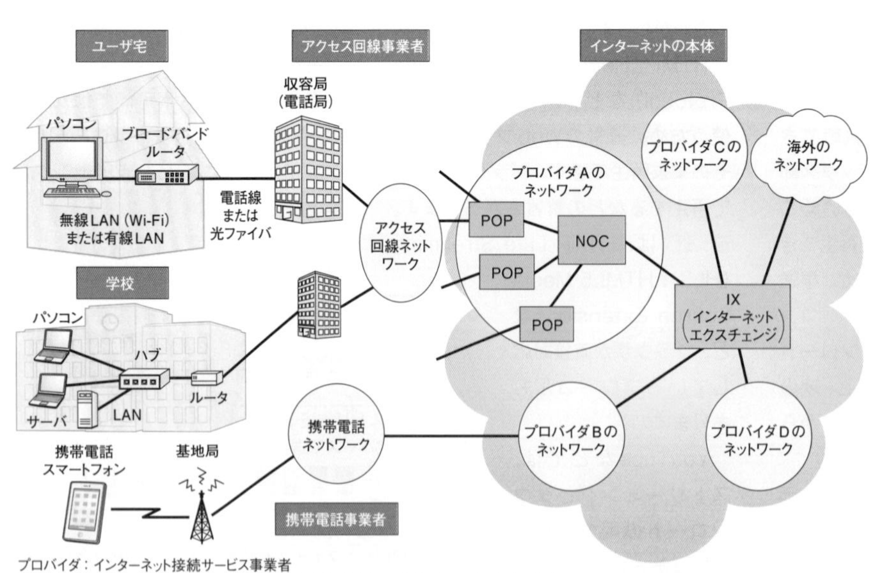

図1　パソコンやスマートフォンがインターネットにつながる仕組み

IPパケットの行き先を決めるルータ

インターネットはプロバイダやIXが相互接続したネットワークであり、これを実際に構成しているのは、**ルータ**と呼ぶIPパケットの中継装置です。このルータがバケツリレーのようにIPパケットを隣のルータへと中継していくことで、IPパケットは宛先を間違わずに届けられます(図2)。

ルータは、IPパケットの宛先IPアドレスを見て、経路表（ルーティングテーブル）と照合します。経路表は宛先IPアドレスに対して、どの経路を使うかを決定するために利用します。宛先のIPアドレスの範囲ごとに転送先ルータのアドレスやそこにつながっているインタフェース（ポート）の番号などが書かれています。ルータはパケットを受け取り、宛先IPアドレスを読み取ると、経路表から転送先をすばやく探し出します。そして、その転送先につながるポートにIPパケットを送ります。次から次へとやってくるIPパケットに対して、この処理を繰り返すわけです。

相手にパケットが届く経路は、一定ではありません。ネットワーク負荷や障害などの状況により、ルータが選んだ異なる経路でパケットが届くこともあります。

IPパケットがインターネット上のすべてのマシンに到達できるのは、プロバイダのルータが、インターネットに存在するすべてのIPアドレスに到達するための経路情報を持っているからです。経路情報をプロバイダ同士がやり取りして、世界中のプロバイダに行き渡る仕組みになっています。

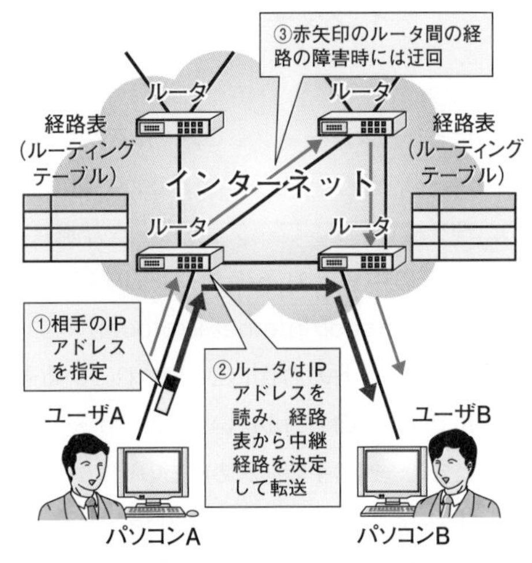

図2　インターネットはルータで作られている

インターネットからLANを守るファイアウォール

インターネット利用者の中には、インターネットを介して他人のLANに入り込んでマシンを勝手に使ったり、ファイルを盗聴・改ざんするクラッカがいます。そこで、パケットが不審人物のものかどうかを見極めて、意図しない外部からのアクセスを防ぐ仕組みが必要になります。これが**ファイアウォール**で、インターネットとLANを結ぶパケットの「関所」に当たります。インターネットとLANの間で出入りするパケットを監視し、管理者が定めたルールに合わないパケットはその場で破棄します（図3)。

パソコンにインストールして使うパーソナルファイアウォールソフトは、パソコンに入ってくるパケットを監視します。LANではなく個人のパソコンを守るのです。

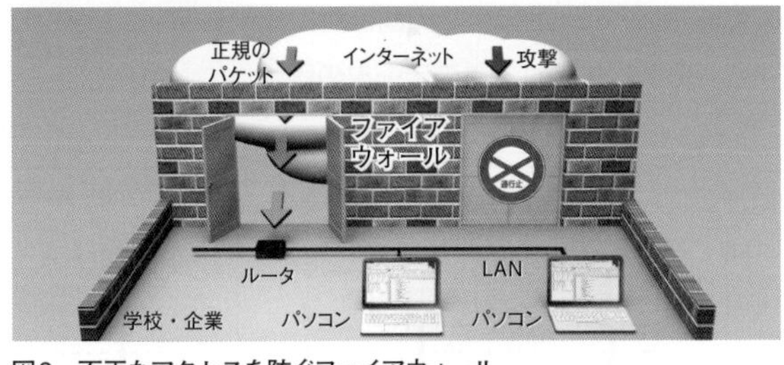

図3　不正なアクセスを防ぐファイアウォール

安全な通信経路を作る仮想回線のVPN

インターネットは誰もが利用できる公道のようなネットワークです。政府や企業などの大切な情報をインターネットを経由して送ると、盗聴などの危険があります。自宅や外出先から社内ネットワークに接続したり、企業間を結ぶときには、インターネット上に仮想的な専用の回線を設定するインターネット**VPN**（Virtual Private Network）を利用します。

やり取りするデータを暗号化して、インターネット上の第三者からは情報が見えない仮想的な専用回線(VPNトンネル）を作ります（図4)。より安全性を高めた閉域IPネットワーク網を使ったIP-VPNという方式もあります

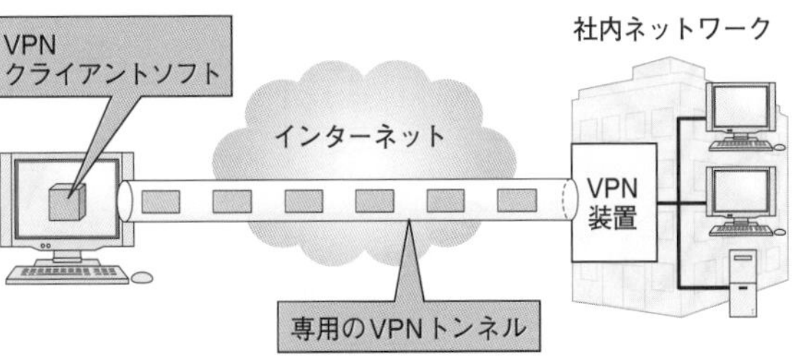

図4　インターネット上に仮想の専用線を作る「インターネットVPN」

□ TCP/IP

インターネットやLANの標準的な通信プロトコル

私たちがインターネットでメールをやり取りしたり、Webページを見たりしているとき、実際にはいくつもの処理を経てネットワーク上をデータが流れています。この処理の中核となるのが**TCP/IP**（Transmission Control Protocol/Internet Protocol）です。TCP/IPはインターネットの通信に広く使われている通信の**プロトコル**です。プロトコルというのは、データをやり取りするときの一連の手順を決めたものです。

TCP/IPとまとめて呼ぶことが多いですが、TCPとIPはそれぞれ別のプロトコルです。IPとTCPに分けてそれぞれの役割を見ていきましょう。

データを細切れにして宛先を付けて送るIP

まずIPの役割を、宅配便に例えて説明します（図1）。

送信側ではまず、もともとのデータを**パケット**（小包の意味）と呼ぶ一定の長さの固まりに分割します。それから、分割したそれぞれのデータの固まりに、宛先など送信に必要な情報を付加していきます。このデータの固まりを**IPパケット**と呼びます。

IPパケットは、宛先の情報を見ながらコンピュータの中とネットワーク上で次々と転送されていきます。相手に届いたIPパケットは、送ったときと逆の手順で荷解きされて、取り出したデータを組み合わせて元のデータに復元します。

ところが、IPだけではデータをやり取りするのに十分ではありません。IPには、IPパケットが正しい順番で届いたか、途中で消滅してしまっていないかを確認する機能がないのです。

確実にパケットを送る仲介役がTCP

そこで、送達確認などをしたり、宛名に相当する詳細情報を使って適切なアプリケーションへデータを渡す役目を持つ仲介役が必要になります。それがTCPです。

TCPでは、データを確実に送るための工夫をしています。通信開始時に通信相手との間に届いたことを確認する手順を決めています。たとえば、データの送信中は相手に確実にデータが届いたことを確認し、うまく届けられなかった場合はデータをもう一度送ります。

またTCPのパケットには、アプリケーションごとに割り当てられたポート番号という情報が含まれます。この番号がソフトウェアの識別に使われて、Webブラウザやメールソフトウェアに的確にデータを渡すことができるのです。

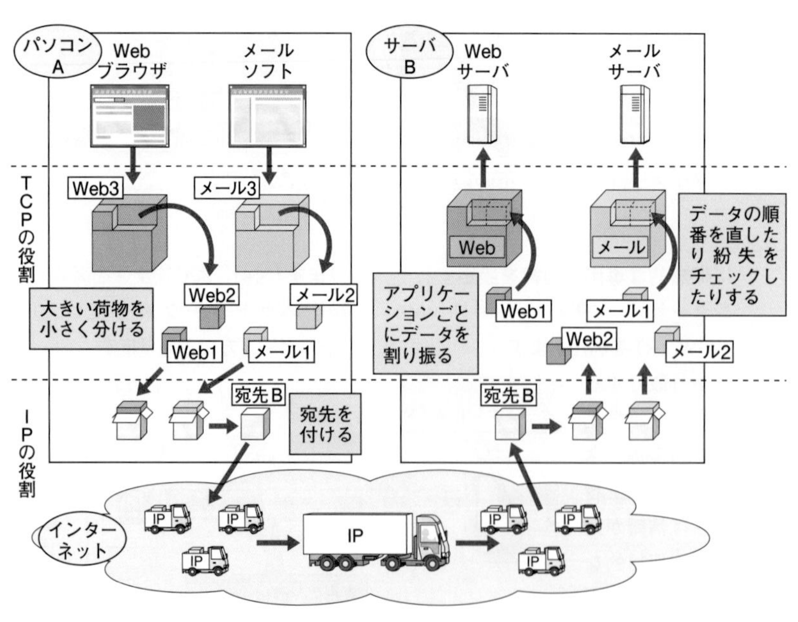

図1　データを送信するときのIPとTCPの役割

TCPとUDP、新たなプロトコルQUIC

TCPと並んで重要なプロトコルに**UDP**があります。どちらもIPと組み合わせて使うものです。TCPはデータが相手に届いたことを確認したり、相手に届かないときに再送処理をしたりします。一方のUDPは、データが途中の経路で失われても、その確認も再送も行いません。またネットワークの混雑状況や通信相手の状況も考慮せず、送信側のアプリケーションが命令するままにデータを送信します。余分なことをせず、速やかにデータを送るためのプロトコルです。

UDPは、IP電話などの音声通話や映像配信などに使われています。DNSやDHCPといった通信を成り立たせるための裏方のプロトコルでも使われています。TCPによる再送処理で遅れが発生すると困るような用途向きです。

QUIC（クイック、Quick UDP Internet Connections）プロトコルは、TCPではなくUDPをベースとして開発された、全く新しいトランスポートプロトコルです。QUICは、IETFによって次世代Web通信プロトコルとして2021年に標準化されました。

QUICの特徴は、従来Web通信においてTCPとTLSを使っていたオーバーヘッドを解消するために、UDPをベースにTCP相当の再送制御を組み込みながら、TLSをQUICの一部として取り入れ暗号化もサポートすることです。また通信開始時のハンドシェークを削減し、通信を効率化させます。現在ではQUICを前提とした新しいプロトコルが提案されていて、HTTPの新しいプロトコルであるHTTP/3は、QUICをトランスポートプロトコルとして標準化されました。

ポート番号と対応するサービス

1つのIPアドレスで同時にWebページやメールのデータをやり取りするには、どのアプリケーションにデータを渡すかを見分ける必要があるため、**ポート番号**が使われます。

アプリケーションごとに違うポート番号を使うことで、データを渡すアプリケーションを見分けています。こうすることで複数のアプリケーションが同時に通信しても、データが混ざる事態を避けられます。

ポート番号は16ビットで表現され、0～65535の値をとります。よく使われるアプリケーションのポート番号は決められていて、well-known portと呼び、0～1023番までの番号が割り当てられています。

IPv4が枯渇 IPv6移行が本格化

現在のインターネットでは**IPv4**と呼ばれるバージョンのIPが使われています。**IPv6**（アイピーブイシックス）はこのIPv4の後継バージョンのプロトコルです。RFC2460（Internet Protocol, Version 6（IPv6）Specification）で規定されています。

インターネット上の番地を指定するIPアドレスの長さは、IPv4の32ビットに対してIPv6では4倍の128ビットもあります。約43億個だったIPv4のアドレスに対して、数字が39桁もあるような膨大なアドレス数が確保できるのです（表1）。

表1　IPv4とIPv6でこんなに違うIPアドレスの数

IPv6（2の128乗）	340282366920938463463374607431768211456個
IPv4（2の32乗）	4294967296個

TCP/IPにおけるアプリケーション

TCP/IPでは、通信の役割を分担するためにプロトコルが階層化されています（表2）。アプリケーション層と呼ばれる部分では、Webやメールの送受信などアプリケーションごとに通信相手とやり取りするプロトコルが定義されています。非公開ですが、LINEもアプリケーションとしてプロトコルがあり、TCP/IPの通信として成り立っています。

表2　プロトコルの階層化

アプリケーション層	アプリケーション（LINEやWeb、メールなど）に応じたサービスを提供する層。プロトコルとしてはHTTP、SMTP、NTPなどがある
トランスポート層	信頼性を保証するTCP、信頼性は保証しないがリアルタイム性を重視するUDPなどがある
インターネット層	IPv4やIPv6などがある
ネットワークインタフェース層	物理的なネットワーク形式固有のプロトコル、Ethernetなどがある

□ ドメイン名

人間にとってわかりやすく表現したインターネット上の識別名

ドメイン名とは、インターネットにつながっているコンピュータやネットワークを識別するために使う名前の1つです。アルファベット、数字、記号などで構成された文字列からできています。世界中で重複しないように名付けられ、インターネットで通信相手を指定するために利用します。ドメイン名の例としては、Webサーバに付けられた「www.example.co.jp」といったホスト名や、メールアドレス「user@example.co.jp」の中のメールサーバのドメイン名「example.co.jp」があります。単にwwwだけでもホスト名ですが、example.co.jpまで含めたホスト名は、完全修飾ドメイン名(FQDN:Fully Qualified Domain Name)と呼ぶこともあります。

階層的な表現で利用する人間にわかりやすく

インターネットで実際にパケットをやり取りするときには、コンピュータは通信相手を**IPアドレス**という数字で指定します。しかし、「192.168.0.1」といったIPアドレスは、人間にはわかりにくく覚えにくいものです。そこで、人間にわかりやすい名称であるドメイン名を、コンピュータが使うIPアドレスと対応付けて使います。

実世界の住所が「国、都道府県、市町村、丁目、番地」のように階層で示されるように、ドメイン名も複数の階層構造になっています。階層は「.」で区切って示します。ドメイン名では、一番右側が大きな区切りの「トップレベルドメイン」(TLD)で、左に行くに従って「セカンドレベルドメイン」「サードレベルドメイン」と指定する範囲が細かくなっていきます。「www.example.co.jp」の例では、一番右の「jp」がTLDで日本を示します。次の「co」が企業を表し、「example」が会社名を表すというわけです(図1)。日本での住所表記と順序が逆ですね。

ドメイン名は国際組織のICANN(アイキャン)が管理しています。TLDには、国ごとに割り当てられる「ccTLD」(country code TLD)と、国に関係なく割り当てられる「gTLD」(generic TLD)があります。「.jp」は日本のccTLDで、「.com」「.net」「.org」などはgTLDです。2013年から、企業名や「.tokyo」といった都市名、業界名も使える新gTLDが運用されています。

●ドメイン名の種類

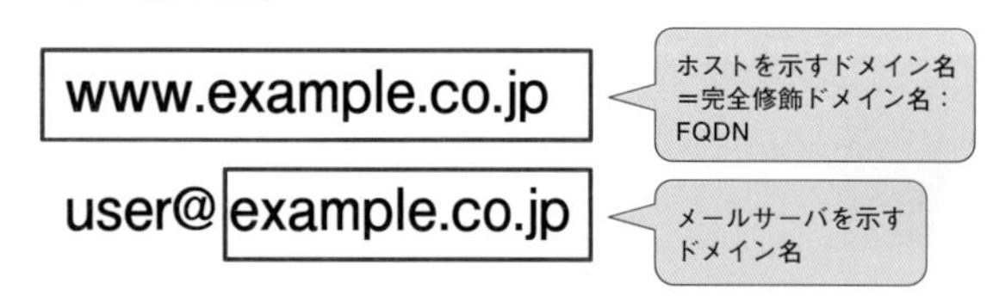

●ドメイン名は階層構造になっている

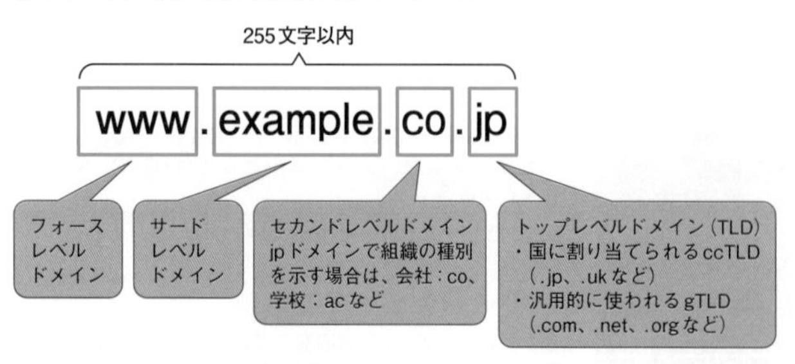

図1 ドメイン名の種類と構造

日本語のドメイン名もOK 個人でも取得は可能

ドメイン名は、基本的にはアルファベットや数字で表記します。ただし最近ではアルファベット以外の文字を使ったドメイン名も使えます。国際化ドメイン名と呼び、日本語、中国語、ハングル文字などでも登録できます。

ドメイン名は、学校や企業、政府や地方公共団体などさまざまな団体が取得しています。しかし、それだけではありません。個人でも安価にドメインを取得して運用できるようなサービスも多く提供されています。自分の名前のドメイン名を取得することも可能なのです。

ドメイン名からIPアドレスを調べてくれるDNS

わたしたちがブラウザやメールソフトウェアなどに入力したドメイン名は、コンピュータやネットワーク機器には理解できません、そこで、ドメイン名とIPアドレスの対応を管理する**DNS**（Domain Name System）という仕組みを使って、ドメイン名からIPアドレスを調べます（図2）。

「www.example.co.jp」というドメイン名のWebサイトを利用する場合を考えてみます。まず、コンピュータはDNSサーバに「www.example.co.jpのIPアドレスを教えて下さい」と問い合わせます。DNSサーバは、ドメイン名とIPアドレスの対応付けを一覧表の形で管理しています。DNSサーバは、対応するIPアドレスをこの表を見て教えてくれます。こうしてコンピュータは「www.example.co.jp」のIPアドレスを知り、ようやく相手と通信できるのです。

この作業を、**名前解決**と呼びます。

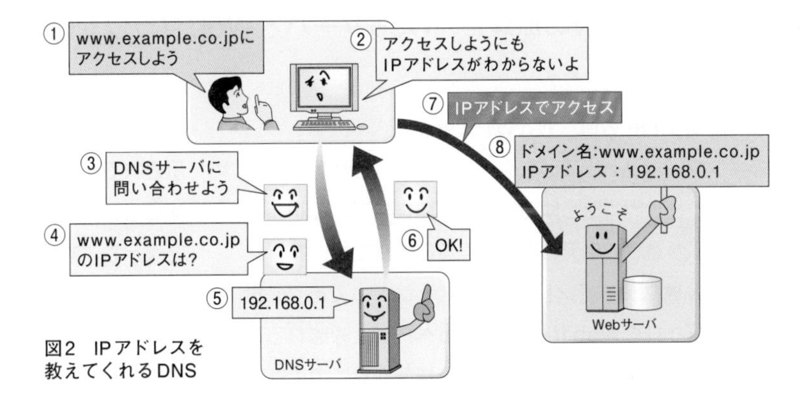

図2　IPアドレスを教えてくれるDNS

複数のDNSサーバが連携して名前解決

ドメイン名とIPアドレスの関係を管理しているDNSを使うとき、パソコンなどの端末側からは図2のように1台のDNSサーバに問い合わせているように見えます。しかし、世界中のIPアドレスとドメイン名の関係を1台のDNSサーバが集中管理して、問い合わせに応えるのは現実的ではありません。実際のDNSは、複数のDNSサーバが階層構造を作って分散管理しています。

DNSサーバの階層の一番上にあるのがルートサーバです。ルートサーバは「.com」「.net」「.jp」といったトップレベルドメイン（TLD）の情報を管理していて、全世界に13台あります。ルートサーバの下の階層には、たとえばjpやcomなどのDNSサーバがあり、「.co.jp」や「.ac.jp」といったセカンドレベルドメインの情報を管理します。このようにDNSは階層化した複数のサーバで分散管理しているのです（図3）。

実際に名前解決をするときに情報を分散管理しているDNSはどのように働いているのでしょうか。www.example.co.jpというホストのFQDNに対応するIPアドレスは、example.co.jpのドメインを管理するDNSサーバが保存しています。www.example.co.jpにアクセスしたいコンピュータは、DNSの階層構造を利用して次のような方法で対応するIPアドレスを取得します。

コンピュータには、問い合わせる既定のDNSサーバをあらかじめ登録します。Webサーバなどにアクセスする際には、まず既定のDNSサーバに問い合わせ、情報があれば該当するIPアドレスをもらいます。情報がない場合は、ルートのDNSサーバに問い合わせ、実際のIPアドレスを知っているDNSサーバが見つかるまで、順に下位のサーバへの問い合わせを繰り返します。こうして目的のIPアドレスがわかるのです。

このようにDNSの中では階層構造を使った複雑な処理を行っています。一方で、端末となるコンピュータは、既定のDNSサーバに問い合わせるだけで目的のIPアドレスを得られるシンプルな仕組みを作り上げているのです。

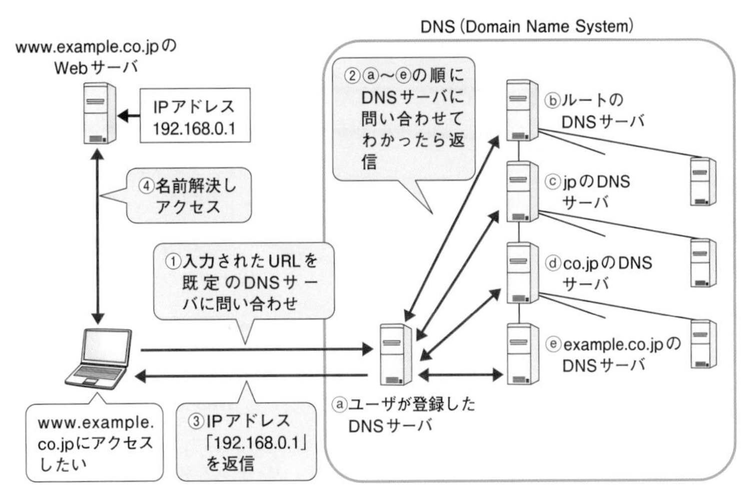

図3　DNSがドメイン名に対応するIPアドレスを探す方法

□ Webサーバとブラウザ

WWWの原理と、WebサーバとWebブラウザの位置づけ

World Wide Web（WWW、Webとも書く）は、今日のインターネット上で最も広く使われている情報システムであり、世界のあらゆる場所で公開されている情報を瞬時に取り寄せて手元の画面で見ることができます。

WWWはクライアントサーバ型のシステムであり、世界中に置かれた**Webサーバ**が**Webページ**と呼ばれる単位でコンテンツを公開しています。情報を見るのには**ブラウザ**（Webブラウザ）と呼ばれるクライアントアプリケーションを使用します（図1）。代表的なブラウザとして、Google Chrome、Mozilla Firefox、Microsoft Edge、Safariなどがあります。

WWWはハイパーテキスト

Webページは**HTML**（HyperText Markup Language）と呼ばれる書き方で情報が記述されており、ブラウザはWebサーバからHTMLを受け取って使用している画面に合わせて整形し、情報を表示します。HTMLの中には**ハイパーリンク**を埋め込むことができ、このリンクによって、別のWebページや、よそのサーバ上のWebページを「指す」ことができます。

リンクはブラウザ画面では通常、下線のついた形で表示されていて、ページを見ているユーザがリンクを選択すると、そのリンクが差しているページを取り寄せてきて表示します。これによって、リンクを選択すると、よそのページに「ジャンプする」ように見えるのです。

このためユーザにとっては、Webのコンテンツは、多数のページがリンクによって結び合わされたものに感じられます。このような、複数のページに分かれた文書にリンクが埋め込まれていて、互いに行き来できるようなものを**ハイパーテキスト**と呼びます。WWWは、インターネット上であちこちに分散したWebサーバのコンテンツがくもの巣のように結び合わされた、「インターネット上にまたがるハイパーテキスト」なのです（Webとは「くもの巣」の意味です）。

WWWはマルチメディアでスケーラブル

Webページには文字のほかに、画像、動画、音などを埋め込むことができます。このため、WWWはマルチメディアのシステムだと言えます。これらのコンテンツもWebサーバが提供しますが、HTMLそのものにはその所在の情報だけが含まれていて、ブラウザが表示・再生するときにWebサーバから取り寄せています。

WWWは世界中の多数のユーザが使っていますし、Webサーバはこのように多様で大量の情報を提供しなければなりません。ただ、世界中には非常に多くのWebサーバがありますが、それぞれのユーザは自分の見たいコンテンツを持っているWebサーバと、コンテンツを取り寄せるときだけ通信すれば済むので、比較的スケーラブルな仕組みということができます。

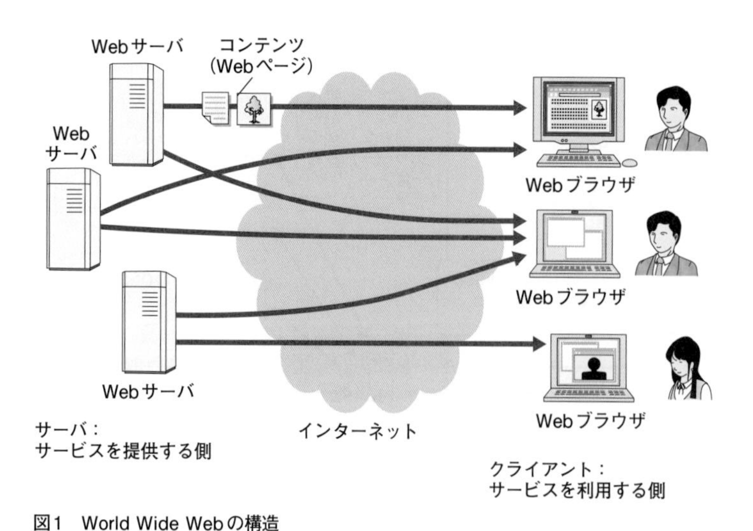

図1　World Wide Webの構造

URLとページのありか

WWW上の個々のページは、**URL**（Uniform Resource Locator）によって一意に特定されます（図2）。

URLの先頭部分（「:」まで）はスキームと呼ばれ、どのようにしてWebサーバからコンテンツを取得するかを示しています。http:の場合は、ブラウザは**HTTP**（HyperText Transfer Protocol）と呼ばれるプロトコルでWebサーバと通信してコンテンツを取り寄せます。また、https:スキームの場合は**TLS**（Transport Layer Security）と呼ばれる暗号化を用いたプロトコルが使われ、通信内容を第三者がうかがい知ることが困難なように特に配慮されます。なお、以前はhttps:スキームの通信にはSSL（Secure Sockets Layer）プロトコルが使われていましたが、暗号方式に弱点があり解読の恐れがあるためTLSに移行しています。

次に「//」に続いてWebサーバのドメイン名があり、ブラウザはこれによって世界中のどのWebサーバと通信すればよいかが分かります。最後の部分はパス名とファイル名で、これによって「このサーバのどのページか」ということを指定します。この部分について、どのような指定を受け取ったときに何を返すかは、サーバがさまざまな処理を通じて選択しています。

たとえばプログラムであるCMS（Contents Management System）などが生成するページの場合は、パス名・ファイル名の部分はプログラムを指す文字列とそのプログラムが生成するどのページかを表す文字列を連結したものになります。

図2　URLの構成

ブラウザのさまざまな機能

ブラウザの基本的な機能は、取り寄せたコンテンツを表示することですが、それ以外にも多くの機能を持っています（図3）。たとえば、サーバが接続を管理するために送ってくるクッキー情報を覚えて同じサーバに返送したり、コンテンツに含まれるJavaScriptプログラムを実行したり、https:スキーム（TLS）が使われる際、サーバが提示する**PKI**（Public Key Infrastructure）証明書の検証をするなどがあります。

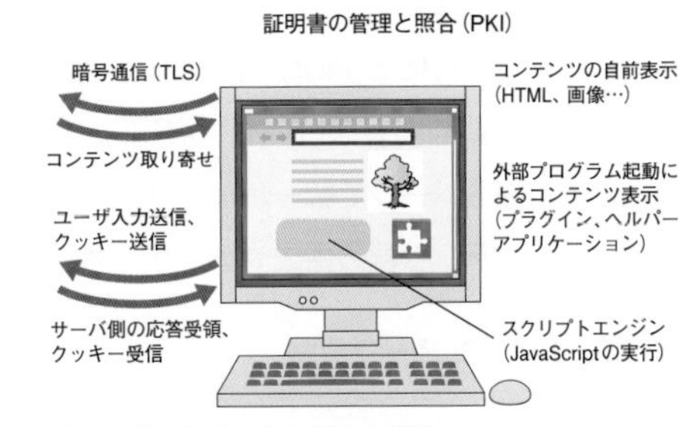

図3　ブラウザのさまざまな機能

コンテンツデリバリーネットワーク

インターネットは世界中のどこのサーバのコンテンツでも日本にいながらアクセスできることが魅力ですが、実際に海外からコンテンツを取り寄せると、時間がかかりますし、そのためにネットワークの負荷も大きくなります。負荷が大きくなると、混雑のためにますます遅延が大きくなり、スムーズにコンテンツが見られなくなります。

海外から多くアクセスされるサーバで、自分のコンテンツを各地からスムーズに見てもらいたい場合、どうしたらよいでしょう。それには、世界各地に同じ内容を持ったサーバを用意し、それぞれの地域の人にはそこのサーバにアクセスしてもらえばよいのです。しかし、人気サイトであっても、各地に自前のサーバを設置するのはコストも手間も大変です。

この問題を解決するのが**CDN**（コンテンツデリバリーネットワーク）と呼ばれるサービスです。CDNのサービスに契約したサイトは、配布したいコンテンツをCDNサービスに教えます。すると、CDN提供事業者は世界各地に持っているサーバにコンテンツのキャッシュ（コピー）を置き、さらにDNS（Domain Name System）に地域ごとに別々のサーバの情報を登録することで、それぞれの地域のユーザが「本家の」サーバにアクセスしようとしたときに、代わりに各地に置いたキャッシュサーバにアクセスするようにします（図4）。

世界の人気サイトがCDN利用することで、多くのユーザがスムーズにサイトにアクセスでき、インターネット全体の負荷も下げることができるのです。代表的なCDNサービスとしては、Akamai、Amazon Cloud Front、Azure CDN、Cloudflareなどがあります。

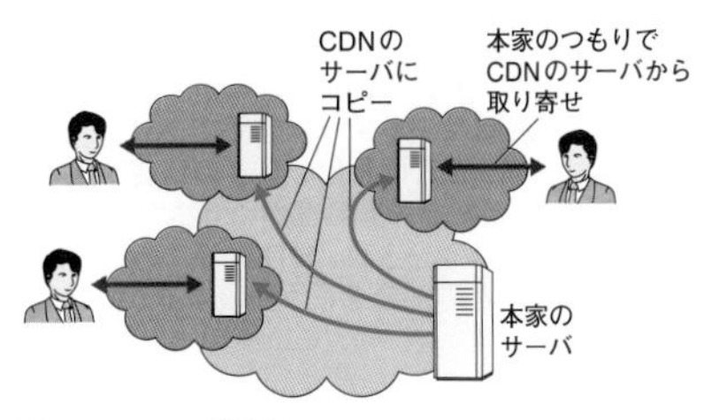

図4　CDNの仕組み

□ HTMLとCSS

Webページを記述するための仕組み

Webページは、Webサーバからブラウザに、**HTML**（HyperText Markup Language）の形で送られてきます。HTMLは昔は人が手で書くのが主流でしたが、現在では**CMS**（Content Management System）をはじめとするさまざまなソフトウェアによって生成される場合が多くなっています。

今日のWebページは色や配置などに多くの工夫が凝らされ、デザインされたものになっていますが、このような多様な表現はHTMLと一緒に送られてくる**CSS**（Cascading Style Sheet）によって記述されます。コンテンツの構造や情報はHTML、表現はCSSと分担することで、複数ページで統一したデザインを持たせながら柔軟なコンテンツ群の生成や管理が行えるのです。

HTMLはマークアップ言語

HTMLでは、Webページとして表示するコンテツンと、そのページに関する情報やどの部分が何を表しているか（見出し、段落など）の情報を混ぜて記述します（図1。図2は図1のブラウザでの表示例）。このようなやり方を**マークアップ**方式と呼びます。具体的に、どの範囲が何を表すかは「<名前>～</名前>」という書き方で、開始**タグ**と終了タグで囲んで表します。この囲まれた範囲全体を「要素（element）」と呼びます（終了タグの無い要素もあります）。

先頭には「これはHTMLです」ということを表す指定（DOCTYPE宣言）があり、続いてhtml要素が1つだけあります。html要素にはhead要素とbody要素がこの順に入っています。このように、ある要素の中に別の要素が入る「**入れ子構造**」がHTMLの基本です。

head要素の中には、このコンテンツの文字コードを示すmeta要素、ページのタイトルを表すtitle要素、CSS指定を入れるためのstyle要素などが入ります。body要素の中にはページとして表示される内容をすべて入れますが、この例では大見出し（h1要素）、中見出し（h2要素）、段落（p要素）が入っています。

```
<!DOCTYPE html> ←── DOCTYPE宣言                      html要素
<html>
<head>                                                head要素
<meta charset="utf-8"> ←── 文字コードの指定
<title>Sample Page</title>
<style>                                               style要素
h1, h2 { border-bottom: double green 8px } ┐
p { text-indent: 1em; background: yellow } ┘← CSS指定
</style>
</head>
<body>                                                body要素
<h1>例題ページ</h1>
<p>HTMLはマークアップ言語であり、                        p要素
ここは段落、ここは見出しなどの情報を指定します。</p>
<h2>スタイルシートの役割</h2>
<p>スタイルシートは、HTMLでマークアップされた
どの部分をどの部分をどう表現するか指定します。</p>
</body>
</html>
```

図1　HTML+CSS記述の例

CSSは表現を指定

CSSは、HTMLで記述された見出し、段落などそれぞれの要素に対して次のような形で、属性（プロパティ）を指定します。

```
セレクタ { プロパティ : 値; プロパティ : 値; … }
```

CSSの指定は別ファイルで記述するのが一般的です。

図2　ブラウザで例題ページを表示した様子

HTMLとXML

HTMLでは「<名前>～</名前>」という形のタグでマークアップするため、「<」や「>」の文字がそのままでは使えません。これらの文字をコンテンツに含めたい場合は「<」「>」と書きます（そして「&」自体も特別な意味を持つことになるので、「&」と書きます）。このような書き方を**文字エントリ**（文字参照）と呼びます。

実はこのようなタグや文字エントリの書き方は、SGML（Standard Generalized Markup Language）と呼ばれる規格が定めているもので、HTMLはその規格を土台にWebページのマークアップに必要な要素を決めた形になっています。HTMLにも複数のバージョンがあり、現在はHTML Living Standardが標準として使われています。

また、HTMLのようにタグを固定せず、もっとさまざまな用途のマークアップを行えるように作られた、**XML**（eXtensible Markup Language）というものもあります。XMLはソフトウェア関連のさまざまな情報を記録するファイル形式として使われています。

HTMLの要素と属性

HTMLタグで最も重要なのは、他のページや他のコンテンツへの**リンク**を生成するa要素（リンク要素）でしょう。この要素は次の形をしています。

```
<a href="URL">テキスト</a>
```

ブラウザ上で「テキスト」の部分は画面に下線つきなどで表示され、そこを選択すると「URL」で指定されたページやコンテンツに表示が切り替わる、という動作になります。このように、HTMLの開始タグ中で「名前="値"」という形で付加情報を指定するものを「属性」と読んでいます。表1にHTMLの代表的な要素とその属性をまとめました。

div要素やspan要素は特定の表現を持たず、CSSで個別に表現を指定するのに使います。これらに限らずどの要素の開始タグにも「id="固有名"」「class="クラス名"」という属性が指定でき、CSSのセレクタとして「#固有名」「.クラス名」という形を指定することでその要素に適用する表現を指定できます。

表1　HTMLの主要な要素と属性

タグ・属性	意味
<h1>～</h1>	見出しを表す（h1～h6まで6段階ある）
<p>～</p>	段落を表す
<pre>～</pre>	整形済みテキスト（つめずにそのまま表示）を表す
<ul>～</ul>	番号なしの箇条書きを表す
<ol>～</ol>	番号つきの箇条書きを表す
<li>～</li>	ul、ol内の1項目を表す
<div>～</div>	用途を特定しないブロックを表す
<table>～</table>	表を表す
<tr>～</tr>	表の1つの行を表す（td、th要素が入る）
<td>～</td>	表の1つのセル（箱）を表す（通常セル）
<th>～</th>	表の1つのセルを表す（見出しセル）
<a href="URL">～</a>	リンクを表す
<img src="URL">	埋め込み画像を表す
<em>～</em>	強調範囲を表す
<span>～</span>	用途を特定しない文字範囲を表す

CSSのプロパティ

CSSの指定は「セレクタ」、「プロパティ」、「値」から成っています。セレクタについては既に説明したように、「タグ名」、「#固有名」、「.クラス名」があります（これらを組み合せることもできます）。値については、表2にあるように種類ごとに指定方法があります。代表的なCSSプロパティとしては表3のものがあります。

表2　CSSの値の指定方法

値の種類	指定方法
長さ	数値の後に単位をつける。単位にはmm、cm、px（ピクセル）、em（現在のフォントの文字xの幅）、%（全体の幅や高さに対する百分率）などが指定できる
色	white、black、blue、green、yellow、redなどの色名または#ffcc66（RGBの強さをそれぞれ16進法2桁で指定）の記法で指定する
URL	「url（ファイル名やURL）」の形でファイルやURLを指定する

表3　CSSのプロパティの指定方法

プロパティ：　値の種別	説明
boder:　種別　色　長さ	枠線を指定。種別としてはsolid（べた塗り）、dashed（点線）、double（2重線）、ridge（土手）、groove（溝）、inset（くぼみ）、outset（出っ張り）がある。長さは枠線の幅。border-top、border-bottom、border-left、border-rightの各プロパティで上下左右のみ指定することもできる
margin:　長さ padding:　長さ	枠の外側の余白、内側の余白をそれぞれ指定できる。margin-top、margin-bottomなどで上下左右個別にも指定できる
font-size:　長さ	百分率を指定することで、本来の文字サイズより大きい／小さいサイズにできる
color:　色 background-color:　色	文字の色や地の色を指定できる
background-image:　URL background-repeat:　種別	背景に画像を設定でき、その敷き詰め方を設定できる。種別としては、repeat（上下左右の反復）、repeat-x（左右に反復）、repeat-y（上下に反復）、no-repeat（反復なし）を指定でき、指定しないとrepeatとなる
position:　種別	要素の位置指定方法で、static（通常）、relative（通常位置からずらす量を指定）、absolute（画面上の絶対位置を指定）がある
top:　長さ left:　長さ	要素の左上隅の縦位置、横位置を指定。さらにbottomとrightで右下隅の縦位置や横位置も指定できる

□ Webページとスクリプト

ユーザの入力に応答するWebページの原理

今日のブラウザ上では非常に高度なアプリケーションが動作可能になっています。これは、ブラウザ上で動くスクリプト（プログラム）とサーバ上で動くプログラムが緊密に連携することで初めて可能になっています。

サーバ側スクリプト

最初にWWWができたときには、Webページは単にサーバから送られてきたコンテンツを表示する機能しか持っていませんでした。しかしまもなく、ユーザに調べたいと思う語を入力させてその応答を返す機能が追加され、HTML 2.0では一般的な入力**フォーム**をページ内に含められるようになりました。

入力フォームの機能は、ユーザがフォーム中の入力部品に値を設定した後に送信用のボタンを押すと、入力された値がWebサーバに送られ、Webサーバ上のプログラム（**CGIプログラム**と呼ばれます）で処理され、結果のページが返される、という形が基本です（図1）。

これを**サーバ側スクリプト**（server-side scripting）と呼びます。フォームとサーバ側スクリプトを組み合わせることで、ブラウザさえあればネットのどこからでも使える便利なアプリケーションが作れます。

ただし、サーバ側スクリプトだけを用いる方式だと、「送信→処理→返送→表示」に1秒程度はかかるため、あまり高度なインタフェースは作れませんでした。

クライアント側スクリプト

その後、HTMLにJavaScriptのプログラムを含めてサーバからブラウザに送らせ、ブラウザ上でプログラムが動作していろいろな処理を行う方式が考案されました。これをWebクライアント（ブラウザ）上でプログラムが動くことから**クライアント側スクリプト**（client-side scripting）と呼びます。クライアント側スクリプトによって、ブラウザ上で単独で計算して結果を表示するようなプログラムが作れるようになりました。

また、JavaScriptを使ってブラウザ上のHTMLをその場で書き換え、見た目を柔軟に変化させるページも作れるようになりました。

サーバ側とクライアント側の連携

やがてクライアント側スクリプトは、ブラウザ上で単独で動くだけでなく、Webサーバ側とも通信してデータを受け渡しながら、使いやすいインタフェースを提供する形でも使われるようになりました（図2）。

一方、サーバ側スクリプトは、データベースとも連携して必要な処理を行い、結果をクライアント側に返します。このように両方のスクリプトが連携することで、高度な処理が行えるようになっているのです。

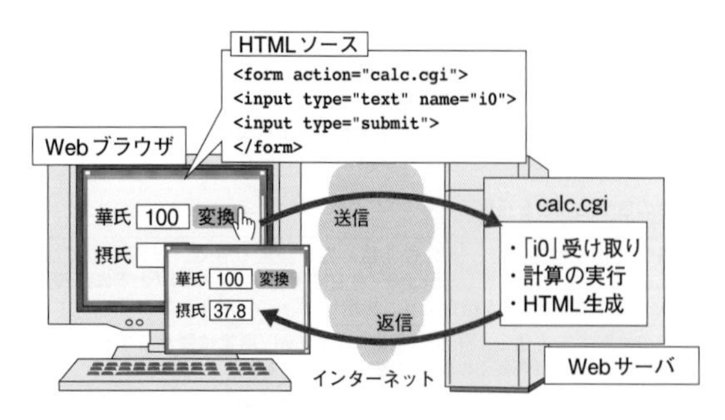

図1　入力フォームの仕組み

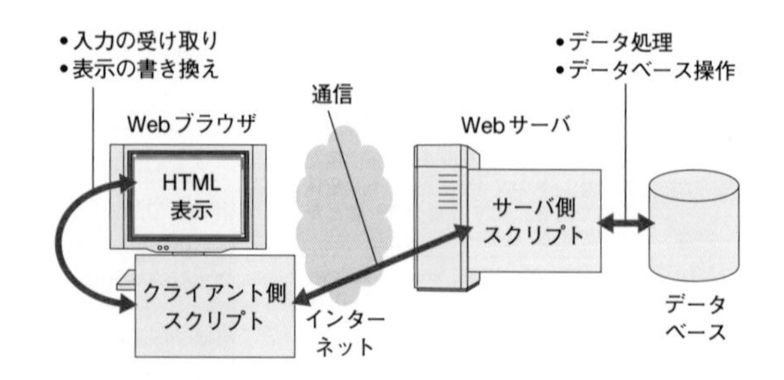

図2　サーバ側スクリプトとクライアント側スクリプトが連携

スクリプトでHTMLを操作する

JavaScriptではフォーム部品ではない一般のHTML要素に変更を加えることも可能です。スクリプトの起動は、表1のような属性により指定できます。

スクリプト側からHTML文書の内容をオブジェクトとしてアクセスする枠組みを**DOM**（Document Object Model）と呼びます。それぞれのHTML要素に対応するオブジェクトの取得は、id属性を指定して関数document.getElementByIdを呼ぶことで行えます。

HTML要素に対する操作で一番簡単なのは、**innerHTML**という属性に値を入れてその要素の内側を書き換えるというものです。名前のとおり、任意の文字列はHTMLとして解釈されるので様々な要素を作り出すこともできます。また、要素の親を取得したり、子供の（内側に入っている）要素からどれかを削除したりもできます。

図3では、ページ本体のdiv要素中に3つのspan要素があり、その3つ目にonmouseover、onmouseout、onclickが指定されています。最初の2つは関数msgを呼び出し、その中でspanオブジェクトのinnerHTMLを書き換えることで表示を変更します。クリック時にはspan要素の親オブジェクト（この場合はdiv）を取得し、その先頭要素を取り除いて末尾に入れ直すことで「A」「B」と当該spanの順番を変化させています。

```
<!DOCTYPE html>
<html><head>
<meta charset="utf-8">
<title>Dom Demo</title>
<script>
function msg(s) {
 let s0 =
  document.getElementById('s0');
 s0.innerHTML = s;
}
function move() {
 let s0 =
  document.getElementById('s0');
 let p = s0.parentNode;
 let e = p.firstChild;
 p.removeChild(e);
 p.appendChild(e);
}
</script></head><body>
<div><span>A</span>
<span>B</span>
<span id="s0"
 onmouseover="msg('はい')"
 onmouseout="msg('いいえ')"
 onclick="move()">Click me
</span></div></body></html>
```

図3　DOMを用いてHTMLを変化させる

また、いちいちid属性を指定しなくても、特定の要素の中に入っているすべての要素を取り出してきて内容に応じて加工を施したり、ユーザ操作に応答する仕組みを組み込んだりする処理を、JavaScriptプログラムを通じて行うこともできるのです。最近では、HTMLを送らずに、JavaScriptのみで動的なページを構成することも増えています。

表1　スクリプトの動作を起動するHTML属性

属性	意味
onclick	クリックしたとき動作
onmouseover	マウスカーソルが上に乗ったら動作
onmouseout	マウスカーソルが上から外れたら動作

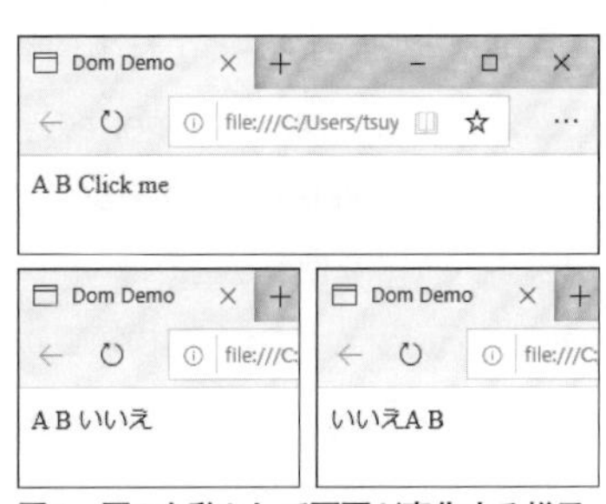

図4　図3を動かして画面が変化する様子

スクリプトでスタイルを操作する

スクリプト側からは、HTMLだけでなくCSSのプロパティを変化させることもできます。各HTML要素オブジェクトxについて、「x.style.プロパティ名」というフィールドに書き込むことで値を設定できます（ただしJavaScriptでは名前の中に「-」を含められないので、「-」は削除して代わりに次の文字を大文字にします。たとえばbackground-colorなら「backgroundColor」とします）。

図5では、bodyの開始タグでstartを呼び出しています。startではh1要素のオブジェクトを変数h1に入れ、位置指定を絶対位置指定に変更し、30ミリ秒間隔でstepを呼ぶように設定します。stepでは変数cnt（初期値は0）を1増やし、255を超えたら0に戻します。そして、h1要素の横位置をcntに設定し、また文字の色を「rgb(100,cnt,200)」に設定します。これで図6のように徐々に色が変化しながら横に動く見出しになります。

```
<!DOCTYPE html>
<html><head>
<meta charset="utf-8">
<title>CSS Dom Demo</title>
<script>
let h1, cnt = 0;
function start() {
 h1 =
   document.getElementById('h1');
 h1.style.position = 'absolute';
 setInterval(step, 30);
}
function step() {
 if(++cnt > 255) { cnt = 0; }
 h1.style.left = cnt + 'px';
 h1.style.color =
   'rgb(100,' + cnt + ',200)';
}
</script></head>
<body onload="start()">
<h1 id="h1">Look at me</h1>
</body></html>
```

図5　DOMを用いてCSSを操作する

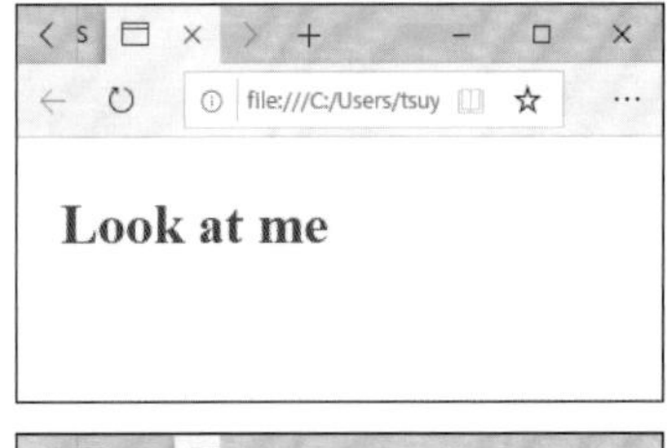

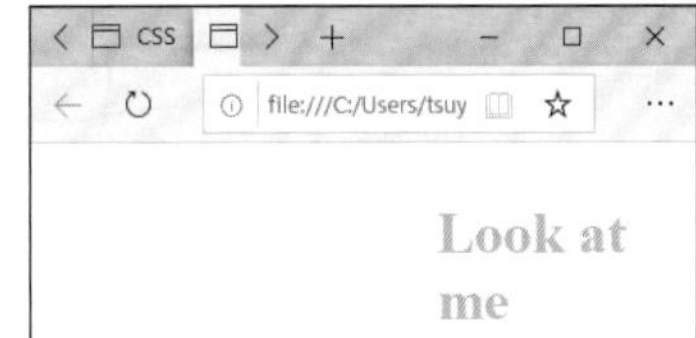

図6　図5を動かして画面が変化する様子

□ WebサイトとWebアプリケーション

Webサイトのでき方とWebアプリケーションの仕組み

Webサイトとは、統一的な内容やデザインを持ち、1つの組織や個人によって管理されているようなひとまとまりのWebページ群を言います。

Webサイトの入口に当たるページのことを**ホームページ**とも呼びます(このほか、ブラウザの「ホーム」ボタンを押したときに表示されるページのこともそう呼びます)。

小規模なWebサイトであれば直接HTMLで記述したりHTMLエディタなどのソフトウェアで作成することもありますが、今日の多くのサイトはコンテンツ管理システム(Content Management System、**CMS**)と呼ばれる一種の**Webアプリケーション**を用いて運用されています。CMSを使うことで、ページ間のつながりを自動的に生成したり、サイト内検索で効率よく必要な情報を探せるようにしたりすることが可能になります。

Webアプリケーションとは、Webサーバ上/Webブラウザ上で、または両者をまたがって動作し、Webブラウザを通して使うことができるようなアプリケーション全般のことを言います。今日では、Web版OfficeやGoogle Appsなど、これまでは各自のPCにインストールして動かしていたようなアプリケーション(**デスクトップアプリケーション**)と同等の機能が、Webアプリケーションとして実現され、ブラウザさえあればどこからでも使えるようになっています。

また、このような個人ツールとして使うWebアプリケーションに加え、インターネット上で動作していることを利用して、多くの情報を取り扱ったり、複数の人の間での情報共有を可能にするものもあります。このような場合は**Webサービス**という言い方をすることもあります。

Webサービスの代表例としては、検索サービス(Googleなど)、ネットショップ(オークションやフリーマーケットを含む)、情報サービス(天気、地図、料理レシピ、ニュースサイト、経済情報など)、コミュニケーションサービス(LINEなどのメッセージサービス、Twitter、Instagram、FacebookなどのSNS、5ちゃんねるその他の掲示板ほか)など、多様なものがあります。

クライアント側とサーバ側の分担

今日のWebアプリケーションでは、ページを対話的に操作するため、ページのHTMLにはJavaScriptのコードが埋め込まれていて、ユーザが画面で操作するとそれを検出し、インターネット経由でサーバ上のWebアプリプログラムに送ります。サーバ上のプログラムは**データベース**を読み書きして必要な処理を行い、画面に反映するべき情報を返信します。この情報をJavaScriptが受け取り、その内容に応じて画面を変化させることでユーザに処理内容を知らせます(図1)。

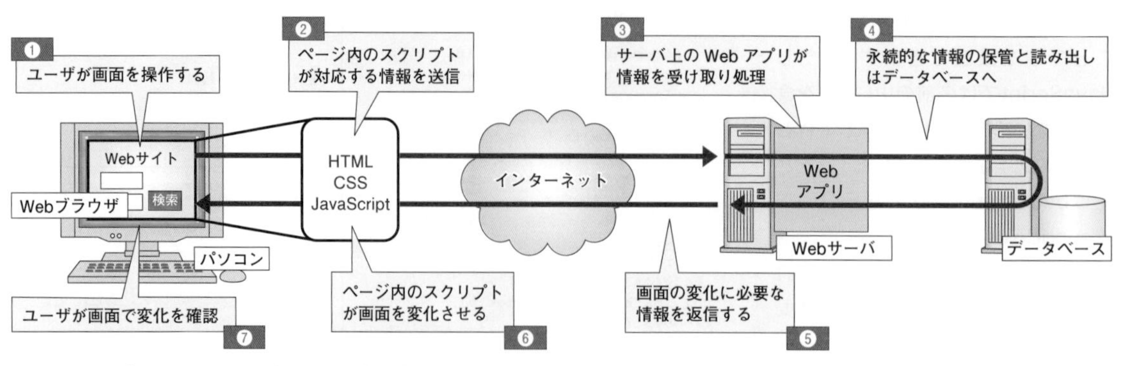

図1　Webアプリのクライアント側とサーバ側の関係

Webアプリケーションの要となるDBMS

今日の情報システムでは、重要なデータはデータベースに保管され、**データベース管理システム**によって管理されています。Webアプリケーションの場合も同じです（図2）。

Webアプリケーションでは、アプリケーションのプログラムはWebサーバと一緒に動作し、インターネット経由でユーザとやり取りします。

Webアプリケーションはユーザとやり取りしながら、覚えておくべきデータはすべて、データベース管理システム（DataBase Management System、**DBMS**）を通じてデータベースに保管していきます。DBMSは停電などの障害があっても一度書き込んだデータは必ず残るように管理してくれるので、これによって重要な情報を維持しているのです。DBMSとデータベースはWebアプリケーションの要だと言えます。

ユーザ数が増えたとき、Webサーバの台数を増やすことは容易ですが、データベースは簡単に増やせないのが普通です。

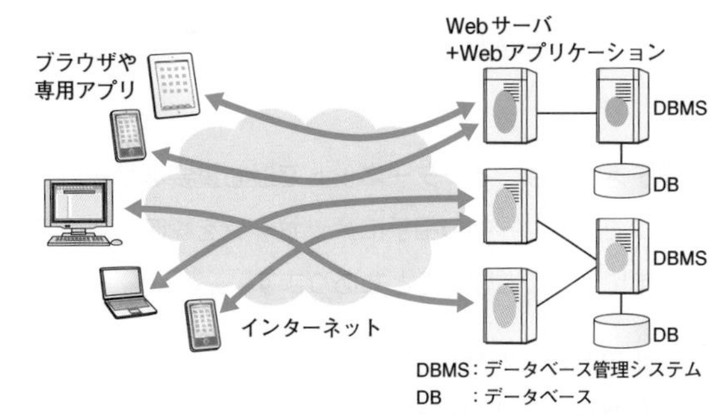

図2　ユーザ、Webアプリケーション、データベースの関係

Webアプリケーションの例

今日の大半のWebサイトは、ユーザが何らかの入力を行うとそれに応じて内容が変化します。このことはつまり、これらのサイトはすべてがWebアプリケーションでもあるということになります。

その中には「掲示版」「辞書検索」「特定商品の予約/購入」など比較的限定された機能のものもあり、それはその機能のためのWebアプリケーションとして構築されています。

一方で、Facebook（SNS）やAmazon（ネットショップ）などのように、非常に多様な機能を持ちながら全体的には統一された見え方が保たれているものもあります。このような場合は、全体的なコンテンツ（共有する情報や商品の情報）はCMSにより提供され、その中に掲示版や書評などの機能が部分として含まれています。

図3　Amazonの商品画面（左）とカマタマーレビューの投稿画面（右）

Webアプリケーションの構成

Webアプリケーションを動かす基本的な方法は、Webサーバに備わっている、ユーザからの入力に応じてWebサーバ上のプログラムを動作させる機能を使用することです。たとえばC言語などでWebアプリケーションをすべて作ることもできます。

しかし、今日のWebアプリケーションはDBMSとの連携やWebサーバ、Webブラウザとの連携が必要になっているため、これらの機能を組み込んだライブラリ（ソフトウェア部品）やフレームワークと呼ばれる標準的な部品群を活用し、それらを組み合わせた上でアプリケーション独自の部分を追加する形で構築されることが大半です。開発に使用される言語も、そのようなライブラリやフレームワークの充実したJava、Ruby、Python、PHPなどが多く採用されています。

たとえばRuby on Railsと呼ばれるフレームワークは簡潔にWebアプリケーションを構築できるとして人気を集め、そのことがRuby言語の普及につながりました。ある言語のフレームワークが人気になると、他の言語でも同じような機能を持つフレームワークが作られることが多くあります。

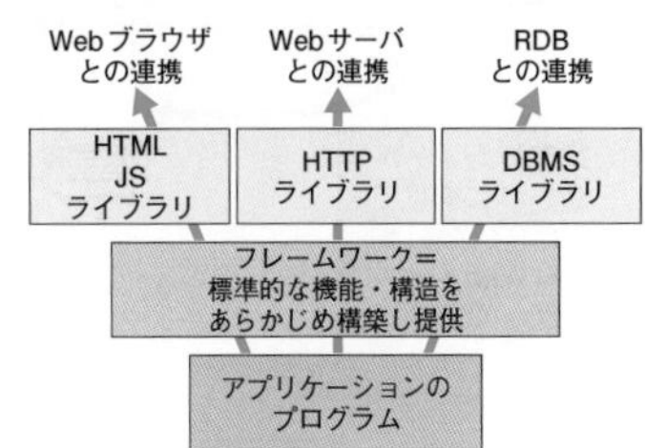

図4　ライブラリとフレームワークを活用したWebアプリケーションの構成

□ 電子メール

速達性があっていろいろなファイルも添付できる現代必須のサービス

電子メールは、インターネットで最も重要なサービスの1つです。世界中の相手にメッセージを瞬時に送信でき、単にメールと呼ぶこともあります。

メールアドレスで宛先を特定 メールサーバが順番に転送

パソコンで電子メールを送信する操作をしてから、相手に届くまでの流れを見てみましょう（図1）。

電子メールは、パソコンのメールソフト（メーラー）で作成します。本文を書いて、必要に応じて添付するファイルを選び、宛先の**メールアドレス**を入力します。メールアドレス（メールアカウント）は実世界の住所に相当するもので、世界中に同じアドレスは複数ありません。「xxx@example.ne.jp」のように@（アットマーク）で区切られた文字列はおなじみでしょう。メールアドレスは、インターネット接続サービス事業者（プロバイダ）や所属する企業などが発行します。

メールソフトで送信ボタンを押すと、メールのデータが**SMTP**（Simple Mail Transfer Protocol）というプロトコル（通信規約）に基づいてメールサーバに送られます。メールサーバは受け取る人が利用している受信メールサーバにメールデータを転送します。受け取る人がメールソフトを起動して受け取り操作をすると、**POP3**（Post Office Protocol version 3）や**IMAP4**（Internet Message Access Protocol 4）というプロトコルを用いてメールサーバからメールが受信されます。メールソフトの代わりにWebブラウザを使ってメールを送受信する、**Webメール**も最近はよく使われています。

携帯電話やスマートフォンのキャリアメールも、インターネットの電子メールと同様の仕組みを利用しています。

アドレスを公開しないときに使うBcc

メールの送り先には、本来の宛先を示す「To」、参考までに同報する「Cc」、ToやCcの人にはわからないように送る「Bcc」があります。Ccは複写用紙を意味するカーボンコピーの略、Bccはブラインドカーボンコピーの略です。Bccで指定すればメールは届きますが、送り先は宛先アドレスには表示されません。

メールの規格では本文に文字を書くことしか決められていませんが、**添付ファイル**という仕組みを利用すると、画像ファイルなどそのほかの形式のデータを送ることもできます。実際には、**MIME**（Multi purpose Internet Mail Extension、マイム）という規格を使ってファイルのデータを文字データに変換して本文に埋め込んでいるのです。

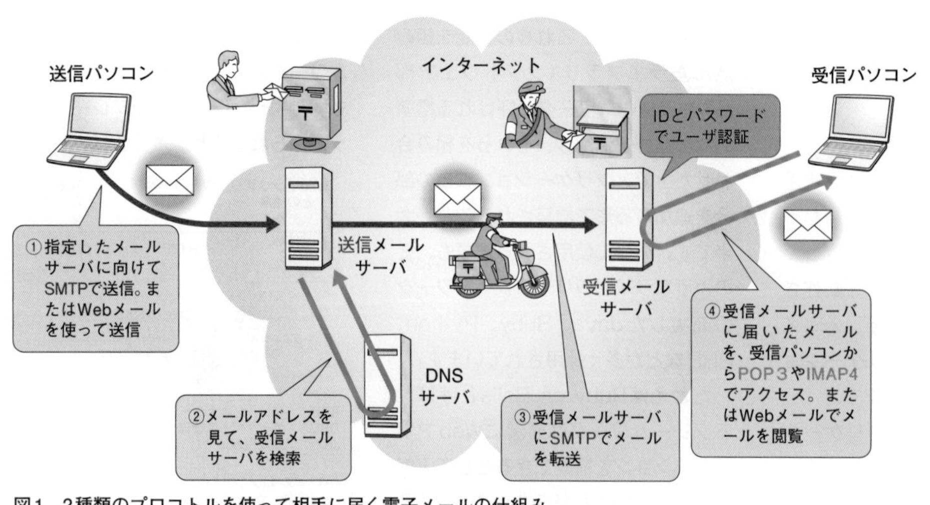

図1　2種類のプロコトルを使って相手に届く電子メールの仕組み

いろいろな種類がある スマホのメール

スマートフォン（スマホ）には、複数のメールを送る手段があります。**SMS**（ショートメッセージサービス）、インターネットメール、携帯電話会社が提供している**キャリアメール**に加えて、**LINE**などの無料メッセージサービスの利用が主流になっています（表1）。

この中で、パソコンなどインターネットに接続した機器と相互にメールをやり取りできるのが、インターネットメールとキャリアメールの2つです。インターネットメールとキャリアメールは、それぞれ「xxx@example.ne.jp」といったメールアドレスを使っています。

SMSは、国際標準規格の携帯電話向けメッセージサービスです。電話番号を知っていれば簡単に相手にメッセージを届けられます。日本語だと70文字までのメッセージが作れます。

SMSを拡張した標準のRCS（リッチコミュニケーションサービス）も、2018年に「+メッセージ」として提供が始まりました。文字数制限のないメッセージや、写真、動画などをやり取りできます。

SMSは、本人が登録した電話番号に届く特性があるため、本人確認のためのSMS認証に使われることが多くあります。一方で、フィッシング詐欺のメッセージが届くことも多く、注意が必要です。

スマートフォン同士が無料で音声やメッセージをやり取りできるLINEなどのサービスが急速に普及しています。TwitterやInstagramのダイレクトメッセージも、独自のメッセージサービスに分類されます。これは独自のアプリケーションを使うもので、インターネットの標準メールシステムやSMSとは異なります。宛先の指定に独自のIDやニックネームが必要なのはこのためです。一方で、同じサービスのソフトやWebサイトを使えば、パソコンともやり取りが可能です。

表1　スマートフォンで使えるメール、メッセージのサービス

種類	サービスの例	宛先の指定方法
インターネットメール	プロバイダのメール、Gmailなどのフリーメール	メールアドレス
キャリアメール	ドコモメール、auメール、S!メール（MMS）/Eメール（i）など	メールアドレス
SMS（ショートメッセージサービス）	SMS、Cメール	携帯電話番号
RCS（リッチコミュニケーションサービス）	+メッセージ	携帯電話番号
メッセージサービス	LINEのトーク、TwitterやInstagramのダイレクトメッセージなど	登録した専用ID

Webメールならではの 注意点

Webメールは、メールソフトの代わりにWebブラウザを使ってやり取りする電子メールシステムのことです。GoogleのGmail、Yahoo!のYahoo!メール、MicrosoftのOutlook.comなどが有名です。Webメールの多くは無償で使えるフリーメールです。

Webメールでは、メールサーバにメールを保管したまま、Webブラウザを通してメールを閲覧します。受信したメールはすべてサーバ側で管理されるので、ユーザは自宅・学校・旅行先・海外などさまざまな場所から、自分のコンピュータがなくても、メールのやり取りや管理ができます。ただし、メールを読み書きするにはインターネットに接続している必要があります。スマートフォンのメールアプリでは、最近の一定期間のWebメール情報を端末側に取り込んで、ネットワークに接続していない状況でもメールの確認ができるものも多くあります。

インターネットカフェなど共有のパソコンでWebメールを使うときには、パスワードや履歴などの重要な情報をパソコンに残さないようにセキュリティ面に注意しましょう。

無料で取得できるフリメは、使い捨てのアドレスとして一時的に使うこともできます。こうしたアドレスを捨てアドと呼びます。個人情報保護や迷惑メール対策の目的で、商品購入や懸賞応募など一時的にアドレスが必要な場合に使います。

凝ったレイアウトが作れる HTMLメール

メールマガジンなどでWebページのように美しくレイアウトされたメールが届くことがあります。**HTMLメール**と呼ぶもので、Webページと同じHTML形式で書いた内容をメールで送ります。HTMLメールに対応したメールソフトウェアが自動的にHTMLを解釈して表示しているのです。

HTMLメールは、写真やイラストなどを使って凝ったレイアウトのメールを作れるため、表現力に優れます（図2）。以前は、HTMLに埋め込まれたプログラムの悪用によるウイルス送信などの被害が多くありました。現在ではメールソフトがプログラムをブロックするようになり、多くの場合は安全に使えます。

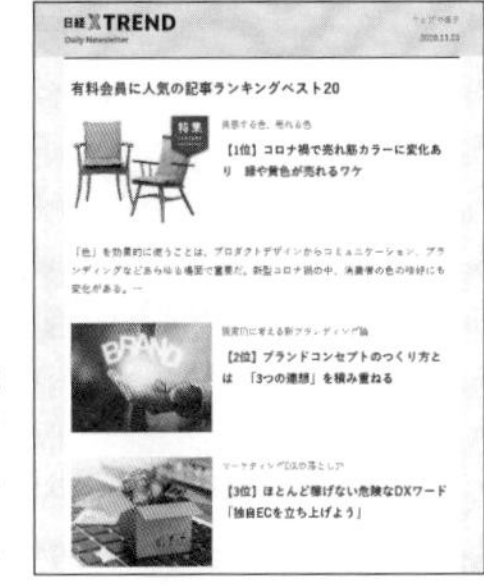

図2　画像やWebページへのリンクも入れられるHTMLメール

□ LANとWi-Fi

情報機器をネットワークにつなぐ入り口

学校、企業、家庭など狭い範囲で使うネットワークを、**LAN**（Local Area Network）と呼びます。LANの形態には2種類があります。1つはLANケーブルを使う**有線LAN**。もう1つは電波を使い、ケーブルを使わずに通信する**無線LAN**です（図1）。

最近は、無線LANが身近になりました。学校、家庭、オフィスなどで多く使われています。無線LANは相互接続性の認定をしている組織であるWi-Fi Allianceの名前から**Wi-Fi**（ワイファイ）とも呼ばれます。

LANからインターネットに接続するためには、光ファイバーなどを使った広域ネットワークのWAN（Wide Area Network）を用います。

ゲーム機やスマートフォンなど多くの機器で使える無線LAN

無線LAN機能は、iPhoneやAndroidスマートフォンが標準装備するほか、ゲーム機やパソコン、プリンタなどの情報機器、テレビなどのAV機器、スマートスピーカーなど多くの機種が搭載しています。

こうした無線LAN対応機器は、機器同士で直接通信したり、無線LAN**アクセスポイント**と通信して他の機器やインターネットとやり取りします。無線LAN対応機器は公衆無線LANサービスも利用できます。ファストフードや鉄道の駅などに加えて、近年では訪日外国人に向けた無料の公衆無線LANサービス（Free Wi-Fi）を地方自治体や商店街などが提供する動きも盛んです。

LANの基本は高速な有線LAN

一方の有線LANはLANの基本とも言えるもので、代表的な方式がイーサネットです。

一口にイーサネットと言っても、通信速度別にいくつかの規格に分かれます。通信速度とは、1秒間に送れる情報量を示し、単位は**bps**（bit per second、ビット/秒）です。イーサネットで広く利用されているのは、100Mbpsの100BASE-TXと、1000M(＝1G)bpsの1000BASE-T、10Gbpsという超高速の10GBASE-Tです。これらの規格はコネクタ部分（図2）の仕様が同じなので、一般的なLANポートは複数の規格で使えます。そのようなLANポートは、LANケーブルで接続した段階で相手側のポートと通信し、自動的に最高速度で動作します。パソコンに接続したLANケーブルは、ハブやLANスイッチといった複数のLANケーブルを集線する装置に接続し、LANのネットワークを構成します。このほか、通信事業者や企業が利用するイーサネットには、さらに高速な40Gbpsや100Gbpsの規格も定められています。

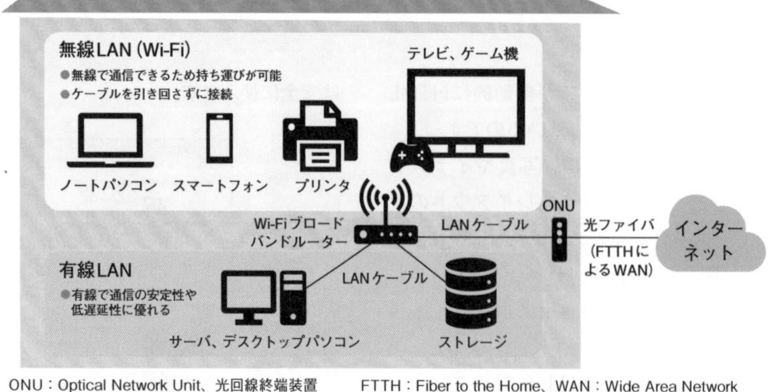

ONU：Optical Network Unit、光回線終端装置　FTTH：Fiber to the Home、WAN：Wide Area Network

図1　無線LANと有線LAN

図2　LANコネクタ

機器を識別する番号 MACアドレス

LANでは、MAC（Media Access Control）フレームと呼ばれれるデータの小包を作ってデータをやり取りしています。MACフレームはヘッダーとデータで構成されます。ヘッダーは荷札のようなもので、送付先アドレスと送り主アドレスが書き込まれています。これらのアドレスのことをMACアドレスと呼びます。MACアドレスはパソコンやルーターなど、ネットワーク機器ごとに割り振られた"番地"で、原則としてそれぞれが世界で唯一の番号であり、データがきちんと届きます。

一方で、MACアドレスから位置情報などが第三者に漏れるリスクがあり、スマートフォンOSを中心にMACアドレスのランダム化機能も実装されるようになっています。

図3　iPhoneの「設定」から「一般」→「情報」と進んだところ。「Wi-Fiアドレス」に示されているのが、Wi-Fi用のMACアドレス

規格により異なる 無線LANの通信速度

無線LANの規格は、IEEE（The Institute of Electrical and Electronics Engineers、アイトリプルイー）と呼ばれる国際団体の中にある、802.11委員会が作成しています。家庭などでは主に6つの無線LAN規格に対応した機器が使われています（表1）。

無線でも高速通信が可能で、数Gbpsに対応する製品があります。利用者が集中する環境でも安定した高速通信を可能にする規格の、IEEE 802.11ax（Wi-Fi 6）があります。さらに、2022年9月には新しく6GHz帯がWi-Fiで利用可能になり、対応したWi-Fi 6Eの製品も登場しています。

このほか、60GHz帯という高い周波数帯を使って最大6.8Gbpsの通信が可能なIEEE 802.11adや920MHz帯の低い周波数帯でIoT向けのIEEE 802.11ah（Wi-Fi HaLow）も制定されています。

表1　家庭や学校、会社などで使われる主な無線LAN規格の種類

規格名称		使用周波数帯	最大通信速度
IEEE 802.11b		2.4GHz帯	11Mbps
IEEE 802.11g		2.4GHz帯	54Mbps
IEEE 802.11a		5GHz帯	54Mbps
IEEE 802.11n（Wi-Fi 4）		2.4G/5GHz帯	600Mbps
IEEE 802.11ac（Wi-Fi 5）		5GHz	6.9Gbps
IEEE 802.11ax	（Wi-Fi 6）	2.4G/5GHz帯	9.6Gbps
	（Wi-Fi 6E）	6GHz帯	

無線LANの接続先を 指定するESS-ID

無線LANを利用するためのセットアップの際には、接続するアクセスポイント（AP）を指定しなければなりません。無線LANでは、APを指定するためのIDとして**ESS-ID**（**SSID**とも呼びます）を使用します。

APは自らのESS-IDを定期的に発信しています。これを受けることで無線LAN端末はどのAPと通信できる状態にあるのかがわかります。スマートフォンやゲーム機、パソコンなどで、接続する無線LAN APを選ぶときに表示される名称が、多くの場合はESS-IDです。通信するにはESS-IDを選ぶとともに、暗号化方法や暗号キーを端末側でセットしておく必要があります。

無線LAN利用時には 安全対策を怠らない

便利な無線LANですが、利用時にはセキュリティに気を付ける必要があります。意識したいのは、無線LANでは電波から通信内容を盗聴される危険性があることです。

無線LAN製品には通信を暗号化する機能があるので、暗号化機能を必ず有効にしましょう。暗号化機能としては古い順に**WEP**、**WPA**、**WPA2**、**WPA3**といった標準的な方式があります。ただし、古い暗号化機能には脆弱性が発見されていて、利用してはいけません。暗号強度が高いWPA2-PSK（AES）や最新のWPA3を使いましょう。

カフェや鉄道の駅、コンビニエンスストアなどで利用できる公衆無線LANサービスは、特に注意が必要です。不特定多数が接続するため、盗聴の恐れが高いですし、第三者が正規のAPになりすましてニセのAPを立てることもあります。公衆無線LANサービスでは、パスワード入力を求められる暗号化されたサービスを使いましょう。

自宅や組織などの無線LANも初期設定のままのIDとパスワードを使っていると、第三者による「無線LAN乗っ取り」に遭い勝手にネットワークに侵入される危険性があります。

□ モバイルネットワーク

スマートフォンや携帯電話がつながる仕組み

スマートフォンや携帯電話は、ケーブルがないのに相手と通話ができたり、SNSや動画などのデータを送受信できたりします。もちろん無線で通信しているからなのですが、スマートフォンからスマートフォンへ直接電波が送られるわけではありません。スマートフォンや携帯電話が通信するために、**携帯電話網**と呼ぶネットワークが働いているのです。

携帯電話網は、スマートフォンや携帯電話の無線通信を制御する無線アクセスネットワークと、音声通話やデータ通信を制御する有線のコアネットワークを組み合わせた構成になっています。

通信方式の進化により メールやWeb利用が広まる

携帯電話の元になった自動車電話は、1979年に日本でサービスが始まりました。携帯電話の通信方式は、世代を示す英単語Generationの頭文字を取って、4G（第4世代）などと呼びます（表1）。

アナログ方式の1Gから始まった携帯電話は、電波の利用効率が高いデジタル方式の2Gに進化しました。2Gから、通話に加えてメールやWebサイトへのアクセスといったデータ通信ができるようになりました。携帯電話が一般に普及したのも2Gのときのことです。

世界で統一した標準的なデジタル通信方式による**3G**携帯電話サービスで、データ通信の利用が本格化しました。3Gは国内では2026年までに終了予定です。

データ通信が高速化しスマートフォンに対応 5GはIoTや自動運転車なども対象に

現在では、より高速化した**4G**と5Gが主流です。データ通信を多用するスマートフォンが普及し、高速で電波使用効率の高い新方式の必要性が高まったからです。

4Gには、150Mbpsのデータ通信が可能な**LTE**（Long Term Evolution）、数百M～数G（ギガ）bpsといったさらに高速な規格であるLTE-Advancedが分類されます。

5Gの利用も拡大しています。5Gの特徴は3つあります。「超高速」「超低遅延」「多数同時接続」です。超高速の性能は既に商用サービスに生かされ、4K/8Kの高精細映像や360度映像などの通信でも余裕があります。超低遅延では、ロボットの遠隔制御やタイムラグのないネットゲームが実現できます。多数同時接続では、膨大なIoT機器の同時通信が可能です。

5Gのモバイル向けサービスはアメリカと韓国で2019年4月に、国内では2020年3月に始まりました。5Gの開始当初は、5Gの無線基地局と4GのコアネットワークをZ組み合わせたNSA（ノンスタンドアロン）構成でしたが、現在では無線基地局もコアネットワークも5GのSA（スタンドアロン）構成のサービスの提供が始まっています。超低遅延などの5Gの特徴を生かしたサービスが提供できるようになりました。通信事業者のサービスではなく、特定のエリアだけで5Gを使うローカル5Gも、産業用途などで広がりを見せています。

表1　携帯電話の方式の移り変わり（色の付いた部分が、現在国内で主に提供されている方式）

世代の名称	方式	主な用途	データ通信速度	日本での提供時期
1G	アナログ（HICAPなど）	音声通話	非対応	1979年～2000年
2G	デジタル（PDC、cdmaOne、GSMなど）	音声通話、メール、モバイルインターネット（文字主体）	9600～64kbps	1993年～2012年
3G	デジタル（W-CDMA、CDMA 2000など）	音声通話、メール、モバイルインターネット（画像対応）	384k～42Mbps	2001年～2026年終了予定
4G（3.9Gを含む）	デジタル（LTE、LTE-Advanced、LTE-Advanced Pro、WiMAX 2+）	音声通話、メール、SNS、モバイルブロードバンド（動画対応）	～150Mbps（LTE）、～3Gbps（LTE-Advanced）	2010年～提供中
5G	デジタル	音声通話、超高速モバイルブロードバンド、IoTデバイス間通信、自動運転インフラなど	ピークレートで20Gbps以上を想定	2020年～提供中

無線と有線のネットワークで構成

携帯電話網は無線と有線のネットワークで構成されています(図1)。

スマートフォンや携帯電話が無線でやり取りするのが基地局です。基地局からは有線のネットワークになり、ノードにある無線ネットワーク制御装置につながります。ここまでを無線アクセスネットワークと呼びます。

ノードには、スマートフォンなどの端末との通信を制御する加入者交換機があり、大規模ノードにある中継交換機につながっています。これをコアネットワークと呼びます。コアネットワークには他の電話網やインターネットと相互接続する役割もあります。

携帯電話網にはこのほかにHLR(Home Location Register)と呼ぶ端末の位置を登録するデータベースがあります。HLRの情報があるおかげで、自分の携帯電話に電波が届くのです。

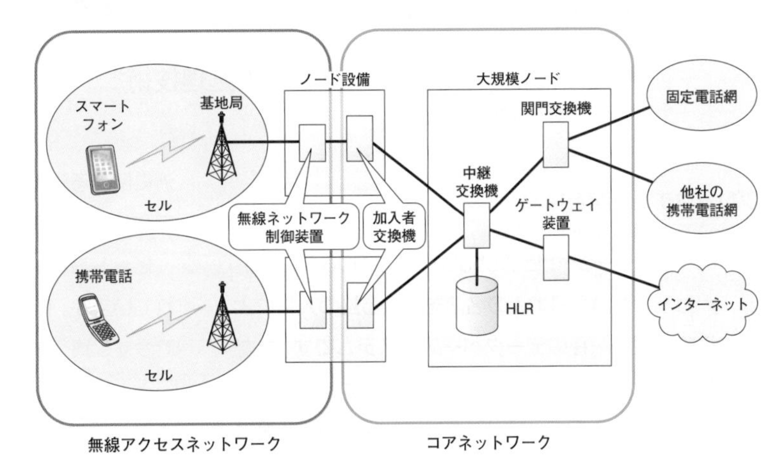

図1 携帯電話網の構成。無線アクセスネットワークと有線のコアネットワークに分かれる。コアネットワークは他社の携帯電話網や固定電話網、インターネットと相互接続している

有限な資源の「電波」帯域を割り当てて利用

携帯電話網は、電波を使って無線通信することで通話やデータ通信を実現しています。どの周波数の電波を使って通信するかは、電波法に基づいて総務省が管理しています。携帯電話には、700MHz帯から3.5GHz帯の周波数が割り当てられています。

700M～900MHzの低い周波数を使うと、電波が建物や山の陰などまで回りこみやすくなり、利用者が使いやすいサービスの提供につながります。一方で、高速データ通信が可能な高い周波数への拡張も進み、3.5GHz帯の利用が始まっています。5Gではさらに高い3.7GHz帯と4.5GHz帯、28GHz帯に免許が割り当てられました。

MVNOの増加とSIMロック解除

日本の携帯電話キャリアは、NTTドコモ、KDDI(au)、ソフトバンクの3社でしたが、2019年10月に楽天が参入して4社になりました。

携帯電話キャリアから設備を借りてサービスを提供するMVNO(仮想移動体通信事業者)は、キャリアよりも安価なため「格安スマホ」などと呼ばれます。一方でauとソフトバンクはサブブランドの「UQモバイル」「Y!mobile」を展開しています。さらに2021年には低料金サービスとしてNTTドコモの「ahamo」、auの「povo」、ソフトバンクの「LINEMO」が始まり、MVNOから市場シェアを奪い返しています。

携帯電話の電話機は、それぞれ電話番号を持っています。**MNP**(携帯電話番号ポータビリティ)は、同じ携帯電話番号で契約するキャリアを変えられるサービスです。携帯メールも、2021年12月に大手3社がキャリアメール持ち運びサービスを開始し、アドレスを引き継げるようになりました。

3G以降のスマートフォンや携帯電話は、加入者情報を格納した**SIMカード**(Subscriber Identity Module Card)と呼ぶ小型のICメモリカードを装着して利用します。SIMカードは、大きさにより3種類があります(図2)。最近のスマートフォンはnano-SIMを採用しています。あらかじめSIMの機能を機器に組み込み、契約情報を無線通信で送り込める「eSIM」もアップルのiPhoneやグーグルのPixcelなどを中心に採用されています。

日本のキャリアは自社端末で他社のSIMカード利用を制限するSIMロックを採用していました。2021年10月にSIMロックが原則禁止になり、端末とサービスの選択が自由になりました。

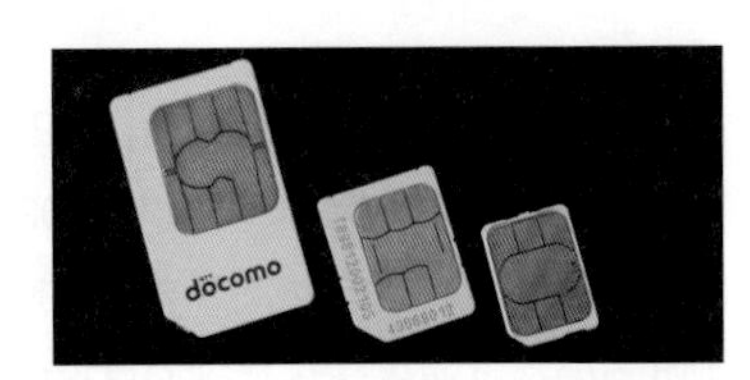

図2 SIMカードの種類。左から標準SIM、micro-SIM、nano-SIM

□ ブロックチェーンと暗号資産

お金の代わりをするデータとその処理技術

ブロックチェーンとは

ブロックチェーン（blockchain）は、2008年にサトシ・ナカモトという日本人の名前を名乗る謎の人物によって提案された一種のデータベースシステムです（ただし、サトシ・ナカモトの2008年の論文には、ブロックやチェーンはあっても、ブロックチェーンという言葉は出てきません）。

通常のデータベースは、どこかのサーバに設置されていて、高速で効率の高いデータの管理が可能なシステムですが、サーバの管理者が改ざんしようとすれば改ざんできてしまいます。

これに対して、ブロックチェーンは、データベース全体が公開されていて、だれでも自由にデータベース全体をコピーすることができます。世界中にコピーされたブロックチェーンは、P2P（ピアツーピア）型のネットワークを構成し、互いに同じ状態になるように設計されています。だれかがデータを改ざんしようとしても、その人が全体の50%を超えるブロックチェーンネットワークを支配しない限り、多数決で負けてしまいます。

サトシ・ナカモトは、このブロックチェーンに「お金」のやりとりを記録することによって、安全な「お金」の送金ができると主張しました。こうして作られた「お金」が「ビットコイン」と呼ばれる仮想通貨です。

ビットコインは、ブロックチェーンに記録されるだけで、実際のお金ではありませんが、その希少価値ゆえ、1ビットコインが何万ドル相当の価値を持つようになりました。

ただ、その価値は大きく変動し、2021年末には6万ドルを越す時期もありましたが、2022年9月時点では2万ドル程度に落ち込んでいます。あまりにも大きく変動するので、「通貨」というよりは投資の対象になっているのが現状です。その現状を踏まえて、日本の「資金決済に関する法律」では、ビットコインの類を「仮想通貨」でなく「暗号資産」と呼ぶことになりました。

ビットコイン以外にも、多くの種類の暗号資産が作られています。「新しい暗号資産を作った。価値が上がるので今すぐ買うべきだ」といった詐欺も横行しています。

ブロックチェーンの特徴

通常のデータベースシステムと比べて、ブロックチェーンはたいへん効率の悪いデータの蓄え方をしています。そのため、データを記録する速さはたいへん遅いのが欠点です。新しいブロックは10分に1個しか作られませんので、データがブロックチェーンに記録されるのに少なくとも10分程度かかります。

ブロックチェーンは世界中に公開されていますので、秘密の情報を入れるわけにはいきません。また、一度記録された情報は、永久に消すことができません。仮に自分の小学校からの成績を全部ブロックチェーンに記録されたら、どうなるでしょう？

ビットコインの取引情報については、取引した人の住所・氏名などではなく、公開鍵暗号の公開鍵を記録することになっています。その公開鍵に対応する秘密鍵を持つ人が、実際の取引した人です。しかしそれがだれなのかは、公開鍵だけではわかりませんので、取引の秘密は守られます。そのため、犯罪にかかわる取引によく使われます。たとえばランサムウェア攻撃（マルウェアに感染させてコンピュータのデータを暗号化して読めなくし、元に戻してほしければ金を払えという犯罪）では、犯罪者はビットコインなどでの送金を求めてきます。

暗号資産は安全かというと、必ずしもそうではなく、暗号資産の秘密鍵が盗まれるという事故もときどき起こっています。2022年末には、アメリカの大手暗号資産取引所FTXが破綻し、暗号資産の安全性が問われる事件として話題になりました。

ブロックチェーンの技術

ブロックチェーンの改ざんの検出には、「暗号学的ハッシュ関数」(以下ハッシュ関数)が使われています。

ハッシュ関数は、どんなデータでも、たとえば256ビットに要約します。元のデータが1ビットでも書き換えられたら、ハッシュ関数の値(ハッシュ値)が変化しますので、データ全体を調べなくてもハッシュ値だけ見れば改ざんが検出できます。

具体的には、ビットコインの場合、約10分に1個の割合で新しいブロックが作られ、その10分間に行われたビットコイン取引の記録(トランザクションと呼びます)がその中に書き込まれます。それらはハッシュ関数で256ビットに要約され、ブロックの頭の「ブロックヘッダ」と呼ばれる部分に書き込まれます(図1)。

ブロックチェーンのブロックを作ることで報酬を得る「マイナー」(miner、採掘者)と呼ばれる人たちは、10分間の取引記録をブロックに詰め、ブロックヘッダのハッシュ値を計算し、その値が「難易度ターゲット」より小さくなるように「ナンス」(nonce)と呼ばれる自由に決められる32ビットの値を調節します。「難易度ターゲット」は、世界中のマイナーががんばって計算しても、このターゲットより小さいハッシュ値を生み出すナンスを見つけるのに10分間程度かかるように、アルゴリズムで設定されます。うまくいくナンスの値を見つけたマイナーは、新しいブロックを作る権利を得て、そのブロックをP2Pネットワークで世界中に発信し、報酬として新しいビットコインを得ます。

マイナーが行う大量のハッシュ関数の計算による電力消費量は、年間150TWh(テラワット時)程度と推定されています。2021年の日本の年間電力消費量は916TWhなので、莫大な電力を消費していることがわかります。

電力の問題を解消する動きもあります。イーサリアムというブロックチェーンは、あまり電力を必要としない新しい方式を2022年に採用しました。

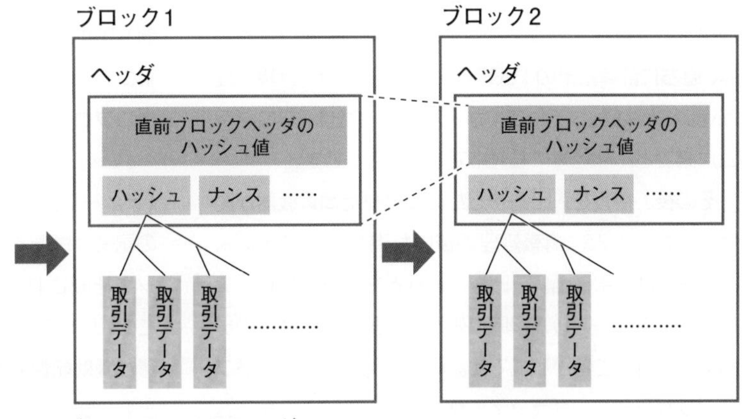

図1　ブロックチェーンのイメージ

ブロックチェーンの安全性

ある人が暗号資産を持っているということは、ブロックチェーンに記録された公開鍵に対応する秘密鍵を持っているということと同じことです。秘密鍵の管理が悪ければ、暗号資産は盗まれてしまいます。秘密鍵の管理を暗号資産交換業社に任せている人が多いので、交換業社を狙った大量盗難事件が何度も起きています。銀行なら、突然何億円もの資金移動をしようとすれば、銀行員が気づいて確認してくれるかもしれませんが、暗号資産はだれの手も介さずに資産移動ができてしまうのが、長所でもあり短所でもあります。

NFT、Web3

ブロックチェーンには、暗号資産の取引記録だけでなく、いろいろな情報を記録することができます。一度記録したら消せないという特徴を使って、いろいろな試みがされています。

たとえば、デジタルアートなどの取引記録をブロックチェーンに記録するNFT(Non-Fungible Token、非代替性トークン)という仕組みがあります。これは、取引した作品のURLをブロックチェーンに書き込んだものです。

ただし、取引が改ざんできない形でブロックチェーンに記録されることと、所有権が証明できることとは、まったく別です。実際、自分に権利のないデジタルアートを勝手にNFTにして売る詐欺行為がよく行われています。

「NFTにすると複製が防止できる」も嘘で、デジタル作品ならいくらでもコピーできます。また、NFTに記録するのは作品そのものではなく作品のURLなので、作者はいつでも作品を置き換えたり消したりできてしまいます。

こうしたブロックチェーン関連技術で新たな経済の仕組みを生み出そうという試みを「Web3」(ウェブスリー)と呼ぶことがあります。Web3の試みは魅力的ですが、詐欺まがいのものも多いので、注意が必要です。

□ コンピュータの基本要素

コンピュータは3つの要素からなり、毎秒数百億回のスピードで計算する

コンピュータは1940年代に、プログラムに従って動く電子計算機として開発されました。筆算や電卓で1から100までの数を足すには、何度も足し算を繰り返さなければなりません。ところがコンピュータの場合は「1から100までを足して、答えを出力する」というプログラムを書き、そのプログラムを入力して実行させれば、直ちに計算結果の「5050」が得られます。計算速度が速いことはもちろんですが、最大の特徴は「プログラム次第でどんな計算にも対応できる」ことです。

その後、情報を入出力するための優れた周辺機器が開発されたことと、情報処理の技術が進歩したことにより、今では文字、画像、映像、音などもデータ化してコンピュータに入力し、瞬時に処理して画面表示などの出力動作を行うことが可能です。その応用例が、ワードプロセッサであり、グラフィックスソフトであり、ゲームソフトなのです。

コンピュータの基本機能と基本要素

入力、出力、記憶、演算、制御の5つをコンピュータの五大機能と言います。このうち入力と出力は入出力としてまとめて考えられますし、演算と制御はどちらもCPUが持つ機能です。そこで、コンピュータを構成する要素は次の3つに単純化して考えることができます（図1）。

1．CPU（「演算」と「制御」を行う電子頭脳）
2．メインメモリ（「記憶」をつかさどる**主記憶装置**）
3．入出力装置（「入力」と「出力」を行う装置）

それぞれの要素を簡単に説明します。**CPU**と言う名称は、セントラルプロセッシングユニット（中央処理装置）の頭文字をとったものです。現在のCPUは、小さな1つのシリコンチップ上に大規模な回路を集積した**マイクロプロセッサ**という形になっています。

パソコンに搭載されている**メインメモリ**はDRAM（ディーラム）と言う半導体素子で構成されます。DRAMの記憶は電源を切ると消えてしまう上、一般的なパソコンに搭載される容量は4G～16Gバイト程度です。そこで、パソコンには電源を切っても記憶が保たれる大容量な**補助記憶装置**として、ハードディスクやSSD（ソリッドステートドライブ）が接続されています。

パソコンの周辺機器のキーボード、マウス、ディスプレイ、プリンタなどが**入出力装置**の代表例です。

上記の3要素だけでコンピュータが構成されているわけではありません。電気を供給する電源装置や、CPUから発生する熱を逃がしてCPUの回路が焼き切れないようにする放熱装置（CPUクーラー）も欠かせない要素です。また最近は、グラフィックスを専門に処理する**GPU**（グラフィックスプロセッシングユニット）の重要性が増してきています。

図1　コンピュータの3つの要素

CPUはメインメモリと入出力装置の両方に対してデータを読み書きできるが、メインメモリに対しては特別高速に読み書きできるようになっている。また、CPUが直接実行できるのはメインメモリ内の命令だけだ。ハードディスクに記憶されているプログラムや大きなデータは、メインメモリに読み込んでからCPUが処理する

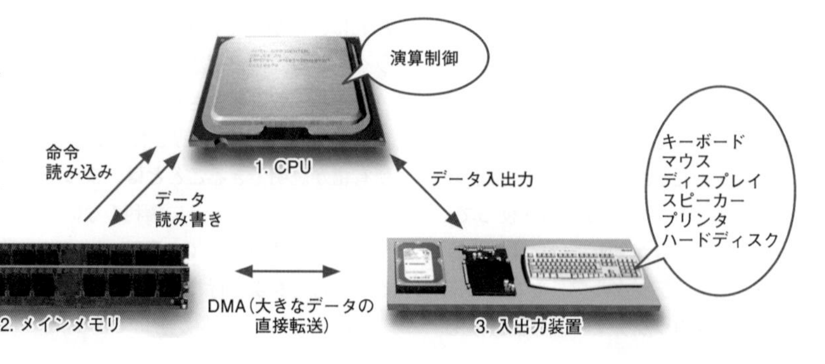

半世紀におよぶ CPU高性能化の歴史

世界初のマイクロプロセッサは、Intel社が1971年に電卓用に開発した4004という名前のCPUです。4004は4ビットのデータを単位として計算を行う4ビットCPUで、動作周波数は750kHz、CPUの回路を構成するトランジスタの数は2237でした。

その後、CPUの用途は各種装置の制御やパソコンなどに拡大していき、データ処理の単位は8ビット、16ビット、32ビット、64ビットと増えて、同時に動作周波数もどんどんと高められました。

さらに、最新のCPUは、コアと呼ばれる中枢回路を複数並べたマルチコア型となっていて、それぞれのコアが個別のプログラムを実行することができます。こうした進化の結果、現在のCPUは1秒間に100億回以上の演算処理が可能となっています。

CPUの高性能化は、**製造プロセス**の改良によっても可能になります。製造プロセスは、シリコンチップの回路をどれくらいの細かさで作れるかを示すもので、この半世紀で10μmから5nmへと2000分の1に細密化しました。製造プロセスの値が小さくなるほどトランジスタの動作速度が速くなり、逆に消費電力は小さくなります。また、同じチップ面積の中により多くのトランジスタを集積することが可能になるのです。最新のCPUではトランジスタ数は100億以上、最大動作周波数は4GHz以上に達しています。

GPUが扱うのは 3DCGだけではない

パソコンやスマートフォンには、2Dおよび3Dグラフィックスの描画のために必要なデータ処理を専門に行う**GPU**という回路が搭載されています。

パソコン用CPUの多くには、GPUの回路が統合されています（図2）。また、市販のグラフィックスカードには、より高性能なGPUチップが搭載されています。

GPUは、3Dモデルの表示のための頂点演算と陰影演算に特化した演算器を多数実装しており、その数はGPUによっては数千個に及びます。

GPUの演算器はグラフィックス以外の一般的な演算処理に利用することも可能で、そうした使い方を**GPGPU**（GPUによる汎用演算）といいます。仮想通貨のマイニングには、高性能なGPUを装備したパソコンが使われますが、これはマイニングの計算をGPGPUで行うためです。機械学習、ディープラーニング、AIといった分野にもGPGPUが活用されます。

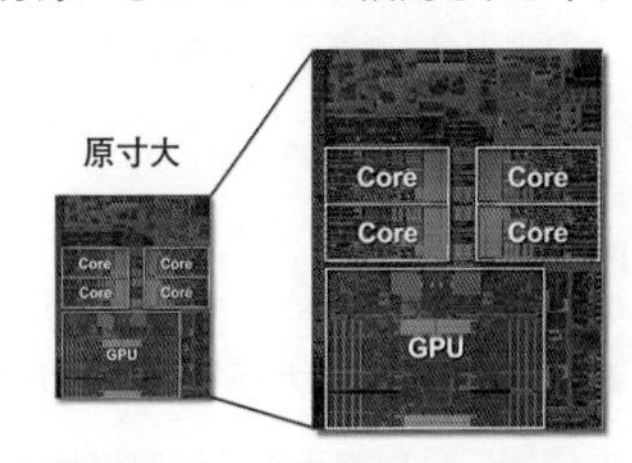

図2　パソコン用CPUのダイ（シリコンチップ）の一例。4つのCPUコアとGPUの回路が形成されていて、合計のトランジスタ数は10億を超える。GPUの大きさに注目

CPUにはいろいろな ものがある

CPUのメーカーとして有名なアメリカのIntel社は、パソコン用にCore i（コアアイ）、サーバ用にXeon（ジーオン）、低価格パソコン用にPentium（ペンティアム）とCeleron（セレロン）、タブレットパソコン用にAtom（アトム）といったシリーズ名のCPUを作っています。

Intel社のライバル会社であるAMD社はAthlon（アスロン）やRyzen（ライゼン）という名前のCPUを作っていますが、このCPUはIntelのCPU用のプログラムをそのまま実行できます。

スマートフォンや携帯機器では、主にイギリスのARM（アーム）社が設計したARM7、ARM9、ARM11、Cortexシリーズなどの CPUが使われています。ちなみにスマートフォンではCPUのことを**アプリケーションプロセッサ**と呼びます。

ARMファミリーのCPUは、消費電力とコストが低いことが特徴で、家電製品や自動車でも使われています。このような、機器に組み込んで使われるCPUは組み込み用CPUと呼ばれます。そのほかの半導体メーカーやIntelも、独自の組み込み用CPUを設計製造しています。

Apple社のパソコンMacシリーズは、従来Intel製CPUを採用していましたが、現在はARMベースのCPUを内蔵した独自のSoCに切り替えられています。SoCはSystem on a Chipのことで、1枚のチップ上にシステムを構成する多数の回路が統合したものです。AppleのSoCはM1およびM2という名前で、CPU、GPU、チップセット、機械学習用のニューラルエンジン、メインメモリなどが統合されています（図3）。

図3　Appleの第2世代のSoC、M2チップ。左側がシリコンチップ、右側がメインメモリ。総トランジスタ数は200億

□ 論理回路

論理演算を行うための電子回路

コンピュータはデジタルの世界です。数値を二進法の0と1で表すのですが、コンピュータの内部ではそれを0Vと5Vのように、電圧がない・あるという状態で区別します。この仕組みを、半導体を組み合わせた電子回路である論理回路で実現しています。では、その論理回路にはどのようなものがあるのかを見てみましょう。

この論理回路の最も基本となるものが**AND**（**論理積**）、**OR**（**論理和**）、**NOT**（**論理否定**）の3種類で、この3つの組み合わせで、すべての論理回路を構成することができます。

AND（論理積）

ANDは複数の入力がすべて1のときのみ1を出力し、入力信号に0が含まれていれば出力は0になります。

$X = A \cdot B$

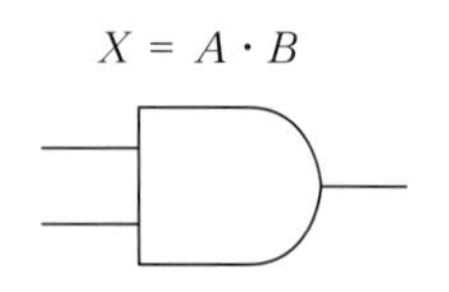

図1　ANDの論理式と図記号

表1　ANDの真理値表（2入力の場合）

入力A	入力B	出力X
0	0	0
0	1	0
1	0	0
1	1	1

OR（論理和）

ORは複数の入力がすべて0のときのみ0を出力し、入力信号に1が含まれていれば出力は1になります。

$X = A + B$

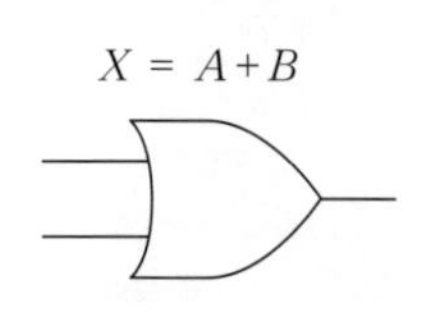

図2　ORの論理式と図記号

表2　ORの真理値表（2入力の場合）

入力A	入力B	出力X
0	0	0
0	1	1
1	0	1
1	1	1

NOT（論理否定）

NOTは入力が0のときに1を出力し、入力が1のときに0を出力します。

$X = \overline{A}$

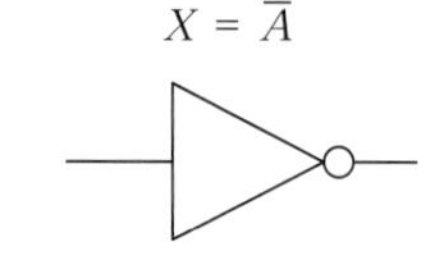

図3　NOTの論理式と図記号

表3　NOTの真理値表

入力A	出力X
0	1
1	0

XOR（排他的論理和）

論理回路の基本はAND、OR、NOTですが、これ以外にも**XOR**（eXclusive OR：**排他的論理和**）というものもあります。XORは、2つの入力が異なっている場合は1を出力し、入力信号が同じ場合は0を出力します。

$X = A \oplus B$

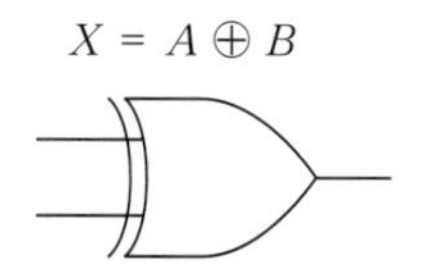

図4　XORの論理式と図記号

表4　XORの真理値表

入力A	入力B	出力X
0	0	0
0	1	1
1	0	1
1	1	0

もちろん、このXORも、AND、OR、NOTの組み合わせで作ることはできます。しかしその場合は、図5のような複雑な回路になります。XORを使えば簡単な回路で済みます。

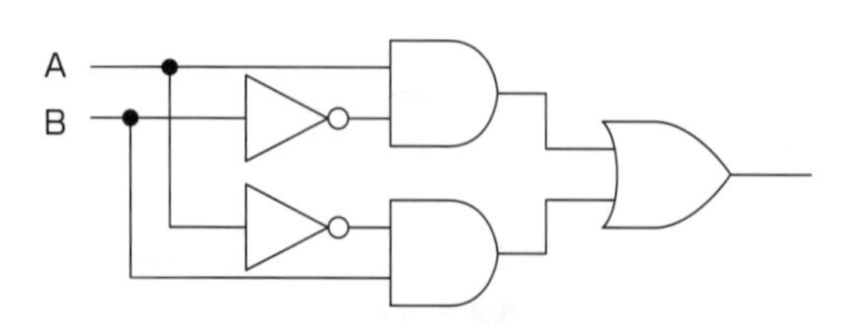

図5　AND、OR、NOTで構成したXOR回路

NANDとNORの論理の完全性

AND、OR、NOT、XORのほかに、比較的よく使われるものとしてNAND（ナンド、Not ANDの略）やNORがあります。NANDは**否定論理積**、NORは**否定論理和**のことで、それぞれ、ANDとORの結果を否定したものになっています（図6、図7）。

実は、このNAND（またはNOR）は、それだけであらゆる論理回路を構成することができます（図8～図10）。

このように、どんな論理回路でも、NAND（またはNOR）だけで構成できることを、**NAND論理の完全性**（NOR論理の完全性）と言います。

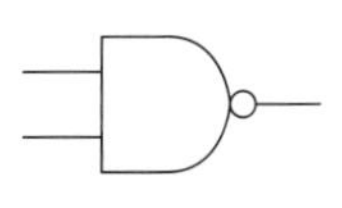

図6　NANDの図記号

表5　NANDの真理値表

入力A	入力B	出力X
0	0	1
0	1	1
1	0	1
1	1	0

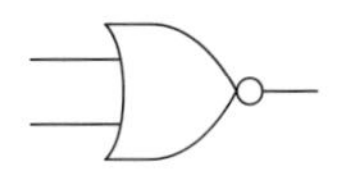

図7　NORの図記号

表6　NORの真理値表

入力A	入力B	出力X
0	0	1
0	1	0
1	0	0
1	1	0

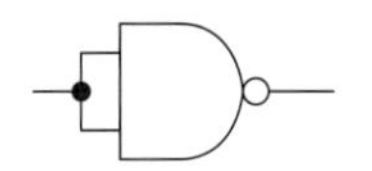

図8　NANDで構成したNOT回路

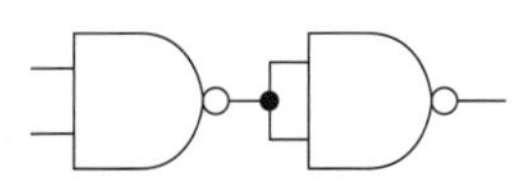

図9　NANDで構成したAND回路

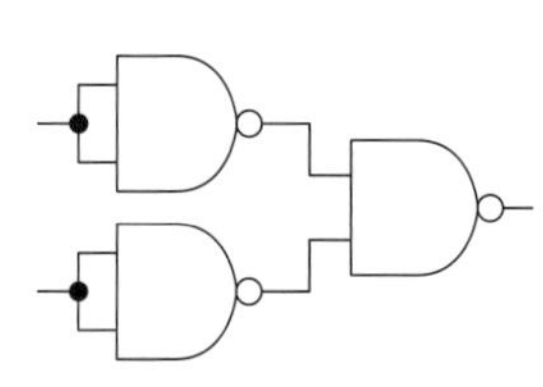

図10　NANDで構成したOR回路

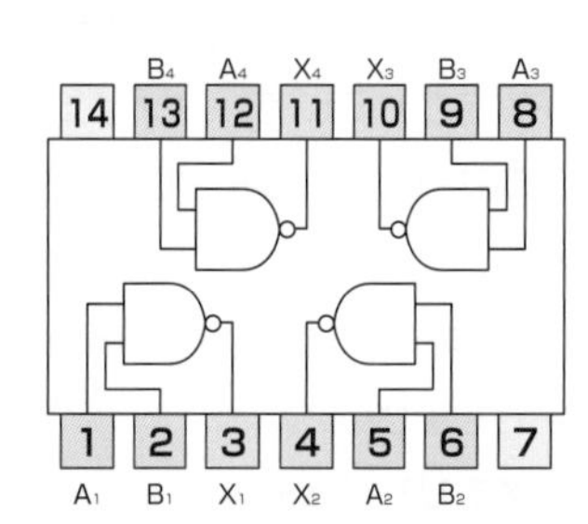

図11　NAND回路のICチップとピン配列

半加算器と全加算器

二進法1桁同士の加算は表7のようになります。

表7　二進法1桁同士の加算

A+B		桁上げC	その桁の答えS
0	0	0	0
0	1	0	1
1	0	0	1
1	1	1	0

このとき、その桁の答えをS、桁上げをCとすると、SとCは図12の回路で求めることができます。

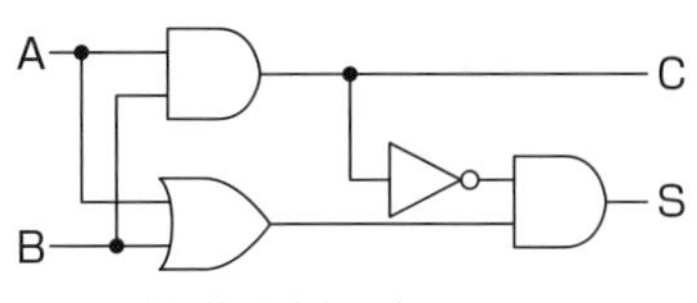

図12　半加算器（その1）

このような加算を行なう回路を半加算器と言います。

ここで表7を見てみると、入力A、Bに対して、SはXOR、CはANDになっているのがわかります。従って、図12の半加算器は、図13のように書くこともできます。

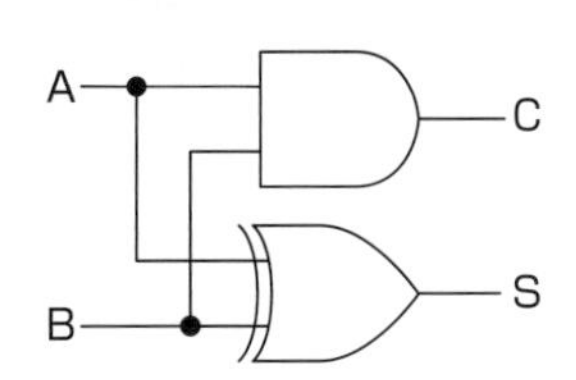

図13　半加算器（その2）

半加算器は下からの桁上げを考慮していません。下からの桁上げも考慮した加算器は、全加算器と言います。下からの桁上げ入力をXとすると、表8、図14のように表すことができます。

下1桁に半加算器、その上位桁に全加算器を接続すると、任意の桁の加算器を作ることができます（図15）。

表8　下からの桁上げを考慮した加算

A+B		下からの桁上げX	桁上げC	その桁の答えS
0	0	0	0	0
0	0	1	0	1
0	1	0	0	1
0	1	1	1	0
1	0	0	0	1
1	0	1	1	0
1	1	0	1	0
1	1	1	1	1

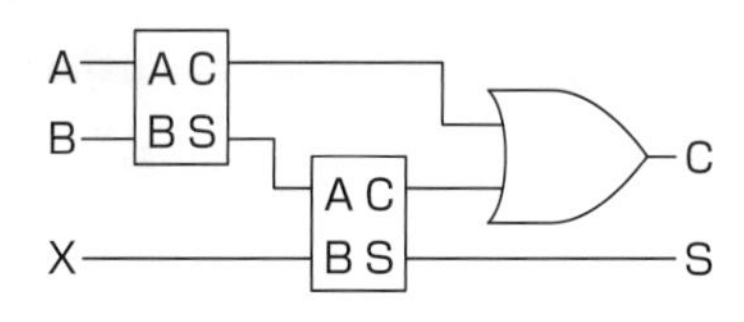

図14　全加算器

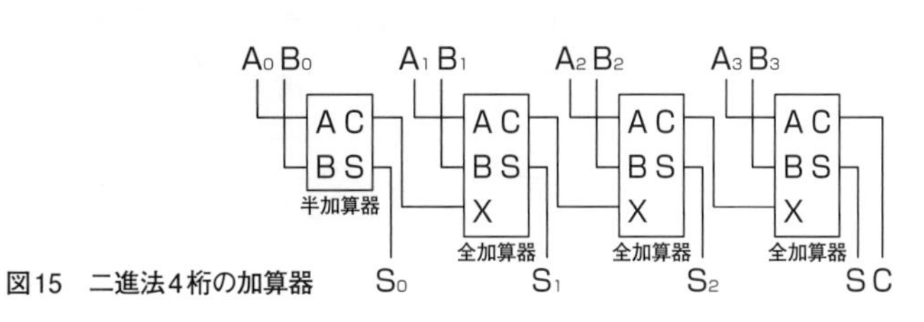

図15　二進法4桁の加算器

□ パソコンの内部

各部品を理解すればコンピュータの機能構成がよくわかる

図1は、ノート型パソコンの裏蓋を開けて中を見た様子です。以下では、ここに写っている各部品を簡単に説明します。

マザーボードは、パソコンの中でいちばん目立つ大きなプリント基板です。その表面にはいろいろな電子部品が実装されていて、コンピュータの回路を構成します。

CPU(セントラルプロセッシングユニット:中央処理装置)は、パソコンの電子頭脳です。その上に冷却用のCPUクーラーが乗っているため、普段は姿を見ることができません。

メモリモジュールは、メモリチップが実装された小型の基板です。マザーボードの**メモリスロット**に装着されていて、**メインメモリ**として働きます。

SSD(ソリッドステートドライブ)は、大容量のフラッシュメモリを使った外部記憶装置です。OS(オペレーティングシステム)やアプリケーションソフトをインストールしたり、作業データを保存するために使います。

ハードディスクも外部記憶装置の一種で、内蔵する磁気ディスクにデータを記録します。使用目的はSSDと同じで、OSやアプリケーションソフトをインストールします。しかしSSDよりもサイズと消費電力が大きく、スピードが遅いため、最近のノート型パソコンは基本的にハードディスクではなくSSDを採用しています。

光学ドライブは、CD、DVD、Blu-ray Discなどの光ディスクを読み書きするための外部記憶装置です。最近のノート型パソコンにはあまり装備されていません。

メモリカードスロットは、SDカードなどのメモリカードを差して、読み書きするための装置です。

USBコネクタは、USBメモリのほか、USBインタフェースを持つ各種の周辺機器(キーボード、マウス、イメージスキャナなど)を接続するためのものです。

CPUクーラーは、CPUから発生する熱を空気に移して外に逃がすためのもので、放熱板、電動ファン、ヒートパイプなどの部品からなります。

バッテリーは、ノート型パソコンの回路や機器を駆動するための電力を蓄えておく、大容量の充電式電池です。一般に、フル充電すればノート型パソコンを数時間駆動することができます。充電するときは、ACアダプタを使って家庭用の100V電源から電力を供給します。

以上の要素のほかに、ノート型パソコンには液晶ディスプレイ、キーボード、タッチパネル、カメラ、スピーカー、マイクなどが内蔵されています。

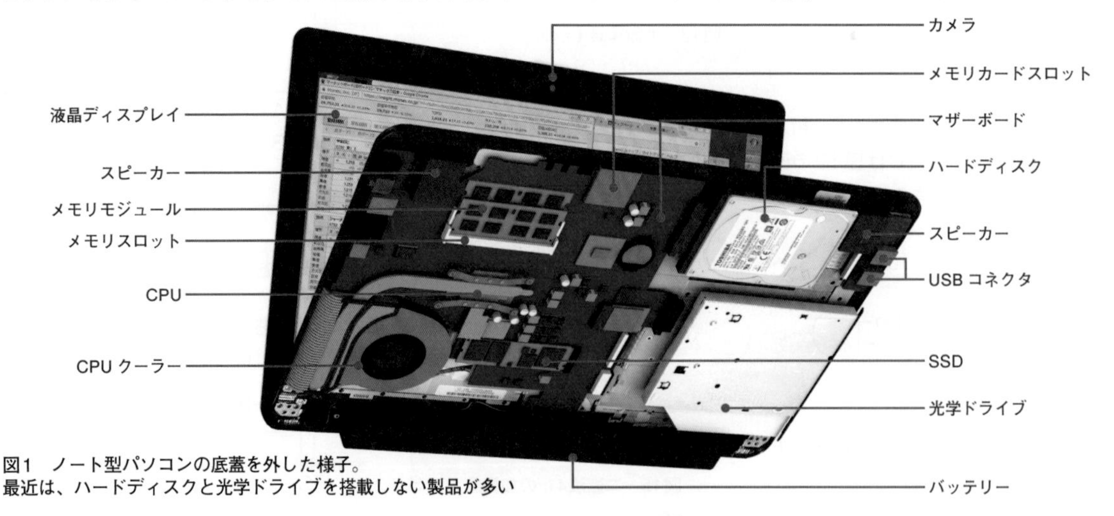

図1 ノート型パソコンの底蓋を外した様子。
最近は、ハードディスクと光学ドライブを搭載しない製品が多い

デスクトップ型のパソコンの中身

タワー型のデスクトップ型パソコンはパソコンの素朴な形態であり、密度の高いノート型パソコンよりもしくみを理解しやすくなっています。

図2はデスクトップ型パソコンのカバーを外して中を覗いた様子で、各種の部品がつまっていることがわかります。それらの部品を外に取り出して、主要な周辺機器を並べて接続の様子を描いたのが図3です。この図がパソコンの正体だと思ってください。ノート型パソコンではより小型な部品が使われていますが、構造はほとんど変わりません。

マザーボードの表面には、いろいろな形のコネクタ類が並んでいます。このコネクタ類に、CPUをはじめとした各種の部品を接続することで、コンピュータとして完成します。

図2　タワー型デスクトップ型パソコンの内部

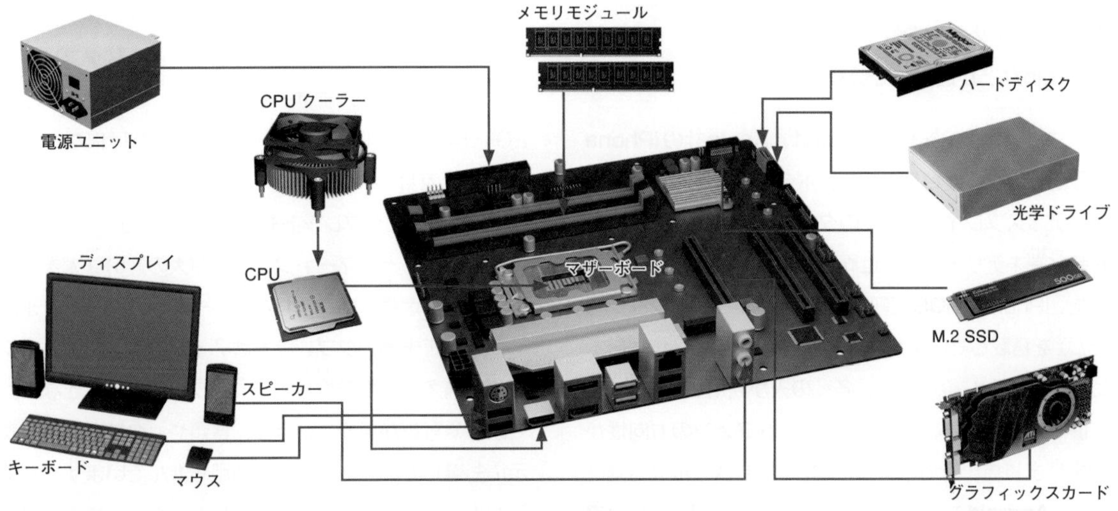

図3　デスクトップ型パソコンのマザーボードと、それに接続する各種の部品

パソコンの部品は増設・交換できる

パソコンは、構成部品を増設したり交換したりすることで性能を向上させることが可能です。ただし多くのノート型パソコンではメモリしか増設・交換できません。さまざまな部品の増設と交換がしやすいのがタワー型のデスクトップ型パソコンの長所です。

●メモリモジュール

メモリ増設は性能向上の効果が大きいうえ、比較的簡単に自分でできます（図4）。

メモリモジュールは形状や規格にいろいろなものがあるので、自分のパソコンが対応しているものを正しく選ぶ必要があります。また、同じ容量のメモリモジュールを2枚単位で増設、交換するのが基本です。

●CPU

CPUの交換作業にはCPUクーラーの着脱が伴うため、メモリの増設よりも難易度が高いです。しかし、高性能なCPUに交換すれば、パソコンの大幅なスピードアップが可能です。

●ドライブ類

ハードディスクと光学ドライブの交換には、ドライバー、ビス、ケーブルが必要ですが、作業は比較的簡単です。

ハードディスクの代わりにSSDを装着して起動ドライブに設定すると、OSやアプリケーションの起動が劇的に高速化します。

●グラフィックスカード

ゲームの3Dグラフィックスをスムーズな表示で楽しみたい人は、高性能なGPUを搭載しているグラフィックスカードを購入して、マザーボードの拡張スロットに装着するとよいでしょう。

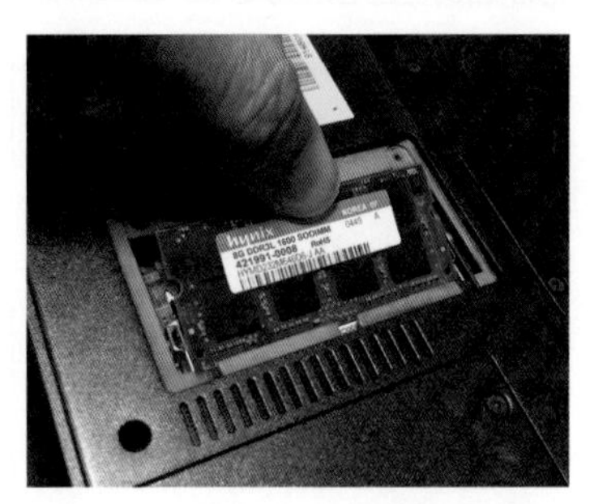

図4　ノート型パソコン底面のメモリスロットに、メモリモジュールを装着している様子

□ スマートフォンとタブレット

タッチ操作と大画面の使いやすさで普及する情報端末

今では画面が全面に広がる**スマートフォン**（スマホ）が主流です。スマートフォン登場以前の携帯電話は、折りたたみ式のボディーに数字のボタンが配置されていました。

iPhoneが定めた方向性 Androidなどが追従して普及へ

スマートフォンをめぐる状況は、Apple社の**iPhone**の登場で大きく変わりました。ボタンがほとんどなく全面がディスプレイで、指先のタッチによる操作といった斬新な端末デザインは、世界中ですぐに受け入れられました。iPhoneは**iOS**と呼ぶOS（オペレーティングシステム）を搭載しています。アメリカでは2007年、日本では2008年に発売され、多くの人が利用しています。

iPhoneの成功によって、スマートフォンの方向性が定まりました。Google社が開発したモバイル機器向けOSの**Android**を採用したスマートフォンがアメリカでは2008年に、日本では2009年に発売され、タッチパネル式のスマートフォンが一気に広まりました。

スマートフォンは、指先でタッチする直感的な操作が広く受け入れられたことのほかにも、いくつかのメリットがあります（図1）。大画面で見やすいほか、全世界で無数にある豊富なアプリで機能をカスタマイズしたり、ゲームで楽しんだりと、使い道が広いことも魅力です。また、手軽に文字を入力できることや、内蔵のカメラ・マイクを使って写真や動画を撮影できることもあり、ソーシャルメディアなどへリアルタイムで多様な情報をアップロードする機器としても活用されています。コンパクトデジカメや家庭用ビデオカメラが、スマートフォンにほぼ取って代わられる変化も起こりました。

タブレットも普及が進む

一方、スマートフォンを大型にしたような**タブレット**も普及が進んでいます。タブレットも、Apple社が2010年に発売した**iPad**が普及のきっかけになりました。現在ではAndroidやWindows 10、同11などをOSに搭載したタブレットも提供されています。

タブレットとスマートフォンの最大の違いは大きさです。明確な定義はありませんが、一般にスマートフォンは7インチ未満、タブレットは7インチ以上のディスプレイを備えたものを指します。タブレットは大きな画面で映像や写真が見やすいほか、書類やカタログなどの表示にも適しているため企業の利用も進んでいます。パソコンのようなキーボードスタイルと、タッチ操作のタブレットスタイルを切り替えて使えるコンバーチブルタイプなども提供されています。

タブレットでは、大画面を活用してタッチペンによる操作が可能な製品もあります。手書きの文字やイラストなどを書けるため、教育や芸術の分野での利用も進んでいます。

スマートフォンやタブレットを使うメリット

①画面タッチによる直感的な操作
②大画面ディスプレイによるコンテンツの見やすさ
③カメラ、SNS、ゲームなど豊富なアプリによるカスタマイズ
④すぐに起動して利用でき、常時インターネットに接続している機動性
⑤音声認識やVR（仮想現実）、AR（拡張現実）など新技術による新しい使い方

図1　スマートフォン、タブレットの主な種類と、利用するメリット

iOSとAndroidの似ている点と違う点

現在スマートフォンやタブレットは大きく2つのグループがあります。1つはApple社のiPhone(iOS)やiPad(iPadOS)です。こちらはApple社だけが製品を提供しています。もう1つがGoogle社のAndroidを採用する製品です。Androidを搭載したスマートフォンやタブレットは、日本メーカーを含む世界中のメーカーが製造しています。

スマートフォンやタブレットとしての使い勝手は、iOSもAndroidもとても良く似ています（図2）。2本の指を広げたり閉じたりするピンチという動きで画面の拡大・縮小ができるようなタッチ操作の手法は、ほとんど違いがありません。

一方で、機器やアプリの開発の側面では大きな違いがあります。iOSとiPhoneなどはApple社が自社で完全に管理して開発・製造しています。Androidは、無償で提供されるオープンソースソフトウェアで、多くのメーカーが搭載製品を製造しています。同じAndroidを搭載していても、メーカーごとに機能や使い勝手に違いがあることもあります。

アプリケーションソフトは、iOSでは「App Store」だけで提供されるのに対し、Androidでは「Google Play」やその他のアプリマーケットで提供されるという違いがあります。

図2　iOS(左)とAndroid(右)のホーム画面。アプリや機能のアイコンが並び、指でタッチする操作感はよく似ている

外部機器から通信できるテザリング通信

スマートフォン（および一部のタブレット）は、インターネットと接続するためのモバイルデータ通信機能を備えています。このモバイルデータ通信機能は普段はデータ通信をするために使いますが、外部機器を接続して、その外部機器のインターネット接続を手助けすることもできます。これを**テザリング**通信と呼びます。テザリングを使えば、モバイルデータ通信機能を持たないパソコンやタブレット、ゲーム機、携帯音楽プレーヤなどが、スマートフォン経由でインターネットに接続できるようになります。

テザリングには、複数の実現方法があります。スマートフォンと外部機器をUSBケーブルで結ぶUSBテザリング、無線LAN(Wi-Fi)で接続するWi-Fiテザリング、近距離無線通信のBluetoothで接続するBluetoothテザリングが代表的です（図3）。

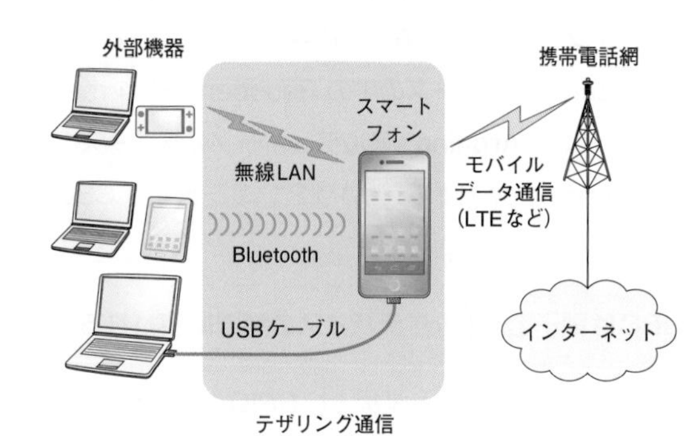

図3　スマートフォンが備える通信機能とテザリング

センサが集めた情報をさまざまな形で活用

スマートフォンやタブレットには、さまざまなセンサが備わっています。スマートフォンが搭載する代表的なセンサを紹介しましょう（表1）。

GPS（Global Positioning System）は、地球を回る専用の人工衛星からの電波を受信して、現在位置と時刻の情報を得るシステムです。アプリなどを使って周辺のお店の情報を簡単に入手できるのは、GPSによる現在位置の情報があるからです。また、スマートフォンを紛失したときに、今ある場所をパソコンなどで探せます。

加速度センサと地磁気センサも多くのスマートフォンが備えています。動きを検知したり、向いている方角を認識したりできるのはこのためです。カメラで撮影した風景に、ランドマークや店舗の情報を重ねて映し出すAR（拡張現実）アプリなどは、こうしたセンサの情報を組み合わせて活用したものです。

センサの種類	得られる情報	代表的な用途
加速度センサ	動きや向き	地図アプリ、フィットネスアプリ、ARアプリ、ゲーム
ジャイロセンサ	向きや傾き	
地磁気センサ	方角	
GPS	位置	地図アプリ、カメラアプリ
生体認証センサ	利用者の指紋や顔	利用者認証
環境光センサ	明るさ	画面の明るさ自動調整
LiDAR	対象物までの距離	AR（仮想現実）アプリ

表1　スマートフォンで使われる主なセンサ

□ 小さなコンピュータ

電子工作やIoTデバイスの開発に使われている基板むき出しの小型コンピュータ

図1を見てください。このクレジットカード程度の大きさのむき出しのプリント基板は、**Raspberry Pi**(ラズベリーパイ、通称ラズパイ）という小さなコンピュータです。各ポートに、電源、ディスプレイ、キーボード、マウス、LANケーブルなどを接続し、microSDカードにOSとアプリケーションソフトをインストールすることで立派なパソコンとして働き、たとえばインターネット上のWebページを見たり、文章を編集したりすることができます。

このような、基板がむき出しの小型基板コンピュータを**シングルボードコンピュータ**（SBC）とか**ワンボードマイコン**と言い、現在10種類以上が存在します。Paspberry Piシリーズの中の Rapsberry Pi 4 model B（図1）と、**Arduino**（アルデュイーノ）シリーズの中のArduino Uno（図2）という2つのモデルがSBCの代表的存在です。

SBCは電子工作やIoTデバイスの制御に使われる

SBCの特徴として、基板上に**GPIO**（汎用入出力）と呼ばれる端子が並んでいることが挙げられます。GPIOには、各種のセンサやLED（発光ダイオード）、モーターなどを接続して制御することができます。

たとえばRaspberry Pi 4 model B（以下、model Bは省略）に人感センサとカメラモジュールを接続し、人が近づいたら撮影して、その画像をメールに添付して送信する、といった装置に仕上げることができます。また、Raspberry Pi 4にタッチパネル付きの小型液晶ディスプレイとバッテリーを組み合わせてケースに組み込めば、スマートフォンのようなデバイスにすることもできます。Raspberry Pi 4やArduino UnoなどのSBCは、こうした電子工作の世界で特にアマチュアの人たちに愛用されています。

メーカーが、**IoT**（Internet of Things）デバイスの開発段階でSBCを制御用に使うことは一般的ですし、少量生産するIoTデバイスの制御にSBCを採用することもあります。ただし、生産数が1万を超えるような製品の場合は、既存のSBCを使うよりも専用のマイコン基板を設計して使った方がコスト上は有利になります。

RaspberryシリーズとArduinoシリーズは、活用のための多くの情報やサンプルプログラムがネット上で公開されています。また、いろいろなセンサやLED、サーボモーターなどを同梱したさまざまな電子工作セットも販売されていて、入門者でも気軽に利用することができます。

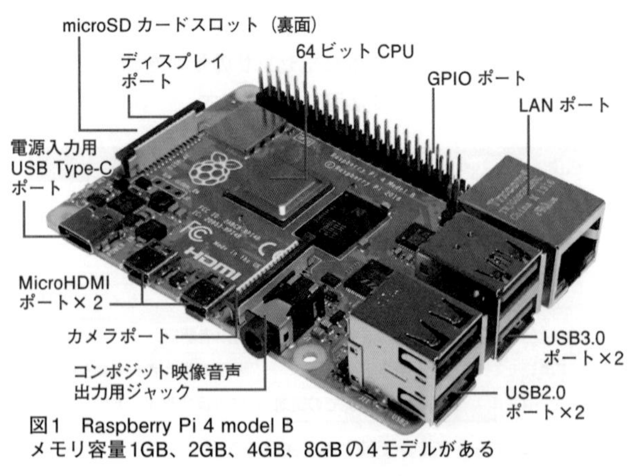

図1　Raspberry Pi 4 model B
メモリ容量1GB、2GB、4GB、8GBの4モデルがある

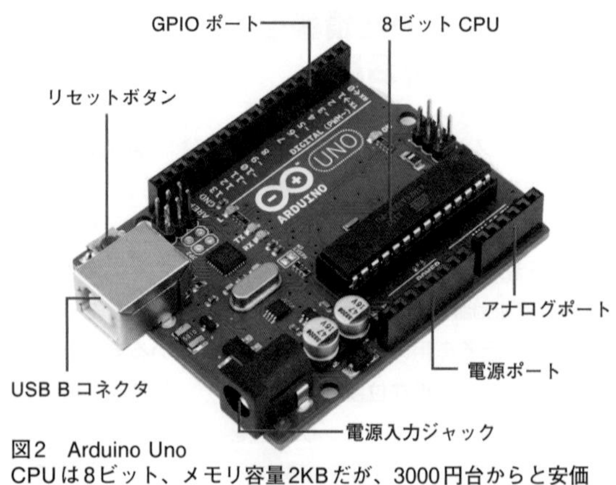

図2　Arduino Uno
CPUは8ビット、メモリ容量2KBだが、3000円台からと安価

Raspberry PiとArduinoの違い

Raspberry Pi 4を使うためには、4Gバイト以上のmicroSDカードをセットし、そこにRaspbian（ラズビアン、図3）という専用OSと開発環境をインストールする必要があります。

一方、ArduinoにはOSがありません。プログラムはパソコンにインストールした**Arduino IDE**（統合開発環境）の上で作ります。そして、オブジェクトプログラムはUSBケーブル経由でArduinoに転送して実行させることができます。なお、Arduinoではソースプログラムをスケッチと呼びます。

Raspberry Pi 4のCPUはARM系の64ビット4コアで、動作周波数1.5GHzとかなり強力です。一方のArduino Unoは8ビットのシングルコアで、動作周波数も16MHzに過ぎませんから、パソコンのように使うことはできません。ただし、ちょっとした電子工作にはこの性能で十分ですし、消費電力が低いのでバッテリーで長時間駆動できるシステムを作ることもできます。

Raspberry Piはソフトウェア開発向き、Arduinoはハードウェア開発向きと言われることもあります。

図3　Raspberry Pi用のOS、Raspbianの画面

ハードウェア工作の例

SBCによる電子工作の第一歩は、外部にLEDを接続して点滅させてみることです。これをArduino Unoで試している様子を図4に示します。また、LEDを点滅させるスケッチは図5のようになります。

LEDの点滅がうまくできたら、次はスイッチをつないでみたり、温度センサとディスプレイをつないで温度を表示させてみたりと、徐々に工作とプログラミングのレベルを上げていくといいでしょう。

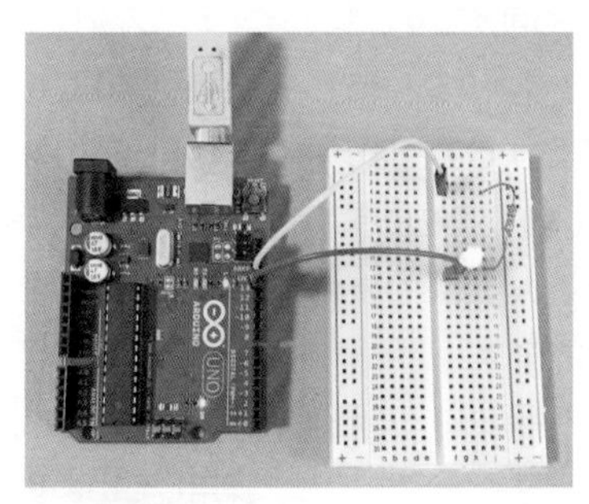

図4　接続したLEDを点灯させてみる実験

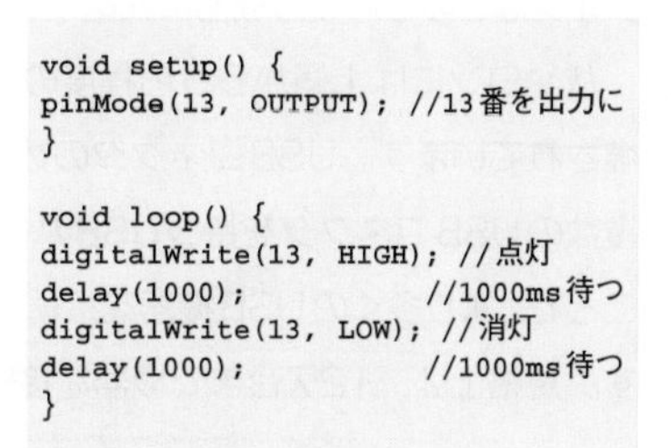

```
void setup() {
pinMode(13, OUTPUT); //13番を出力に
}

void loop() {
digitalWrite(13, HIGH); //点灯
delay(1000);            //1000ms待つ
digitalWrite(13, LOW);  //消灯
delay(1000);            //1000ms待つ
}
```

図5　Arduinoのスケッチ例
GPIOの13番端子に接続したLEDを1000ms間隔で点滅させている

いろいろなSBC

Raspberry PiとArduinoの姉妹モデルや、その他のSBCを紹介します。

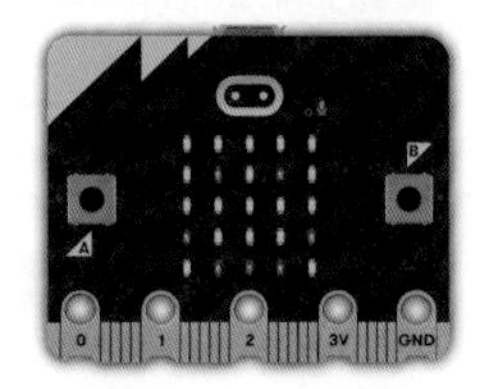

図6　micro:bit
英国で11歳と12歳の小学生全員に無償配布されるSBC。25個のLEDと2個のスイッチ、光・温度・加速度・磁気センサや無線通信機能などを搭載

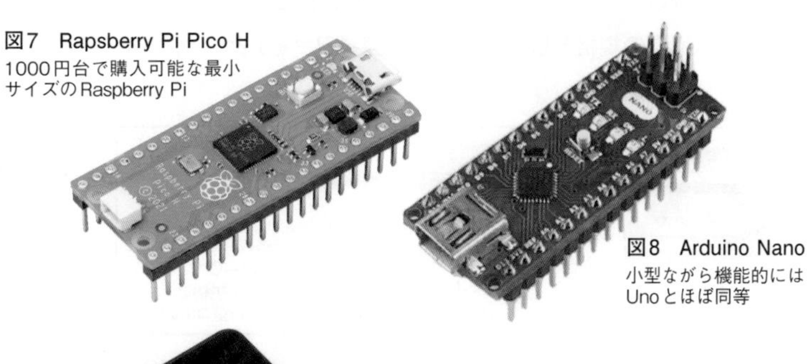

図7　Rapsberry Pi Pico H
1000円台で購入可能な最小サイズのRaspberry Pi

図8　Arduino Nano
小型ながら機能的にはUnoとほぼ同等

図9　M5Stack Basic
54mm四方のケースの中に、Arudino互換のSBC、320 ×240ドットのカラーディスプレイ、3つのボタン、スピーカーなどを内蔵しながら6000円程度で購入可能な超小型コンピュータ。拡張モジュールを縦に積み重ねることで機能を追加できる

□ USBなどのインタフェース

パソコンと周辺機器をつなぐさまざまなコネクタ

パソコンには、各種の周辺機器を接続するための**コネクタ**が装備されています。それらは正しくはインタフェースコネクタと言います。

装置と装置の間に立って通信を成立させるための要素たちを**インタフェース**と呼び、その中にはコネクタのほかに、通信を行う電気回路やプロトコルも含まれます。

USBは現在主流の汎用インタフェースであり、多くの周辺機器がUSB経由でパソコンに接続するようになっています。USBは5Vの電源として利用できることも特徴で、接続した機器に電力を供給するほか、スマートフォンなどのモバイル機器に充電することも可能です。

パソコンには1個から6個程度のUSBコネクタが装備されています。USBコネクタの数が不足する場合は、複数のUSBコネクタを持つ**USBハブ**という装置を使うことで、より多くのUSB機器を接続できるようになります。規格上は、127台まで機器を接続可能です。

2種類あるワイヤレスなインタフェースの規格

最近はケーブルを使わず、無線でデータ通信を行うワイヤレスな周辺機器が増えています。現在使われているワイヤレス通信の規格としては、**Wi-Fi**（ワイファイ）と**Bluetooth**（ブルートゥース）の2種類があります。Wi-Fiは最大数百Mbpsの高速通信が可能で、ルータ、プリンタ、イメージスキャナ、デジタルカメラなどとパソコン間のデータ転送に使われます。Bluetoothは近距離通信用の規格で消費電力が低いのが特徴です。無線マウスや無線キーボード、無線イヤホン等はBluetoothを利用しています。パソコンの方も、この2つの無線インタフェースを標準的に備えるようになっています。

ディスプレイインタフェースの規格

ディスプレイに映像を送るインタフェースは、複数の規格が存在します。昔はアナログ方式の**VGA**（ブイジーエー）が使われていましたが、その後デジタル方式の**DVI**（ディーブイアイ）が普及しました。VGAやDVIはコネクタが大きくて扱いにくい面があったので、現在主流のデジタルディスプレイインタフェースの規格である**HDMI**（エイチディーエムアイ）では小型のコネクタを採用しています。

Wi-Fiを利用して、パソコンやモバイル機器からディスプレイに映像をワイヤレス伝送する**Miracast**（ミラキャスト）という規格も登場しています。

標準タイプ

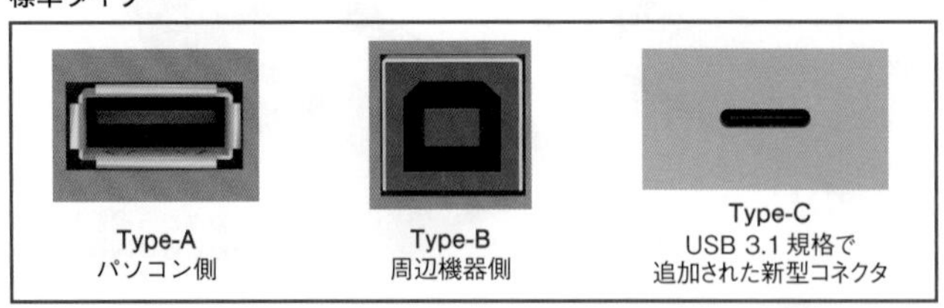

ミニタイプ

Mini-A
Mini-B
Mini-AB
外付けHDDや小型の機器が採用。Mini-ABのコネクタには、Mini-AとMini-Bの両方のプラグを差し込み可能

USB 3.0対応タイプ

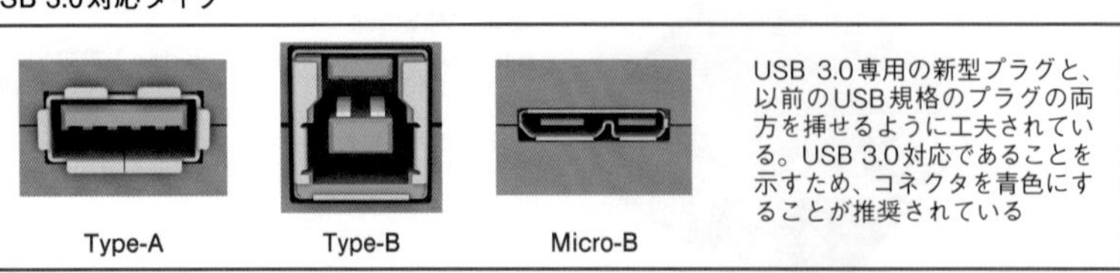

Type-A
Type-B
Micro-B
USB 3.0専用の新型プラグと、以前のUSB規格のプラグの両方を挿せるように工夫されている。USB 3.0対応であることを示すため、コネクタを青色にすることが推奨されている

マイクロタイプ

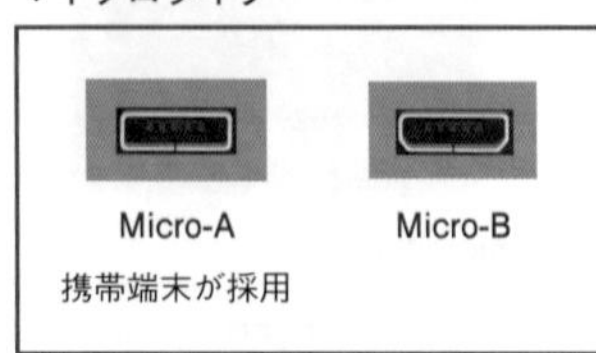

図1　USBコネクタの各種。Type-C以外のコネクタは形状が上下非対称で、プラグを挿すときには方向に注意する必要がある

USB以外のコネクタ

パソコンと周辺機器で使われている、USB以外のいろいろなインタフェースコネクタを図2に示します。

使用に際しては、それぞれのコネクタに適合したインタフェースケーブルを用意してパソコンと周辺機器をつなぐ必要があります。

VGA(ブイジーエー)
アナログディスプレイ接続用。レガシーながら、現在も使われている

標準タイプ

Mini DisplayPort

DisplayPort(ディスプレイポート)
デジタルディスプレイの接続用。大型のDVIコネクタに代わるものとして登場した。標準タイプと、より小型のMini DisplayPortがある

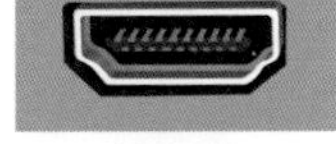

Type-A
標準タイプ

Type-C
ミニタイプ

Type-D
マイクロタイプ

HDMI(エイチディーエムアイ)
現在パソコンと家電で主流のデジタルディスプレイコネクタ。標準タイプの他にミニタイプ、マイクロタイプなどがある

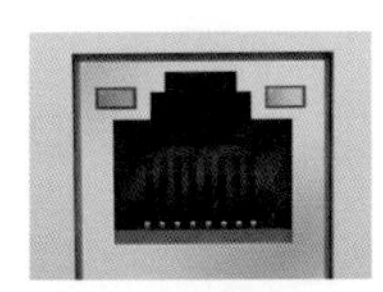

Ethernet(イーサネット)
有線でLANに接続するときに使用する。RJ-45と呼ばれるコネクタを採用

Lightning(ライトニング)
アップルがiPhoneやiPadで採用している小型のコネクタ。データ通信や充電に使用する

Thunderbolt 3/4(サンダーボルト3/4)
アップルがiMacやMacBookで採用しているコネクタで、形状的にはUSB Type-C。Thunderbolt 3はUSB 3.2 Gen2と互換性があって各種のUSB機器の接続に使えるだけでなく、ディスプレイの接続も可能。2020年に発表されたThunderbolt 4はUSB4に準拠している

図2　USB以外の主なインタフェースコネクタ

USBの規格

USBという名前は、Universal Serial Bus(汎用シリアルバス)の頭文字から来ています。

USBの規格は1996年に登場し、何度もの性能アップを経て最新のUSB4規格に至ります(表1)。この間の転送速度の向上は数千倍に及びます。その一方、USBは規格が増えすぎたことと、2019年に規格名の商標が変更されたことから、非常に識別しづらいものとなっています。従来のUSB 3.0とUSB 3.1はUSB 3.2規格に取り込まれる形で、それぞれUSB 3.2 Gen1、USB 3.2 Gen 2と呼ばれることになりました。Genはジェネレーション(世代)の意味です。

各USB規格は後方互換性を持っています。ここで「後方」は「過去」を意味し、たとえばUSB 3.2 Gen 1(USB 3.0)は過去に生まれたUSB 1.0～2.0の仕様を含んでいます。このため、USB機器とUSBコネクタは、お互いにバージョンが異なっても接続して使用可能です。

ただし、USB機器の性能を十分発揮するためには、バージョンの整合性に注意する必要があります。たとえばパソコンのUSB 2.0仕様のコネクタにUSB 3.2 Gen 2仕様の高速な機器を接続した場合、データ転送速度はUSB 2.0の480Mbpsに制限されます。

USBを利用した給電の規格も存在します(表2)。USB PDの最新版では最大48V /240Wの給電も可能とされています。

表2　USBの給電能力と給電用の規格

規格	電圧	給電能力
USB 1.0/USB 2.0	5V	2.5W
USB3.2 Gen1	5V	4.5W
USB3.2 Gen2	5V	5W
USB4	5V	5W
USB BC (Battery Charging)	5V	2.5～7.5W
USB PD (Power Delivery)	5/9/15/20/28/36/48V	10～240W

表1　USBの規格

USB規格(旧称)	登場時期	最大速度	対応端子	特記事項
USB 1.0	1996年	12Mbps	Type-A,B	新しい汎用インタフェースとして登場
USB 1.1	1998年	12Mbps	Type-A,B	USB1.0から仕様を小改良
USB 2.0	2000年	480Mbps	Type-A,B,C	長らく主流として使われてきた規格。高速性が必要でない周辺機器では現在も採用
USB 3.2 Gen 1 (USB 3.0)	2008年	5Gbps	Type-A,B,C	現在のパソコンはこの仕様のインタフェースコネクタを標準的に装備する
USB 3.2 Gen 2 (USB 3.1)	2013年	10Gbps	Type-A,B,C	一部のパソコンと外部記憶装置で採用が始まっている
USB 3.2 Gen 2×2	2017年	20Gbps	Type-C	コネクタがType-Cで、USB 3.2対応のケーブルを使用した場合に20Gbps対応となる
USB4 Version 1.0	2019年	40Gbps	Type-C	以前の規格名と異なり、USBと数字の間に空白を入れない
USB4 Version 2.0	2022年	80Gbps	Type-C	「80Gbps USB Type-Cアクティブケーブル」を使用して80Gbpsの通信が可能

□ ストレージ（補助記憶装置）

パソコンで扱うデータを貯蔵する大容量な記憶装置

パソコンのメインメモリ（主記憶装置）は電源を切ると記憶が消えてしまうし、記憶容量も限られています。そこでパソコンには、大容量かつ記憶が消えない補助記憶装置として**SSD**（ソリッドステートドライブ）または**HDD**（ハードディスクドライブ）が組み込まれています。SSDとHDDは、OSやアプリケーションソフトをインストールしてシステムドライブとして使ったり、編集したデータファイルを保存するのに利用されます。

補助記憶装置という用語は普段は使われません。代わりに私たちが使うのが**ストレージ**（貯蔵場所）という言葉です。また、SSDやHDDや他の補助記憶装置は、パソコンのOSからは**ドライブ**として認識されます。

パソコン用ストレージの主流となったSSD

1台のHDDの記憶容量は、500MBから最大で16TB以上もある一方、価格が安いことが特徴です。しかし、高速回転する磁気ディスクに磁気データを読み書きするという構造上、衝撃に弱い、大きく重い、消費電力が高い、休止状態からの復帰に時間がかかるなどの弱点があり、携帯機器には適していません。

HDDに代わってパソコン用ストレージの主流となったのがSSDです。SSDには大容量の**フラッシュメモリ**が内蔵されていて、その中にデータが記憶されます。フラッシュメモリは、一度データを書き込むと、電源を切ってもデータが消えない特殊な構造の半導体メモリです。SSDはHDDのような弱点を持たず、携帯機器に適しています。スマートフォンが内蔵しているストレージも、SSDとは名乗っていないものの、実質的にSSDと同じものです。

SSDはデータの読み出しが特に高速なため、HDDに比べてOSやアプリケーションソフトの起動時間が劇的に短くなります。ファイルの読み書きの待ち時間もHDDの数分の1に高速化されます。

持ち運び可能なリムーバブルメディア

補助記憶装置の仲間に、光ディスク、USBメモリ、メモリカードがあります。これらはパソコンからメディア（記録媒体）を取り外して持ち運びできることから**リムーバブルメディア**と呼ばれ、重要なデータを保存したり、他のパソコンとの間でデータをやりとりする時に使います。現在、パソコン用リムーバブルメディアの主流となっているのがUSBメモリです。その一方、光ディスクはパソコンではほぼ使われなくなっています。

メモリカードの主な用途はデジタルカメラや携帯機器用の記憶メディアです。パソコンからは、メモリカードスロットに挿して読み書きすることができます。

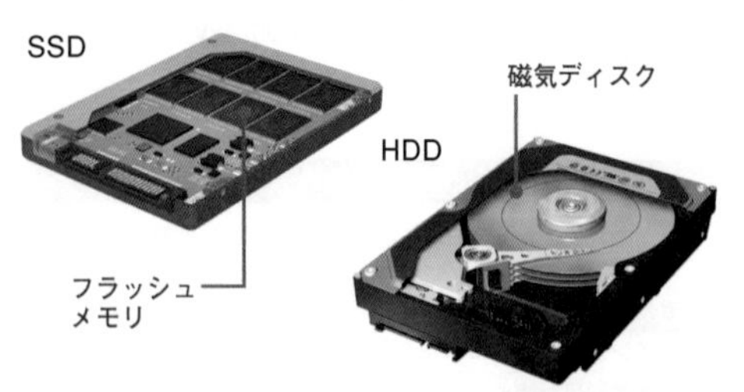

パソコンに内蔵する2.5インチ型SSDの内部構造図

パソコンに内蔵する3.5インチ型HDDの内部構造図

CD、DVD、BDの3種類がある。読み書きするためにはパソコンに光学ドライブを接続する必要がある

USBメモリ

パソコンのUSBポートに挿して使う。いろいろな容量やデザインのものが販売されている

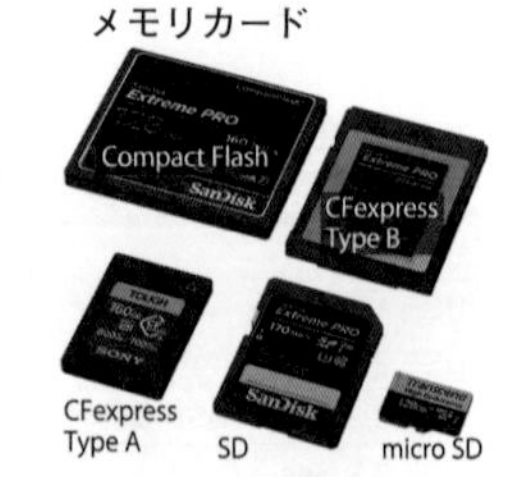

パソコンのメモリカードスロットにセットして読み書きする。各種の規格がある

図1　いろいろな補助記憶装置と記録メディア

SSDの各種形態

SSDには、いろいろな形態の製品があります（図2）。

内蔵用のSSDは、パソコンの内蔵HDDに置き換えて設置できます。インタフェースにはSATAを使っています。

カード型SSDには、mSATA（ミニSATA）とその後継のM.2（エムドットツー）という2つの規格があります。パソコンのマザーボード上に用意された専用のコネクタに装着して使います。

ポータブルSSDとスティック型SSDは小型軽量で、リムーバブルメディアとして利用することも可能です。高速性を生かすために、パソコンのUSB 3.2 Gen 1以上のUSBポートに接続して使用する必要があります。

内蔵用

パソコン内蔵用の2.5インチ型SSD

mSATA　M.2

2種類のカード型SSD。それぞれいくつかの基板サイズのものがある

ポータブル

小型軽量なポータブルSSDは、パソコンのUSBポートに接続して使用する

スティック

スティック型SSDの見た目はUSBメモリと変わらない

図2　SSDの各種形態

ストレージの製品選びのポイント

USBメモリの製品には、USB 2.0仕様のものと、USB 3.2 Gen 1以上に対応しているものがあります。安価なUSBメモリはUSB 2.0仕様でデータの読み書きが遅いので注意しましょう。記憶容量は1GB以下から256GB以上の製品まで幅広くあります。

外付けHDD製品（図3）はSSDに比べて価格が安いのが魅力で、たとえば容量2TBの品が1万円以下で購入可能です。パソコンに内蔵されているSSDやHDDの空き容量が少なくなったときは、外付けHDDを買ってきてパソコンのUSBポートに接続すると良いでしょう。もちろん性能的にはSSDの方が優れているので、予算に余裕があるならポータブルSSDを選びましょう。

外付けHDDは、パソコンの内蔵ストレージの内容を定期的にコピーすることで事故に備えるバックアップ用にも使われます。この用途ではデータ読み書きが特に高速である必要はないので、SSDを選ぶ必要はありません。

高速性が魅力のSSDですが、実際の読み書きの速度は製品によってまちまちです。もちろん高速なほど、記憶容量が大きいほど高価になるので、しっかり性能を比較して自分の用途と予算に合ったものを選びましょう。

図3　外付けHDDは大きな記憶容量と価格の安さが特徴だ

メモリカードの種類と規格

過去、多様なメモリカードが登場しました。その中で現在業界標準となっているのがSDメモリカードです。カードのサイズとして標準、mini SD、microSDの3種類があります。

記憶容量は当初最大2GBでしたが、その後容量を増大させたSDHC、SDXC、SDUCなどの規格が登場しました（表3）。データの書き込み速度を示すスピードクラスというものも定められています（表4）。デジタルビデオカメラで高画質モードで録画する場合、スピードクラスが高いカードを使用します。4K解像度のビデオ録画には、U3またV30以上のSDメモリカードが必要です。

CFexpressという新規格の高速メモリカードは、高性能デジカメで採用が始まっています。

表3　SDメモリカードの規格と最大容量

規格	フルスペル	最大容量
SD	Secure Digital	2GB
SDHC	SD High Capacity	32GB
SDXC	SD eXtended Capacity	2TB
SDUC	SD Ultra Capacity	128TB

表4　3種類のスピードクラスとマーク

書き込み速度	スピードクラス	UHSスピードクラス	ビデオスピードクラス
90MB/秒			V90
60MB/秒			V60
30MB/秒		U3	V30
10MB/秒	Class 10	U1	V10
6MB/秒	Class 6		V6
4MB/秒	Class 4		
2MB/秒	Class 2		

□ 入力装置

コンピュータに指示やデータを入力し、システムの使い勝手に大きく影響

パソコンで使われる一般的な**入力装置**を図1にまとめます。これらの装置は、USBインタフェースやWi-Fiなどを経由してデータをパソコンに入力します。

キーボードとポインティングデバイス

パソコン用の日本語キーボードは、英語用のキーボードをベースとして、かな入力に対応させるとともに漢字変換用のキーを備えています。また、世界中の国々が、自国の言語に合わせてローカライズしたキーボードを使用しています。アルファベットや日本語を素早く入力するためには、キーの刻印を見なくても押したいキーが押せる**タッチタイピング**（ブラインドタッチとも言う）をマスターする必要があり、これがパソコン入門の大きな壁となっています。

現在のパソコンは、画面に表示されたマウスポインタを動かしてメニューや機能を選択するようになっています。このマウスポインタを動かすための入力装置を**ポインティングデバイス**（座標指示装置）といいます。デスクトップパソコンでの標準的なポインティングデバイスが**マウス**であり、ノートパソコンの場合は**タッチパッド**です。また、スマートフォンやタブレットの画面は**タッチスクリーン**となっていて、画面にタッチして操作するという、極めてわかりやすい操作性を実現しています。

基本形のマウスは2つのボタンを備えていますが、現在のマウスは指先で回転させるホイールを標準的に装備していて、画面のスクロールの制御ができます。

キーボードとポインティングデバイスは、いろいろな方式のものや、価格の安いもの高いもの、特別な機能を持ったものなどが市販されています。常に使い続ける装置であり、その使い勝手は仕事の効率に少なからず影響するので、自分に合ったものを見つけて使うと良いでしょう。

その他の便利な入力装置

最近のプリンタは、イメージスキャナを内蔵した複合機タイプが増えています。しかし本の全ページをスキャンするいわゆる**自炊**のためには、自動で紙送りをする**オートシートフィーダ**を備えたスキャナが必要です。

パソコンに**指紋スキャナ**を接続すれば、iPhoneのように指の1タッチで指紋認証によるOSへのログインが可能になります。利用時に個人認証が必要なWebサイトへのログインなどにも対応可能です。

パソコンで絵を描く人には、手描き感覚で入力ができる**ペンタブレット**が楽しく便利です。

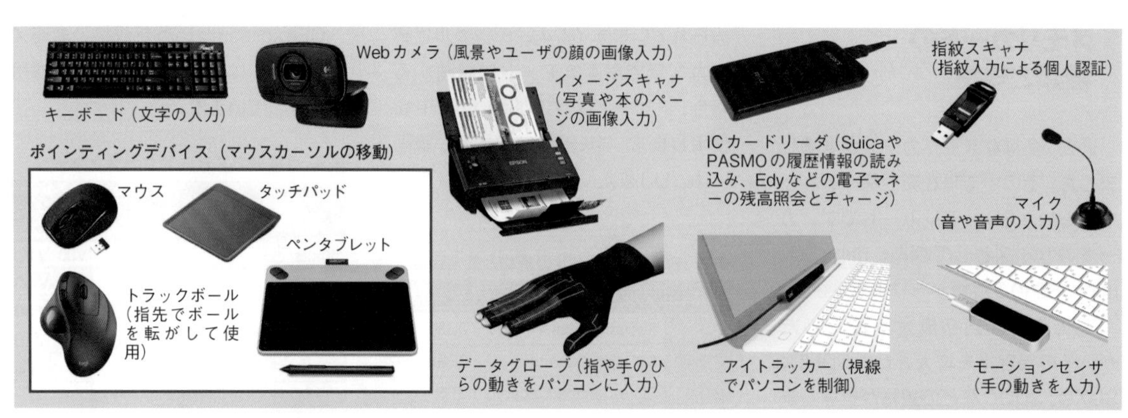

図1　パソコンで使われる入力装置

※ICカードリーダはデータの書き込みも可能だが、パソコンへの情報の読み込みに使うことが多いので、ここでは入力機器に含めた

マウスの進化

現在のマウスの底部には、小型のセンサと照明用のLEDが付いています。机の表面の画像をセンサで連続入力し、それらを比較することで移動量をカウントするのです。この方式のマウスを光学式マウスといいます。

初期の光学式マウスは、平滑度の高い机の上ではカウントミスが起きやすいのが弱点でした。これを改善するため、レーザー光源や青色LEDを使う光学式マウスが現在の主流となっています（初期の光学マウスの光源は赤色LED）。

マウスの進化はそれだけではありません。以前の無線マウスは単三電池2本を使用するため重いうえ、電池の減りが速かったのです。現在の製品は電池1本で動き、しかも数カ月に1度交換すれば良くなっています。充電式のマウスもあります。

キーボードの構造

キーボードのキー接点の構造として、メンブレンスイッチとメカニカルスイッチの2つがあります。後者はキータッチが優れていて熱心なファンも多いのですが、1つひとつのキーに独立したキースイッチを使っているため製品は高価です。一般的なキーボードは、1枚のシート上に全キーの接点を形成したメンブレンスイッチを採用しています。

キーの支持構造には、シリンダーとパンタグラフの2種類があります。ノート型パソコンや、薄型のキーボードはパンタグラフ式を採用しています。

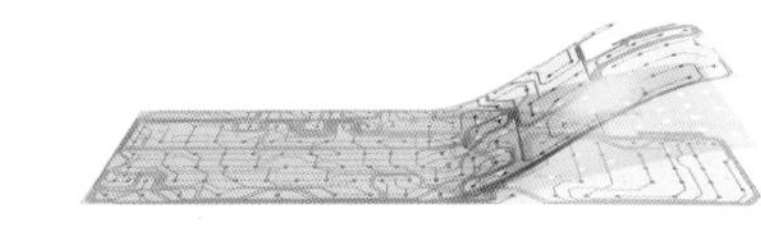

図2　メンブレンスイッチ

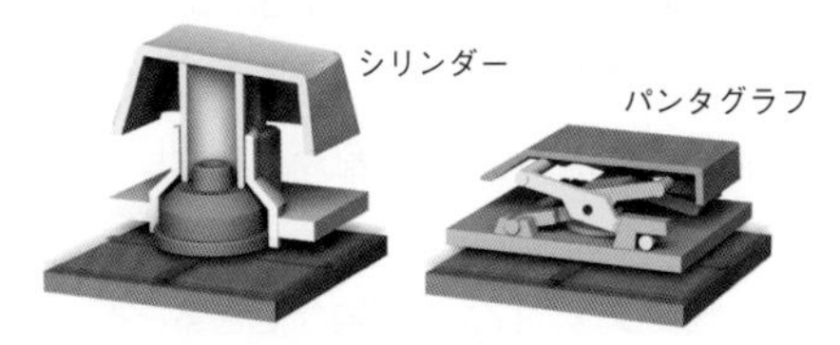

図3　2つのキー支持構造

タッチパネルの仕組み

スマートフォンやタブレットのタッチスクリーンは、液晶ディスプレイの上に、座標入力用の透明なタッチパネルを重ねたものです。マルチタッチ（同時に2カ所以上タッチしてもその場所を検知できること）に対応可能な、**投影型静電容量方式**のタッチパネルが主流です。この方式のパネルは水平方向と垂直方向に並んだ多数の透明電極で構成されていて、タッチした部分の電極間の静電容量が変化します。その変化を検出することで、画面のタッチした場所を調べるのです。

低価格な製品には抵抗膜方式のタッチパネルが使われています。この方式は感圧式とも呼ばれます。

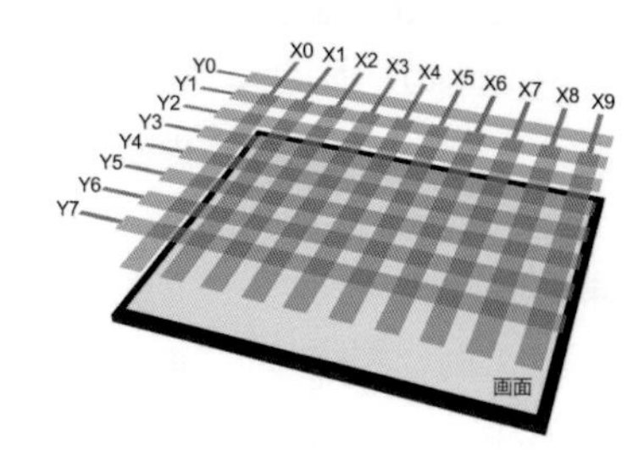

図4　投影型静電容量方式のタッチパネルの電極配列

スマホの文字入力方式

スマートフォンでひらながを入力する方法には、次の2つがあります。

トグル入力

画面に「あかさたなはまやらわ」の10個のキーが表示されていて、たとえば「あ」のキーを繰り返し押すと候補の文字が「あ、い、う、え、お」と切り替わって行きます。携帯電話のひらがな入力方式を、そのままタッチスクリーン上で再現しているわけです。

フリック入力

「あかさたな・・・」の10キーが表示されている点はトグル入力と同じですが、たとえば「あ」を押すと「いうえお」のキーが画面に表示されるので、指をすべらせて1文字を選択します（そのまま指を離せば「あ」が入力されます）。

最近、スマートフォンを主に使っている人の中には、パソコンのキーボードよりも**フリック入力**の方が文字を速く打てるという人もいます。

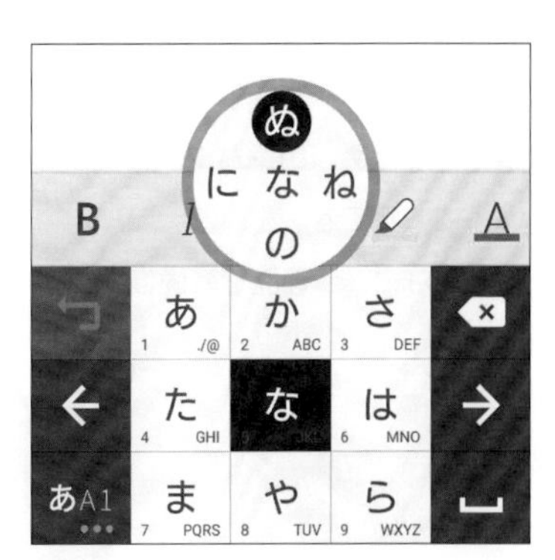

図5　日本語入力システム「ATOK」のフリック入力で、「な」のキーから上方向に指をスライドさせたときの様子。ここで指を離すと「ぬ」が入力される。候補文字の表示方法は日本語入力システムで異なる

□ デジタルカメラとイメージスキャナ

イメージセンサとデジタル技術が可能にした、静止画像記録装置

デジタルカメラの種類と特徴

デジタルカメラ（デジカメ）は、特殊用途の製品を除くと、コンパクト（以下コンデジ）、一眼レフ、ミラーレスの3種類に分類できます（図1）。

コンデジは手軽に撮影できることと携帯性を重視した製品です。ほとんどの製品がズームレンズとフラッシュを搭載しています。

一眼レフは、レンズ交換ができることと、撮影レンズを通して見た風景を光学式ファインダーで直接目で見て構図を決められることが特徴です。ただし、その構造はフィルム時代の一眼レフカメラをデジタルカメラ化したレトロなものです。光学ファインダーのために可動するミラー（鏡）とプリズムを内蔵する必要があるので、どうしてもボディが大きく重く、また高価になってしまいます。

これに対してミラーレス機は、一眼レフカメラに求められる機能を現代流の技術で作り直したカメラといえます。レンズ交換が可能ながら、光学式ファインダーを持たず、代わりに電子ビューファインダーまたは液晶ディスプレイを装備しています。

一眼レフとミラーレス機は、いろいろなレンズを使えるし、シャッター速度と絞りなどの撮影条件を自分で調整できるため、コンパクトカメラの表現力に飽き足らない人に人気です。

優秀なカメラ機能を装備したスマホが普及した影響で、デジタルカメラの出荷台数は大幅に減少しています。その一方で、**アクションカメラ**やウェアラブルカメラと呼ばれる、頭部などに装着して手放し状態で撮影できる新しいタイプの製品が登場し、スポーツシーンをプレイヤーの目線で録画できるカメラとして人気を集めています（図2）。アクションカメラの中には、360度全方向を撮影可能な360度カメラと呼ばれるものもあります。

カメラを装備したドローンを使えば、これまで個人では難しかった空撮を手軽に楽しめます。

平面原稿をデジタル化するイメージスキャナ

イメージスキャナは、平面原稿をデジタル化して取り込むことができる装置で、主に次の2種類があります。

ドキュメントスキャナ

文書原稿のスキャン用。ページ原稿を自動送りするシートフィーダを装備した製品と、ページを開いた状態の本を上方から撮影するオーバーヘッド型の製品（図3）があります。

フラットベッドスキャナ

写真プリントを高画質でスキャンする用途に適した製品。文書原稿や、切手サイズの小さな原稿、厚い本のページのスキャンも可能と多目的に使えます。

図2　GoPro社のアクションカメラ「HERO11 Black」。5Kの動画撮影と10mの防水性を実現

小型で軽量。薄型化のために、レンズ部分がボディに収納できる製品が多い

大型で重く、持ち歩きにくい。頭部にプリズムが内蔵されている

ミラーレス機の多くは頭部に電子ビューファインダーを内蔵しているが、でっぱりのない製品もある

図1　デジタルカメラの3分類

図3　PFU社のオーバーヘッド型ドキュメントスキャナ「SV-600」。A4サイズの本の見開きスキャンに対応

デジタルカメラの撮影の仕組み

デジタルカメラのシャッターボタンを押すと、その瞬間、目の前の風景がイメージセンサ（撮像素子）の中に電気的なアナログ情報として蓄積されます。その情報はイメージセンサから読み出され、デジタル変換されて画像処理システムに送られます。このシステムは画像処理専用のプロセッサとプログラム、メモリなどで構成されていて、画像の色調を補正して人間が美しいと感じる画像に作り変えます。最後に画像圧縮を施し、JPEGなどの画像ファイルとしてメモリカードに保存します（図4）。

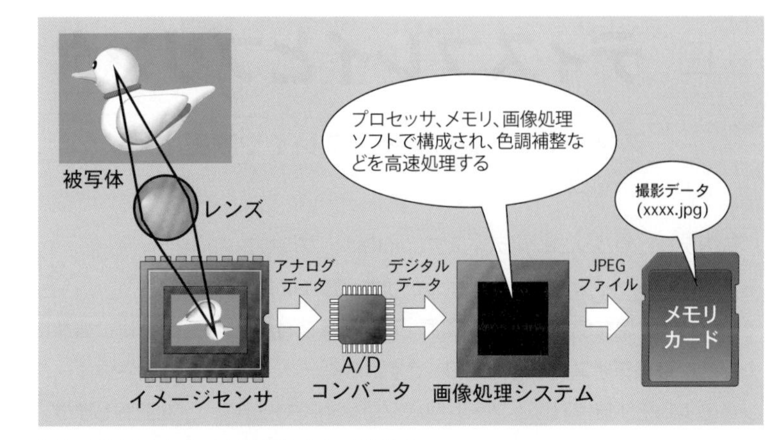

図4　デジタルカメラの撮影時のデータの流れ

イメージセンサのサイズはいろいろある

イメージセンサの解像度は、低いものは30万画素程度、高いものでは3000万画素以上に及びます。基本的には、解像度が高いほど画質が高くなります。

また、撮像面のサイズも大小さまざまなものがあります（図5）。サイズが大きいほど感度が高くなって、低ノイズで高画質な撮影が可能になります。逆にサイズが小さいほど画質的には不利になります。

スマホのカメラには、撮像面の幅が5mm弱の小さなイメージセンサが使われています。一眼レフやミラーレスタイプの高級カメラには、切手くらいある大型イメージセンサが使われます。

イメージセンサは小さく作るほど製造コストが低くなります。また、レンズも小さくて済むので、スマートフォンに内蔵するのに好都合です。

高級一眼レフ用（35mm フルサイズ）
一般一眼レフ用（APS-C）
高級コンデジ用（1 型）
一般コンデジ用（1/2.3 型）
一般スマホ用（1/3 型）
Web カメラ用
一円玉

図5　各種サイズのイメージセンサ

イメージセンサの構造

現在のデジカメやスマホで使われているイメージセンサは、**CMOS**型と呼ばれる構造をしています。CMOSイメージセンサは、角画素がフォトダイオード（光を電荷に変換する素子）とCMOS型トランジスタで構成されています（図6）。トランジスタは、各画素に溜まった電荷を電圧に変換、増幅することと、水平・垂直信号線との接続をオン／オフするスイッチの働きをします。

ソニーが開発した**裏面照射型CMOS**イメージセンサは、小型でも高感度を実現できるため、これを採用するカメラが増えています。従来のCMOSイメージセンサは、製造工程上の都合で撮像面の上に配線が形成されていて、この配線で光が遮られていました。裏面照射型の場合は、撮像面の裏側に配線があり、光を有効に受け入れることができるのです。

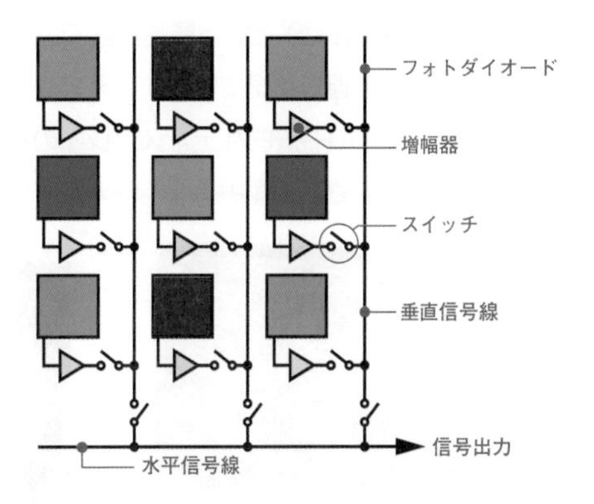

1. フォトダイオードが受光し、電荷が溜まる
2. 増幅器で電荷を電圧に変換
3. 各画素のスイッチを順番にオンにして信号線に出力

図6　CMOSイメージセンサの構造と動作

□ ディスプレイとプリンタ

スマートフォンのディスプレイや家庭用インクジェットプリンタの仕組み

昔のテレビやパソコン用ディスプレイには、ブラウン管と呼ばれるサイズと消費電力が大きな表示器が使われていました。現在使われているのは、薄型軽量で消費電力が低い**液晶ディスプレイ（LCD）**です。液晶ディスプレイの実用化が無ければ、ノート型パソコンやスマートフォンなどの携帯機器は生まれなかったでしょう。

ディスプレイのサイズ、解像度、ピクセル密度

ディスプレイのサイズは、画面対角のインチ数で表します（1インチは2.54cm）。また、ディスプレイの縦横の画素数のことを**解像度**と言います（図1）。

ディスプレイの表示面は、たとえば横1920×縦1200の画素（ピクセル）で構成されていて、それぞれの画素に約1677万の色を表示可能です。デジタルカメラで撮影した画像を色彩豊かなすばらしい画質で表示することができますし、表示内容を高速に書き換えできるため、動画の表示も可能です。

最近、高画質化のために**ピクセル密度**を高くしたディスプレイが登場しています。たとえばApple社のスマートフォンiPhone 14の画面は460ppi（ppiは1インチあたりのピクセル数）という超高密度で、人間の視力では1つひとつの画素を認識できず、その表示は非常にリアルです。従来の一般的なディスプレイのピクセル密度は100ppi程度です（図2）。

インクジェットプリンタとページプリンタの特徴

家庭に普及している**インクジェットプリンタ**は、ノズルから液体インクの小さな粒を噴射して、用紙にドット（点）を記録します。印刷速度を速めるために、多数並んだノズルから同時にインクを噴射できるようになっています。

最近は、イメージスキャナの機能を持ち、カラーコピー機としても使える**複合機**に人気が集まっています（図3）。

インクジェットプリンタの弱点は、印刷コストが高いことでした。メーカー純正のインクは高価なため、割安な非純正インクを使うユーザーも少なくありません。最近は、大容量インクタンクを装備して印刷コストを抑えたインクジェットプリンタが人気です。

学校や会社で使われているページプリンタは、コピー機と同じ印刷方式（電子写真方式）を採用しているため大型ですが、印刷が速いことと印刷コストが低いため、大量印刷に向いています（ただしモノクロ印刷の場合）。カラー印刷可能なページプリンタの場合、プリンタ自体が高価なうえ、印刷コストもあまり低くありませんし、写真印刷の画質はインクジェットプリンタに及びません。

レーザープリンタという言葉がページプリンタの代名詞的に使われていますが、実際にはページプリンタはレーザービーム方式とLED方式の2種類が存在します。

図1　ディスプレイのサイズ
ディスプレイのサイズは画面対角のインチ数と水平垂直方向のピクセル数で示される

図2　ディスプレイの表示例
左はiPhone 14の460ppiの画面を一部拡大したもの。ピクセル密度が100ppiの場合は、右のようにぼやけた表示になる

図3　インクジェットプリンタ（複合機）
イメージスキャナとインクジェットプリンタを合体させた、いま主流の製品。写真は大容量インクタンクを装備したモデル

いろいろなディスプレイの原理

液晶ディスプレイの各画素には液晶という物質の特殊な性質を利用したシャッターがあり、光の透過率を制御することで表示を行います（図4）。

液晶ディスプレイには反射型と透過型があります。テレビやパソコン用の液晶ディスプレイは透過型で、その裏側には白色LEDを光源とした**バックライト**が配置されているので、暗い場所でも高いコントラストで画面を表示できます。

テレビや携帯機器の一部は**OLED**ディスプレイを採用しています。その画素は有機物を材料としたLED（発光ダイオード）であり、**有機EL**とも呼ばれます。画素自体が発光するためバックライトが不要で薄型化できますし、画質でも有利と言われています。

OLEDディスプレイのカラー化には、RGB塗り分け方式と、白色発光OLEDとカラーフィルタを組み合わせた方式の2種類があります。（図5）。前者は製造に高い技術が要求され、高コストですが高性能。後者は低コストですが、電力の無駄が多いです。

電子ブックの一部はディスプレイに**電子ペーパー**を採用しています。表示面に2色（主に白と黒）の粉末が封入してあり、その配置を変えることで表示を書き換えます。一度書き換えたあとは消費電力がゼロというのが特徴です（図6）。

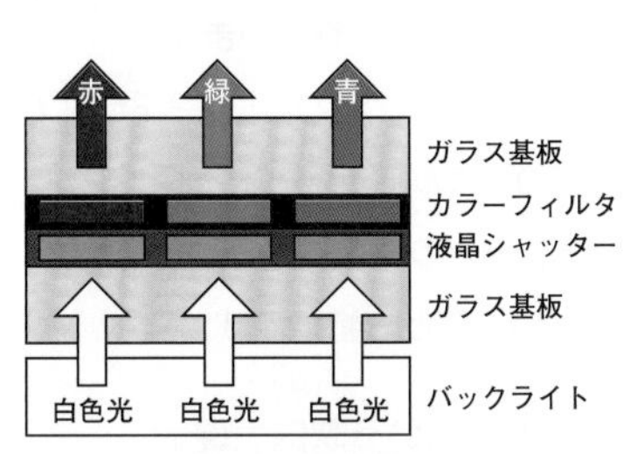

図4　透過型液晶の画素構造

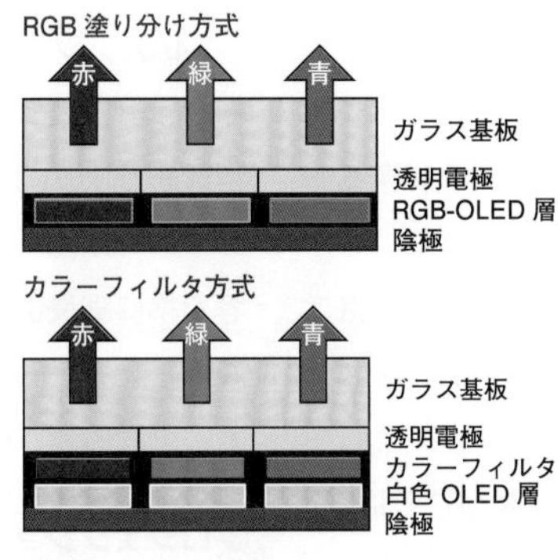

図5　OLEDの構造

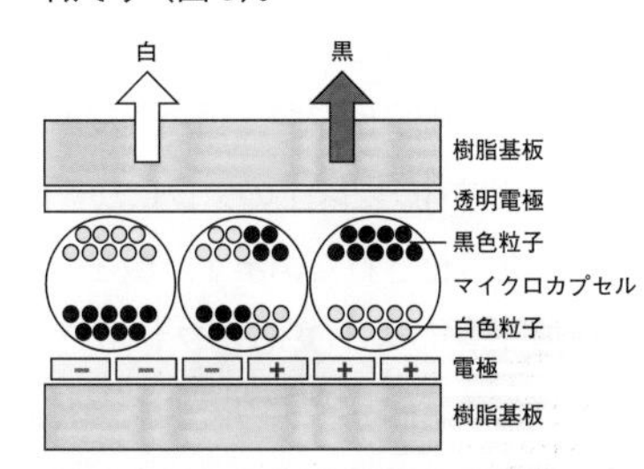

図6　電子ペーパーの構造

色の表現方法

ディスプレイの各画素は、光の3原色である赤（R）、緑（G）、青（B）に光る3つのサブピクセルで構成されています。これをRGB方式と言いますが、この3色から**加法混色**によって、多くの色が表現されます（図7）。一般的には、それぞれのサブピクセルは明るさが256段階で制御されるため、表現可能な色数は256の3乗で1677万7216色になります。

インクジェットプリンタの色の表現方法は、一般の印刷と同じ**減法混色**と呼ばれる方式です。色材の3原色であるシアン（C：水色）、マゼンタ（M：赤紫）、イエロー（Y：黄色）の3色にブラック（K:黒）を加えたCMYKの4色のインクを使い、点の密度を調整することでたくさんの色を表現します（図8）。画質を良くするために6色以上のインクを使うプリンタもあります。

なお、加法混色は原色を加えるほど色が明るくなり、減法混色では原色を加えるほど色が暗くなります。

ディスプレイもカラープリンタも、**色域**（表現可能な色の範囲）が限られていて、人間が知覚するすべての色を出力できるわけではありません（図9）。

図7　ディスプレイの画素拡大
各画素は1677万色あまりの表示が可能。画素は赤、緑、青に発光する3つのサブピクセルで構成されている

図8　カラープリンタの印刷拡大
シアン、マゼンタ、イエロー、ブラックの4色のインクを使い、点描画のように画像を表現する

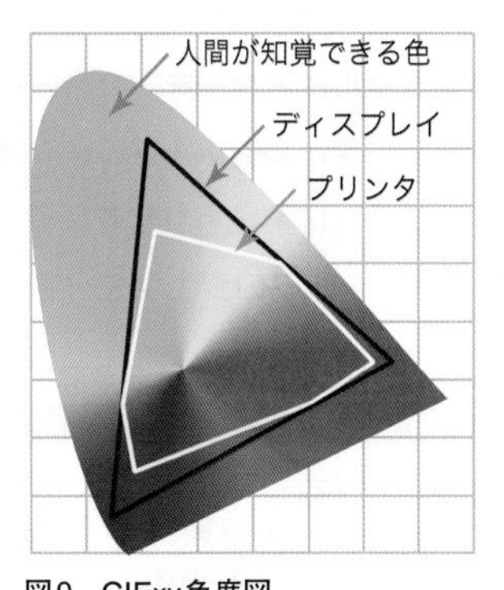

図9　CIExy色度図
画像出力装置が表現可能な色域囲は、CIExy色度図で示されることが多い。色塗り部分が人間が知覚できる範囲

□ さまざまな映像表現技術

テレビ放送からプロジェクションマッピング、3D映像まで

人間が受け取る情報のうち、約8割は視覚からの情報だと言われます。ここでは、視覚に訴える映像表現のためのさまざまな技術を紹介します。

20年以上前は、テレビの画面サイズは20型以下が普通でした。また、当時のアナログ放送は映像の解像度が720×480ピクセル相当程度と低かったのです。

現在では40型以上のテレビが一般的で、放送の規格も高解像度化されています。現在の地上デジタル放送は解像度1440×1080ピクセルで、ハイビジョンとも呼ばれます。BSデジタル放送、**4K**放送、**8K**放送では、より高い解像度で高精細な映像を視聴することができます(表1)。また、4K・8K放送は表現可能な輝度の範囲を広げる**HDR**(ハイダイナミックレンジ)にも対応し、輝度情報も従来の8ビットから10ビットに増加。表現する色の範囲(色域)も広げています。

映画館の映写システムの進化

40型以上の大型テレビも、映画館の大スクリーンの迫力には遠く及びません。10年ほど前までの映画館では、35mmフィルムに記録された映像を映写機でスクリーンに投影するという、100年以上前に生まれた技術で上映が行われていました。

現代の映画館のデジタル上映システムとして有名な**IMAXデジタルシアター**を紹介しましょう。上映素材はデジタルデータとしてネットワーク経由で送られ、映画館側のシステムに蓄えられます。そしてこのデータが2台の2Kデジタルプロジェクターでスクリーンに投影されます。プロジェクターを2台使うのは、映像を明るくするためと、3D映写を可能にするためです。

IMAXデジタルシアターを強化したのが**IMAXレーザー**です。プロジェクターの解像度が2Kから4Kになり、音響も5.1chから12chへと強化されています。

普通の映画のスクリーンはアスペクト比が2.35対1等で横に細長いものですが、IMAXデジタルシアターとIMAXレーザーの画面のアスペクト比は1.9対1となって、画面の高さが増えていることも特徴です。

表1　日本のテレビ放送の種類と解像度

通称	規格名	解像度
ワンセグ	※	320×240
標準解像度テレビ(フルセグ)	SDTV	720×480
ハイビジョン(地上デジタル放送)	HDTV	1440×1080
フルハイビジョン(BSデジタル放送)	HDTV	1920×1080
4K放送	UHDTV1	3840×2160
8K放送	UHDTV2	7680×4320

※　携帯電話・移動体端末向けの1セグメント部分受信サービス

プロジェクションマッピングという映像表現

プロジェクションマッピングという出し物が、野外のイベント会場や結婚式の披露宴会場で行われることがあります。基本的には、夜間に建物の外壁などをスクリーンとして利用し、そこにプロジェクターで映像を投射するという映像表現手法です(図1)。建物の立体形状に合わせたその場所専用のCG映像が、専門家の手で制作されます。例えば建物の窓を明るくしたり、その窓の中を人影が動く様子を映すことができます。

その時、その場所にいないと体験できないダイナミックな映像は新しいジャンルの芸術と言えるもので、国際的なコンペティションも開催されています。

図1　プロジェクションマッピングの例(写真提供：御家雄一氏)

プロジェクションマッピング作品の作り方

大きな建物にプロジェクションマッピングを行うためには、超高輝度のプロジェクターが必要です。会場の条件によっては、複数台のプロジェクターを使う場合もあります。東京駅の幅120m×高さ30mの駅舎をスクリーンにしたイベントでは、46台ものプロジェクターが使われたそうです。

建物に普通の映像を投影しただけでは、プロジェクションマッピングとは言いません。建物の各部の形状に合わせて映像を貼り合わせ（マッピング）していることが要件です。このマッピング作業には専用のソフトを使います。MadMapperというソフトが人気です。

元となる動画の作成には、動画編集ソフト、映像加工ソフト、3DCG作成ソフトなどが駆使されます。投影する建物の3Dデータが必要な場合もあります。

プロジェクションマッピングの作品作りや上映は、アマチュアが家庭内で楽しむことも可能です。無料の簡単に使えるソフトが存在しますし、投影先も自宅の室内の壁や、積み上げたダンボール箱で良く、そこに普通のパソコン用プロジェクターで作品を投影できます。

ところで2021年7月、新宿に大型街頭ビジョン「クロス新宿ビジョン」が登場し、立体的に見える巨大な猫のCG映像が話題になりました（図2）。

表示面積が150平方メートルを超える大型ディスプレイ自体は2D表示能力しかありませんが、画面が湾曲していることと、その湾曲に合わせて変形させた映像を映すことで立体的に見せています。やっていることはプロジェクションマッピングに近いと言えますが、大きな違いは昼間にも見ることが可能なことです。

図2　クロス新宿ビジョンに出現した巨大3D猫のCG。猫の上下に四角い床と天井を表示することとで立体感を強調している

3D映像の表示技術

3D表示が可能なテレビも過去に存在しましたが、結局人気を集めることができず、2017年に生産終了。3D放送も現在は行われていません。テレビでの3D表示方式としては、次の2種類が実用化されていました。

●フレームシーケンシャル方式

テレビには左目用と右目用の映像を交互に表示します。視聴者は映像の切り替えに同期して作動する液晶シャッター付きの3Dメガネを装着する必要があります。

●偏光方式

この方式の3Dテレビは、専用の特殊な液晶パネルを装備しており、左目用の水平偏光の画像と、右目用の垂直偏光の光が同時に表示されます。視聴者がかける専用メガネは、左には水平偏光、右には垂直偏光の光だけを透過する偏光フィルムが貼られています。

IMAXの3D表示は偏光方式で、2台のデジタルプロジェクターがそれぞれ水平偏光と垂直偏光の光をスクリーンに投影します。観客は専用の偏光メガネを装着します（図3）。

図3　IMAX 3D専用の3Dメガネ。通常の眼鏡の上に重ねて装着することも可能

裸眼3Dディスプレイ

裸眼で3D映像を見ることができるディスプレイも存在します。1つのの画面上に左目用と右目用の画像を同時に表示しつつ、左右の目にそれぞれの画像だけが見えるように分離する仕掛けが施されています。

ポータブルゲーム機のニンテンドー3DSの画面は、分離用にパララックスバリア方式を採用しています（図4）。

ソニーの裸眼3Dディスプレイ ELF-SR1の場合は、分離用にかまぼこ型のレンズアレイを装着しています（図5）。また、ユーザーの視線をカメラで検知し、頭を動かした時にリアルタイムで視線に合わせた映像を生成、表示することで、立体空間がそこに出現したかのような感覚を実現します。

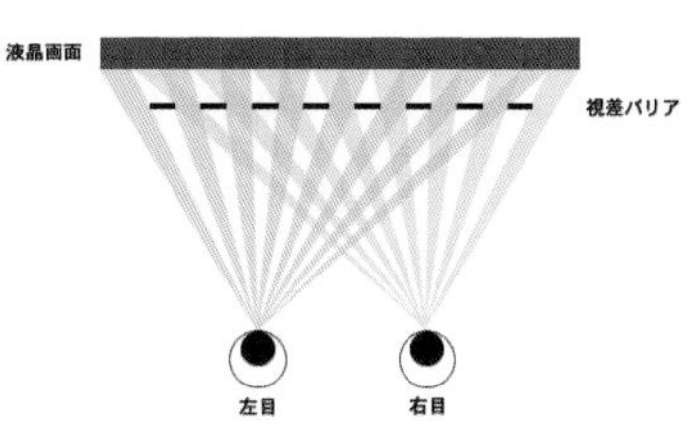

図4　パララックスバリア方式の図解

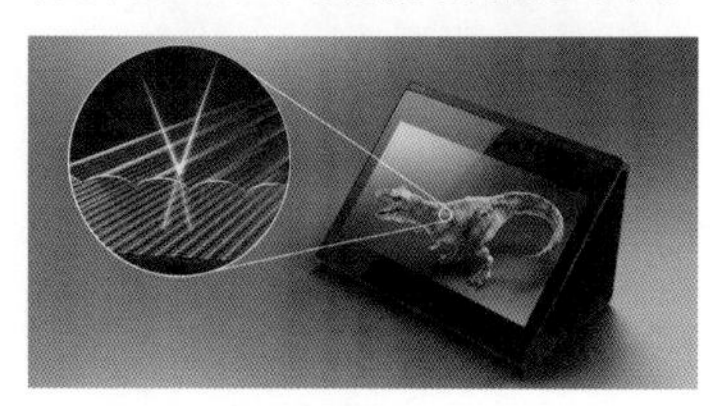

図5　SONYの裸眼3Dディスプレイ ELF-SR1

□ オペレーティングシステム(OS)

パソコンやスマホを利用するときの土台となっているソフトウェア

オペレーティングシステム(Operating System、**OS**)は、コンピュータのハードウェア(機器)と、私たちが使用するソフトウェア(アプリケーションソフトウェア)との仲介をするソフトウェアです。コンピュータは、目に見える機器であるハードウェアと、その機器をどのように動作させるかを定める指示(命令)の集まりであるソフトウェアから成り立っています。ソフトウェアを取り替えることでさまざまな機能を実現できるのがコンピュータの最大の特徴です。

ソフトウェアはさらに**アプリケーションソフトウェア**と**基本ソフトウェア**に分かれます。Webブラウザやペイントソフトなど、私たちがやりたい作業をさせてくれるソフトウェアがアプリケーションソフトウェア、アプリケーションソフトウェアを動かしたりコンピュータを使ったりすること全般をサポートしてくれるのが基本ソフトウェアです。OSは、基本ソフトウェアの1つであり、コンピュータ上で常時動作していて、ハードウェアと他のソフトウェアの仲立ちをしてくれます(図1)。

私たちが目にするOS

私たちはパソコンや携帯電話の画面を操作してアプリケーションソフトウェアを起動しますが、これらもOSを使っているのです。スマートフォンのOSには**iOS**(iPhoneのOS)や**Android**があって、その見え方や操作方法はどれも違っています(図2)。また、これらの上で動くアプリケーションソフトウェアはOSの機能を利用するように作ってあるので、別のOSではそのまま動かすことはできません。

パソコンでも、**Windows**、**macOS**、**Linux**(リナックス)などさまざまなOSが使われています。パソコン用のソフトウェアも、OSごとに別のものが販売・配布されています。

私たちが目にしないOS

見た目はコンピュータではないけれど、内部にコンピュータを組み込んだ機器はたくさんあります。そのような機器では、OSやアプリケーションソフトウェアが最初から組み込まれていて、基本的に追加や変更ができません。このような機器のことを組み込みシステム、組み込みシステム向けに設計されたOSを**組み込みOS**と呼びます。組み込みOSは機能が簡略化されていて、低い性能の機器でも動作するようになっています。

銀行のATMや航空会社の予約端末、自動車や飛行機の内部、スマートフォンなどのデジタル機器、冷蔵庫、エアコン、テレビなどの多くの家電製品で、組み込みOSが使われています。

図1 OSはアプリケーションソフトウェアとハードウェアの仲介をする

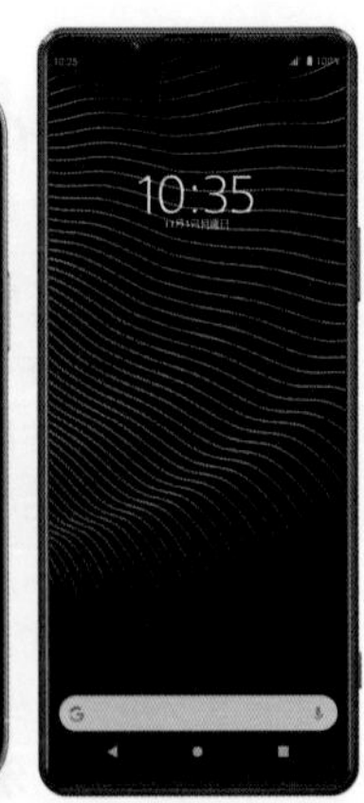

図2 OSによって操作方法や使えるアプリケーションソフトが違う。左がAppleの「iPhone 14 Plus」(iOS)、右がソニーモバイルコミュニケーションズの「Xperia PRO」(Android)

OSの仕事は資源の管理と抽象化

OSの主な仕事は「資源の管理」と「抽象化」です。まず、コンピュータの「資源」とは、メモリの領域、ハードディスクの領域、CPUの使用時間、入出力装置の使用など、コンピュータを動かすうえで必要になるもののことです。これらの資源を、複数のプログラムが混乱なく使えるようにするのが、「資源の管理」機能です。

一方、各プログラムがこれらの資源を使う際に個別に制御しなければならないと、プログラムの作成が面倒になります。OSが仲介役となることで、各プログラムからは簡潔な使い方で資源が使えるようにしていることを「抽象化」と言います。

マルチタスク機能

コンピュータの内部では、さまざまなプログラムが動いています。CPUコア（プログラムを実行するための中核部分）が1つしかなくても、多数のプログラム（タスクとも言います）が並行して動いているように見えます。これはOSの**マルチタスク**機能によって実現しています。

- CPUコアには時計（タイマー）が付いていて、OSはプログラムを実行させる際にタイマーを動かしておく
- タイマーの機能により、一定時間が経過するとOSに実行が切り替わる
- OSはタイマーによる切り替えが起こるたびにプログラムの実行を一時保留し、別のプログラムを動かす

これを非常に短い時間で繰り返すことによって、人間には同時に並行して動いているように見えるのです（図3）。

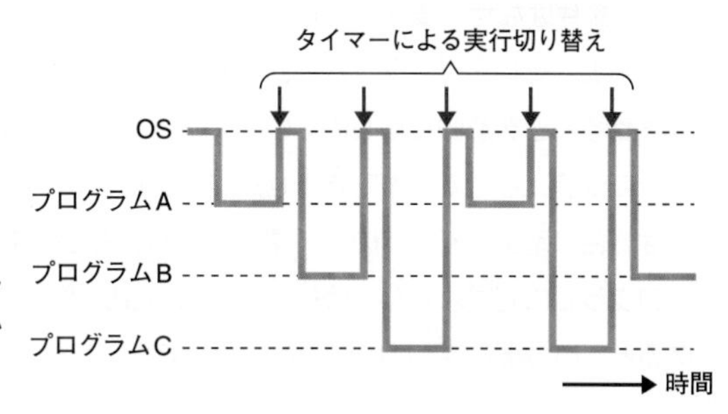

図3　OSのマルチタスク機能。多数のプログラムを短い時間間隔で切り替えて実行する

重要さを増す仮想化技術

仮想化とは、実際には存在しない「もの」の機能をソフトウェアの働きでつくり出し、利用できるようにすることを言います。「ネットは仮想空間」というのもこの意味であり、私たちが生活している空間とは別の「場」をソフトウェアの働きでつくり出して、私たちはその「場」を利用して仲間とやりとりしているのです。

OSの多くの機能も仮想化を目的としています。たとえばマルチタスク機能は1つのCPUコアから多数の仮想的な（それぞれのプログラムが実行するための）CPUコアをつくり出したものと言えます。

コンピュータのハードウェア上に1つ以上の「仮想的なコンピュータ」をつくり出すこともできます。これを**仮想マシン**と呼び、Xen、VMware、VirtualBoxなどさまざまなソフトウェアが提供されています（図4）。

仮想マシンは、「1つのマシン上で複数のOSを動かし、最適なOSを選んで使う」、「サービスごとに仮想マシンを使い、障害が起きても他のサービスに悪影響を及ばさない」といった場合に役に立ちます。

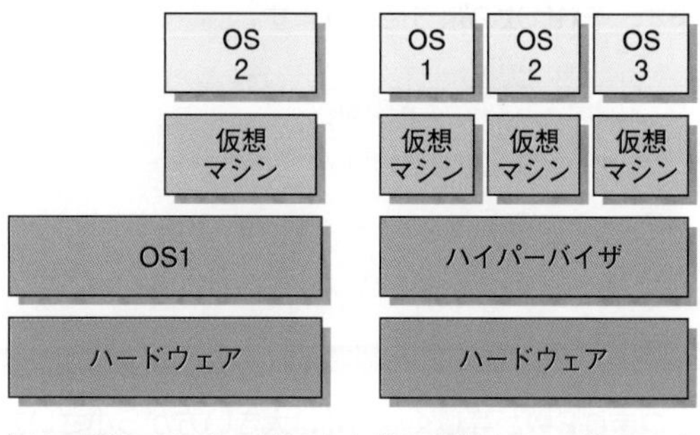

図4　仮想マシンをつくり出す方式は2種類ある。一般のOS上に仮想マシンをつくる方式（左）と、仮想マシンを動かすことだけを目的とした専用OS（ハイパーバイザ）を使う方式（右）である

“OSの標準”とされるUNIX

これまでに多数のOSが作られてきましたが、1970年代に作られて、その後のさまざまなOSに大きな影響を与えたOSに**UNIX**（ユニックス）があります。“OSの標準”とみなされることもあります。

AppleのmacOSやiOSの基本部分はUNIXですし、LinuxはUNIXを参考に開発されたOSで、AndroidはそのLinuxを元に開発されていますので、いずれもUNIX系のOSと言えます。また、Windowsの階層的なファイルシステムも、UNIXにならって追加されたものです。

□ アルゴリズム

問題解決の処理手順

一般に、段階を経て動作を記述していくものを手順と言います。ある手順が、(1) 有限の長さで記述でき、(2) 曖昧さがなく、(3) 必ず答えを出して終了するようなものであるとき、それを**アルゴリズム**と呼びます。

3つの条件はなぜ必要なのでしょうか。アルゴリズムはもともと、それをプログラムに直してコンピュータに実行させることを意図したものなので、長さが有限でないとプログラムとして記述できません。コンピュータの動作は厳密に定まっているので、曖昧さがあるとそのままプログラムにできません。最後に、止まらない可能性があると、いつまで待てばいいのかも判断できません。

代表的なアルゴリズム：互除法

古くから知られているアルゴリズムの代表例が、2つの自然数の最大公約数を求めるアルゴリズム「ユークリッドの互除法」です。ただ、ユークリッドが最初に考えたときは割り算ではなく引き算を使っていたとされています。それは次のようになります。

```
x, yの最大公約数を求める
  x ≠ y である間繰り返し
    x > y ならば x ← x − y
    x < y ならば y ← y − x
  xが答え
```

つまり2数が等しくない間、大きい方から小さい方を差し引くことを繰り返します。たとえば「60, 18」→「42, 18」→「24, 18」→「6, 18」→「6, 12」→「6, 6」のように、60と18の最大公約数6が確かに正しく求まります。

代表的なアルゴリズム：最大値

アルゴリズムでは列になったデータを扱うこともよくあります。列a_1、a_2、…a_Nの最大値を求めてみましょう。

```
列a1、a2、…aNの最大値を求める
  m ← a1
  iを2…Nまで変えながら繰り返し
    もし m < ai ならば m ← ai
  mが最大値
```

まず仮の最大としてmにa_1を入れておき、残りのa_2…a_Nについて、それがもしmより大きいなら、それを改めてmに入れ直せば、アルゴリズムが終わったときにはmは最大になっているはずです。

アルゴリズムの書き表し方

アルゴリズムを検討したり伝達するには、書き表す必要があります。1つの方法はプログラムの形にすることですが、プログラムには細かい約束がたくさんありますから、アルゴリズムを書き表す方法としては煩雑です。

そこで、プログラムに似ているけれど要点を言葉で表現する、**擬似コード**が多く使われます。上の2つのアルゴリズム例の記述も擬似コードです。

動作、判断、繰り返しなどの構造を表す箱を線でつなげた**フローチャート**も使われることがあります。図1は互除法のアルゴリズムをフローチャートで表現したものです。

フローチャートは慣れていない人にはとっつきやすいのですが、場所を取る、作成に手間がかかる、整っていない構造も作れてしまうなどの理由から、今日のソフトウェア開発ではほとんど使われていません。

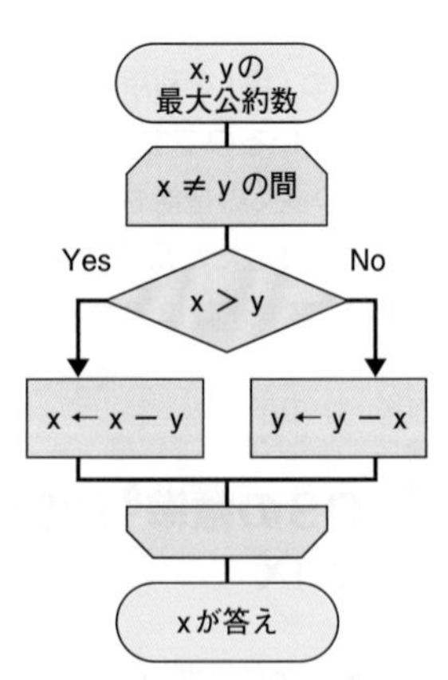

図1　ユークリッドの互除法のフローチャート

アルゴリズムの例：二分探索

列sに辞書のように小さい順にn個のデータが並んでいるときに、特定の値vが出てくる位置を調べたいことがあります。先頭から順に調べて行く方法がありますが（線形探索）、nに比例する時間がかかります。そこで、次のアルゴリズムを考えます。

```
列sの中で値vの現れる位置を探す
    a←1,b←n
    a<bである間繰り返し
      c←(a+b)/2の整数部分
      s[c]=vであれば、cを表示して終了
      s[c]<vであればa←c+1
      s[c]>vであればb←c−1
  「見つからなかった」と表示
```

このアルゴリズムでは、位置aからbまでの範囲で値を探します。まずaとbの中央の位置cにあるものs[c]とvを比べます。一致していたら終わりですが、s[c]がvより小さいなら、求める値はそれより後にあるので、aをc＋1で置き換えますし、より大きいなら前にあるので、bをc-1で置き換えます。そうやってa～bの範囲を半分ずつにして探し、範囲が1個分になったら、そこにある値がvなら見つかったことになります（vでないなら列sにvは入っていない）。このアルゴリズムを**二分探索**と呼びます。

たとえば図2では、12個の値から「14」を探しています。最初は1～12の範囲で探し、中央の6の位置を調べると「11」です。なので、次は7～12の範囲で探し、中央の9の位置を調べると「18」です。そこで今度は7～8の範囲で探し、中央の7の位置を調べるとここで見つかります。

見つからない場合、たとえば探す値が「14」ではなく「13」だったなら、範囲が7～6と逆転して繰り返しが終了し、この列にはないと分かります。

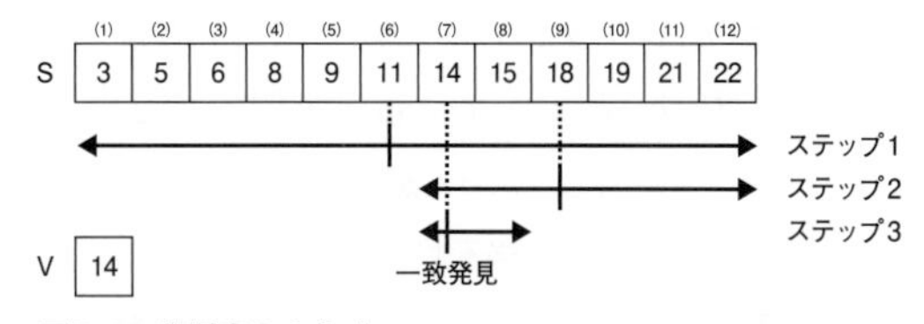

図2　二分探索のようす

アルゴリズムの例：オートマトンの決定化

オートマトンとは、○、◎（いずれも状態と言います）とラベルのついた矢線から成る図形です。最初は外からの矢線のついている状態に来て、入力（aまたはb）がくるごとにその入力と同じラベルのついた矢線をたどって次の状態に進みます。入力が終わったときに◎にいたら「受理」です。これを使って、さまざまな入力を効率よく調べられます。

しかし、図3のようなオートマトンでは、次に進むところが一意に決められません。たとえば、最初の状態で「a」が来たときには2つの状態のどちらにも行けますし、右側の状態で「b」が来たときには最初の状態に戻ることもぐるっと回って同じ状態にとどまることもできます。このような、次の状態が一意に決まらないものを非決定性オートマトンと呼びます。

非決定性オートマトンは扱いづらいですが、これを次の行き先が1つに定まる決定性オートマトンに変換する「決定化アルゴリズム」があります。決定化アルゴリズムでは、元のオートマトンの「状態の集合（どれとどれに同時にいるか）」が1つの状態になります。

元のオートマトンの初期状態だけを含む集合が決定化オートマトンの初期状態です（図4の左の状態）。そこから進めるのは「a」が来たときだけで、残りの2つの状態に進めますから、その2つの状態を含む集合が2番目の状態です。この状態は元のオートマトンの受理状態（◎）を含むので、決定化オートマトンの受理状態です。

そこからさらに進めるのは「b」が来たときだけで、そのときは受理状態以外の2つの状態を含む集合で、これが3番目の状態となります。この状態からは「b」が来たときには再び3番目の状態、「a」が来たときには2番目の受理状態に移ります。これで、元の非決定性オートマトンと同じ列を認識する決定性オートマトンができました。

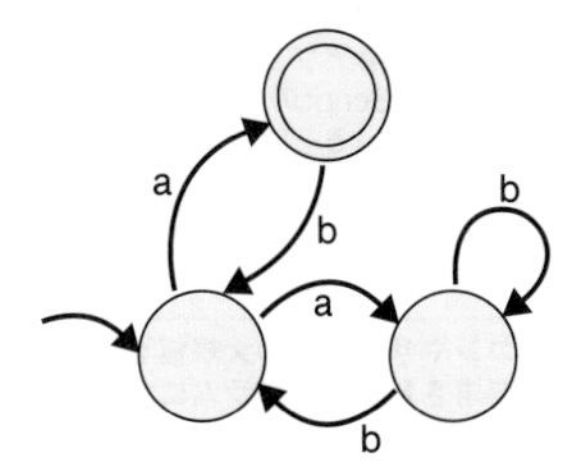

図3　非決定性オートマトン

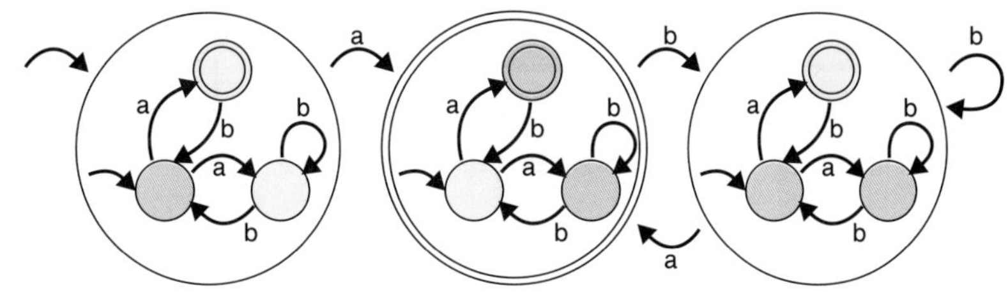

図4　決定化アルゴリズム

□ プログラミング言語

アルゴリズムをコード化する手段であるプログラミング言語とその仕組み

私たちがパソコン、携帯、音楽プレーヤなど、コンピュータを内蔵した機器を使っているとき、その動作はすべて、コンピュータ内部で動いている**プログラム**が作り出しています。これらの機器では、すぐ使えるように、あらかじめプログラムが記憶させてあります。たとえば、パソコンではOSやブラウザなどのプログラムが最初から入っています。機器によっては新たなプログラムを入れることで機能を追加できます（図1）。

また、ネットワーク経由で、検索サービスやネットショップなどを利用するときも、サーバの上でこれらの機能を提供するプログラムが動いていて、それを使っています。これらはすべて、プログラムの働きなのです。

なぜプログラミング言語が必要か？

ソフトウェアの技術が発達してきて、人間と会話できるような人工知能（AI）のソフトも作られているのに、なぜプログラミングが必要なのでしょうか。面倒なプログラミングなどしなくても、コンピュータに「あれをやってくれ」と命令するだけで済みそうに思えます。

それは確かに、一面では正しいです。簡単な「そのときだけの」仕事であれば、人間が「メールを○○さんに出したい」などと話しかければ、すぐにソフトが動いてくれます。しかし、それができるのは「人間がその場で命令して」、「正しいかどうかを確認するから」なのです。

実はコンピュータがいちばん役に立つのは、そういう場面ではなく、人間の介在なしに動くときです。たとえば大量の計算をするときには、人間がいちいち指示していたら人間の速度でしか計算できません。「このようなデータをこうする、そして次は…」といった手順としてプログラムを与えておくことで、コンピュータに目にもとまらない速さで大量に計算してもらえるのです。

また、人間が寝ていたり出かけたりしているときでも、ずっと動き続けて、何か必要なことがあれば対応する、というのもプログラムの得意とするところです。

これらを実現するにはやはり、プログラミング言語を使って「このような動作」というのを指示していくことが今のところ最善なのです。

プログラミング言語は、目的や用途に応じて、さまざまなものがあります。表1に、代表的なプログラミング言語を挙げました。

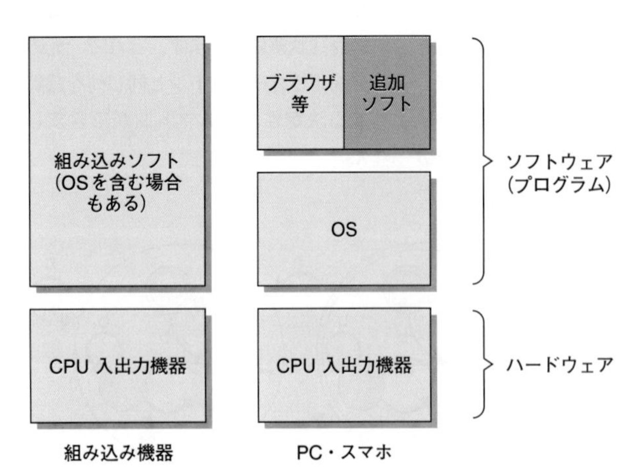

図1　機器の動作はプログラムが作り出している

表1　代表的なプログラミング言語

名称	主な用途
Python	初心者でもプログラムが見やすく配置されるように、インデント（字下げ）で構造を表す方式の言語。豊富なライブラリがあり、各種のデータ処理に広く使われるようになった
Ruby	日本発の言語であり、プログラムを簡潔で柔軟に書ける。Ruby on Railsというフレームワーク（ライブラリの一種）は多くのWebサイトの構築に使われている
JavaScript	Webページの中でHTMLと組み合わせて使われるように作られた言語。Webアプリケーションの柔軟な操作や表示はJavaScriptのプログラムを組み込むことで実現されている
Java	Webサーバ上のシステムや、Androidアプリなどの作成に使われる。大規模なシステム開発に適している
C C++	高速であり、パソコンやサーバ上の大規模なプログラム、高性能を要求されるプログラムに多く使われる
Swift	iOSアプリの作成などに使われる

言語処理系

プログラミング言語で記述した**ソースコード**は、そのままではコンピュータのCPUが実行できません。CPUが実行できる命令（**機械語**）に直す必要があります。この作業を行って、ソースコードを実際にコンピュータ上で動かすためのプログラムが**言語処理系**です。これには大きく分けて次の2種類があります（図2）。

- **コンパイラ**：ソースコードを機械語に変換して実行可能にする
- **インタプリタ**：ソースコードを解釈し、記述されている動作を直接実現する

コンパイラを使うと、一度変換する手間がかかりますが、その後はCPUが命令を直接実行するので実行が高速です。インタプリタは変換作業が不要で、プログラム上の間違い情報などもていねいに示してくれますが、プログラムの実行はコンパイラを使ったときよりも遅くなります。

実際のCPUではなく、仮想マシン（VM、Virtual Machine）の命令（仮想マシン用の機械語）に変換する方式もあります。VMは仮想マシン用の機械語を読み込み、その命令を実行しますが、実行しながら部分的にCPU用の機械語に変換するなどの工夫を凝らして高速実行できるように工夫されています。Javaがこの方式を採用しています。

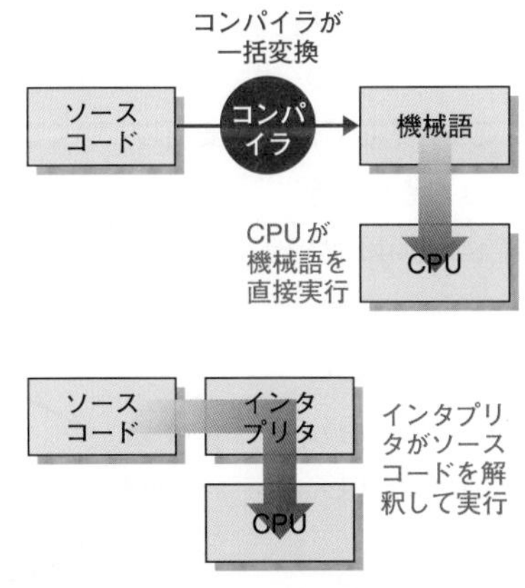

図2　コンパイラとインタプリタの違い

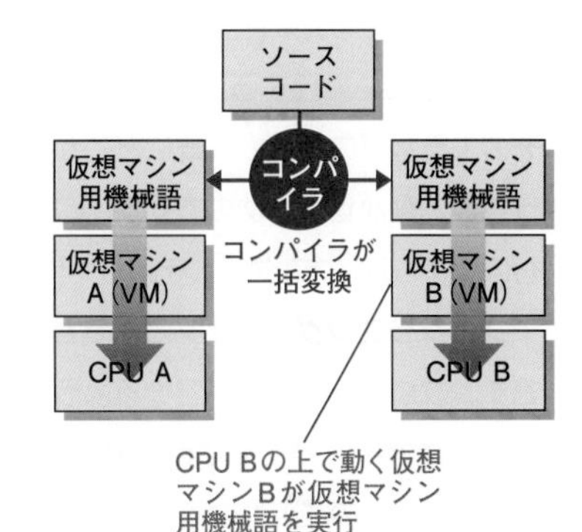

図3　仮想マシン方式でのコンパイラ

オブジェクト指向

オブジェクト指向とは、ソフトウェアの構造や機能を「もの（オブジェクト）」とそのはたらきを中心に設計するという考え方です。一度作成した部品をオブジェクトとして利用できるようにすることで、さまざまな機能を組み合わせたプログラムが比較的容易に組み立てられることから、今日のプログラミング言語の多くはオブジェクト指向の考え方を取り入れています。

たとえば、GUI（グラフィカルユーザーインタフェース）を持つプログラムは、ボタンや入力欄などの部品オブジェクトを生成し、これらに動作を記述することで作成できます。

たとえば、図4で画面に多くの図形が見えているものは、それぞれがオブジェクトで、色や形や位置を設定して「表示」することで画面に現れています。また、ボタンやスライダーなどのGUI部品もオブジェクトで、押したり動かしたりする機能を内蔵しています。そして、押したり動かしたりしたときに起こることは「アダプタ」という（画面上には見えない）オブジェクトを介して、他のオブジェクトに伝えられています。

GUIのような見えるものだけでなく、内部で動作している機能も、機能ごとにオブジェクトとして分けて開発できます。そのようにすると、その機能をそっくり他のプログラムに流用することもできますし、開発するときにその機能の部分だけを分けて開発できるので開発がしやすくなります。

このように、オブジェクト指向は高度なソフトウェアを作る上で必要不可欠なものとなっているのです。

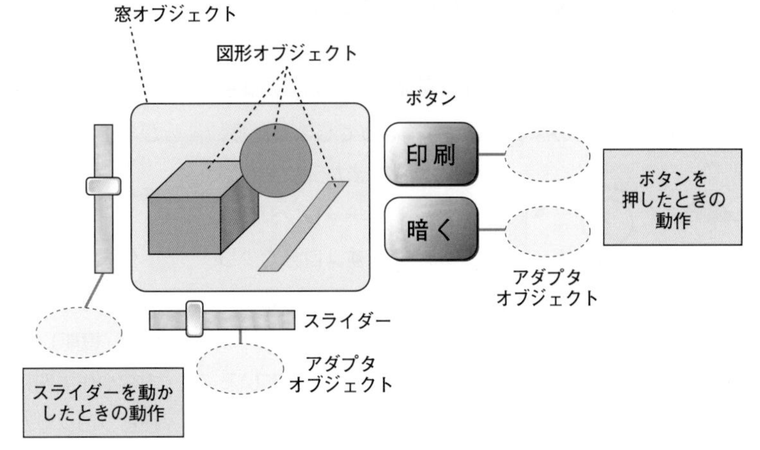

図4　さまざまなオブジェクトから成るプログラム

□ プログラミング

コンピュータを動かすプログラム作成の基本と最近の動向

コンピュータは**プログラム**によって動いていますから、自分がやりたいこと（たとえばゲーム）をするためには、それを実行するプログラムが必要です。そして、そのようなプログラムが既にどこかにあれば、それを持ってきて動かせばいいのですが、これまでにないようなものであれば、プログラムを新しく作る必要があります。

プログラミングとは「プログラムを作る」ということです。プログラミングができるようになることで、自分の新しいアイデアを形にして動かすこともできますし、コンピュータのこともよく分かるようになります。

プログラミングをマスターするには

プログラミングを学ぶときは、実際にプログラムを書いて動かしながら学ぶことが大切です。いくら本を読んでも、読んで覚えるだけではプログラミングできるようにはなりません。これはちょうど、いくら英単語と英文法を覚えても英語で話せるようにならないのと同じです。下手でも英語のネィティブスピーカーとやりとりして英語を使い続ければ、次第に話せるようになります。

このときのコツは、なるべく簡潔な例題を選び、最低限のことを頭に入れたらすぐに練習に進むことです。本書の付録にも**Python**、**JavaScript**、**Scratch**のテキストがありますから、活用してみてください。

簡単な例題プログラムをとにかく動かしたら、次はそれを少し変更してみます。動かなくなってしまったら、また元に戻してチャレンジします。「自分で少し変えては動かしてみる」を繰り返しやっていると、「覚えたことをどう使えば何ができるのか」が分かってきます。「自分で考えて直してみること」「常にプログラムを動くようにたもったままで変更していくこと」が重要なコツです。

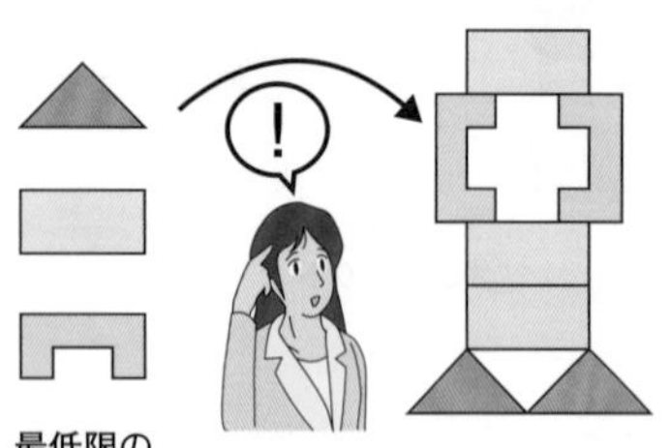

図1　プログラミングを学ぶときのヒント

テストランとデバッグ

プログラムを動かしてみて（**テストラン**）、思った通りでないときには不具合を修正します（**デバッグ**）。テストランで大切なのは、気ままに動かすのではなく、プログラムに組み込んだ機能を一通り動作確認できるように、系統的に試していくことです。

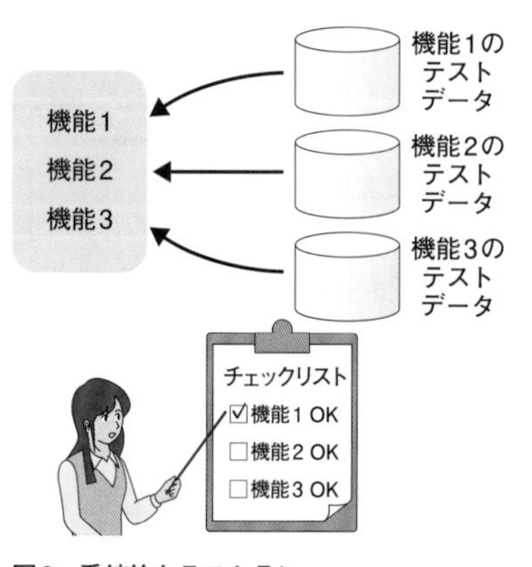

図2　系統的なテストラン

一方、デバッグでは、自分で書いたプログラムには「こう動くはずだ」という思い込みがあり、なぜ思った通りに動かないのかに気づきにくいです。そうしたときは、ほかの人に「どのように思った通りに動かないのか」を説明してみるといいでしょう。説明される方は先入観がないので正しい指摘ができる、というわけです。

チームでのプログラミング

仕事などで大きなプログラムを作る際はチームで開発します。そのようなときは、プログラムの構造、変数や関数（機能）の命名規則などをまず決めて（設計）、設計内容や作業過程などもすべて文書に残すなど、管理しながらプログラムを作っていきます。このため、大規模なソフト開発は、とても時間とコストがかかるのです。

HTMLによる開発

スマホやパソコンで動くプログラムを作るのはそんなに難しくはありません。ここでは簡単な例として、canvasとプログラミング言語であるJavaScriptを使って「タップ（マウスクリック）するとそこに丸が増える」プログラムを作ってみましょう（図3）。

HTMLは簡単のため、**<body>...</body>**の中に**<canvas>...</canvas>**と**<script>...</script>**を入れただけにしています。canvas要素では、JavaScriptからアクセスするための名前と、幅と高さを指定しています。また内側のXXXは、ブラウザがcanvasをサポートしていない場合に表示されます（一般的なブラウザはほとんどが対応しています）。

JavaScriptプログラムでは、描画オブジェクトを取り出し、canvasの範囲全部を薄青色で塗ります。その後canvas領域に対して、タップしたときに関数clickが呼び出されるように設定しています。clickの中では、色を赤色に設定し、丸の形をタップの位置に描き、その中を塗ります。これにより、タップするごとに丸が増えるプログラムが完成します。

このプログラムをもとにちょっと工夫すれば、一定時間ごとにランダムに赤い丸が現れ、それをタップして消す、だんだん丸の現れる間隔が短くなって、丸だらけになったらゲームオーバー、のようなゲームも作れます。

このようにして今では、誰でも自分の興味のあるソフトウェアを作ることができるのです。

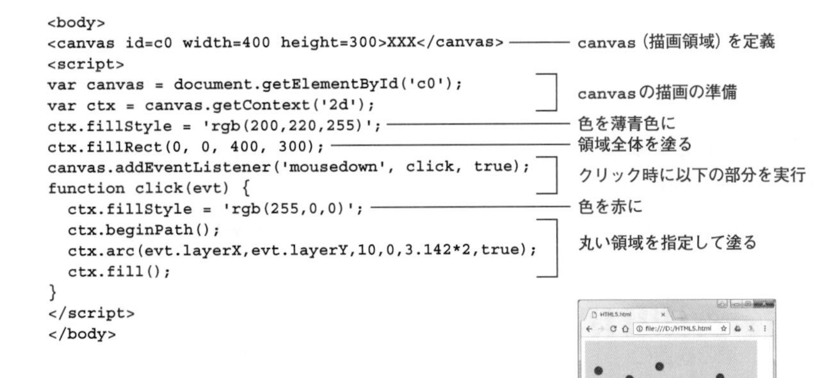

```
<body>
<canvas id=c0 width=400 height=300>XXX</canvas>
<script>
var canvas = document.getElementById('c0');
var ctx = canvas.getContext('2d');
ctx.fillStyle = 'rgb(200,220,255)';
ctx.fillRect(0, 0, 400, 300);
canvas.addEventListener('mousedown', click, true);
function click(evt) {
  ctx.fillStyle = 'rgb(255,0,0)';
  ctx.beginPath();
  ctx.arc(evt.layerX,evt.layerY,10,0,3.142*2,true);
  ctx.fill();
}
</script>
</body>
```


図3　canvasとJavaScriptを使ったプログラム例（右下の画面は実行例）

組織による開発プロセス

仕事で大規模なソフトウェアを開発するときは、複数の人がチームを組んで作業します。その進め方のことを**開発プロセス**といいます。「**ウォーターフォール型**」は古くから使われている開発プロセスです。要求仕様→設計→開発→テスト→運用・保守、という段階を区切ってスケジュールを決め、後戻りが起きないように管理するというものです（図4）。

ウォーターフォール型は分かりやすいのが特徴です。ただ、実際にソフトウェアを開発するときには、ある程度作成してみないと問題が分からない箇所などもあるので、実際には途中で前の段階の手直しが起きるなどして、必ずしも計画通りに進まなくなります。

そこで近年では、「**アジャイル型**」と呼ばれる開発手法が注目されています。ソフトウェアを小さな機能ごとに分けて小刻みに開発していく方法です（図5）。この方法では後戻りが起きにくく柔軟な開発が可能になりますが、あらかじめ時間をかけて計画・設計を行わないため、大規模なソフトウェアでは計画が不十分になりうまく完成させるのが難しくなるという問題も指摘されています。

さらに、アジャイル開発しながら運用も並行して行う**DevOps**（デブオプス）と呼ばれる方式もあります。

複数人が共同してソフトウェアを開発するときの便利なWebサービスに、GitHubがあります。GitHubは、Git（プログラムのソースコードなどの変更履歴を記録・追跡するための分散バージョン管理システム）を利用して、分散して共同開発するプラットフォームを提供しています。

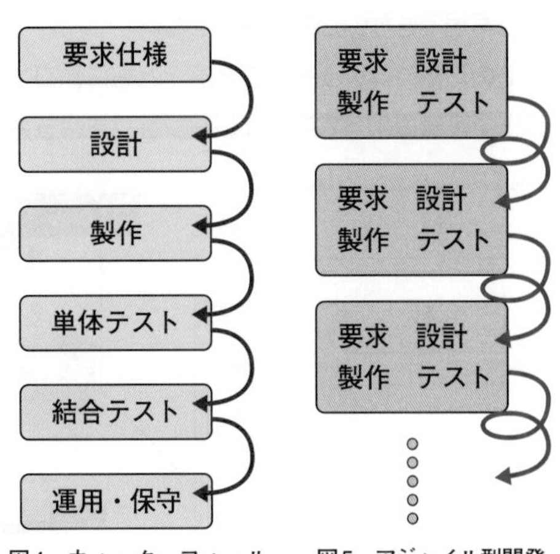

図4　ウォーターフォール型開発

図5　アジャイル型開発

□ コンピュータとシミュレーション

模型を作ってそれを動かして調べること

シミュレーション（simulation）とは「真似する」「模倣する」という意味の英語simulateの名詞形です。世の中のさまざまな事柄で「実際にやってみるとどうなるか」を知りたいものは数多くあります。たとえば、「自分の家が地震に遭ったらどうなるか（どんな揺れ方をするか、どれくらいの震度で壊れるか）」などがその例です。

しかし、それを実際に「やってみる」のは困難です。自由に地震を起こすことはできませんし、地震が来て家が壊れてから分かったのでは遅いということもあります（その前に補強をしたいわけです）。そこで、家の構造の縮尺模型を作り、振動台の上でさまざまな振動を起こしてみて（過去の地震の揺れ方の記録があります）、どうなるかを見ればよいわけです。これがシミュレーションです。コンピュータ以前のシミュレーションは、このように「模型を作って試してみる」ものが多かったのです。

計算によるシミュレーション

模型を作って実験するシミュレーションは大変な手間とコストがかかりますし、実験できない事柄もあります。たとえば色々な強さの地震の実験をするごとに模型を作っていたら大変ですし、地震の強さによっては振動台で再現できないかもしれません。

そのためコンピュータの発達とともに、コンピュータの上で計算によってシミュレーションを行う方法が研究され、広く使われるようになりました。コンピュータによるシミュレーションであれば、計算だけなので何回でも色々試せますし、とくに調べたいところだけ詳しく見ることなどもできます。

シミュレーションとモデル

シミュレーションを行うには**モデル**（model）が必要です。地震の例では家の縮小模型がモデルでしたが、コンピュータのシミュレーションではモデルは頭の中で設計し、プログラムやデータの形で作り出します。

モデルは現実世界のものごと（シミュレーションしたい対象）から必要と考える部分だけを取り出してきたもの（**抽象化**したもの）ですから、その取り出し方が適切かどうかで、シミュレーションの結果が現実にどれくらい当てはまるかが変わってきます。

部屋の模様替えをする前に部屋にある家具の大きさや形を調べて厚紙で縮小した形を切り抜き、部屋全体の形も同縮尺で模造紙に描いて、その上に切り抜いた厚紙を並べて配置を検討することはシミュレーションになります。この方が実際に家具を並べてみるよりも簡単にいろいろな配置が試せます（シミュレーションの利点）。

しかし、厚紙の大きさや形が不正確だと、紙の上では収まったのに実際に家具を配置しようとしたら入らないなどの問題が生じることがあります（モデルが不正確）。

また、紙の上で平面的に検討したら適切な配置だと思ったのに、並べてみたら家具の質感や色のため圧迫感が強かったり、窓を隠してしまったりして、実際には住みにくくなるかもしれません（モデルを抽象化しすぎ、図1）。これに対しては、平面でなく立体的で色を塗った家具の模型を作り、部屋も立体的に壁や窓やドアまで再現すれば対処できますが、シミュレーションの手間は増します。

図1　部屋の模様替えのためのモデル

©JAL Brand Communications Co., Ltd.

図2　エアバスA350のシミュレータ

さまざまなシミュレーション

連続型シミュレーションとは、物体や流体の動きのように時間とともに連続して変化していくモデルを用いたシミュレーションです。物理的なものの動きのシミュレーションは、機械や構造物の設計に多く使われます。地震による建物の揺れや、車や飛行機の周りの空気の流れなどのコンピュータシミュレーションは、過去の模型を使ったシミュレーションに取って代わってきています。大気の様子のシミュレーションは天気予報を正確に行うための有力な手段となっています。

離散型シミュレーションとは、個別のできごとが累積していくと全体としてどのようになるのかを調べるのに使われるものです。たとえば、ある確率と分布で車が街に入ってきて信号や交差点を通過していく様子を見ることで、信号の制御や交差点の形の設計などを検討することができます。離散型シミュレーションでは、車1台ずつ個別にシミュレーションを行うので、1台ごとに通れる道路や行き先が違ったりする場合も、対応することができます。

社会における様々なできごとは互いにからみあっていて、単純には理論化できません。そこでシミュレーションを用いて社会的なできごとのモデルを作り、それに基づいて社会の仕組みや将来起こる可能性のあることなどを調べるのが**社会シミュレーション**です。経済現象の研究や予測にも、シミュレーションは多く使われます。

ここまでシミュレーションの目的としては、問題の解決や仕組みの究明、将来の予測などを考えてきましたが、そのほかに「娯楽」や「人間の訓練」なども有力な用途です。

シミュレーションゲームは一定の市場を持ち、多くの人が楽しんでいます。航空機のシミュレータや人体のふるまいのシミュレータは、新人パイロットや研修医が危険を侵さずにさまざまなできごとを体験し、技能を向上させていく手段として欠かせないものとなってきています。

物理演算エンジン

通常、コンピュータの上では摩擦や重さなどを持たない、非常に単純化されたモデルを使います。これに対し、我々の身の回りのものは、大きさ・質量・速度・弾力性等を持ち、重力や摩擦力や風力や他の物体との干渉など多くの力を受けて複雑な動き方をします。

物理演算エンジン(physics engine)とは、これらの物理的な相互作用やそれによる物体の動き・変化をシミュレーションにより計算するライブラリ(ソフトウェアツール)であり、これを利用することでこれまでの単純なモデルではできなかったリアルな動きを作り出せます。

コンピュータの性能が低かった時代には、物理演算エンジンは大きなシステムでしか使えず、研究や企業による映像作成など、ごく限られた場面だけで利用されていました。しかし今日では、CPUの性能向上により、普通のパソコンやスマートフォンでも物理演算エンジンを利用するソフトウェアが多くあります。

たとえば、「物理テトリス」は古くからある落ちものゲームである「テトリス」のピースが物理現象に従って跳ね返ったり引っかかるようにすることで、新たな面白さを演出したゲームです(図3)。YouTubeの「物理エンジンくん」チャンネルには、物理エンジンを利用したシミュレーション実験動画がたくさん登録されていて、実際にはできないような実験を見ることができます。

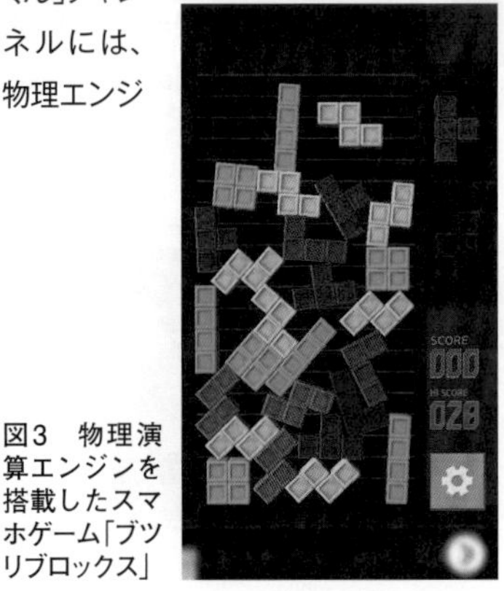

図3　物理演算エンジンを搭載したスマホゲーム「ブツリブロックス」

また、自分でプログラムを作成しなくても、シーン内に物体を配置して、その形、動き、性質などをGUIで設定することで物理シミュレーションを利用できるソフトウェアも複数存在します。たとえばAlgodoo（アルゴドゥー）は2次元の物理シミュレーションを組み込んだお絵描きソフトであり、ピタゴラスイッチのようなものを気軽に作ることができます（図4）。

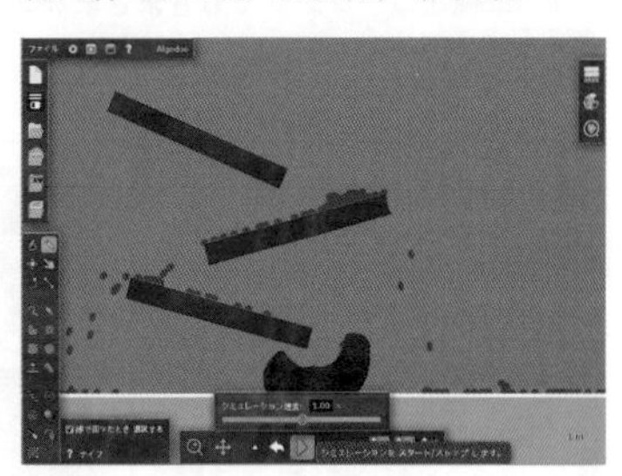
図4　「Algodoo」で作った流れ落ちる水のシミュレーション

□ ユーザインタフェース

機器やソフトウェアの使いやすさに影響を与える

ユーザインタフェースとは、機器やソフトウェアと、それを使う人（ユーザ）との境界面（インタフェース）ということです。非常に多機能な機器では、それに伴って使い方が複雑になっているので、ユーザインタフェースのよしあしが使いやすさに大きな影響を与えます。携帯電話の場合、iPhoneのように指で画面を触って操作するものと、数字キーや十字ボタンを使って操作するものでは、使い勝手がずいぶん違います。

電子レンジにどのようなユーザインタフェースがいいのかを考えてみましょう。最も根本的な機能は、加熱時間を設定して加熱を開始することです。時間設定は、秒数を直接数字キーで指定する、「1分」「10秒」などのボタンを押すごとにその分時間が増える、などのやり方があります。前者はボタンの数が多くなりますが、押す回数は一般に少なくて済むでしょう。時間が増減できるつまみを使う、という方法もあります。操作が止まって数秒待つと加熱が始まり、0にすれば取り消しにもなる、という方式ならつまみ1つで済みます（図1）。

図1　単純な電子レンジでもさまざまなユーザインタフェースが考えられる

電子レンジなどより大きな画面を持つパソコンの場合は、ユーザインタフェースの自由度が非常に高くなります。そして、その設計のよしあしでユーザの使いやすさは大きく違ってきます。

「使いやすさ」とは？

あなたは「よいユーザインタフェースとはどんなもの？」という質問に、どう答えるでしょうか。「使いやすい」という答えは失格です。「使いやすい」には、実は次のように多くのものさしがあるからです。

- 操作する時間が短くて済む
- 操作する回数や箇所が少なくて済む
- 使い方を学ぶのに掛かる時間が短い
- 一度使い方を覚えたら忘れにくい
- 使っていて疲れにくい
- 使っていて楽しさがある

パソコンでは、画面上にさまざまな操作部品（ウィンドウ、ボタン、アイコンなど）が表示されていて、それをマウスなどで操作する**GUI**（Graphical User Interface）が主流です。これに対して、初期からある、コマンド（命令）をキーボードから打ち込むインタフェース**CUI**（Character User Interface）は「使いにくい」と言われることが多いようです（図2）。確かに、使い方を学ぶのに要する時間の短さや楽しさではGUIが優っていますが、十分習熟した人にとってはCUIの方が操作が速いことが多いのです。このため現在でも、CUIを好んで使う人がそれなりにいます。

つまり、ユーザインタフェースを設計するときには、どのようなユーザを対象とし、どのような「使いやすさ」を優先するかをまず決める必要があるのです。

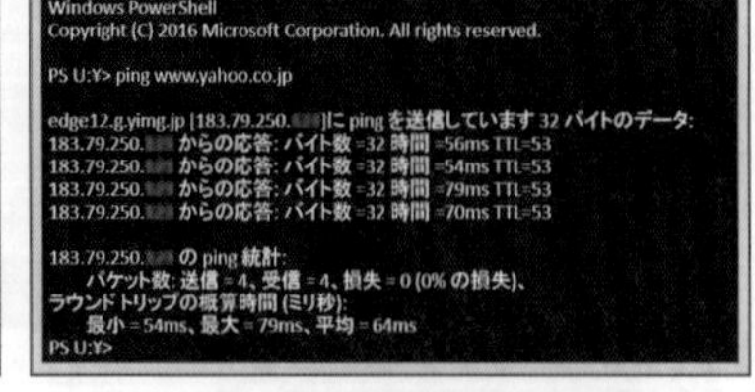

図2　GUI（左）とCUI（右）の例

ユーザインタフェースの歴史

1980年代くらいまでの多くのコンピュータでは、入力装置がキーボードだけで、画面も決まった大きさの文字が決まった位置に表示できるだけだったので、CUIしかありませんでした。

パソコンが普及してマウスなどの**ポインティングデバイス**（指示装置）が使えるようになると、ウィンドウやアイコンを選択してメニューで指示する**WIMP**（Window、Icon、Menu、Pointing device）インタフェースが普及しました。これらはXerox社の研究所がAltoというシステム用に開発し、その後、Apple社がMacintoshなどのパソコンに搭載して世に広めました。今日のパソコンは基本的にこの方式を受けついでいます。

スマートフォンでは、インタフェースは画面を直接タッチして操作する方式になっています。タッチパネルの普及により、フリック入力など新しい方式が生まれました。さらに**音声入力**の技術の進歩によりiPhoneでは音声で操作できる音声アシスタント機能Siriが搭載されています（図3）。

図3　Siriに「使い方を教えて」と話しかけると、指示の例が示される

使う側の体験を重視するユーザエクスペリエンス

ユーザインタフェースという概念がシステムや機器の側からの視点であるのに対し、「システムを使うユーザがそのシステムによってどのような体験をするか」を意味する言葉が「**ユーザエクスペリエンス（UX）**」です。

たとえばニュースサイトのようなものを考えると、「ユーザが欲しいニュースをいかにうまく探せるように機能を工夫し配置するか」はユーザインタフェースの問題ですが、「ユーザがそのサイトをどのように使い、どんな気持ちになり、自分の知識や関心をどう拡大していくか」という部分はUXの問題です。そして、良いUXを提供すれば、つまり多くの人に良い経験を持ってもらえれば、そのニュースサイトは人気が出て成功するでしょう。

より良いUXを提供するために行うのがUXデザインです。ニュースサイトの例で言えば、どのような体験を目指すかを決め、それに沿ってニュースの集め方や話題のカテゴリを決め、検索方法や情報の見せ方を決め、同じユーザが再度使ったときに前の検索結果を反映したり、気に入った情報をピン止めしていつでも見られるようにしたりするなど、サイト全体としての機能を統合的に決めて行くことがUXデザインの仕事になります。

UXデザインは、その場のUXである短時間のものから、UXの累積である長期間にわたるものまで考慮する必要があります（図4）。

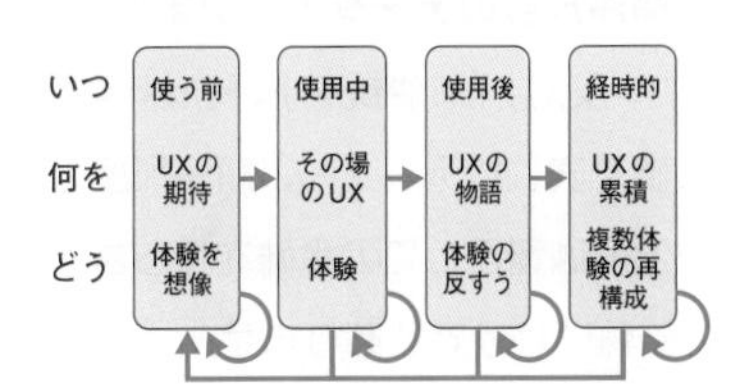

図4　UXのさまざまなスパン（UX白書の図を基に作成）

人間の情報処理モデル

人間の情報処理モデル（**MHP**、Model Human Processor）は、脳の中のユーザの認知や情報処理のようすをモデル化したものです（図5）。このモデルは認知科学の実験などに基づいて考案されており、ユーザインタフェースの評価にも役立ちます。

人間の記憶は**短期記憶**と**長期記憶**から成り、短期記憶は現在意識していることを少しだけ（7個くらいの「かたまり」）、覚えておけます。短期記憶で反すうした情報は長期記憶に入って永久に残ります（思い出せない場合もあります）。

目や耳から入った情報は知覚プロセッサが受け取り、短期記憶の一部に入ります（そこで文字や音を認識する）。手足を動かそうと考えると、その情報は運動プロセッサに送られ、そこが筋肉に指令を出します。個人差がありますが、知覚プロセッサは平均で約100ミリ秒、運動プロセッサは平均で約70ミリ秒の処理時間がかかるので、たとえば「目の前に虫が来て思わずまばたきする」「大きな音でびくっとする」などは約170ミリ秒かかります。

さらに「はいと言ったら目を閉じる」「ラの音なら手を挙げる」など認知判断が入ると、認知プロセッサの仕事が必要になり、約70ミリ秒の処理時間がさらにかかります。こうした人間の特性を把握することで、スムーズなユーザインタフェースが設計できます。

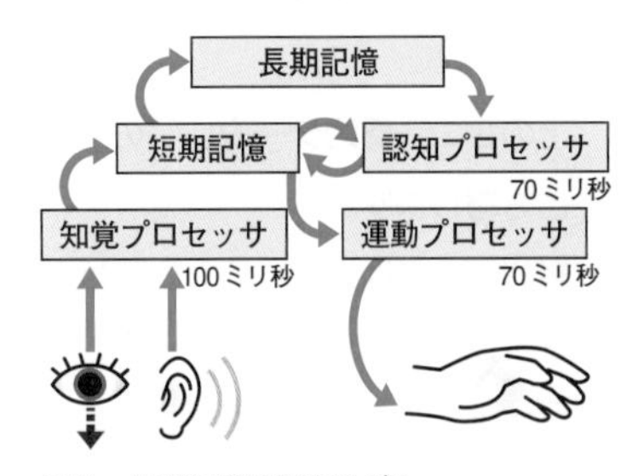

図5　人間の情報処理モデル

□ データの収集と整理

いろいろなデータの性質を見極めよう

情報をコンピュータに入力できる形にしたものがデータです。ここでは、いろいろなデータの種類とその収集・整理の方法を学びます。

データの種類

順序関係のない名前だけのデータを、**名義尺度のデータ**といいます。たとえば、氏名を表す「山田花子」のような文字列や、出席番号（学籍番号）、性別などがこれに当たります。

これに対して、「1年生」「2年生」「3年生」、またはこれらを数値で表した「1」「2」「3」は、量としての意味は持ちませんが、順序関係があります。このようなデータを**順序尺度のデータ**といいます。アンケートで「反対」「やや反対」「やや賛成」「賛成」またはこれらを1～4の数値で表したデータも、順序尺度のデータです。

温度は量としての意味を持ちますが、40℃が20℃の2倍熱いわけではありません。これはセ氏温度（℃）という目盛でたまたま数値が2倍になっただけです。アメリカなどではセ氏温度ではなくカ氏温度（℉）をよく使いますが、40℃と20℃はカ氏温度ではそれぞれ104℉、68℉になり、2倍ではありませんね。でも、10℃と30℃の間隔は、10℃と20℃の間隔の2倍だとはいえます。このようなデータを**間隔尺度のデータ**といいます。

これに対して、**比例尺度のデータ**は、間隔だけでなく元の数値そのものが何倍になったということができるデータです。たとえば、ものの個数や降水量がこれに当たります。

上の2つを**質的データ**、下の2つを**量的データ**ということもあります。

量的データはまた、その数値が1、2、3……のように飛び飛びの値なら**離散型データ**、そうでないものを**連続型データ**ということがあります。ものの個数は離散型データ、温度や降水量は連続型データです。

グラフの種類

棒グラフで表す量は、縦棒グラフの場合、横軸は連続型データ以外なら何でもかまいませんが、縦軸は比例尺度のデータに限られます。そして、棒は0から始め、なるべく目盛を省略しないように描きます。横棒グラフでは、縦横が縦棒グラフとは逆になります。

折れ線グラフで表す量は、横軸も縦軸も、間隔尺度または比例尺度のデータにします。

棒グラフと似ているものに**度数分布図（ヒストグラム）**があります。これは、データをいくつかの階級（ビン）に区切って、それぞれの個数を面積で示すものです。棒グラフと違って、棒と棒の間に隙間を空けません。

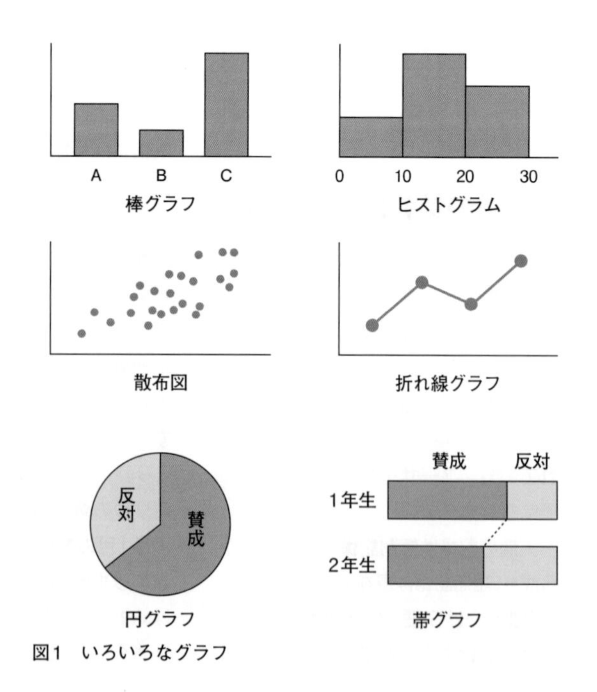

図1　いろいろなグラフ

アンケートと世論調査

1936年のアメリカ大統領選挙で、『リテラリー・ダイジェスト』という雑誌を出している出版社が、200万人以上の回答から、共和党のランドン候補の当選を予測しました。これに対して、ジョージ・ギャラップという人が設立したアメリカ世論研究所（のちのギャラップ社）は、ランダムな3000人に調査することによって、民主党のルーズベルト大統領の当選を予測します。結果は、ギャラップの予測通りでした。いくら人数が多くても、ランダムでない調査では、偏り（バイアス）が生じてしまったのです。

現在の日本の新聞社やテレビ局が行っている世論調査では、回答者は1000人程度です。これに対して、ネット調査なら何百万人もの意見を聞くことができます。しかし、実際の選挙結果と比べてみれば、1000人の世論調査の方が正しい結果が出ます。要は、人数ではなく、例えば日本の有権者の意見を知りたいなら、有権者全員から対象者をランダムに選ぶことが大切です。

世論調査では、固定電話・携帯電話の電話番号にランダムに電話をかけて調べることによって、偏りが出ないようにしています。

でも、電話を取った人だけに聞くのでは、電話を取りやすい人の意見しか集めることができません。そこで、固定電話の場合、その世帯の有権者の人数をまず聞いて、ランダムにその中から1人を選び、その人に代わってもらいます。その人が留守なら、何度もかけ直します。さらにその結果は統計学にもとづいて補正します。完全ではありませんが、ネット調査よりずっと偏りのない結果が得られます。

われわれが行うアンケート調査は、ここまでがんばることは難しいかもしれませんが、できるだけ偏りが出ないように努力しましょう。

アンケートの作り方

アンケートの回答の選択肢を作る際には、MECE（ミーシー、Mutually Exclusive, Collectively Exhaustive）の原則、すなわち「漏れなく・ダブりなく」を守ることが必要です。

たとえば、次の質問と回答を考えましょう。3つの選択肢があり、どれか1つしか選べません。このような形式を単一回答（単回答、シングルアンサー、SA）といいます。ネットアンケートではラジオボタンで回答してもらいます。

あなたの家で飼っているペットは？
○犬　○猫　○飼っていない

これで選択肢が1つしか選べないのなら、犬と猫を両方飼っている人は困ってしまいます。「漏れなく」の原則が守られてないのです。「犬と猫の両方」という選択肢も入れればいいですね。でもハムスターもペットに含めたいなら「それ以外」も含めて、あまり選択肢を増やしたくなければ、次のように複数回答（マルチプルアンサー、MA）にすればいいですね。ネットアンケートではチェックボックスで回答してもらいます。8通りの答えがあるのがわかるでしょうか。

あなたの家で飼っているペットにチェックしてください（複数回答可）
□犬　□猫　□それ以外

次の例はどうでしょうか？

勉強は好きですか？
○好き　○嫌い　○嫌いだけどする

「嫌い」と「嫌いだけどする」にダブりがありますね。最後の選択肢は不要ですが、どうしても入れたいなら、「嫌い」を「嫌いだからしない」にすればいいですね。

段階で聞く質問もあります。

選択的夫婦別姓についてどう思いますか？
○反対　○やや反対　○やや賛成　○賛成

アンケート結果のまとめかた

アンケートは、Googleフォームのようなサービスを使って行えば、そのままスプレッドシートの形で取り出せます。

選択肢から1つだけ選ぶ問いでは、選択肢の番号（たとえば1～4）を入力します。

複数回答の問いでは、選択肢ごとに列を分け、チェックしてあれば1、してなければ0を入力します。

集計結果は表またはグラフで表します。単純に項目ごとに集計する**単純集計**だけでなく、複数（普通は2個）の項目をまとめて集計する**クロス集計**も必要に応じて行います。

アンケートの各項目を集計した結果は、円グラフや棒グラフで表します。

複数回答の場合、たとえば3個のチェックボックスがあれば、回答のパターンは8通りあります。この8通りのパターンを円グラフなどで表すと、読みにくいグラフになるので、チェックボックスごとのチェックの割合を棒グラフで表すことが一般的です。

□ データのモデル化

データのモデル化とその必要性

データの**モデル化**（Data Modeling）とは、情報システムが扱うデータに何と何があり、それらが互いにどのように関連しているか、ということを明確に定める作業です。

なぜそのような作業が必要なのでしょうか。それは、企業や組織のあちこちで多様なデータを扱っている場合に、同じものに違う名前を付けてしまったり、データの表現に違いが生じてしまったりして、後からそれらのデータを一緒に扱おうとしたときに、うまくいかなくなることを防ぐためです。

実際にデータのモデル化を行うときには、現場でどのような帳簿や伝票が使われていて、そこにどのような情報が記載されているのか、既に情報システムがあるならそこで扱っているデータを調べるなどして、取り扱うべきデータを調査します。また、データを扱っている人に取材してデータをどのように使うかも聞き取ります。

このようにして、存在する（またはこれから取り扱うようになる）データの内容・範囲・使われ方・互いの関連をきちんと把握し、その中からどの部分をどう扱うかを決めることで、ようやく実際のシステムの設計に進むことができるようになるのです。

データベースとデータモデル

データベース（database、DB）は情報システムの中核として、システムが必要とするデータを安全に保管したり必要な箇所に提供したりします。その実際の動作は**データベース管理システム**（DBMS）によって実現されます。ですからDBMSは、さまざまな情報システムで使われるデータを取り扱える汎用性を持つ必要があります。

そうは言っても「どんなデータでも扱えます」というわけにはいかないので、DBMSごとに「このような枠組みに沿ったデータを扱います」ということを決めています。これを**データモデル**（data model）と言います。今日では**関係モデル**（relational model）を採用したデータベースが広く使われています。これを**リレーショナルデータベース**（RDB、関係データベース）と呼びます。

また、データモデルの枠組みで具体的なデータベースの形を定めたものをスキーマ（schema）と呼びます。

関係モデル

関係モデルの特徴は、すべてのデータを表（関係モデルの用語では**関係**または**リレーション**）の形で表現することです。表には複数のフィールド（属性）があり、横1列ぶんのデータのことを**レコード**（**タプル**）と呼びます。たとえば図1は、ある家具販売店の注文データを関係モデルで記述したものです。これを見ると、伝票番号「001」は2022年8月1日に発行され、顧客は目黒区の高橋さん、販売商品は4万円の机が1つ、1万2000円の本棚が2つと分かります。非常にバラバラに見えますが、関係モデルではこのように分解することで、さまざまなデータを柔軟に表現できるのです。

伝票

伝票番号	発行日付	顧客番号
001	2022-08-01	k008
002	2022-08-03	k005

明細

伝票番号	商品番号	数量
001	p005	1
001	p221	2
002	p221	1

商品

商品番号	商品名	単価
p005	作業机	40000
p103	丸椅子	3500
p221	本棚	12000

属性（フィールド）
レコード（タプル）
関係（リレーション）

顧客

顧客番号	氏名	電話番号	住所
k008	高橋 元	(03)1111-2345	東京都目黒区……
k005	山本 直	(03)1111-6789	東京都新宿区……

図1　リレーショナルデータベースの例

RDBと正規化

RDBの設計にあたって、重要な指針となるのが**正規化**です。正規化とは、設計した構成がきちんとRDBに格納でき、またRDBの特徴が生かされるようにするための指針だと言えます。ここでは特に重要な第1正規形と**第3正規形**について説明します。

たとえば、図2のような伝票をそのまま素直に表に記入したとします（図3上）。そうすると、商品が複数あるので、商品番号以下のところが全部複数の値の並びになってしまいます。このようなものは原則として関係モデルでは扱えません（DBMSによっては扱えるようにしているものもある）。

そこで図3下のように、複数あるものを別のレコード（タプル）として分け、必要なら値をコピーすることで、単純な値だけから成る表が作れます。このように、表の中のそれぞれの項目が数値や文字列などの単純な値（スカラ値）であるようなRDBを「第1正規形である」と言います。

しかし図3下のデータベースには問題があります。たとえば、顧客番号「k008」の人が「高橋 元」さんで住所が「東京都目黒区…」という情報が複数のレコードに重複しています。そうすると、この人が改姓したり引越ししたりしたときに全部のデータを変更するのが大変ですし、変更もれがあると矛盾が起きてしまいます。

この問題を避けるには、左ページのように表を分解します。その指針が第3正規形です。まず、表のレコード（タプル）を一意に特定するキーを考えます。たとえば図3下の場合、1つの伝票の明細には特定品目は1つしか書かないでしょうから、「伝票番号＋商品番号」がキーとなります。

次に条件「すべてのレコードがキーによって一意に特定できるが、キー以外やキーの一部分によって特定されることはない（第3正規形の条件）」を満たすように分解します。

たとえば、図3下の表では氏名は顧客番号によって特定されるので、このままでは条件を満たしません。そこで顧客番号によって特定される部分は別の表に分けます。その他も同様にして分けていくことで、左ページのようなデータベースが作れます。これは第3正規形になっています。

No.001 2022/8/1

納 品 書

(株) 日経TOPICS

k008 高橋 元 様

東京都目黒区…
(03)1111-2345

品番	品名	単価	数量	金額
p005	作業机	40,000	1	40,000
p221	本棚	12,000	2	24,000
			合計	64,000

図2 伝票の例

伝票番号	日付	顧客番号	氏名	住所	電話番号	商品番号	商品名	単価	数量
001	2022-08-01	k008	高橋 元	…	…	(p005, p221)	(作業机, 本棚)	(40000, 12000)	(1, 2)

伝票番号	日付	顧客番号	氏名	住所	電話番号	商品番号	商品名	単価	数量
001	2022-08-01	k008	高橋 元	…	…	p005	作業机	40000	1
001	2022-08-03	k008	高橋 元	…	…	p221	本棚	12000	2

図3 第1正規形

関係代数と関係論理

RDBに対する操作は**関係代数**（relational algebra）という形で理論的に定式化されます。関係代数は、次の3つの演算によって表から新たな表を作り出します（図4）。

- **射影**（projection）── リレーションの特定の属性群だけを取り出し、残りを捨てる。たとえば図1の「明細」から伝票番号と商品番号だけを取り出すと「どの取り引きでどの商品が売れたか」だけの表になるし、商品番号だけを取り出すと「売れた商品は何か」だけの表になる。
- **選択**（selection）── 条件を指定してリレーションの特定のタプルを抜き出す。たとえば図1の「商品」から単価が1万円以上のものだけを抜き出す操作などが考えられる。
- **結合**（join）── 2つの表について、同じ値を持つ属性の行をくっつける。たとえば図1の「明細」と「商品」を同じ商品番号の行同士をくっつけることで、どの伝票でどの商品はいくらの売り上げだったかが分かるようになる。

どの演算も作り出すものがまた関係なので、それをさらに演算の対象とすることで、複雑な操作を組み立てていけます。

RDBのデータ操作言語SQLでは、関係代数の演算と同じことを論理式によって表現する**関係論理**（relational calculus）を用いることで、同様に複雑な操作を組み立てる能力を持っています。

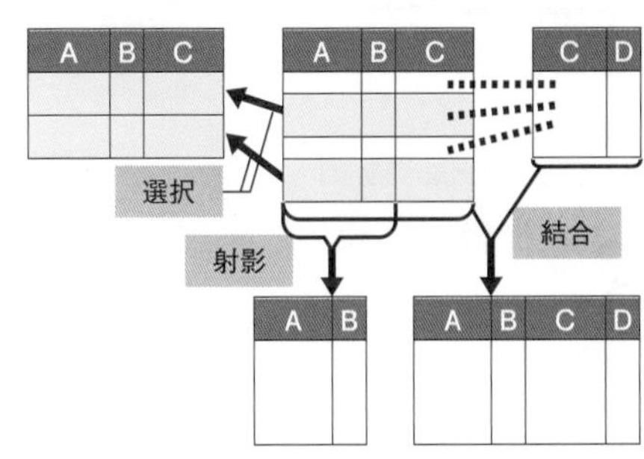

図4 関係代数の操作

□ データベース

データを蓄積して共有利用する情報システムの中核部分

データベース（Database）という言葉は、次の2つの意味で使われます。

(1) 特定の目的や用途のために、大量のデータを蓄積し、共有を可能にしたもの

(2) データを蓄積し、共有利用するための仕組みや仕掛け

(2) を実現しているソフトウェアとして、Oracle、SQL Server、MySQL、PostgreSQLなどがあります。ここではこちらを中心に説明します。

データベースはさまざまな情報システムやWebサイトで使われています。Googleのような検索サイトで検索キーワードを入力すると、キーワードに応じたWebサイトの一覧が表示されますが、これはデータベースからキーワードを含むWebサイトを探し出してきているのです。

私たちの身近な情報システムを例に取ると、コンビニで買物をしたときの販売内容、旅行会社や駅の窓口で乗り物を予約したときの座席情報、銀行でお金をおろしたときの預金残高、などを記録するのにもデータベースが使われています。そのおかげで、コンビニの売れ筋商品の品切れが少なく、列車の指定券がすぐに買え、自分の口座からいつでもお金がおろせるのです（図1）。

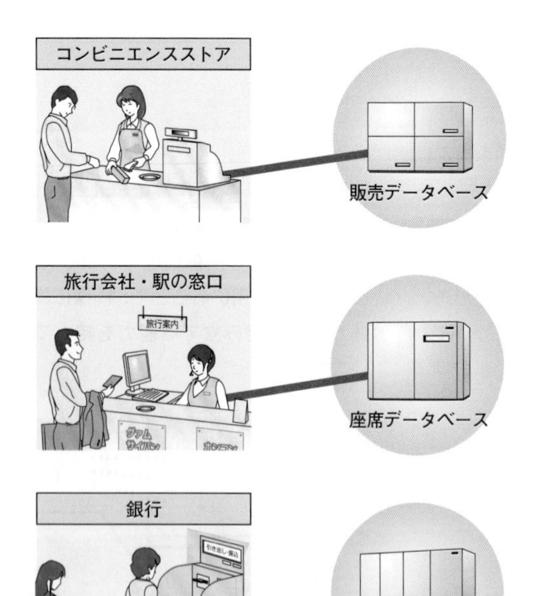

図1　コンビニでの買い物、座席の予約、ATMでの現金引き出しなどがその場でできるのはデータベースのおかげ

データベースの重要性

私たちがふだん利用しているさまざまな情報システムにおいて、もっとも重要なのはデータです。オンラインの通販ショップを考えてみましょう。私たちがショップにある大量の商品から興味のあるものに絞って見ることができるのもデータベースのおかげです。

たとえばオンラインショップのデータベースの注文データがトラブルで消えてしまったらどうでしょうか。商品がいくら待っても届かなかったり、商品が届かないのに請求だけ来たりしたらとても困りますね。

オンラインショップで商品を注文すると、その内容がデータベースに記録されます。この記録は、その後、商品を出荷するとき、請求書を発行するときにも利用するので、そのデータがきちんと取り出せないと困ります。

ただデータを大規模に蓄積するというだけでなく、そのデータを出荷や請求のようなさまざまな用途で利用したり、効果的に検索したり、トラブルがあってもデータが失われないように確実に保管することも、データベースの重要な役割なのです（図2）。

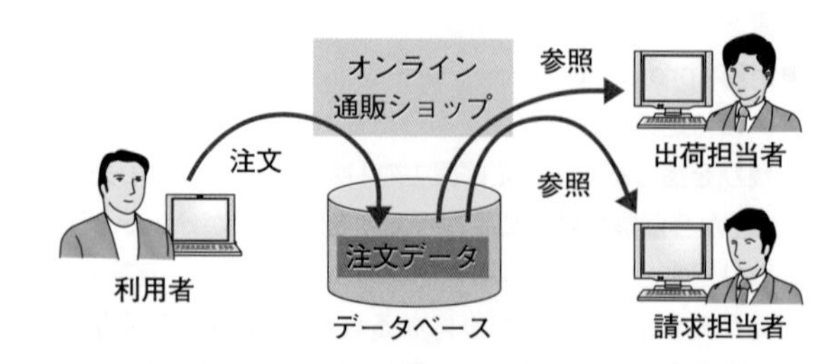

図2　データベースは蓄積したデータを利用、検索、安全に保管するために役立っている

DBMS

コンピュータでデータベースを管理するソフトウェアを**データベース管理システム**（DataBase Management System、**DBMS**）と呼びます。データベースが単なるファイルと違うのは、**データモデル**に従ったデータを維持管理することと、データを安全に保管するためのさまざまな機能が実現されていることですが、これらはいずれもDBMSの働きによって作り出されています。

DBMSが提供する具体的な機能としては、問い合わせ（SQLなどで記述された検索の実行）、並行制御（複数箇所からのアクセスを調整）、排他制御（処理中に他のプログラムからの干渉を防ぐ）、障害回復（システムの停止などのトラブルがあってもデータを正しい状態に戻す）、整合性管理（おかしなデータが混入しないようチェック）、セキュリティ（権限のないアクセスをはじく）、トランザクション（後述）などがあります。

DBMSはフリーソフトや製品の形で多くのものが提供されています。数年前までは、使いやすさや汎用性から、関係データモデルを採用した**リレーショナルデータベース**（**RDB**）が広く使われてきました。RDBでは**SQL**と呼ばれるデータ操作言語が標準化されており、SQLを用いて操作を記述していれば異なるDBMSでも同じようにソフトウェアを開発できるという特徴がありました。

しかし最近は、極めて大量のデータを多数のコンピュータ群（**クラスタ**）で処理することが増えてきました。このような場合は、アクセスが高速なメモリー上にデータを置いたり（インメモリデータベース）、**NoSQL**と呼ばれるRDBより制約が緩く並列処理に適したDBMSが使われます。

トランザクション

トランザクションとは「処理」「取引」という意味の英語で、データベースの場合にはDBMSが提供する「複数の処理をひとまとまりのものとして取り扱う」という機能を指します。

たとえば、AさんとBさんの銀行口座にそれぞれ1000円と800円が入っていて、「AからBに500円を送金」と「Bが300円を入金」という2つの処理を行うとしましょう。図3のように処理が並行して行われると、Aさんの残高は確かに500円減っている一方で、Bさんの残高は300円しか増えない、というひどいミスが起こります。このような事態を避けるには、「AからBに500円を送金」と「Bが300円を入金」を、それぞれトランザクションとして実行します。

トランザクションとして実行される処理は、外部からは一瞬で（Atomic）完了したように観測され、途中の状態は見えません（Consistent）。つまり一つのトランザクションが他からの影響を受けることも、影響を与えることもありません（Isolation）。さらにトランザクションの完了（コミット）後は、その結果は障害があっても失われないよう記録されます（Durable）。前記の4つの性質の頭文字をとって、トランザクションは**ACID属性**を持つ、とも言います。

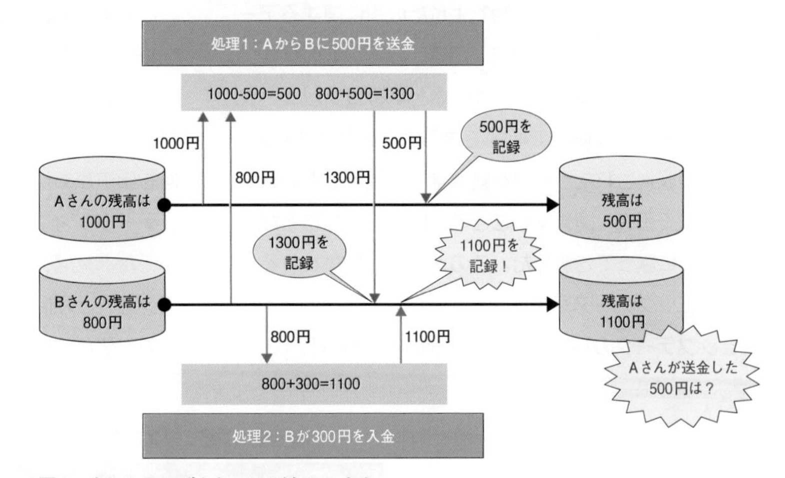

図3　もしトランザクションがなかったら

データウェアハウス

情報システムでは、業務そのものに使う業務系データベースのほかに、情報を分析するための情報系データベースを構築することがあります。その中でも、長期にわたる大量のデータを蓄積し、多様な分析を行えるようにしたシステムを**データウェアハウス**と呼びます。ウェアハウスは倉庫の意味です。

業務系データベースでは、個々のデータをどう取り扱うかはシステムの設計時に決まっていますが、データウェアハウスでは生のデータをそのまま持っておくことで多様な分析を可能にします。

□ ビッグデータ

今まで取り扱えなかった大量の多種多様なデータから新たな情報を導き出す

コンピュータの性能が向上し、また、計算に使うアルゴリズムや数学の研究が進化することで、大量のデータを利用してさまざまなことがわかるようになってきました。この大量のデータを、**ビッグデータ**と呼びます。

モノのインターネットとビッグデータ

私たちの周りにあるさまざまな機械には、コンピュータが組み込まれています。これらの機械に入ったコンピュータがインターネットにつながるようになると、インターネットを利用して機械の動作の状況を知ったり、動作の命令を送ることができるようになりました。このような状況のことを、「モノのインターネット（Internet of Things、略して**IoT**）」と呼ぶようになりました。

そして、例えば学校の成績データや、スポーツなどのデータ、さらに、企業の活動で生じた取引に関するデータ、建物、土木、交通、気象、芸術、文化、犯罪など、さまざまなデータが、IoTをはじめとするコンピュータからネットワーク経由で収集できるようになりました。これらの収集されたデータを統計学や言語学などの科学的な方法で研究・調査することで、いろいろなことがわかるようになってきました。このときに取り扱われるデータがビッグデータです。

ビッグデータの特徴としては、次のような項目（3V）がよく挙げられます。

Volume（量）：データ量が圧倒的に大きい

Velocity（速度）：データが生成される速度、処理しなければならない速度が大きい

Variety（多様性）：多種多様なデータで構成される

ビッグデータから情報を抽出するデータマイニング

大量のデータから、役に立つ情報を抽出することを、データマイニング（データの採掘）といいます。よく挙げられる例に、スーパーマーケットの売上データをマイニングした結果、紙オムツを買う人はビールを買うことが多いことがわかり、これらの棚を近づけることで売上が向上したという話があります（一種の都市伝説ですが、これに似た事例は実際にあったようです）。

このように、ビッグデータは、そこから価値を見出すためのデータマイニングを行って初めて、意味があるデータとなるのです。たとえ大量のデータがあったとしても、そこから何かを発見できなければ、そのデータには何も価値がありません。

データマイニングには、さまざまな方法がありますが、たとえば、相関を計算したり、クラスタ解析/クラスタ分析と呼ばれる方法でデータをグループに分けるなどの方法が知られています。

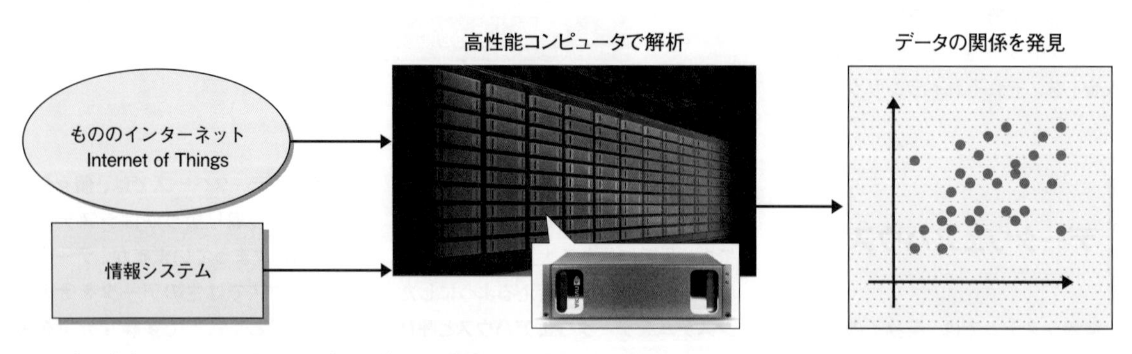

図1　ビッグデータでわかるのはさまざまなデータの関係

データの関係を見つける

たとえば、ある建物で毎日、気温を測定するとします。毎時0分に測れば毎日24件、毎分0秒に測れば毎日1440件、毎秒測れば毎日8万6400件のデータとなります。1年間測定するとかなりの量のデータになりますし、さらに国内の全建物で計測したら、膨大な量のデータになるでしょう。これらの大量データを、建物がある地域の屋外の気温や湿度、建物の高さ、建物を使っている人の平均年齢など、さまざまなデータと相関があるかどうかを計算してみることができます。建物の材質や古さなども関連があるかもしれません。

もし、相関が見つかれば、それらのデータには相関が生じる原因があると考えられます。その相関を利用して、新たな科学的な理論などがわかることもあるでしょう。このように、ビッグデータは「関係を見つけること」が非常に重要なのです。

ポイントカードのデータや交通系ICカードによる駅の入出場記録などを大量に収集し、他のデータとの関係を見つけることでも、いろいろなことがわかってくるようになります。実際、「Tポイントカード」や「Suica」などの購買履歴や行動履歴も、それをビッグデータとして収集・分析することで、運営会社はマーケティングデータなどに生かそうとしています。

ただし、こうした活用方法にはプライバシーに関する問題があります。運営会社は、データは統計的に処理し、個人を特定しないようにしているとしていますが、利用者にとっては、自分の行動が把握されているかもしれないという懸念がどうしても残るでしょう。

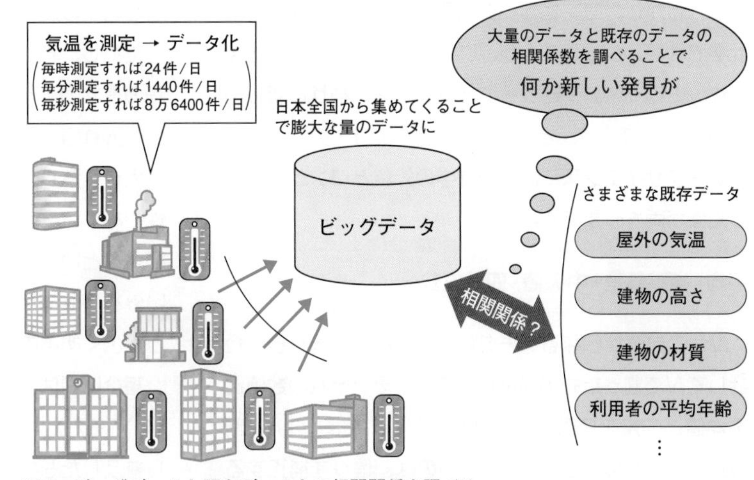

図2　ビッグデータと既存データとの相関関係を調べる

ビッグデータ解析は様々な分野で利用が進む

ビッグデータの活用は、すでに私たちの生活に関連があるところでも始まっています。

たとえば、カーナビゲーションシステムでは自動車の位置や速度、加速やブレーキの状況などのデータ（プローブ交通情報と言います）を取得できます。こうしたデータを大量に集めて分析し、最適なルート案内やリアルタイム渋滞情報、急ブレーキ多発地点の情報、大規模災害時の通行実績マップなどを提供しています。

京都府では犯罪や不審者に関する膨大な情報をビッグデータ解析することで、犯罪が起こりやすい場所を推定して地図に示す「犯罪予測システム」を導入しています。

このほかにも、Twitterの多くのつぶやきから流行を予測したり、大規模なプラントの稼働データから故障を予見したりと、ビッグデータ解析は幅広く使われ始めています。

データサイエンティスト

企業は、データを分析して、経営や商品開発を行います。このとき、データを分析する専門家が、**データサイエンティスト**です。企業にとっては、重要な営業戦略や、企業そのものの価値を左右する業務に携わることになることから、企業経営の重要な部分にデータサイエンティストが関わることになります。

優秀なデータサイエンティストがいる企業では、経営に失敗が少なくなります。そのことから、データサイエンティストは、価値を生み出す仕事として位置づけられています。

また、このような仕事をしていることから、高い給料を得ていることが多いのも、データサイエンティストの特徴です。優秀なデータサイエンティストは、コンピュータ・人工知能を使って仕事をすることになるので、今後、「人工知能によって消えない職業」と考えている人が多いのも特徴です。

□ データの活用とデータサイエンス

たくさんのデータから何かを見つける科学

データサイエンスとは、データについての科学です。

昔は、データについての科学といえば、統計学だけでした。しかし、コンピュータの発達によって、従来の統計学では難しかったことが、いろいろ可能になってきました。そこで、コンピュータと統計学を合わせた新しい「データサイエンス」という学問が生まれました。

データサイエンスには、統計学の知識とコンピュータの知識が両方必要です。

平均・標準偏差・中央値・四分位数

*N*個の数値からなるデータがあったとき、それらを合計して*N*で割ったものが平均値です。それぞれの数値と平均値との差を2乗して合計して*N*（または*N*-1）で割ったものが分散です（*N*-1で割るのは、偏りを補正するためです）。分散の平方根が標準偏差です。

標準偏差は、平均値のまわりのおおよそのばらつきの幅をあらわします。

平均値の代わりに、中央値（データを大きさの順に並べた中央の値）を使うことがあります。データの個数が偶数の場合は、真ん中の2つの値の平均値を中央値と定めます。平均値より中央値のほうが、外れ値（極端に外れた値）の影響が少ないのが利点です。

また、小さい順に並べて1/4のところと3/4のところを、第1四分位数、第3四分位数といいます。

最小値、第1四分位数、中央値、第3四分位数、最大値を図1の左上のように表したものが箱ひげ図です。

ただし、箱と最小値・最大値を結ぶ「ひげ」の長さは、箱の長さの1.5倍を上限とします。それ以上離れている点は**外れ値**として、ひとつひとつの点をプロットします。

大きく離れた外れ値は、データの記入ミスである可能性もあり、その場合は調べ直す・捨てる・推定値で置き換えるといった判断が必要です。しかし、記入ミスでない外れ値は、データの中でも重要な意味を持っていることがよくあるので、機械的に捨ててはいけません。

箱ひげ図は、コンピュータグラフィックスが進んでいない1970年代に、統計学者ジョン・テューキーが考案し普及したものですが、現在ではより細かく分布をあらわす工夫をしたプロットもよく用いられています。

回帰分析と相関係数◆

散布図が与えられたとき、それに直線を引いて、できるだけ縦軸の誤差の2乗の和が小さくなるようにするのが、回帰分析です。たとえばその日の気温を横軸にとって、縦軸にアイスクリームの販売量をとって回帰分析すると、気温によってアイスクリームの販売量を予測する直線が得られます（図2）。

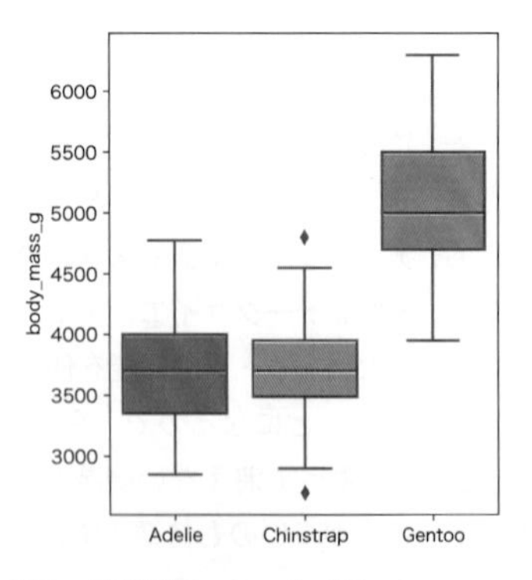

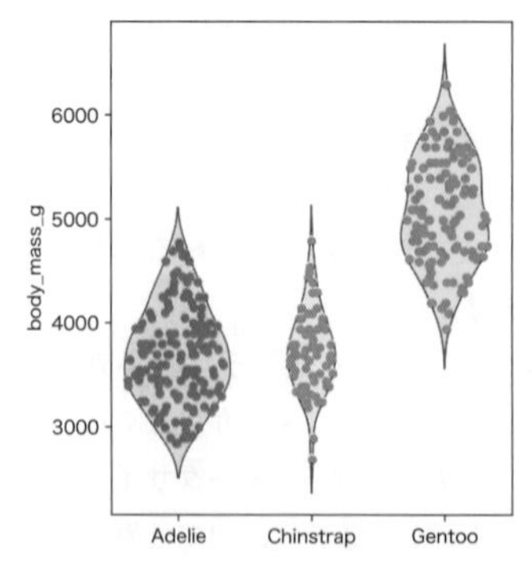

図1　箱ひげ図、シーナプロット

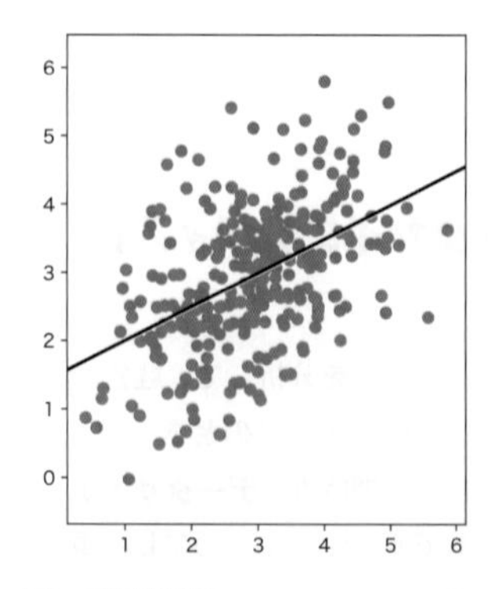

図2　回帰分析

母集団と標本

統計学の基本は、母集団と標本の関係をしっかり理解することです。

たとえば選挙の予測をしたいとき、母集団は有権者全員を考えます。でも全員に「○○内閣を支持しますか？」のような質問をするわけにはいかないので、世論調査では、母集団からなるべくランダムに選んだ少数の人からなる「標本」（サンプル）のメンバーに質問をします。

いくらランダムに標本を抜き出したとしても、標本について計算した統計量（平均値など）は、母集団全体について計算した統計量とは異なります。この差を**標本誤差**といいます。標本の大きさが与えられたとき、どれくらいの標本誤差が想定されるでしょうか？ そのような疑問に答えるのが統計学です。

従来の統計学では数学を使いますが、コンピュータを使ったシミュレーションでも同じことができます。

たとえば有権者のぴったり半分が内閣を支持していたと仮定しましょう。そこからランダムに選んだ1000人に聞けば、ちょうど500人が「支持する」と答えるかというと、標本誤差があるので、そうはなりませんね。

この問題は、コインを1000枚投げたとき、何枚おもてが出るかという問題とおなじです。1/2の確率でおもてが出るコインを1000枚投げて、何枚おもてが出るかをコンピュータのシミュレーションで調べれば、かなりのばらつきがあることがわかります（図3）。そのばらつきが、標本誤差に相当します。

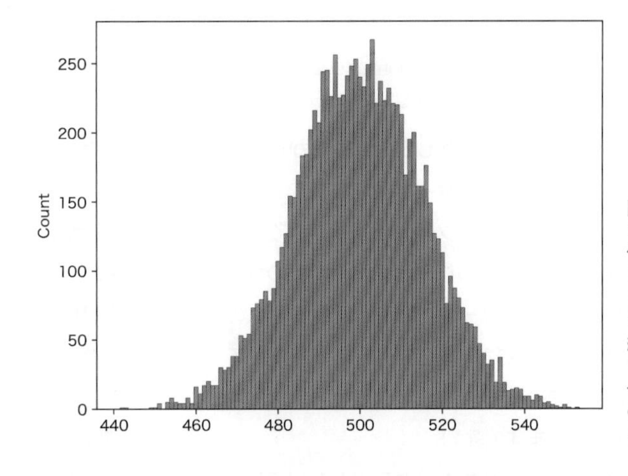

図3　1000枚のコインを投げて何枚おもてが出るかを調べるシミュレーションを1万回やった結果のヒストグラム。数十人（割合にして数%）の標本誤差があることがわかる

仮説検定

ある仮説（たとえばコインはおもても裏も同じ確率で出る）を確かめるために実験をおこない、実験結果（たとえばコインを1000枚なげて460枚しかおもてが出なかった）が得られたとき、もとの仮説（**帰無仮説**）を棄却（否定）できるかどうかを調べるのが、仮説検定です。

図4のようなシミュレーションを使えば、期待される枚数（500枚）から40枚以上はなれた結果が出る確率は無視できるほど小さいので、もとの仮説は棄却でき、このコインはおもてが出にくいと結論づけられます。

同じ考え方が、ある薬が効くか、ある教育方法が効果があるかといったいろいろな仮説を検定するために使われます。

```
import numpy as np
import seaborn as sns

rng = np.random.default_rng()
a = [sum(rng.integers(0, 2, size=1000))
     for _ in range(10000)]
sns.histplot(a, discrete=True)
```

図4　図3を描くPythonプログラム

因果推論

気温xとアイスクリームの販売量yとには強い相関があります。これは、暑いからアイスクリームを買う人が増えるためです。アイスクリームを買ったから暑くなったわけではありません。

このように、2つの量x、yに互いに相関があったとしても、xが原因でyが結果（$x \to y$）か、あるいはその逆（$y \to x$）かは、相関係数だけでは判断できません。もしかしたら、xとyの両方に影響する第3の変数zがあって、$z \to x$、$z \to y$という因果関係があるのかもしれません。

このように、何が原因で何が結果かを見極めることを**因果推論**といいます。

□ クラウドコンピューティング

コンピュータの存在を意識せずにインターネット経由で利用できるサービス

私たちがネット上のさまざまなサービスを利用するとき、「A社のサービスはA社のサーバで動いている」のでしょうか。以前ならともかく、今では違うのです。

今日、企業や個人がネット上でサービスを提供しようとするとき、大量のサーバを動かしている企業から利用権を買って、それらのサーバにサービスを設置するのが普通です。サービスを提供するソフトがサーバ上で動作していることはこれまでと変わりませんが、実際のサーバがどこに何台あるかは、ユーザだけでなくサービスの提供者も知らず、ただどこか「雲の上」にあって使えている、というので済むのです。これを**クラウド**（cloud、雲という意味）と呼びます（図1）。

次のようなサービスは、私たちがクラウドを利用していることがわかりやすいものです。

ネットストレージ：大量のファイルを恒久的に保管しておける。Dropbox（図2）、iCloudなど

オフィスソフト：ワープロや表計算などの機能がブラウザ上で動作する。Googleドキュメント、Web版Microsoft Officeなど

メールソフト：メールをブラウザ経由で読み書き・整理できる。Gmail、Yahoo!メールなど

実は、上記のサービス以外にも、私たちが利用するネット上のサービスやその一部が、クラウドで動いていることが多いのです。

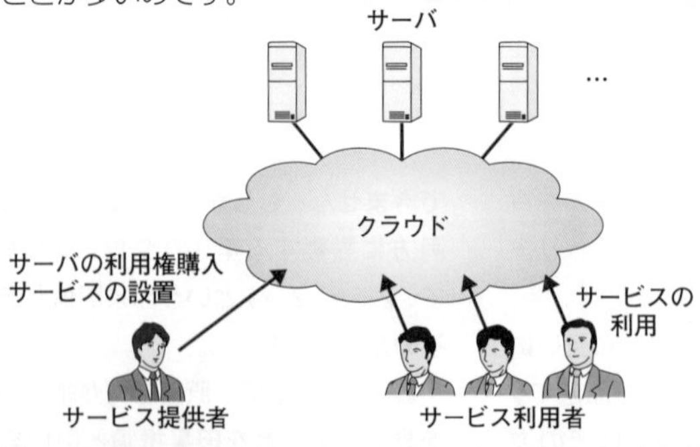

図1　雲の上のどこかにあるサーバにサービスを設置し、それをユーザが利用する

クラウドが生まれたわけ

なぜ、クラウドが登場したのでしょうか。今日、ネット上のサービスは24時間いつでも使え、しかもデータが失われたりしないことが強く求められます。また、あるサービスが評判になると、一瞬にして何十万人何百万人という膨大なユーザがアクセスしてきます。

大量のアクセスをさばくには、数十台～数千台のサーバを設置して運用する施設が必要です。これを**データセンター**と言いますが、大規模な設備や専門家が必要で、普通の企業には大きな負担です。しかも、サーバの増設には時間がかかります。それまでの間、ユーザを待たせてしまいますし、増設し終わったときにはもうアクセスが来なくなっているかもしれません。

一方、仮想化技術の発達により、サービスの設置や管理は簡単にでき、1つのマシンで複数のサービスを問題なく実行できます。そこで、データセンターを持つ企業にお金を払い、そこでサービスを動かせば、手間も掛からず、アクセスの増減にも契約台数の増減で対応できます。こうしてクラウドができました。

クラウドサービスを利用すれば、負荷の増減への対応も容易で、コスト的にも有利になることが多いのです。

今日では、非常に多くのサービスが、AWS（Amazon Web Services）、Microsoft Azure、Google Cloud（いずれも右ページ参照）などのクラウドサービスを用いて提供されるようになっています。

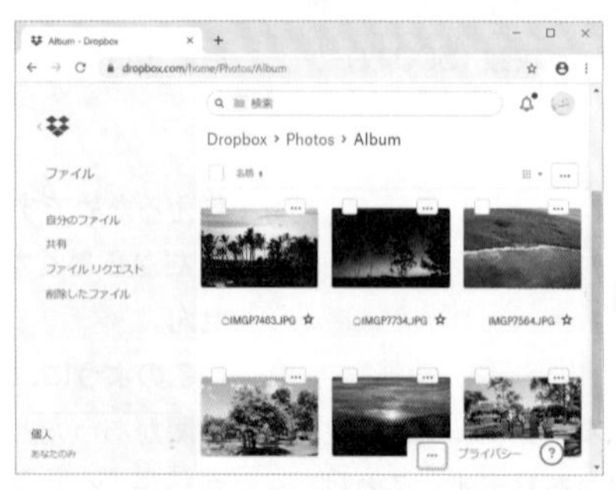

図2　文書ファイルや画像ファイルなどを保管し、他ユーザとの共有もできる「Dropbox」

クラウドサービスの3つの形態

ひとくちにクラウドサービスと言っても、顧客（消費者や企業）に対してどのようなものを提供するかはサービスによって異なりますが、大きく次のように分類できます（図3）。

ソフトウェア（SaaS、Software as a Service）：オフィスソフト、ファイル管理などある程度汎用性のあるソフトウェアを直接顧客に提供するもの

プラットフォーム（PaaS、Platform as a Service）：特定OSを動かした環境と、その上でサービスを構築するのに利用可能な機能（ファイル、データベース、通信など）とを用意し、顧客がこれらの機能を活用したソフトウェアを作成してサービスを作成できるようにするもの。Microsoft Azure、Google Cloudなど

インフラストラクチャ（IaaS、Infrastructure as a Service）：仮想マシン技術を使って、顧客にハードウェアを自由に使わせるもの。AWS（Amazon Web Services）など

私たちが直接使う機会がありそうなのはSaaSです。一般企業などでもオフィスソフトを購入する代わりにGoogleドキュメントなどを契約・利用することでコスト節減や一括管理に役立てている例があります。

PaaSやIaaSはその上で動くソフトウェアを組み込むことで、企業が独自サービスを作って消費者などに提供する形で使われます。

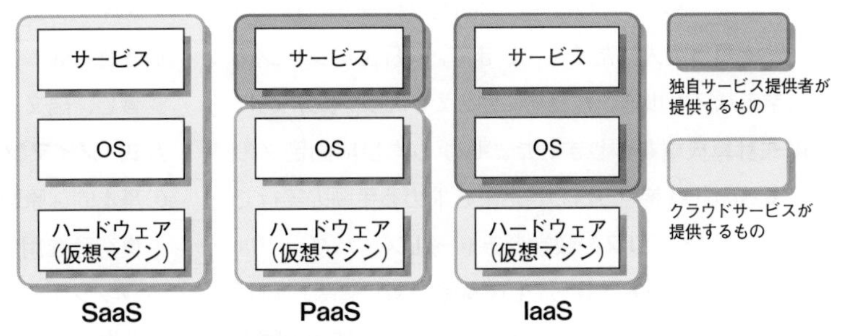

図3　クラウドサービスの3つの形態

クラウドサービスの利点と弱点

クラウドサービスは、社内で運用しているサーバ（これを**オンプレミス**と呼びます）と以下のような違いがあります。

○すぐ使え、使っただけ支払う

クラウドサービスの利点は、低コストで「使った分だけ」の支払いで安定したサービスを利用できることです。

○低コスト

クラウドサービスの低コストは、土地代や電気代が安くて冷房費の少ない涼しい地方にデータセンターを置いて、大量のサーバを一括管理することによって可能になります。

○故障も折り込み済みで管理

サーバ1台が故障する確率は低くても（たとえば1000日に1回程度）、数千台規模のサーバを置くデータセンター全体では、毎日数台が故障する計算になります。このため、クラウドサービスでは故障が起こることを前提とし、故障しても自動的に他のサーバにデータが引き継がれて処理を続けられるように設計されています。このようにして、安定したサービスが提供できているのです。

×所在がわからなくて不安

一方、クラウドサービスでは、サーバが「雲の中」にあって、その所在や管理体制が利用者に示されないこともあります。たとえば私たちが重要なデータをストレージサービスに保管したとして、それがアメリカにあるのかカナダにあるのかは通常わかりません。暗号化などでデータが守られているといっても、機密情報がどこだかわからないところに保存されているのは、心配ではあります。

×障害が起こったときのリスク

さらに、障害でクラウドサービスが一時的に利用できなくなったり、大切なデータが失われることが起こらないとは言い切れません。実際、2012年にクラウドサービスでデータが大量に失われる事故が起きました。こうした事故に対する補償がどうなっているかは確認しておくべきです。損害賠償請求をする場合などは、どの国の法律に基づくのかといった課題をクリアする必要もあります。

ChromeOSとChromebook

Chromebookは、Googleが提供するChromeOSで動作するように設計されたパソコンです。利用者のファイルは原則、全てクラウドサービスで管理することが前提となっているので、本体のストレージは小さくてもよく、安価です。さらに、アプリも基本的にWebアプリなので、バージョンアップやセキュリティパッチ漏れの心配もなく、管理も容易です。

図4　Chromebookのロゴ

□ コンピュータの歴史

巨大装置だった時代から今日のパソコンやスマホまでの変遷

コンピュータ（computer）とは本来「（手作業で）計算をする人」を表しました。この面倒な作業を自動化したい、と思った人はたくさんいます。18世紀フランスの科学者パスカルは、税務署に勤めていた父親のために歯車式計算機械を作りました。しかし本当に面倒なのは、多数の計算を組み合わせ結果を求める手順の実行です。19世紀イギリスの数学者チャールズ・バベッジは一連の手順に従って計算していく装置「階差機関」「解析機関」を作ろうと精力を注ぎました。当時の技術の限界から装置は完成しませんでしたが、バベッジは今日でもコンピュータの生みの親の一人とされています。

やがて電子回路を用いた計算機械が作れる見通しが立つと、コンピュータの開発競争が起きました。この意味での最初のコンピュータは、ロシアの科学者アタナソフによる「ABCマシン」とされていますが、安定した動作は難しかったと言われています。実用に使われた最初のマシンは米国の技術者エッカートとモークリーが数学者フォン・ノイマンらと協力して製作したENIAC（エニアック）というコンピュータで、砲撃の弾道計算のために作られました（完成したときには戦争は終わっていましたが）。ENIACは真空管という旧式の素子を用いていたため、巨大で、信頼性も高くありませんでした。計算の手順は配線で指定するので、別の計算をするときは配線をつなぎ変えていました。

ノイマンらはメモリにプログラムをデータと一緒に記憶させれば、プログラムを簡単に入れ替えられることを認識し、論文として発表しました。この**プログラム内蔵方式**（**ノイマン型**とも呼ぶ）は、今日までコンピュータの基本的な原理となっています。

真空管を用いたコンピュータ（第1世代）は、やがてトランジスタを用いたコンピュータに代わりました（第2世代）。その後さらに、複数のトランジスタを1つのチップに詰め込んだ集積回路（**IC**、Integrated Circuit）のもの（第3世代）が普及しました。この時期の代表的なコンピュータには、最初の汎用機（事務計算と科学技術計算を両方こなす）IBM System/360（図1）、最初のミニコンピュータ（小型・安価で研究室などに設置できる）DEC PDP-8（図2）などがあります。

現在はさらに多数の回路を詰め込んだ超大規模集積回路（**VLSI**、Very Large Scale IC）が使われています（第4世代）。VLSIは大量の回路を低コストで製造できます。さらに、技術の進歩とともに回路が微細化し、小電力で高速に動作するものができました。その結果、携帯電話などあらゆるところにコンピュータが組み込まれ、高速に情報を処理する時代が到来したのです（表1）。

図1
IBM System/360
（出典：IBM）

図2　DEC PDP-8
（出典：京都コンピュータ学院）

図3
Xerox Alto
(Courtesy of Xerox Corporation.)

表1　主要なコンピュータのできごと

年	できごと
1742	パスカルが歯車式計算機を作る
1822	バベッジが階差機関を構想
1942	アタナソフのABCマシンの動作が確認される
1943	ENIACが完成し動作が確認される
1949	EDSAC（最初のプログラム内蔵方式コンピュータ）
1951	Univac I（最初の商用コンピュータ）
1961	IBM 7030（別名Strech、最初のスーパーコンピュータ）
1964	IBM System/360（最初の汎用機）
1965	DEC PDP-8（最初のミニコンピュータ）
1971	Intel 4004（最初のワンチップCPU）
1973	Xerox Alto（最初のワークステーション）
1975	Altair 8800（最初のホビー用パソコン）
1976	Apple I（Apple社の最初のパソコン）
1981	IBM PC（ビジネス市場で成功した最初のパソコン）
2011	カナダのD-Wave Systemsが最初の量子コンピュータ（従来の論理素子とは全く違う原理の素子を用いたコンピュータ）を初めて市販

世界最初のワンチップCPU

1970年ごろ、電卓は専用のLSI（大規模集積回路）を組み合わせて作られていました。しかし、新しい電卓を作るごとにLSIを設計し製造するのは大変です。そこで電卓会社ビジコンの技術者であった嶋正利は、米国の半導体メーカーIntel社と共同で「1個のLSIが小型のCPUになっていて、プログラムを書き換えることでさまざまな電卓が実現できるもの」を開発しました。これが世界最初のワンチップCPUであるIntel 4004です。

4004は4ビットCPUでしたが、その後の製造技術の進歩により、ワンチップCPUはより多数の回路を搭載し、32ビット、64ビットなど、多くのデータを一度に扱えるようになり、動作速度も向上しました。その結果が、今日のコンピュータが搭載しているCPUなのです。

パソコンの登場

コンピュータの登場以来長い間、コンピュータは非常に大きく高価なものであり、個人が所有できるようなものではありませんでした。しかし1973年ごろ、Xerox社パロアルト研究所に所属していたアラン・ケイらは「将来は個人が小さいコンピュータを持ち運んで使用するだろう」ということを予見し、そのようなコンピュータのプロトタイプとしてAltoというマシンを開発しました（図3）。

一方、ワンチップCPUの登場とともに、これを使った小型のコンピュータをホビー用に販売することが考えられ、最初のパーソナルコンピュータ（パソコン）であるAltairが作られました。この市場に着目したのがスティーブ・ジョブズとスティーブ・ウォズニアックで、彼らはApple Computer社を創立しApple Ⅰ、続いてApple Ⅱを発売し、人気を博しました。

ここまでのパソコンはホビー用でしたが、IBM社はビジネスにもパソコンが使われることを予見し、IBM PCを開発しました（図4）。IBM PCのOS（PC-DOS）は、当時は新興企業だったMicrosoft社から調達して（その後MicrosoftはMS-DOSとして販売）搭載しました。IBM PCはビジネス用途として爆発的に売れました。

一方、スティーブ・ジョブズはAltoを見てそのユーザインタフェースに感銘を受け、GUI（グラフィカルユーザインタフェース）を持つ最初のパソコンであるLisa、続いてMacintosh（図5）を作り、ホビー用途を中心に普及させました。Microsoftのビル・ゲイツは今後GUIが一般的になることを理解し、Windowsを開発して対抗しました。今日でもmacOSとWindowsがパソコンOSの2大流派となっています。

図4　IBM PC（出典：IBM）

図5
初代Macintosh

並列コンピュータと量子コンピュータ

デジタル回路の動作周波数（クロック）が高くなると、その2乗に比例して発熱も増大することから、今日のVLSIでは1つのCPUの動作速度を高めることが難しくなっています。そのため現在では、コンピュータシステムは複数のCPUを並列に動作させることで性能を向上させるようになっています。

理化学研究所は2019年度に、かつて世界スパコンランキング1位を獲得したこともあるスーパーコンピュータ「京（けい）」の運用を終了し、2020年度から「富岳（ふがく）」の運用を始め、コロナウィルスの飛沫飛散のシミュレーションなどに利用しています（図6）。これらも多数のCPUを搭載した**並列コンピュータ**システムです。

一方で、従来のCPUでは不可能な速度向上を目指す**量子コンピュータ**の研究も行われています。これは、従来の「0」「1」のみを値とする論理ゲートの代わりに、量子力学的な重ね合わせを用いて並列に多数の状態を扱う量子ゲートを用いるものです。

これとは別に、量子アニーリング法と呼ばれる量子変動を用いた最適な組み合わせを求める計算に特化したコンピュータが実用化されています。2011年よりカナダのD-Wave Systemsが製造・販売しています。これは、最適化の問題を解決するために設計された量子コンピュータの一種です。アニーリングは量子ゲート方式とは異なります。

図6　理化学研究所の「富岳」（提供：理化学研究所）

□ Google

さまざまなWebサービスを提供するクラウド時代を代表する企業

IT業界で圧倒的な力を持つアメリカの大手IT系企業5社（Google、Amazon、Facebook、Apple、Microsoft）をその頭文字を取って「**GAFAM**」と呼びますが、その中でもデータやソフトをネットワーク経由で提供する個人向け**クラウドサービス**の分野で抜きん出ているのが**Google**社です。

インターネット上のあらゆる情報を検索・共有

Google社は「ありとあらゆる情報をインターネット上に蓄積し、それを有効に取り出して活用すること」を企業の目標に掲げています。

Webページを検索するGoogle検索は多くの国々で7～9割ものシェアを持っています。さらにWebメール（**Gmail**）、地図（**Googleマップ**）、スケジュール管理（Googleカレンダー）、Web上へのデータの保管と文書の編集（**Googleドライブ**）、動画の共有（**YouTube**）、学校向けWebサービス（**Google Classroom**）など、多種多様なサービスを提供しています。

また、Webブラウザ（**Google Chrome**）までも自社で開発して無償で提供しています。これも同社の数々のサービスがすべてWebをベースとしていて、Webブラウザ上で動作するからです（図1）。

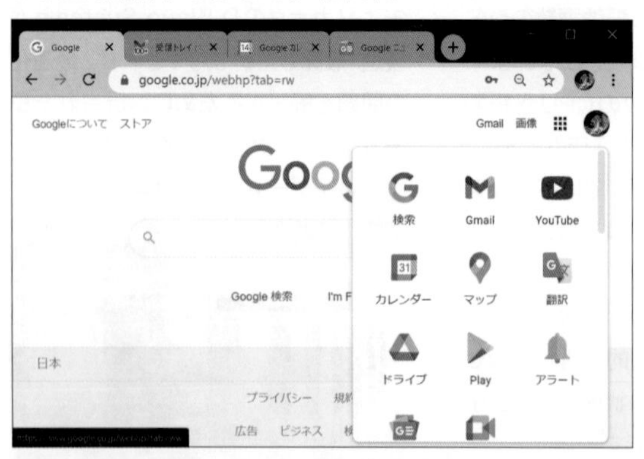

図1　同社の各種サービスがどんな環境でも快適に利用できるように、Windows版だけでなく、macOS版・Linux版・iOS版・Android版のGoogle Chromeも提供されている

広告収入でなりたつビジネス

Googleが個人向けに提供している数々のサービスは基本的にすべて無料です。なぜそれでビジネスが成り立つかというと、同社はインターネット上の広告で収入を得ているからです。

ユーザが入力した検索キーワードに関連する広告を表示する「Google広告（旧AdWords）」やWebページの内容と関連のある広告を表示する「AdSense（アドセンス）」など、インターネットを利用する人の関心にあった広告をピンポイントで表示する仕組みが高く評価されて、多くの広告を集めています（図2）。

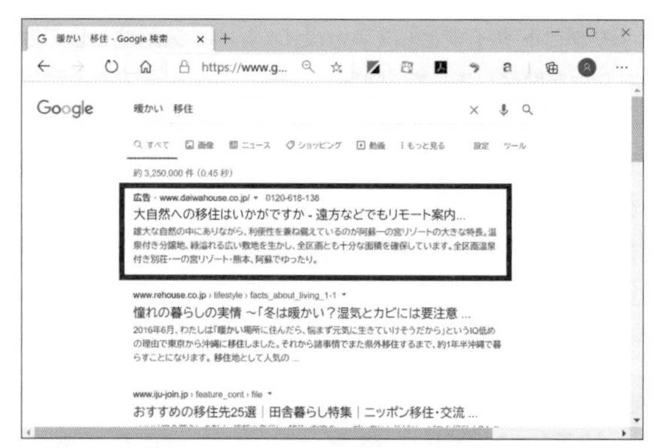

図2　Google検索のサイトで検索すると、ユーザが入力したキーワードに関連する広告が検索結果の前に表示される

同社の売り上げの8割は自社サイトと他社サイトに載せた広告によるものです。製品の売り上げが事業の中心であるApple社やMicrosoft社とは異なる土俵で勝負しているわけです。

その一方、EUから同社のインターネット広告事業がEU競争法に違反しているとして莫大な制裁金の支払いを命じられるなど、同社のインターネットビジネスへの監視を強める動きも大きくなっています。

iOSと並び立つスマホやタブレットの標準OS

Android（アンドロイド）はオープンソースのOSであるLinuxをベースに、Google社が開発している、スマートフォンやタブレット用のOSです。

iPhoneやiPadではApple社がOSを含めたすべての開発を行っているのに対して、AndroidではGoogleから無償で提供されたOS（Android）に独自アプリを追加したスマートフォンやタブレットを世界中のメーカーが発売しています。Google社自身でもAndroidを搭載したスマートフォンを開発、販売しています（図3）。

Androidスマートフォンのシェアは、日本を除くほとんどの国でiPhoneを上回っています。今日、Androidはモバイルの分野において世界でもっともユーザ数の多いOSといえます。

なお、Androidの派生OSとして、自動車内のオーディオ機器などの操作を行うためのAndroid Auto、テレビ用のAndroid TV、スマートウォッチなどのウェアラブルデバイス用のWear OSなどがあり、これらのOSもさまざまなメーカーの多くの機器で採用されています。

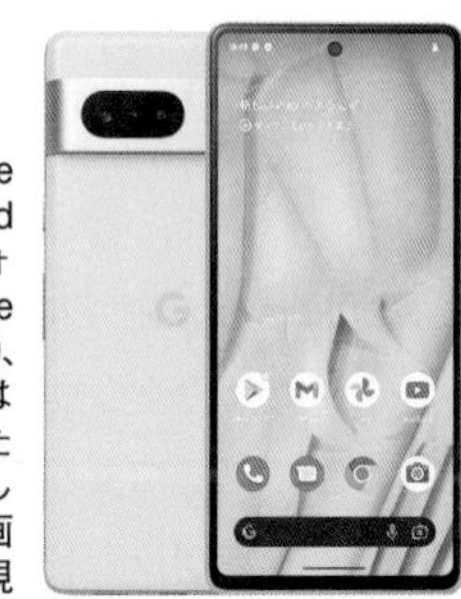

図3　Google社のAndroidスマートフォンの「Google Pixel 7」（写真）、「同7 Pro」は自社開発したCPUを搭載して、高度な画像処理を実現

膨大な数のサーバが協調してサービスを提供

同社の検索サービスは世界中の膨大な数のWebデータを事前に収集してデータベースに格納しておくことで検索結果を素早く表示できる仕組みとなっています。

また、メールサービスのGmailではGoogleドライブなどの他のサービスと合わせて、ユーザー人当たり15GBもの容量を無料で提供しています（図4）。

これらの膨大なデータを格納するため、同社は100万台を超える数のサーバを運用しているといわれています。データは多数のサーバに分けて格納されていても、ユーザがそれを意識することはありません。たくさんのサーバが協調して働く仕組みが導入されているからです。

図4　同社のサービス全体で15GBまでは無料で保存できる。Google Oneサービスに契約すると、有償で保存容量を増やせる

ハードからクラウドまでさまざまな事業を展開

Google社は、Web検索やGmailなどのWebサービス以外にもさまざまな事業に取り組んでいます。

ハードウェアとしては、スマートフォンのほかに、スマートスピーカーの「Google Nest Audio/Mini」、無線LANルータの「Google Nest Wifi」、スマートウォッチの「Google Watch」などを開発・販売しています。

また、同社開発のChromeOSを搭載した**Chromebook**が、生徒全員に学習用端末を整備することを目指した国の「GIGAスクール構想」の中で採用されるケースも増えています（図5）。

近年、Google社が特に力を入れているのが法人向けのクラウドサービスです。この分野で先行するAmazon社やMicrosoft社とはまだかなりの差があるものの、三強と呼ばれるまでに成長しています。

ほかにも、スマートフォンで撮った写真の加工でも活用されているAI（人工知能）や量子コンピュータなどの研究も積極的に行っています。

図5　生徒の学習用端末としての採用が増えている、ChromeOSを搭載したChromebook。写真はNECの「Chromebook Y3」

同社事業にも影響する個人情報保護の動き

Google社はユーザが気付かないうちに個人情報を収集しています。たとえば、Googleのアカウントでログインした状態でWebの検索を行うと、検索した人の検索履歴として自動的に記録されて、同社の広告事業などに使われています。

以前はそれを問題視する声は大きくありませんでしたが、EUが個人情報を保護する新しい法律を定めて、域外への個人情報の持ち出しを禁止するなど、個人情報保護の動きが広まりつつあり、同社の事業にも影響する可能性が指摘されています。

□ Apple

クールなデジタル機器が世界中で人気を集める

Apple社（元の社名はApple Computer）は、1976年、アメリカの西海岸シリコンバレーに住んでいたスティーブ・ジョブズらによって創業された企業です。パソコンやスマホ、タブレットなどのデジタル分野の製品やサービスを販売・提供しています。

最大規模のIT企業に急成長

Apple社は世界初のパソコンと呼ばれることもあるApple I（アップルワン）にはじまり、Apple II、Macintosh（マッキントッシュ、**Mac**）と独創的なパソコンを相次いで発売してきました。Macintoshは先進的なGUIを採用して狂信的なまでのファンによって熱く支持されてきた一方で、1990年代以降、ビジネスの世界に急速に普及したWindowsパソコンに対しては大きくシェアを開けられて、会社の売却が検討されるほど、追い込まれた時期もありました。

そういった状況が変わる契機となったのが、2001年に発売されたデジタル音楽プレーヤの**iPod**、2007年に発売されたスマートフォンの**iPhone**、2010年に発売されたタブレットの**iPad**です。これらの製品が世界中でヒットしたことによって、2010年にはIT業界の中で売り上げ1位となり、近年はMicrosoft社やGoogle社の2倍近い売り上げを達成し続けています（図1）。

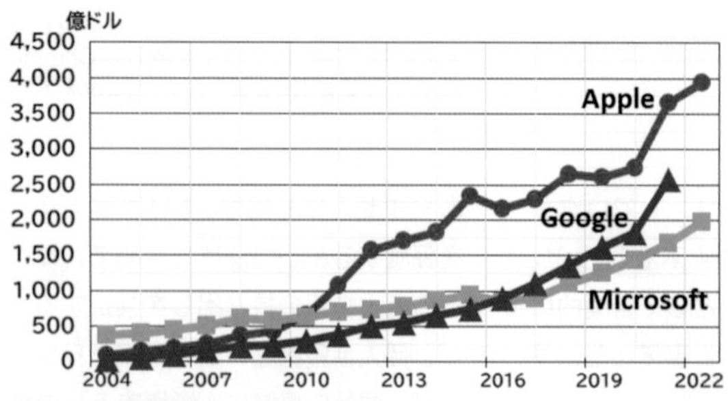

図1　IT業界を代表するApple、Microsoft、Googleの3社の売上高を比較（年は各社の決算年度による）。

デジタル分野の製品やサービスを手広く提供する企業に

Apple社は、製品だけでなく、それ用のコンテンツやアプリを購入する仕組みまで開発して提供しています。

音楽や映画は、Mac用Apple Music App/Apple TV AppかWindows用iTunesから同社が運営するサイト「**iTunes Store**」にアクセスしてダウンロード購入できます（図2）。同様に、「**App Store**」からはiPhoneやiPadやMac用のアプリを、「Apple Books」からは電子ブックをダウンロード購入できます。定額制の動画配信サービス「Apple TV+」も行っています。

図2　Apple社製の音楽プレーヤアプリを用いて、iTunes Storeから音楽をダウンロード購入できる

Apple社の売り上げはiPhoneを中心としたハードウェアが8割を占めています（図3、2022年度第4四半期）。中国製の安価なスマホの普及やスマホ市場の飽和もあり、iPhoneの販売数は頭打ち状態となっていますが、高額なモデルの売り上げが好調なことから、iPhoneの売り上げ額の割合は近年、5割前後を維持しています。

図3　iPhoneの売り上げ額の割合は近年、5割ほどを維持している

初めての製品は木製ボディのAppleI

Apple社が1976年に販売したApple I（図4）は、木製のボディを持ったワンボード（基板が1枚だけの）コンピュータでした。学習キットに近いレベルのものでしたが、当時、コンピュータと言えば大企業のコンピュータルームでしか利用できない雲の上の存在でしたので、技術者や学生に熱烈に受け入れられました。

キーボードなどを備えた、よりパソコンらしい風貌のApple IIは200万台以上売れて、その後のパソコン業界を築いた優れた人材を多数、生み出しました。

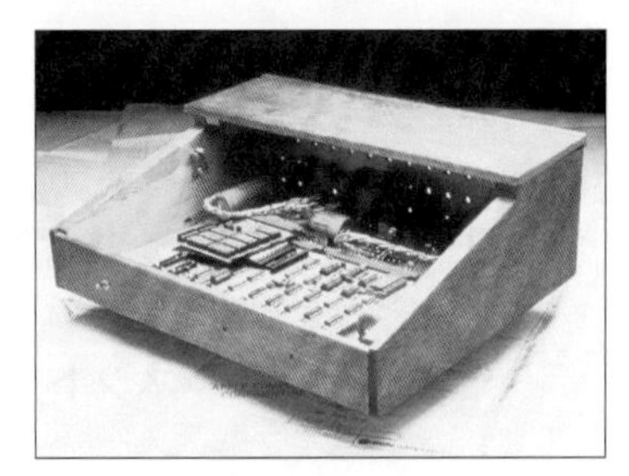

図4　Apple社最初の製品Apple I

Windowsと異なる感動体験を提供するMac

1984年にApple社が発売したパソコンがMacintosh（Mac）です。

Macユーザの割合は1割程度と多くはありませんが、その優れたグラフィカルな環境や使い勝手の良さなどが高く評価されて、Web・写真・映像・音楽・出版といったクリエイティブな分野のプロフェッショナルなユーザ達の多くに欠かせない道具として愛用されています。

Macはその誕生時からグラフィカルな画面とマウスを用いた操作を特徴とするGUI(Graphical User Interface)を世界で初めて採用したパソコンでした。その後も、タッチパッド、超高解像度液晶、パソコン本体への電源供給も兼ねたUSB Type-Cコネクタなど、数々の先進技術をいち早く搭載して、その多くはその後の業界のトレンドとなっています。その一方で、有線LAN、光学式ドライブ、従来タイプのUSBコネクタといったレガシー（旧式）な機能の廃止にも積極的です。また、OSの開発とパソコン本体の開発が分業化しているWindowsパソコンと異なり、MacはApple一社がそのすべてを開発していることも大きな特徴となっています。

この特徴をさらに前進させるため、2020年、MacのCPUをWindowsパソコンと同じIntel社製から自社製に変更することを発表し、同年11月に自社設計のCPU「M1」を搭載したMacの販売を開始しました。2021年には「M1 Pro」「M1 Max」「M1 Ultra」、2022年には「M2」と、性能を向上させたCPUを相次いで発表し、MacやiPadの新モデルに搭載しています（図5）。

図5　高性能ながら低消費電力を特徴とする「M2」CPUを搭載したMacBook Airの新モデルは、CPUを冷却するファンがないので、動画の視聴や編集などを行っても静かなままだ

新しい市場を開拓する数々のヒット商品

2016年にApple社から発売されたワイヤレスイヤホン「AirPods」はiPhone本体のBluetooth機能を用いて音楽が転送される仕組みとなっています。音楽を聴きながら通勤/通学しているユーザにとってイヤホンのケーブルは邪魔な存在でしかありませんでしたが、ワイヤレスイヤホンの普及によってケーブルの煩わしさから解放されました。

また、スマホと連携させてメッセージを見たり電話で通話したりできる腕時計タイプの端末装置「Apple Watch」も流行に敏感なユーザ中心に拡がりつつあります（図6）。

iPodやiPhoneもそうでしたが、Apple社が発売する新製品は必ずしも世界初ではなく、たいてい似た製品がすでに発売されています。しかし、誰もが格好いいと感じるデザインと使い勝手の良さを武器に“デジタル音楽プレーヤ”、“スマートフォン”、“完全ワイヤレスイヤホン”、“スマートウォッチ”といった新しいジャンルの市場を確立してしまうところがApple社の真骨頂といえます。

図6　新しいもの好きの人だけでなく、健康志向の人にも愛用されているスマートウォッチ「Apple Watch」の新モデル

□ Meta (Facebook)

ソーシャルネットワークサービスの巨人

Facebookの歴史と特徴

Facebook（図1）は、2004年にハーバード大学の学生だったマーク・ザッカーバーグ（現会長兼CEO）が中心になってサービスを立ち上げました。当初は、ハーバード大学の学生同士が情報を交換するためのシステムでしたが、他大学でも利用したいという要望に応えて、アイビー・リーグを皮切りに、広く全米の大学生に開放されました。現在では13歳以上なら誰でも利用できるようになっています。

日本語版は、ザッカーバーグが来日して講演を行った2008年5月19日にサービスが開始されました。

Facebookの特徴は「実名主義」だということです。ほかの**SNS**（Social Networking Service）はニックネームで利用するのがそれまで一般的でしたが、Facebookは生年月日、性別、血液型、言語、政治観などを登録します。さらに、職歴と学歴、交際関係、家族、自己紹介、好きな言葉、住んだことのある場所、連絡先情報、恋愛対象、交際ステータス、宗教・信仰、プロフィール写真など、履歴書に記入するような内容以上に詳細な個人情報までを登録します。ただし、これらはすべてが必須項目というわけではなく、公開したくない項目は空欄のままにすることもできます。また、近況アップデートや写真などはプライバシー管理で公開範囲を個別に指定することもできます。

疎遠になっていた友人同士がつながって、実際に会って交流するきっかけになったりするなど、リアルな世界でのコミュニティ形成の促進にも役立っています。

2022年第3四半期の月間アクティブユーザ数（MAU）は、29億人を超えています。

Facebookからメタバースへ

Facebook社は、2021年10月28日に社名をメタ・プラットフォームズ（Meta）に変更しました。コンピュータやネットワークの中に構築された仮想空間やそのサービスを指すメタバース関連を今後の事業の中心にしていく計画です。変更したのは社名だけでSNSの名称であるFacebookは変更されていません。Metaが提供しているサービスはこのほかにも、Instagram、Messenger、WhatsAppなど、たくさんあります。これらのアプリを起動した際にMetaの社名とロゴが表示されます（図2）。

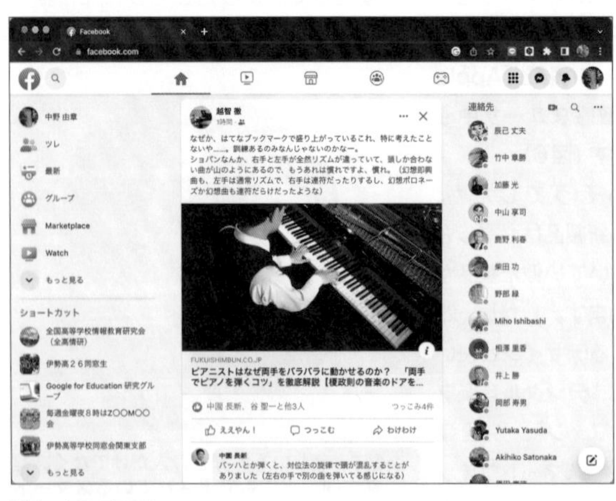

図1　Facebook

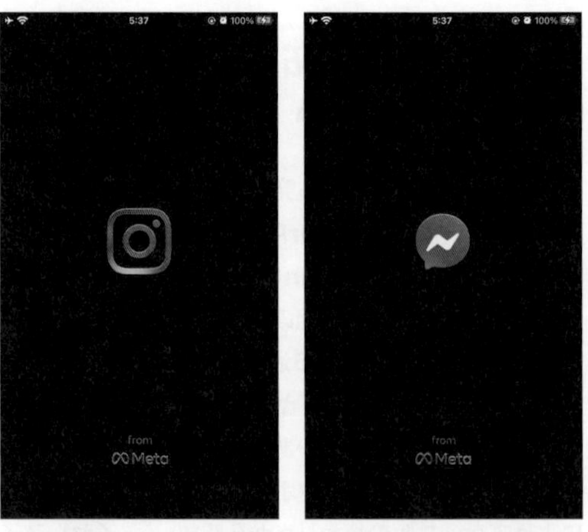

図2　InstagramやMessengerの起動時に表示されるMetaのロゴ

Facebookのユーザ数

Facebookのユーザ数は、他のSNSに比べて群を抜いて多いのですが、その勢いはとどまることなく増加を続けています。図3は、ここ10年間のMAUの推移を示しています。

さまざまな新サービスが次々と登場し、勢いをなくしてしまったりサービス停止に追い込まれたりしたSNSが数多くある中、FacebookはSNSのトップランナーであり続けています。

一方、日本国内においては、現状の利用状況や今後の人口動向から、現在の約2900万ユーザからそれほど大きな伸びは見込まれていません。

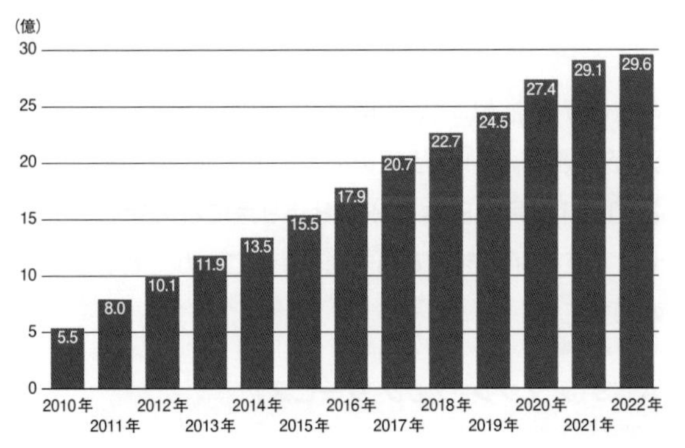

図3　FacebookのMAU数推移（単位：億ユーザ、独Statistaの統計情報を基に作成）

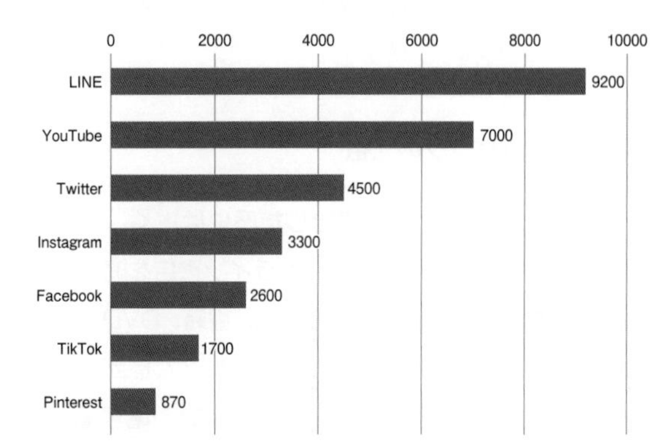

図4　国内主要SNSのMAU数の比較（単位：万ユーザ、ガイアックス社の資料を基に作成）

世界に影響を与えるMeta

2010年末から2011年にかけて、アラブ諸国で相次いで大規模な民主化デモが起きました。これを「アラブの春」と呼びます。市民がデモを呼びかけたり、政権側の動きに関する情報を発信したりするのにFacebookが利用され、チュニジア、エジプト、リビアでは政権が崩壊する事態になりました。もちろん、これはFacebookだけによるものではありませんが、政権側に統制されない市民同士の情報交換が大きく影響したのは間違いなく、SNSが大きな力を持っていることが示されることとなりました。

また、ロシアは、Metaをテロリストおよび過激派組織として指定しました。ロシアは2022年2月のウクライナ侵攻後、InstagramやFacebookでロシアに対する否定的・敵対的な書き込みが許容されているとして、これらのサービスの提供を禁止しました。Instagramはロシア国内でも人気があり、市民の重要なコミュニケーションプラットフォームでした。これらInstagramやFacebookの運営会社であるMetaをテロリストおよび過激派組織として指定したことによって、Metaは極右国家主義団体やタリバンなどの外国のテロ組織などと同じ扱いとなりました。このことも、Metaが提供しているSNSが政治的にも非常に大きな力を持っていて、ロシア政府がその影響を恐れていることの表れだといえるでしょう。

図5　エジプト革命の引き金となった"We are all Khaled Said"

Facebookのセキュリティ事故

Facebookには、非常にプライベートな情報が登録されています。これが一度漏洩すればその影響は計り知れません。実際に2016年に約8700万人分の個人情報が、米大統領選で有権者操作目的で不正に利用されたと言われています。また2018年9月にも約2900万人の個人情報が漏洩していたことが判明しました。そして12月には680万人の未公開写真が流出しました。このように、巨大なSNSでセキュリティ事故が起きると、被害を受ける人の数は膨大になり、一私企業の対応が、社会全体への影響を左右することになります。利用者サイドではどうすることもできない面もあるので、利便性と危険性は表裏一体だということを認識した上で利用するように心がけましょう。

□ Amazon

ネット書店からインターネット総合サービス企業へ

ネットショッピングの元祖

Amazonがサービスを開始した歴史は古く、1995年に創業者ジェフ・ベゾスがオンライン書店を開いたことから始まりました。それが今では、書籍、DVD、CD、家電製品、車&バイク、おもちゃ、ヘルス&ビューティー、食品、ペット用品、ファッション、電子書籍、Amazonデバイスなど、数億アイテムを超える幅広い商品を取りそろえる世界最大のEC（イーコマース）サイトになりました。

Amazonサイトの各種機能

Amazonの機能的な特徴として**レコメンデーション**があります。これは、ユーザが閲覧したり購買したりした行動情報を元に、興味のありそうな商品をおすすめするものです。

また、Amazonは商品の購入方法について「**ワンクリック特許**」を1997年に取得しました。一般的に、商品を購入する場合、住所の入力や決済方法の確認などといった手順を経て注文が確定します。ワンクリック特許はブラウザの**クッキー**（Cookie）を使用し、初回購入時に登録された購入者情報と関連付けることで、入力・確認などの手順を省いて、1回クリックするだけで商品の購入ができるという仕組みです。ただし、アメリカで2017年9月、日本で2018年9月にこの特許は失効し、この仕組みを誰でも自由に使うことができるようになりました。

AWS（アマゾン ウェブ サービス）

AWSは、Amazonが提供する**クラウドサービス**のことです。仮想サーバ、オンラインストレージ、データベースなど、さまざまなサービスがクラウド上で利用できます。クラウドのメリットはオンプレミス（情報システムを使用者が自分で保有して自分で運用すること）と比較して、ハードウェア導入のための多額の初期投資が不要で、メンテナンスやシステム更新などの作業に人的リソースを費やす必要もないため、企業での利用が急速に拡大しています。Synergy Research Groupの2022年第3四半期調査結果によると、全世界のクラウドサービスでAmazonは34%のシェアを占めていて、2位Microsoftの21%、3位Googleの11%を大きく引き離しています。

このように、Amazonはもはや単なるネットショッピング会社ではなく情報インフラ会社であると言えます。

図1　Amazonのレコメンド機能

図2　AWS

Amazonアソシエイト

Amazonの**アフィリエイトプログラム**のことです。アフィリエイトとは、自分のブログなどで、商品やサービスを紹介し、それを見た人が実際に購入した場合、報酬が支払われる成果報酬型広告のことです。この仕組みは以前からありましたが、Amazonが積極的にアフィリエイトプログラムを推進したことで、今日のように広く普及したと言われています。

Amazonアソシエイトを始めるには、Amazonの審査を受けて合格しなければなりません。また、開始後も違反がないか審査を受けます。

図3　Amazonアソシエイト（アフィリエイトプログラム）

航空宇宙産業にも進出

Amazonの創設者であるジェフ・ベゾスが、2000年に航空宇宙企業「ブルーオリジン」を設立しました。将来は商用有人宇宙飛行を実現することを目指し、現在はロケットを開発しています。宇宙旅行のチケットを2019年から販売するとも発表していましたが、発売は延期されました。

オンラインブックストアから総合ネットショッピングサイトにAmazonを成長させたその次は、インターネットサービスとはまったく異なる分野である宇宙開発事業に進出しようとしています。

図4　ブルーオリジンの再使用型ロケット「ニューシェパード」

Amazonオリジナルのハードウェア

Amazonが開発したオリジナルのハードウェアも数多くあります。2007年には電子書籍リーダーAmazon Kindleを発表し、電子書籍販売サービスKindle Storeを開設しました。

2014年には、専用ボタンを押すだけで注文ができる画期的なAmazon Dashを開始しましたが、2019年8月にサービス終了しました。同じ2014年に既存のテレビをスマートTV化するFire TV / Fire TV Stickや、スマートスピーカーAmazon Echoなど、Amazonオリジナルのハードウェアが続々と発売されています。

図5　Echo Show 15（左）とFire TV Stick 4K Max（右）

ASIN

ASINとは、Amazon Standard Item Numberのことです。Amazonは、書籍はISBN（International Standard Book Number）で管理しますが、これ以外のCD、DVD、ビデオ、ソフトウェア、ゲームなどはAmazon独自のコードであるASINで管理しています。

ASINはAmazonグループで共通なので、アメリカのamazon.comも日本のamazon.co.jpも、同一商品なら同一ASINになります。

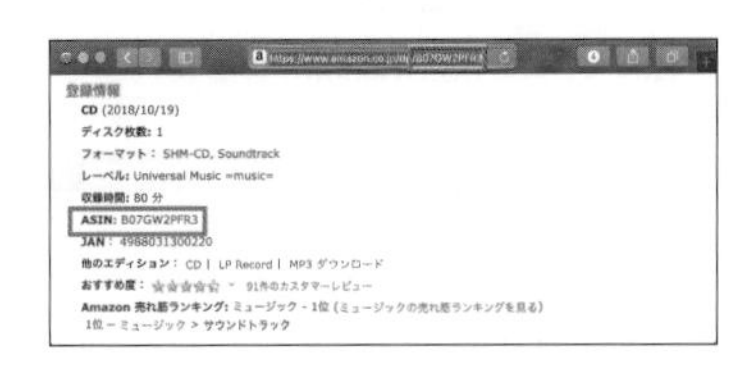

図6　ASIN

納税問題

Amazonは世界各地でECサイトを展開していますが、公式にはアメリカにある会社が販売元ということになっているため、購買活動のあった国に税金を納付しないことで、各地で問題となっています。

日本でも2009年に東京国税局が、日本で法人税を払っていないAmazonに対して140億円前後の追徴課税処分を行いましたが、これに対してAmazonは異議を唱え、日米の2国間協議を申請しました。これを受けて、日米で協議した結果、日本側が全面的に譲歩するという状況になりました。

□ Microsoft

“クラウド企業”への転換を図るパソコン時代の王者

Microsoft社は、パソコン用OSとして最も普及しているWindowsやビジネスの現場で欠かせないツールとなっているExcelなどのパソコン用ソフトを中心に、さまざまなソフトウェアを開発・提供している世界最大のソフトウェアメーカーです（図1）。

プログラミング言語からスタート その後OSとビジネスソフトがヒット

Microsoftは1975年にプログラミング言語のBASICインタプリタを開発する会社としてスタートしました。1981年にIBM社がビジネス用パソコンIBM PCを発売する際、IBM PC用のOSを提供したのがMicrosoftでした。その後、世界中のメーカーがIBM PCに追従するために、MicrosoftのOS（MS-DOS）を採用したため、パソコン用OSのメーカーとしての地位が確固たるものとなりました。

1990年代にはマウスとウィンドウを主としたGUI（グラフィカルユーザインタフェース）で操作できる**Windows**を発売。特に1995年発売のWindows 95はパソコンを一般の人々に広める起爆剤ともなりました。

ワープロソフトの**Word**や表計算ソフトの**Excel**などは世界中で独占的なシェアを占めていて、今やビジネスの現場には欠かせないツールとなっています。

1970年代
プログラミング言語を提供
↓
1980年代
パソコン用OS（MS-DOS）が普及
↓
1990年代
GUIベースのOS（Windows）が普及
↓
2000年代
企業向けソフト分野を拡大
Microsoft Officeが圧倒的なシェアに
↓
2010年代
インターネットやモバイルの世界で
GoogleやAppleなどと競合
↓
2020年代
クラウド事業に注力か？

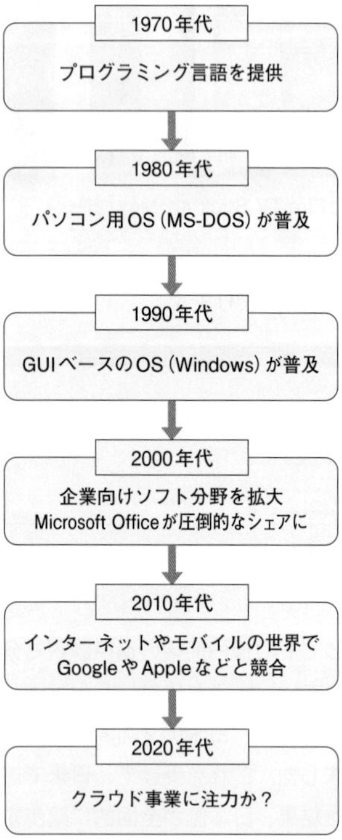

図1　Microsoftの主力事業の経緯

また、パソコンの性能が飛躍的に向上してきたのに伴い、サーバ用OS（**Windows Server**）やデータベース管理システム（**SQL Server**）も開発し、世界中の多くの企業や官公庁の基幹業務を支えるソフトとして利用されています。

インターネット/モバイル分野で ライバル企業との競争が激化

2000年代半ば以降、人々の関心や技術的なトレンドがパソコンからインターネットやモバイル機器に移りつつあるのに合わせ、Microsoftはその分野でもさまざまな製品やサービスを開発・提供してきました。ポータルサイトの**Microsoft Bing**（ビング）、メールサービスの**Outlook.com**、オンラインストレージの**OneDrive**（ワンドライブ）、クラウドコンピューティングサービスの**Microsoft Azure**（アジュール）、ヘッドマウントディスプレイ方式ウェアラブルコンピュータの**HoloLens**、コラボレーションツールの**Teams**などです。しかし、これらの分野にはGoogle社、Amazon社、Apple社、Dropbox社、Zoom Video Communications社といった強力なライバルが存在し、その後塵を拝するケースが目立っています。

スマートフォンの分野においても、スマホ用OSのWindows 10 Mobileを開発し、同OSを搭載した自社ブランドのスマホを欧米で発売するなど、独自路線を目指しました。しかし、iPhoneとAndroidの壁を崩すことはできず、2018年には撤退に追い込まれた代わりに、iPhoneやAndroidのスマホ向けに自社のアプリやサービスを積極的に提供する方針に転換しました。

その一方で、近年、同社がもっとも力を入れているのが法人向けにWeb上で稼働するアプリケーションなどを提供する**クラウドサービス**の分野です。

大きな変化を見せるWindowsとその戦略

2012年、モバイル分野の遅れを取り戻すべく、Microsoft社はパソコンと、スマホ・タブレットの両方の環境に対応する革新的なOSとしてWindows 8を発売しました。しかし、パソコンユーザには長年使い慣れたデスクトップ画面を呼び出すために無駄な操作を必要とする点や[スタート]メニューがなくなった点などが不評で、Windows 8へ移行しないことを宣言する企業が続出する事態となりました。

2015年にパソコンでの操作性の改善に重点を置いて開発したWindows 10を発売したことによって、Windows離れを招く危機を脱しました。

OSをめぐる同社の戦略にも大きな変化がみられます。従来、高額なWindowsのライセンス料金のため、iOSやAndroidを搭載した機種と比べるとWindowsを搭載した機種は割高になりがちでした。そこで、一定の条件を満たした場合には、Windowsをメーカーに無償で提供し始めました。その結果、1万円台のWindowsタブレットや3万円前後のノートパソコンが登場するようになりました。

また、これまでXP→Vista→7→8→10と、数年おきに新版が有償で提供されてきましたが、Windows 10では数々の新機能を搭載したアップデート版が半年ごとに無償で提供される方針に変わりました。2021年11月には6年ぶりに新しい名称を付したWindows 11が発売されましたが、CPUやメモリなどの動作環境が対応しているPCは無償でWindows 10から11にアップデートできます（図2）。

こういったMicrosoft社の新しい戦略や方針はWindowsのユーザを増やすことで市場を拡大させ、その結果として対応するアプリやサービスで収益を上げる狙いとみられています。

図2　Windows 11では「スタート」メニューが画面中央に移動した

ゲーム機やパソコンなどハードウェアにも注力

従来、Microsoft社はOSを主とする基本ソフトだけを開発し、世界中のメーカーがそのライセンスを受けて、ハードウェアを開発・販売するというように棲み分ける形態が業界の暗黙のルールとなっていました。しかし、ライバルのApple社のように、Microsoft社自身が徐々にOSだけでなく、ハードウェアも開発・販売する形態をとるようになってきました。

まず、2001年に**Xbox**（エックスボックス）を発売し、家庭用ゲーム機の分野に進出。今日では、任天堂やソニー・インタラクティブエンタテインメントといったゲーム専業メーカーと肩を並べる存在となっています。

さらに、2012年以降、Windowsを搭載した自社ブランドのタブレットやパソコンの開発・発売も始めました。特にタブレットの**Surface**（サーフェス）は別売のキーボードを接続するとノートパソコンとしても使え、Microsoft Officeが標準添付していることなどから人気を集めて、企業で大量導入される例が増えています（図3）

当初、同社のパソコンやタブレットは法人ユーザ向けの高性能・高価格な製品が中心でしたが、2018年には個人ユーザや教育機関向けに廉価版の発売も開始し、ハードメーカーと競合するケースも出てきています。

図3　Intel社製のCPU搭載製品と自社開発したCPU搭載製品を同時発表したSurface Proの新モデル「Surface Pro 9」

Amazonを追撃する法人向けクラウド事業

法人向けの**クラウド**事業の分野でトップを独走しているのはAmazon社ですが、Microsoft社はそれを激しく追い上げています。

2019年には「Microsoft社のクラウドサービスの売上高がAmazon社のAWSを抜いた」という調査会社の発表がありました。その背景としては、Amazonのクラウドサービスで発生した大規模な障害によって多くの利用企業が被害を受けたことや、EC分野の企業が競合するAmazonを避ける動きが出始めたことなどが指摘されています。ただし、この発表はMicrosoft社が得意とするOfficeなどのアプリケーションをWeb上で提供する**SaaS**（Software as a Service）を含む調査結果で、サーバやデータベースなどのインフラを提供する狭い意味でのクラウドサービスに限ってはまだAmazon社の売り上げの半分程度ですので、Microsoft社が追撃する立場であることに変わりはありません。

内容のチェックリスト

本書の内容の理解度を確認するためのチェックリストです。
各トピックの左ページの内容から出題しています。
番号が違っても同じ用語が入ることもあります。

トピック	問題
インターネットの活用	
LINE	LINEは主にスマートフォンをターゲットとした（ 1 ）である
	LINEでは音声も（ 2 ）に変換してデータ通信で音声通話を行っている
	手軽に（ 3 ）だけで自分の気持ちを表現できることがLINE人気の理由の1つである
InstagramとTwitter	（ 4 ）は写真や動画を投稿するサービスとして人気がある
	気になる人を（ 5 ）するとタイムライン上にツイートが表示されるようになる
	Twitterは（ 6 ）と言われる短い文章でコミュニケーションするメディアである
ZoomとTeams	Web会議システムの代名詞とも言える（ 7 ）は新型コロナウィルス感染症の影響で注目を集めた。
	会社や学校などの組織でグループウエアとして利用されることも多い（ 8 ）はテレワークに活用が広まった。
	Web会議システムでは（ 9 ）を共有したり、グループに分かれて議論（ 10 ）したりする機能がある。
メタバース	メタバースとは、（ 11 ）の中に構築された（ 12 ）の仮想空間やそれを利用したサービスのこと
	（ 13 ）やコントローラを装着して、（ 14 ）仮想空間に没入する
	立方体のブロックで空間が構成される（ 15 ）は身近なメタバースといえる
YouTube とニコニコ動画	動画共有サイトとして（ 16 ）や日本の（ 17 ）が有名である
	YouTubeのサイトでは、（ 18 ）の調整や（ 19 ）を追加して、動画を編集することもできる
	ニコニコ動画は（ 20 ）を動画に重ねて表示できる
Yahoo!知恵袋とCGM	Q&Aサイトは質問も回答も（ 21 ）が書き込むという特徴を持つ
	自分の知識や（ 22 ）で不特定多数の人に（ 23 ）したいという気持ちが質問に答える原動力となっている
	食べログを利用して積極的に（ 24 ）をおこなっている飲食店や、掲載を快く思わない飲食店もある。
Togetterと スマートニュース	Togetterは、いま話題の（ 25 ）を読めるまとめサイト
	まとめた人の（ 26 ）が反映されるため、情報収集手段としてはのリスクもある
	まとめたページを作ったり、引用したりする場合には、（ 27 ）の取り扱いに注意が必要
ブログとCMS	ブログの語源は「（ 28 ）を（ 29 ）する」ことからきている
	ブログには訪問者が書き込める（ 30 ）機能やTwitterなどに投稿する（ 31 ）がある
	ブログで意見を表明するときは、情報を発信する（ 32 ）や重大性を意識する必要がある
検索サイト	検索サイトは（ 33 ）が収集したWebサイトのコピーである（ 34 ）から情報を検索する
	重要度の高いものが（ 35 ）に表示されるが、ユーザーにとって重要とは限らない
	検索結果が上位に表示されるように工夫することを（ 36 ）といい、専門の会社もある
Wikipedia	Wikipediaは（ 37 ）というCMSを使って（ 38 ）を作るプロジェクトである
	Wikipediaに基づき作成したことを明示すれば、（ 39 ）に利用することができる
	記事には誤りがあることもあるので、（ 40 ）にあたり信憑性を確認するとよい
ネットショッピング	Amazonのマーケットプレイスは（ 41 ）と同様に売買スペースを提供するものである
	ZOZOTOWNは（ 42 ）系のショッピングサイトで、商品数の多さと商品検索性の良さが特徴
	競りのような販売形態のネット（ 43 ）や（ 44 ）アプリで個人間で物を売ることができる
ファイル共有と クラウドストレージ	ファイル共有ではクラウドサービスが提供する（ 45 ）を利用することが多い
	ファイル共有サービスのファイルと手元の端末のファイルを一致させることを（ 46 ）という
	ファイル共有をするには各社が配布している（ 47 ）をインストールするか、（ 48 ）を利用する
メールコミュニケーション	見ただけでメールの中身がわかるような、適切な（ 49 ）を書く
	メールの末尾には（ 50 ）を付けるのが一般的
	ファイルを添付するときは、ファイル（ 51 ）やファイルの（ 52 ）に注意する
情報倫理とセキュリティ	
情報セキュリティ	インターネットの普及とともに、「悪いこと」をする人の目的が、他人の（ 53 ）の暴露や、（ 54 ）情報の入手、金銭目的、あるいは政治的な目的に変わった
	個人情報の流出は（ 55 ）を損なう出来事、Webサイトの改ざんは（ 56 ）を損なわせる攻撃
	大量のパケットを送りつけて可用性を侵害する攻撃手法を（ 57 ）攻撃という

トピック	問題
コンピュータウイルス	ユーザに被害をもたらすように作成された悪質なプログラムの総称を（ 58 ）と呼ぶ
	攻撃者の命令によって機器を遠隔操作するのが（ 59 ）ウイルス
	ウイルスに感染しないためには、（ 60 ）ソフトの利用、ソフトを（ 61 ）に更新するなど複数の対策を組み合わせることが必要
ネット詐欺	ワンクリック詐欺とは、有料サービスに登録したと思わせて、（ 62 ）の料金を請求する詐欺のこと
	詐欺師は（ 63 ）の結果や（ 64 ）のリンクから詐欺サイトに誘導する
	不当な請求画面が表示されても相手に（ 65 ）せず、慌てずに（ 66 ）することが重要
迷惑メールとスパム	迷惑メールは（ 67 ）に送られる広告や勧誘などの電子メールで、大量、（ 68 ）に送信される
	複数の人へ転送することを求める（ 69 ）も迷惑メールの一種である
	（ 70 ）やFacebookなどの（ 71 ）を利用したスパムがあるので注意が必要
暗号化	暗号化とは、元のデータを（ 72 ）と呼ばれる秘密の（ 73 ）を使って特定のルールで変換すること
	暗号化したデータを元に戻すことを（ 74 ）という
	Webブラウザで使われる暗号化技術がSSL/（ 75 ）で、アクセス中に（ 76 ）や鍵のマークが表示される
パスワード	Webサービスの多くは認証として（ 77 ）名と（ 78 ）で本人確認を行っている
	複数のWebサービスで同じ（ 79 ）を使い回さないことが重要
	十分（ 80 ）なパスワードであれば定期的な変更は不要だと言われるようになった
ネットワーク利用の際のリスク	ネットでトラブルが起こるのは相手が誰かを（ 81 ）しにくいことと、（ 82 ）がつかみにくい点にある
	出会い系サイトは直接（ 83 ）を意識しているため、利用には慎重を期すべきである
	（ 84 ）の乗っ取りにより、（ 85 ）になりすました詐欺も起こっている
メディアリテラシー	メディアリテラシーとは（ 86 ）を伝えるメディアをどうとらえ、どのように（ 87 ）するかを考える能力
	見出しの印象だけでなく（ 88 ）を読み解く能力が必要
	虚偽のニュースである（ 89 ）が（ 90 ）で拡散され、問題になっている
個人情報と情報社会のルール	個人を（ 91 ）できる情報は個人情報である
	複数の（ 92 ）を組み合わせ、個人を特定できるものも個人情報とされる
	注意を払ってうまく（ 93 ）を活用することも重要
知的財産権	（ 94 ）な価値を持つ（ 95 ）のことを知的財産という
	知的財産は（ 96 ）や無断使用に弱いため、（ 97 ）によって創作者を保護している
	知的財産は利益につながるので、多くの企業はさまざまな（ 98 ）、デザイン、ロゴなどを登録している
著作権	著作権のなかでも特に重要な権利は著作物のコピーを作る権利である（ 99 ）と他人に譲渡できない（ 100 ）である
	作品が生まれた時点で著作権は（ 101 ）に発生するが、オリジナリティが必要
	作品がコピーされ勝手に販売されると（ 102 ）の収入が減り、次の作品を生み出せなくなる
わたし達が生きる情報社会	
情報システム	情報システムはたくさんの（ 103 ）を（ 104 ）で接続してサービスを提供するもの
	（ 105 ）が広く普及し、コンビニでも銀行口座からお金を引き出すことができる
	コンビニのレジでは商品の販売時点で商品情報を記録する（ 106 ）システムが使われている
産業システムとICT	コンピュータ上で設計を行うことを（ 107 ）といい、コンピュータ支援製造のことを（ 108 ）という
	（ 109 ）で素早く試作品をつくることを（ 110 ）という
	（ 111 ）に基づく農場管理や（ 112 ）トラクターなどによる自動化で生産量を向上させる農業を（ 113 ）という
電子マネー	電子マネーは電子的な（ 114 ）だけで表現されるお金のこと
	コンビニ等で購入できる番号を使った（ 115 ）カードは（ 116 ）に番号が有効化される
	ICカード方式の電子マネーは高度な（ 117 ）を使って残高を書き換える
スマートフォン決済	スマホ決済サービスの（ 118 ）をスマホにインストールして利用する
	コード支払い方式は（ 119 ）とも呼ばれ、スマートフォンの画面に表示させたQRコードを店舗側のスキャナで読み取ってもらう
	読み取り支払い方式は（ 120 ）と呼ばれ、店舗側で掲出したQRコードをスマートフォンアプリによってカメラで読み取る
サブスクリプションとシェアリングサービス	モノの購入代金やサービスの利用料をその都度支払うのではなく、月単位や年単位で一定期間利用できる権利に対して料金を支払う形態を（ 121 ）と呼ぶ
	ICT（ 122 ）を活用して、効率よく車や自転車や部屋などを貸し出すサービスを（ 123 ）と呼ぶ
	Amazon、Apple、AWA、Huluなどが提供するサービスは、一定料金を支払えば音楽が（ 124 ）になったり、動画が（ 125 ）になったりする
組み込みシステム	機器に組み込まれたをコンピュータを（ 126 ）システムという
	普及車1台に使われる（ 127 ）システムの数は（ 128 ）以上と言われる
	家電製品ではROM、（ 129 ）、A/Dコンバータなどの回路を1つのチップ内に集積した（ 130 ）が使われている

トピック	問題
IoT (Internet of Things)	さまざまな情報機器をインターネットにつなげる、モノのインターネットのことを（ 131 ）という
	暮らしのIoTとしてはビデオ機器のほか、（ 132 ）カメラや（ 133 ）家電などがあ。
	（ 134 ）由来の技術を利用している機器もIoT機器と呼ばれることがある
音声認識とAIアシスタント	音声認識技術を活用して、音声によるコンピュータの操作を実現する機能を（ 135 ）もしくはバーチャルアシスタントと呼ぶ
	音声認識技術で音声による命令を認識し、内蔵するスピーカーで問いかけに音声で返答したりするのが（ 136 ）
	（ 137 ）やマウス、（ 138 ）などを使わずに情報を検索することができる
センサと計測制御	各種の（ 139 ）を使うことでコンピュータは賢く自動制御できるようになった
	どこに向けてどのように移動しているかを調べる（ 140 ）センサで画面の向きや動きがわかる
	人工衛星からの電波によって現在地の位置情報を求めるシステムを（ 141 ）という
VRとウェアラブルデバイス	VRではコンピュータが作り出す（ 142 ）の中に入り込むような体験ができる
	実際の映像や（ 143 ）にコンピュータの情報を組み合わせて仮想世界を提示することを（ 144 ）という
	身に付けて（ 145 ）使える端末をウェアラブルデバイスという
ロボティクス	ロボティクスとは広い意味での（ 146 ）を指す
	世の中で最も活躍しているロボットは（ 147 ）ロボット
	（ 148 ）の飛躍的な発展により、ロボットの活躍する場が広がっている
AI（人工知能）	人間は何をどう（ 149 ）いるのかを分析し、同じように（ 150 ）仕組みが人工知能である
	体温や脈拍、X線写真画像などを利用して（ 151 ）を判断したり、電車や自動車、（ 152 ）を運転・操縦できるようになる
	人工知能の方が全人類よりもより高い知能を持ち後戻りできなくなる状況を（ 153 ）という
Society 5.0	Society5.0は狩猟社会・農業社会・（ 154 ）・（ 155 ）の次の社会と位置づけられている
	Society5.0ではいくつもの（ 156 ）を自由自在に組み合わせて利用する
	データを統合して（ 157 ）したり活用したり、さまざまなデータを（ 158 ）させて自動的に活用が進むことが期待されている
情報やメディアに関する技術	
二進法	コンピュータは電圧の（ 159 ）で数を表す（ 160 ）を利用している
	0から9までの数字とAからFまでのアルファベットを利用する数の表し方を（ 161 ）という
	コンピュータでは1つの数に用いる（ 162 ）の個数を定めている
ビットとバイト	ビットはデータの（ 163 ）で、二進法で表すと0か1の値となる
	バイトはビットを（ 164 ）桁並べたもので、（ 165 ）通りの情報を表現できる
	大きな量を表すとき、（ 166 ）倍ごとに記号が変わるのが原則だが、（ 167 ）倍ごとに記号を変えて表しているものもある
標本化・量子化・符号化	アナログ信号をコンピュータで扱うには（ 168 ）に変換する必要がある
	定めた方法でアナログ情報を読み取るのが（ 169 ）で、その値を数値データにするのが（ 170 ）、二進法で表すのが（ 171 ）である
	数値データにするときに生まれる誤差を（ 172 ）といい、これを小さくするとデータ量が大きくなる
エラー検出とエラー訂正	エラー検出を行うには元のデータに（ 173 ）のためのデータを付け加える
	エラー検出方式の1つであるパリティチェックは、データのまとまりに対し1ビットの（ 174 ）を付加する
	エラーの検出能力を高くすると、（ 175 ）のための付加するビット数も大きくなる
文字コード	文字の（ 176 ）に対してどのような番号を割り振るか決めているのが文字コード
	（ 177 ）は世界中の文字を収録することを目指した文字コードである
	日本語のひらがなや漢字などは文字種や文字数が多いため、（ 178 ）バイトで1文字を表す文字コードが開発された
フォント	フォントは文字の（ 179 ）データのことを指す
	フォントには文字の幅が等しい（ 180 ）フォントと文字によって幅が違う（ 181 ）フォントがある
	文字の形を点の集まりで表す（ 182 ）フォントと輪郭線で表す（ 183 ）フォントがある
アプリ（アプリケーション）	アプリケーションをパソコンやスマートフォンで使えるようにすることを（ 184 ）という
	スマートフォンでは（ 185 ）やFacebookなど（ 186 ）系アプリが最初から使えるようになっていることがある
	出荷前にアプリをインストールする形態を（ 187 ）という
オフィスソフト	ワープロソフトは（ 188 ）を作成するためのアプリケーションソフト
	仕事を行う上で必要ないくつかのアプリケーションをひとまとめにしたものを（ 189 ）という
	Microsoft Officeにはワープロソフトの（ 190 ）や表計算ソフトの（ 191 ）が含まれている
文書ファイルとPDF	文字情報だけの（ 192 ）にはデータ交換に用いられる（ 193 ）形式のものもある
	PDFはどんな環境でもオリジナル通りのイメージで（ 194 ）することができる文書形式
	PDF形式の文書を閲覧する機能は、最近のWindowsなどの（ 195 ）に搭載されたり、（ 196 ）にも搭載されたりしている

トピック	問題
オーディオファイル	音楽をデジタルデータにするには、波形をデータにする（ 197 ）という方式と（ 198 ）をデータにするMIDI方式がある
	MP3形式は人間の（ 199 ）を利用してデータ量を大幅に圧縮している
	CDより高い音質で音楽を記録したデータを（ 200 ）という
画像ファイル	デジタル画像は小さな色の点の集まりとして扱う（ 201 ）形式と座標や塗り方などで記録する（ 202 ）形式がある
	色は（ 203 ）(：赤)、（ 204 ）(：緑)、（ 205 ）(：青)の3色の光の強さをそれぞれ（ 206 ）段階でデータ化するのが一般的
	デジタルカメラの画像ファイルには（ 207 ）形式が用いられ、データ量が圧縮されている
動画ファイル	ビデオカメラは毎秒（ 208 ）枚の画像を撮影し、記録している
	代表的な動画圧縮の規格である（ 209 ）はDVDや（ 210 ）に使われている
	動画配信サービスではダウンロードしながら再生表示をする（ 211 ）という技術が使われている
情報デザイン	情報デザインは自分の伝えたい情報を（ 212 ）に、かつ効果的に相手に（ 213 ）してもらうために、表現するための方法
	適切にデザインするためには、（ 214 ）側の特徴をよく考えて設計する
	設計の方法として（ 215 ）な表現の工夫、情報の（ 216 ）や構造化などがある
情報の ユニバーサルデザイン	世の中には、情報を伝えるためのさまざまな方法があり、その一つとして（ 217 ）がある
	デザインの使いやすさを考える尺度として、（ 218 ）と（ 219 ）がある
	情報を伝えるために何かをデザインするときはできる限り（ 220 ）なデザインを目指す
ネットワークやインターネットに関わる技術	
サーバと ネットワークサービス	ネットワークサービスとは（ 221 ）経由で価値を提供するもの
	天気や乗り換えなどの（ 222 ）の提供や、（ 223 ）を預ける（ 224 ）などのサービスがある
	サービスを提供する（ 225 ）は常時稼働し、ユーザーは使いたいときだけ利用できる
インターネットの仕組み	インターネットへのデータは（ 226 ）に小分けされて送り出される
	プロバイダは（ 227 ）の略
	プロバイダ同士がつながったネットワークが（ 228 ）である
TCP/IP	（ 229 ）はインターネット通信に広く使われるパケット通信の（ 230 ）である
	IPはもともとのデータを（ 231 ）と呼ぶ一定の長さに分割し送信する
	（ 232 ）はデータが相手に届いたことを確認し、届けられなかった場合はもう一度送信する
ドメイン名	（ 233 ）とはインターネットにつながっている（ 234 ）やネットワークを識別する名前の1つ
	コンピュータは（ 235 ）で通信相手を指定するが、人間には覚えにくいため（ 236 ）を利用する
	www.example.co.jpなら、国は（ 237 ）でexampleという（ 238 ）であることがわかる
Webサーバとブラウザ	World Wide Webは（ 239 ）上で最も広く使われている情報システムである
	WWWは世界中に置かれた（ 240 ）から（ 241 ）と呼ばれるクライアントソフトで情報を見る
	Webページは（ 242 ）で書かれ、別のページへジャンプする（ 243 ）を埋め込むことができる
HTMLとCSS	コンテンツの構造や情報は（ 244 ）、表現は（ 245 ）で記述される
	HTMLは（ 246 ）方式で開始（ 247 ）と終了（ 248 ）で要素を指定する
	html要素にはページの情報を示すhead要素とページの内容を示す（ 249 ）要素が入っている
Webページとスクリプト	ブラウザ上で動く（ 250 ）とサーバ上で動く（ 251 ）が連携してブラウザで高度なアプリケーションが動作可能になっている
	サーバ側スクリプトでは入力（ 252 ）の値によってサーバ上の（ 253 ）が結果のページを返す
	（ 254 ）側スクリプトはブラウザ上でプログラムが動作して処理を行う
Webサイトと Webアプリケーション	Webサイトを運用するコンテンツ管理システム（ 255 ）は（ 256 ）の一種
	デスクトップアプリケーションと同等の機能が（ 257 ）として実現されている
	Webアプリケーションではページを対話的に操作するため（ 258 ）のコードが埋め込まれている
電子メール	電子メールの宛先は（ 259 ）で指定し、同じアドレスは世界中に複数ない
	送信した電子メールは受信者の（ 260 ）に届けられ、受信者が受け取り操作をして受信する
	（ 261 ）で指定した宛先は、他の人には表示されない
LANとWi-Fi	LANにはLANケーブルを使う（ 262 ）と電波を使う（ 263 ）がある
	無線LANはiPhoneなど（ 264 ）のほか、ゲーム機、（ 265 ）、タブレット、プリンタなどでも使われている
	有線LANの規格には100Mbpsの（ 266 ）や1Gbpsの（ 267 ）、超高速な（ 268 ）などがある
モバイルネットワーク	スマートフォンや携帯電話が通信するために、（ 269 ）と呼ぶネットワークが働いている
	通信方式はアナログ方式の1Gに始まり、2Gからは（ 270 ）方式になり電波の利用効率が高くなった
	5Gの特徴は（ 271 ）・超低遅延・（ 272 ）である

トピック	問題
ブロックチェーンと暗号資産	世界中にコピーされたブロックチェーンは、（ 273 ）型のネットワークを構成し、互いに同じ状態になるように設計されている
	日本の「資金決済に関する法律」では、ビットコインの類を（ 274 ）でなく（ 275 ）と呼ぶ
	データがブロックチェーンに記録されるのにかかる時間は、少なくとも（ 276 ）分程度
ハードウェアに関わる技術	
コンピュータの基本要素	コンピュータは（ 277 ）に従って動く電子計算機として開発された
	コンピュータの中核は（ 278 ）で、現在ではマイクロプロセッサという形になっている
	コンピュータを構成する要素は演算制御の（ 279 ）、メインメモリ、（ 280 ）の3つに単純化して考えることができる
論理回路	論理回路は（ 281 ）を組み合わせた（ 282 ）で、コンピュータ内部で0や1を表す仕組みに使われている
	複数の入力がすべて1のときのみ1を出力するのが（ 283 ）で、すべて0のときのみ0を出力するのが（ 284 ）である
	論理回路の基本はAND・OR・（ 285 ）であるが、2つの入力が異なるときに1を出力する（ 286 ）も使われる
パソコンの内部	（ 287 ）は電子部品が実装された大きな基板で、コンピュータの回路を構成している
	コンピュータの頭脳である（ 288 ）には（ 289 ）が乗っていて普段は見ることができない
	メインメモリとして使われる（ 290 ）はマザーボードのメモリスロットに装着する
スマートフォンとタブレット	Apple社の（ 291 ）をきっかけに、全面ディスプレイ・（ 292 ）操作のスマートフォンが広まった
	スマートフォンは（ 293 ）で見やすく（ 294 ）でカスタマイズなどができる
	タブレットとスマートフォンの最大の違いはディスプレイの（ 295 ）である
小さなコンピュータ	基板がむき出しの小型基板コンピュータを（ 296 ）（SBC）やワンボードマイコンと言う
	SBCには基板上に（ 297 ）があり、各種の（ 298 ）やLED、（ 299 ）を接続し制御できる
	メーカーによる（ 300 ）デバイスの開発や、アマチュアの（ 301 ）に使われている
USBなどのインタフェース	パソコンには各種の（ 302 ）を接続するための（ 303 ）が装備されている
	（ 304 ）は現在主流の汎用インタフェースで（ 305 ）などのモバイル機器を充電することもできる
	（ 306 ）は無線マウスや無線キーボードを接続するのに使われている
ストレージ（補助記憶装置）	SSDやハードディスクは（ 307 ）やアプリケーションソフト、（ 308 ）などを保存するのに使われている
	ハードディスクは記憶容量が大きく安価だが、（ 309 ）に弱いので、（ 310 ）にはSSDが適している
	パソコンからメディアを取り外して持ち運びできることから（ 311 ）と呼ばれる
入力装置	パソコンの日本語キーボードは英語用のキーボードに（ 312 ）変換用のキーなどを追加したもの
	（ 313 ）やノートパソコンのタッチパッドのように、マウスポインタを動かすための入力装置を（ 314 ）という
	（ 315 ）を接続することで、ログインなどに指紋認証が利用できるようになる
デジタルカメラとイメージスキャナ	一眼レフは、（ 316 ）交換ができることと、撮影レンズを通して見た風景を（ 317 ）で直接見て構図を決められることが特徴
	ミラーレス機は、レンズ交換が可能ながら、光学式ファインダーを持たず、代わりに（ 318 ）または液晶ディスプレイを装備する
	（ 319 ）は写真や印刷物をデジタル化して取り込むための装置である
ディスプレイとプリンタ	パソコン用のディスプレイは薄型軽量な（ 320 ）である
	液晶ディスプレイの縦横の画素数のことを（ 321 ）という
	家庭に普及している（ 322 ）プリンタはノズルからインクを噴射して印刷している
さまざまな映像表現技術	現在の地上デジタル放送は解像度（ 323 ）ピクセルで、ハイビジョンとも呼ばれる
	4K・8K放送は表現可能な輝度の範囲を広げる（ 324 ）にも対応する
	建物の外壁などをスクリーンとして利用し、そこにプロジェクターで映像を投射する映像表現手法を（ 325 ）という
ソフトウェアに関わる技術	
オペレーティングシステム（OS）	OSは（ 326 ）と（ 327 ）の仲介をするソフトウェアである
	（ 328 ）はOSの機能を利用して作られているので、別のOSでは動かない
	携帯電話や携帯オーディオプレーヤなどには（ 329 ）OSが使われている
アルゴリズム	ある手順が（ 330 ）の長さで（ 331 ）がなく必ず答えを出して（ 332 ）するとき、それをアルゴリズムという
	アルゴリズムは（ 333 ）に直して（ 334 ）に実行させることを意図している
	アルゴリズムを書き表す方法としてプログラムに似ている（ 335 ）や箱を線でつなぐ（ 336 ）がある
プログラミング言語	コンピュータは（ 337 ）によって動作が作り出されている
	コンピュータが一番役に立つのは（ 338 ）の介在なしに動くときなので、動作を指示する（ 339 ）が必要
	（ 340 ）は目的や用途に応じてさまざまな種類がある

トピック	問題
プログラミング	プログラミングを学ぶときは実際にプログラムを（ 341 ）動かしながら学ぶことが大切
	プログラムを試しに動かしてみることを（ 342 ）といい、不具合を修正することを（ 343 ）という
	プログラミングとは（ 344 ）を作ることで、自分のアイデアを動く形にすることができる
コンピュータとシミュレーション	コンピュータの上で（ 345 ）によって実際にどうなるかを調べるのがシミュレーション
	コンピュータのシミュレーションは（ 346 ）にやってみたり、（ 347 ）で実験するより手間やコストがかからない
	シミュレーションをするには、（ 348 ）から必要な部分だけを取り出した（ 349 ）が必要
ユーザインタフェース	機器や（ 350 ）と使う人との境界面を（ 351 ）という
	画面上のウィンドウやアイコンをマウスなどで操作するインタフェースを（ 352 ）という
	キーボードからコマンドを入力して操作するインタフェースを（ 353 ）という
データの収集と整理	情報をコンピュータに入力できる形にしたものが（ 354 ）である
	順序関係のない名前だけのデータを、（ 355 ）のデータと呼ぶ
	順序関係があるデータを（ 356 ）のデータと呼ぶ
データのモデル化	データのモデル化とは扱う（ 357 ）に何があり、どのように（ 358 ）しているかを明確に定めること
	（ 359 ）管理システムはさまざまな情報システムで使われる（ 360 ）を扱えるようになっている
	関係モデルを採用した（ 361 ）データベースでは、すべてのデータを（ 362 ）の形で表現する
データベース	データを（ 363 ）し、共有利用するための仕組みや仕掛けをデータベースという
	乗り物の（ 364 ）、銀行の（ 365 ）の管理・記録にもデータベースが使われている
	トラブルがあってもデータが（ 366 ）ように保管することもデータベースの役割である
ビッグデータ	IoTや情報システムから収集された、さまざまな種類の大量のデータを（ 367 ）という
	（ 368 ）の特徴は、Volume（量）、Variety（ 369 ）、Velocity（更新速度）で、「3Vを持つデータ」と言われる
	今まで発見されていなかったデータ相互の関係を見出すことを（ 370 ）という
データの活用とデータサイエンス	データサイエンスには、（ 371 ）の知識と（ 372 ）の知識が両方必要
	平均値のまわりのおおよそのばらつきの幅をあらわすものを（ 373 ）という
	散布図が与えられたとき、それに（ 374 ）を引いて、縦軸の誤差の2乗の和が小さくなるようにするのが（ 375 ）である
クラウドコンピューティング	（ 376 ）の場所や台数を指定せず、ネット上のサービスとして利用する形態をクラウドという
	大量のアクセスをさばくために、数十台～数千台のサーバを設置して運用する（ 377 ）という施設が必要
	クラウドサービスにはファイルを保存する（ 378 ）、ワープロや表計算が利用できる（ 379 ）、メールソフトなどがある
コンピュータの歴史と現代のIT業界	
コンピュータの歴史	1943年に完成したENIACというコンピュータは、計算の手順を（ 380 ）で指定していた
	複数のトランジスタを1つのチップに詰め込んだものを（ 381 ）回路、または（ 382 ）という
	現在使われている超大規模集積回路（VLSI）は、回路が微細であるため、消費電力が（ 383 ）、（ 384 ）に動作する
Google	大手IT系企業5社であるGoogle、Amazon、Facebook、Apple、Microsoftを総称して（ 385 ）と呼ぶことがある
	Googleのサービスには検索のほか、Webメールの（ 386 ）や地図（ 387 ）、動画の共有（ 388 ）などがある
	Googleの提供する個人向けサービスが基本的に無料なのは、（ 389 ）で収入を得ているからである
Apple	Appleの代表的な製品がパソコンの（ 390 ）で、そのほかスマートフォンの（ 391 ）、タブレットの（ 392 ）などがある
	映画や音楽を購入できる（ 393 ）など（ 394 ）やアプリを購入する仕組みも提供
	Appleはパソコンだけでなく、デジタル分野の製品や（ 395 ）を手広く提供する企業
Meta（Facebook）	Facebookは（ 396 ）の学生同士の情報交換のシステムから始まった
	Facebookは（ 397 ）が特徴
	コンピュータやネットワークの中に構築された仮想空間やそのサービスを指す（ 398 ）関連を今後の事業の中心にする計画を持っている
Amazon	Amazonは1995年に（ 399 ）を開いたことから始まった
	Amazonの特徴的な機能として（ 400 ）がある
	AmazonはAWSと呼ばれる（ 401 ）を提供している
Microsoft	MicrosoftはパソコンOSとして最も普及している（ 402 ）を開発しているソフトウェア会社である
	ワープロソフト（ 403 ）や表計算ソフト（ 404 ）、サーバ用（ 405 ）のWindows Serverなども販売している
	ポータルサイトMicrosoft Bingやメールサービス の（ 406 ）、オンラインストレージの（ 407 ）などを提供している

解答はWebサイトよりダウンロード提供いたします。詳しくは奥付をご覧ください。

Pythonでプログラミング

Python（パイソン）とは

Pythonは近年急速に利用が広まっているプログラミング言語です。その特徴として、次のことが挙げられます。

●多くのライブラリが利用可能であり、これらを用いることで数値計算やグラフィクスから深層学習と呼ばれるAI技術の活用まで、高度な機能を最小限の手間で使うことができる。

●インタプリタ型の言語であり、プログラムを入力したらすぐに動かすことができる。

●プログラムの構造を字下げで表すように作られていて、初めての人でも短時間に見やすく整ったプログラムを書く習慣がつけられる。

ただし、字下げのための空白が一つ異なるだけで正しく動作しなくなるなど、初学者にはかえって厄介な面もあるので気を付けましょう。ここでは基本となるPython言語本体部分のみで、色々な練習をしてみます。

最初のプログラム

最初のプログラムとして、三角形の面積を計算してみましょう。なお、「>>>」はプロンプト（入力してよいという印）なので打ち込む必要はありません。

```
>>> def triarea(w, h):
        s = w * h / 2
        return s

>>>
```

「def 関数名(名前, …):」で始まる行は「関数」を定義します。プログラム言語でいう「関数」というのは、一連の動作に名前をつけ、またその動作にパラメータ（実行のつど指定するデータ）を受け取れるようにしたものです。ここでは「triarea」という名前の関数を定義しています。また、wとhという2つのパラメータを持つことを指定しています。これらはそれぞれ「底辺の幅」と「高さ」の値を受け取ることにします。

続く行で字下げされている範囲がその関数の本体（中身）となります。ここでは中身は2行で、最初の行「s = w * h / 2」で、wとhをかけ算して2で割り、結果をsという変数（名前のついた、値を入れておく場所）に格納します。「=」は、Pythonでは「代入」（右辺の式の値を計算した結果を、左辺の変数に格納する動作）を表します。そして次の「return s」という行で、sに格納されている値を結果として返します。

最後に空行を打つ（Enterキーだけを打つ）と、関数triareaの定義が終わってプロンプトが出ます。では引き続いて、定義したtriareaに、値「3」と「7」を渡して実行開始させます。

```
>>> triarea(3, 7)
10.5
```

とてもそっけないようですが、ちゃんと計算ができています。なお、上の例では計算結果をいったん変数sに入れていますが、次のようにreturnのところに式を直接書いても構いません。

```
>>> def triarea(w, h):
        return w * h / 2
```

このように、同じことをするプログラムは何通りもありますし、どれも正解です。

【練習】 次のプログラムを作りなさい。

a. 正方形の1辺の長さを受け取り、面積を返す

b. 円の半径を受け取り、面積を返す（円周率は3.1416とする）

c. 三角錐の底面の半径と高さを受け取り、体積を返す（円周率は上と同じ）

d. 正方形の面積を受け取り、1辺の長さを返す

※dのヒント：平方根が計算したいですね。xのy乗は「x ** y」で計算できます。そしてxの平方根は「xの0.5乗」です。

枝分かれ

先の例では「決まった1つの計算式による結果」しか得られませんでしたが、プログラムは「枝分かれ」を入れることにより、受け取ったデータに基づいて処理を切替えられるようになります。例として絶対値を考えてみましょう。

```
>>> def abs(x):
        if x < 0:
                result = -x
        else:
                result = x
        return result
```

このプログラムでは、条件「x < 0」の成否によって処理を枝分かれしています。条件が成り立った場合は「if:」に続く字下げされた部分を実行し、そうでない場合は「else:」に続く字下げされた部分を実行します。つまり、xが負ならresultには-xを入れ、そうでなければresultにはxをそのまま入れるのですから、確かに絶対値になります。最後に、枝分かれが終わって合流したところで、「return result」と入力し、変数resultの内容を返します（else、returnを入力する前にBackspaceを打って字下げ位置をifに合わせる必要があります）。

今度は実行してみるところで、負、ゼロ、正の3通りで試しています。実行の結果は次のようになります（確かに絶対値になっています）。

```
>>> abs(-3)
3
>>> abs(0)
0
>>> abs(4)
4
```

ところで、同じプログラムをこうも書けます（呼び出すところは略）。

```
>>> def abs(x):
        result = x
        if x < 0:
                result = -x
        return result
```

これは「とりあえずresultにxを入

れておき」「xが負のときはそれだと違うので、-xを入れ直す」という考え方で作ってあります。同じプログラムを何通りにも書けるという意味がお分かりでしょうか。

[練習] 次のプログラムを作りなさい。

a. 2つの（互いに等しくない）値を受け取り、より大きい方を返す

b. 3つの（互いに等しくない）値を受け取り、最大値を返す

c. 3つの（互いに等しくない）値を受け取り、真ん中の値を返す

※cのヒント：a、b、cの3つの値を受け取ったとして、次のようにしてこれを小さい順に並べれば、「中央」はすぐ分かります。「a, b = b, a」のように書くと、2つの変数の値を交換できます。

```
if a > b:
    a, b = b, a
if b > c:
    b, c = c, b
if a > b:
    a, b = b, a
```

繰り返し

繰り返しとは文字通り、一連の動作を何回も反復して実行することです。ここでは変数をさまざまな形で変化させながら繰り返すfor文と呼ばれるものを見てみます。いちばん基本的な形はrangeと組み合わせるfor文で、変数を1ずつ(または指定値ずつ)変化させます。

```
>>> def countup(n):
        for i in range(1, n+1):
            print(i)
```

range(x, y)は、xから始めて1ずつ増やしながらyの手前までの値を作り出します。そしてfor文はその作り出された値を順番に変数（この場合はi）に入れながら繰り返します。実行結果を見てみましょう。

```
>>> countup(5)
1
2
3
4
5
```

今度のプログラムでは、関数の中でprintを使って表示しているので、複数の行が表示されます。また、rangeの機能は「yの手前まで」ですが、このcountup(n)は「nまで」表示させるようにしています。そのため、「range(1, n+1)」という指定にしています。さらに、「range(x, y, d)」のように3つ目の値dを指定すると「dずつ」値を変化させます（指定しなければdは1です）。これを利用して、2つ飛びや、減らす方向に変化させることができます。

[練習] 次のプログラムを作れ。

a. 0から始まってnまで順番に表示する

b. 1から始まって1、3、5…のように奇数をnまで順番に表示する

c. nから始まって1まで、たとえば5からなら5、4、3、2、1のように減らしながら順番に表示する

FizzBuzz

最後にFizzBuzzという有名な問題のプログラムを見てみます。これは1からある数（ここでは99とします）までの数を次々に表示しますが、ただし3の倍数のときは数の代わりに「fizz」、5の倍数のときは「buzz」、両方の倍数（つまり15の倍数）のときは「fizzbuzz」と表示する、というものです。この問題を解くには、forの「内側で」枝分かれすることが必要です。そしてその枝分かれも、条件を順次調べながら4通りに枝分かれすることが必要です。このためには、これまでのものに加えて「elif 条件:」という書き方も使います。見てみましょう。

```
>>> def fizzbuzz():
        for i in range(1, 100):
            if i % 15 == 0:
                print('fizzbuzz')
            elif i % 3 == 0:
                print('fizz')
            elif i % 5 == 0:
                print('buzz')
            else:
                print(i)
```

なお、「%」は割った余りを求める演算、「==」は等しいことを表す条件です。「i % 3 == 0」は3で割った余りが0ですから、つまり3の倍数という条件になります。これを動かした結果を示します。

```
>>> fizzbuzz()
1
2
fizz
4
buzz
fizz
7
(中略)
14
fizzbuzz
16
(中略)
97
98
fizz
```

[練習] 次のプログラムを作れ。

a. 1～99の数のうち、2の倍数と3の倍数だけを表示する

b. 1～99の数のうち、2の倍数でも3の倍数でもないものを表示する

c. 1～99の数を表示する、ただし3の倍数と3がつく数は代わりに「meow」と表示する

※cのヒント：「3がつく」は「1の位が3」つまり10で割った余りが3であるか、または「10の位が3」つまり「30以上かつ40未満」ということです。「以上」は「>=」、「かつ」は「and」で表します。

Pythonの動かし方

パソコンでPythonを動かすには、https://www.python.org/downloads/から自分のOS用のものをダウンロードしてインストールします。その中に、IDLEというプログラムがあり、これを起動して開く「シェルウィンドウ」でプログラムを打ち込んだり実行したりできます。

また、Google がクラウド上で提供している Colaboratory はWeb上で利用できる優れたPythonの学習環境です。

```
CO  Colaboratory.ipynb ☆
ファイル 編集 表示 挿入 ランタイム
+ コード + テキスト
▼ 三角形の面積を求めるプログラム
1 def triarea(w, h):
2     s = w * h / 2
3     return s
4
5 triarea(3, 7)
10.5
```

JavaScriptでプログラミング

JavaScriptとは

JavaScriptはプログラミング言語の1つで、Webページ上でプログラムを動かすことを主目的として開発されました。このため、Webブラウザのほとんどは JavaScriptをすぐに動かすことができます。またこの言語は、動作部分の書き方がCやJavaなどソフトウェア開発で用いられている言語と似せてあるという特徴もあります。

JavaScriptプログラムを動かすには、「<script>～</script>」の範囲をメモ帳などのエディタ(文字だけを入力/修正するツール)で打ち込み、「～.html」というファイル名で保存してブラウザでそのファイルを開きます。

最初のプログラム

まずは実際に、簡単なプログラムを動かしてみましょう。このプログラムは、数値を2つ読み込み、その合計を表示します。

[例題1]

```
<script>
let x = parseFloat(prompt("x? "));
let y = parseFloat(prompt("y? "));
let z = x + y;
document.write("x + y = " + z);
</script>
```

●「<script>…</script>」はこの範囲がJavaScriptプログラムであるとブラウザに知らせます。

●「prompt("メッセージ")」は、メッセージを表示して文字列を入力してもらうようにします。図1は「x?」と表示して入力を待っているところです。

図1　例題1を動かして入力待ち

●「parseFloat(…)」は、文字列から数値に変換します。

●「let x = …」は、値を変数(値を保持できる入れもの)に格納します。次の行も同様にしてyに整数を読み込みます。

●「let z = x + y;」は、変数xとyに入っている値を取り出して足し算し、結果を変数zに格納します。

●「document.write("x + y = " + z);」は、文字列と変数zの値を連結し、画面に出力します(図2)。

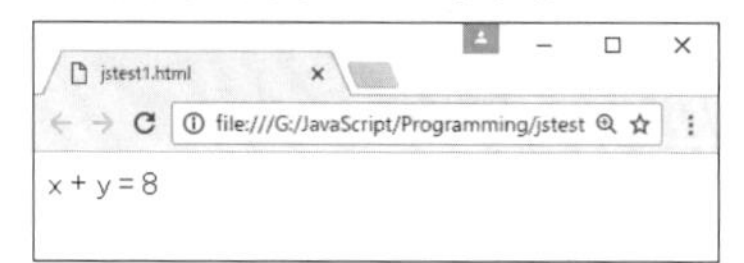

図2　例題1を動かして結果を表示

なお、上の例では足し算の結果を変数zにいったん入れていますが、「"x + y = " + (x+y)」のように文字列とくっつけるところに直接計算式を書くこともできます。

[練習] 例題1を動かしてみなさい。動いたら、足し算の代わりに、引き算、掛け算、割り算、剰余の結果を表示させるようにしてみなさい。これらの演算は演算記号「-」、「*」、「/」、「%」で表されます。

繰り返しを使う

コンピュータは繰り返しが得意です。次のプログラムは、1から指定した数nまでを順に表示します。

[例題2]

```
<script>
let n = parseInt(prompt("n? "));
for(let i = 1; i <= n; i = i + 1) {
  document.write(i + " ");
}
</script>
```

●「for(let i=1; i<=n; i=i+1) {…}」は、中かっこ内の範囲を繰り返し実行することを指示します。その1回目では変数iには1、2回目では2が入っており、最後の回にはnが入っています(つまりn回繰り返します)。

●繰り返しの中で、変数iの値を取り出して出力しています。なお、数字同士がくっつかないように、空白文字を後ろにつけています。図3は100を入力したところです。

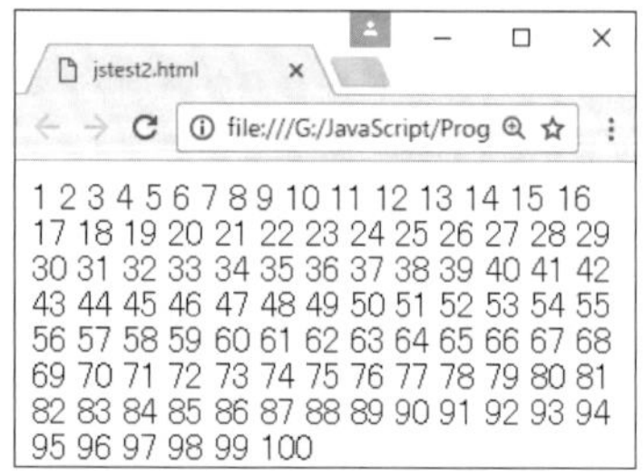

図3　例題2を動かした結果

[練習] 例題2を動かしてみなさい。動いたら、次のように直してみなさい。

a. 空白をあけないとどうなるか、やってみる

b. 小さい順でなく、大きい順に表示させてみる(ヒント：iではなくn+1-iを出力させたらどうか？)

c. 横に並べる代わりに縦に1行ずつ数字を出力させる

最後の問題は、「i + " "」の部分を「i + "<br>"」に変更してみてください。
はHTMLの改行タグです。

枝分かれを使う

全部同じように表示されてもつまらないので、こんどは5の倍数だけ太字にしてみましょう(図4)。

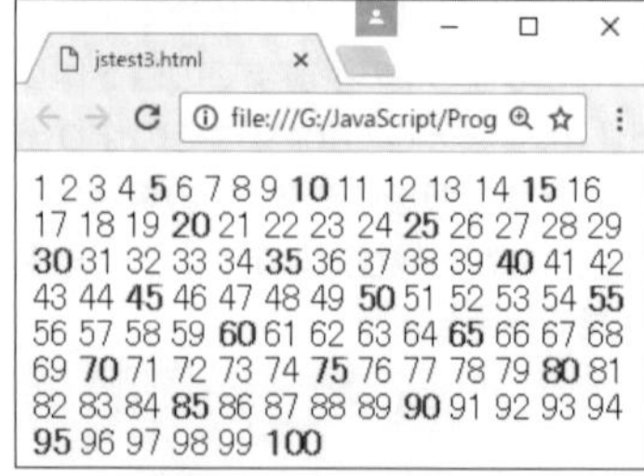

図4　例題3を動かした結果

そのためには「5の倍数なら(5で割った余りが0なら)」という条件に基づく枝分かれが必要です。

[例題3]

```
<script>
let n = parseInt(prompt("n? "));
for(let i = 1; i <= n; i = i + 1) {
  if(i % 5 == 0) {
    document.write( String(i).bold() + " " )
  } else {
    document.write(i + " ");
  }
}
</script>
```

●「if(条件){…A…}else{…B…}」は、条件を調べて成り立っていたらAの部分、成り立っていなかったらBの部分を実行するという枝分かれの文です。ここでは「iを5で割った余りが0に等しい」という条件を指定しています。JavaScriptでは「等しい」は「==」で表し、1つだけの「=」は「変数に値を格納」の意味になります。

なお、この例では太字にするために、その数をString(i)で文字列に変換したのち、.bold()で太字にしています。

[練習] 例題3をそのまま動かしてみなさい。動いたら、次のこともやってみなさい。

a. 5の倍数だけ「2回」現れるようにしてみる

b. 5の倍数をそもそも画面に表示しないようにしてみる

c.いくつの倍数を太字にするかも入力で指定できるようにする

繰り返しの中の繰り返し

今度は図のように、「■」をならべて三角形を描いてみましょう(図5では最大数nとして6を指定しています)。

図5　例題4を動かした結果

この場合、1行目は1個、2行目は2個…と「■」の個数が増えていくので、横に並べて出力するのにもforを使うことになります。

[例題4]

```
<script>
let n = parseInt(prompt("n? "));
for(let i = 1;i <= n;i = i + 1) {
  for(let j = 1;j <= i;j = j + 1){
    document.write("■");
  }
  document.write("<br>");
}
</script>
```

[練習] 例題4を打ち込んで動かしなさい。動いたら、次のような形にもチャレンジしてみなさい。

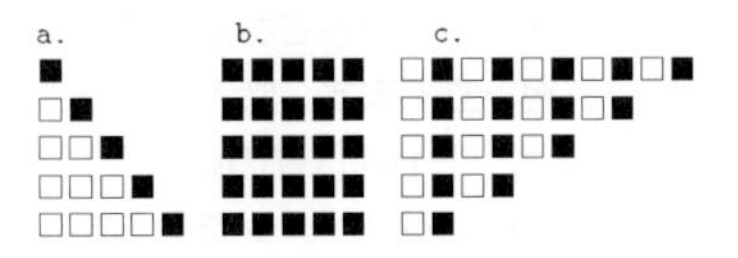

繰り返しと枝分かれの組み合わせ

繰り返しの内側でifによる枝分かれをすることで、もっと込み入った図形を描くこともできます。先の練習のaとbを組み合わせた図6のようなものを描いてみましょう(図6は最大数nとして6を指定)。

図6　例題5を動かした結果

[例題5]

```
<script>
let n=parseInt(prompt("number?"));
for(let i = 1;i <= n;i = i + 1) {
  for(let j = 1;j <= n;j = j + 1){
    if(j < i) {
      document.write("□");
    } else {
      document.write("■");
    }
  }
  document.write("<br>");
}
</script>
```

つまり、n行あるどの行もn個の文字(「■」または「□」)を出力して最後に改行しますが、i行目ではjがiより小さい範囲では(つまりi-1個分は)「□」、それ以外は「■」を出力するわけです。なお、条件に使える比較の記号は表1の通りです。

表1　条件に使える比較の記号

>	>=	<
より大	以上	より小
<=	==	!=
以下	等しい	等しくない

[練習] 例題5をそのまま動かしてみなさい。動いたら、次の図形を描くようにしてみなさい。

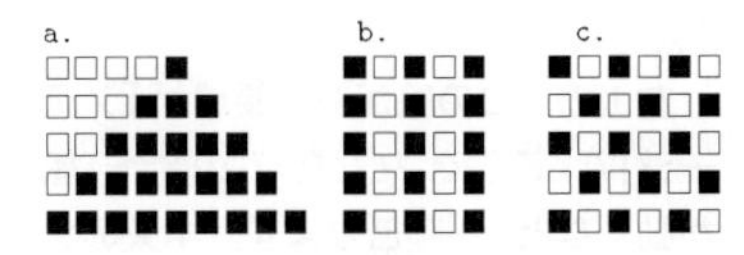

※ヒント：bはiが奇数かどうか、cはi+jが奇数かどうかという条件を使うとよいでしょう。

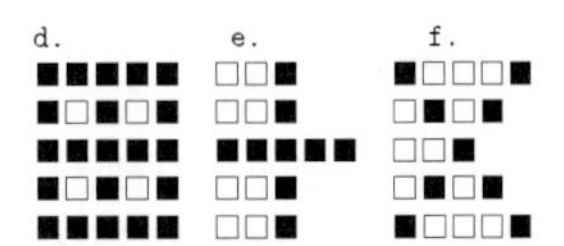

※ヒント：「条件 || 条件」(または)を使うとできると思います。

文字コードに関する注記

このページの後半では「□」など日本語の文字を出力するので、ブラウザ側の文字コード認識が合っていないと文字化けします。文字化けした場合の対応方法としては(1) ブラウザのメニューなどで文字コードをファイルの文字コードと合わせる、(2) ファイルの冒頭に「<head><meta charset="コード"></head>」のような文字コード指定を入れる、があります。「"コード"」は、実際には「"iso-2022-jp"」、「"euc-jp"」、「"shift_jis"」、「"utf8"」などを指定します。図5と図6は「"utf8"」を指定し、WindowsのEdgeで実行した画面です。

Scratchでプログラミング

Scratchとは

Scratchはマサチューセッツ工科大学のレズニック教授ほかが開発してきた教育向けプログラミング環境で、ブロックを組み合わせてプログラムを作っていくため、文字で記述するプログラミング言語と異なり「構文エラー」がありません。

また、絵を動かす、音を出す、対話的な動作など、初心者が興味を持って取り組めるような機能がすぐ使えるようになっていますし、表示言語も「日本語」はもちろん「にほんご」（ひらがな表示）を選択でき、小学校低学年からでも使うことができます。

画面の説明（1）

Scratchの3.0版はブラウザからサイト「https://scratch.mit.edu」を開き、「作ってみよう」のリンクを選ぶだけですぐに動かすことができます（図1）。

右上のネコの絵がある領域が「ステージ」で、ここでプログラムの動作（絵が動くなど）が起こります。中央の領域でブロックを組み合わせてプログラムを作ります。

最初のプログラム

プログラムに使うブロックは「動き」、「見た目」などのカテゴリで色分けされており、カテゴリを選択するとそのブロック一覧が現れます。標準カテゴリのほか、さまざまな「拡張機能」カテゴリも追加できます。ここではペンを使うので、左下隅の四角いボタンをクリックして「ペン」カテゴリを追加してください。

プログラムにする前に一覧の上でブロックをクリックするとその動作が実際に行われて、様子を見ることができます。「動き」の中の10歩動かす、15度回すなどを押してみましょう。

プログラムとして動かすときには、ブロックをドラッグして右側の領域でつなげて組み立てます。図1にあるように、「イベント」の「(緑の旗)が押されたとき」、「ペン」の「ペンを下ろす」、「ペンの大きさを5にする」（数字はクリックして入力すると変更できます）、「動き」の「10歩動かす」、「(時計回りに)15度回す」、「10歩動かす」、「(反時計回りに)15度回す」をつなげてみてください。そして、ステージの左上にある緑の旗をクリックすると1回ごとに少しずつネコが動き、後ろに線が引かれます。ちょっと曲がって線を引き、逆に曲がって線を引くことを繰り返すので波線になります（ネコをドラッグすればネコの位置を変えられます）。

[練習] ブロックをクリックして機能を確認してみなさい。納得したら上の例をそのまま動かしてみなさい。動いたら、次のようにしてみなさい。

a. 歩く長さや回転の角度を変更してみる

b. 線の太さをだんだん太くする（または最初太くしておいてだんだん細くする）

c. 同様にしてペンの色や濃さをだんだん変える

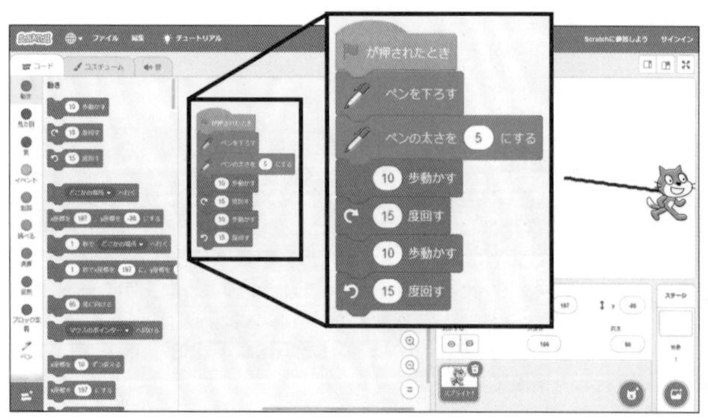

図1
Scratch 3.0の画面構成

繰り返しの威力

ここまでは旗を1回クリックするごとにちょっとだけ動いていましたが、たくさんクリックするのは大変ですね。そこで、先頭のブロックを切り離して、「制御」の「10回繰り返す」を持ってきて先頭にくっつけ、残った本体のブロックを「10回繰り返す」の内側に入れてみてください。これで1回クリックしたら10回の動作が繰り返されるようになりました（回数もクリックして入力すれば変更できます）。

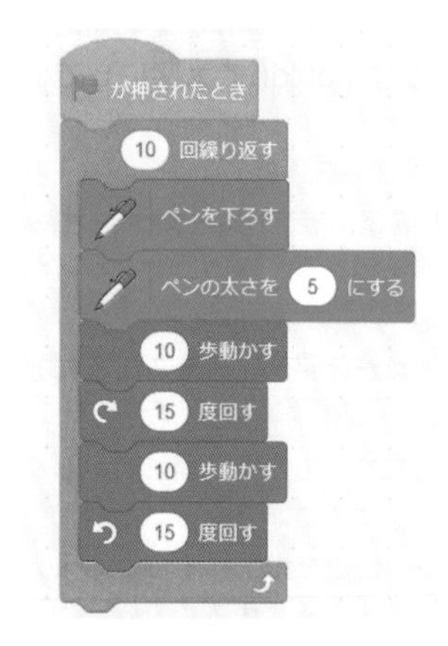

このように、繰り返しを使うことでプログラムはたくさんの動作をさせられます。

ところで、何回もやると線がごちゃごちゃになってきますね。そこで、先頭をもう1度切り離し、先頭と繰り返しの間に「ペン」の「全部消す」を入れましょう。そうすれば線が消えてから残りの動作が行われます。

[練習] 繰り返しを使って、次のような形を描いてみなさい。

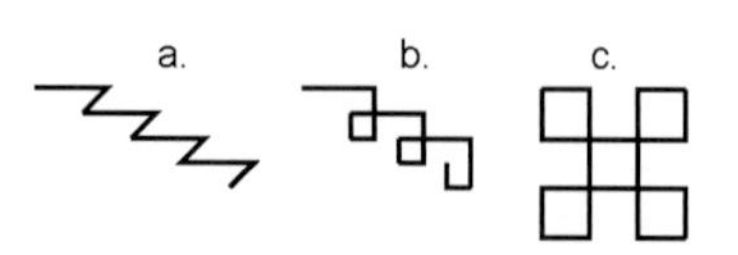

画面の説明（2）

Scratchではステージに置かれる絵のことを「スプライト」、そのスプライトの現在の絵のことを「コスチューム」と呼びます。「コスチューム」のタブを選択すると分かるように、ネコのスプライトではコスチュームが2つあります。スクリプト中で「見た目」の「次のコスチュームにする」を使うと順にコスチュームが切り替わるのでネコが歩いて見えます。速すぎて見えないなら「制御」の「1秒待つ」も一緒に入れましょう（やってみてください）。

ステージの下にあるスプライトの領域の右下の丸いボタンを押すと、新しいスプライトを追加できます。新しいスプライトは、ライブラリから選んだり、自分で描いたり、カメラで写真を撮ったりする方法で増やすことができます。増やした直後にはコスチュームが1つだけですが、コスチュームもスプライトと同じような方法で増やせます。

また、ここまでステージの背景は真っ白でしたが、ステージの領域の右下の丸いボタンでも同様に背景を選択することができます。

複数のスプライトのやりとり

Scratchのもう1つの特徴として、スクリプトがスプライトごとに別個に書けるというところがあります。たとえば図2の1番目のスプライトのコードを以下のようにします。

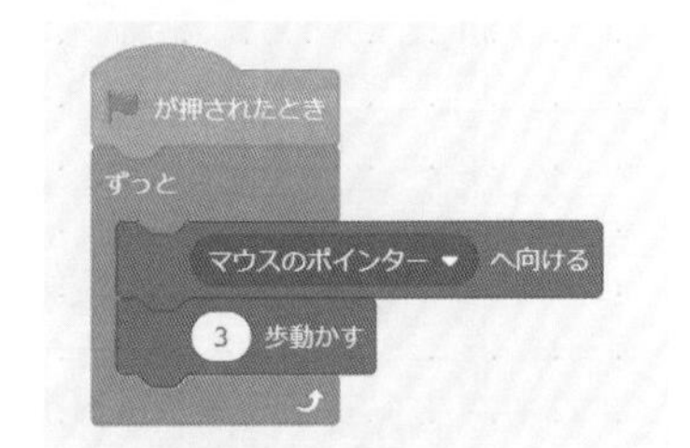

2～5番目の（リンゴの）スプライトはすべて以下のようにします。

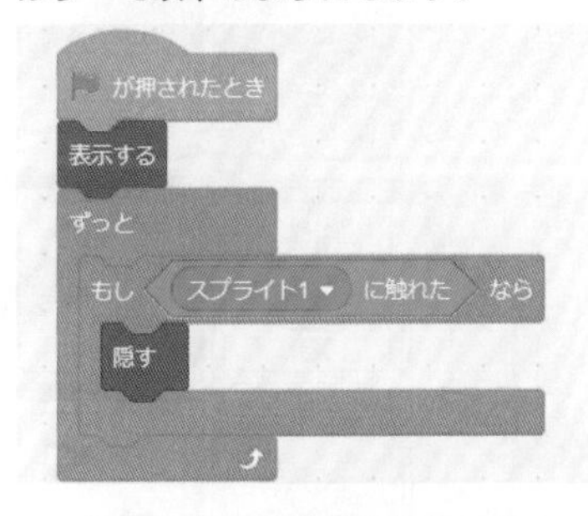

これで、ネコの動く方向をマウスで制御してリンゴの絵を全部消すというゲームのようなものができます。

変数の扱い

ここまでの例では状態を持ち、時間とともに変化するものは、「線の太さ」、「スプライトの位置」などScrachが提供しているものに付随する値だけでした。もちろんScratchでも変数の機能があります。

たとえば、図2のりんごが全部消えたら「クリア」という表示を出したいとします。「変数」を選択して「変数を作る」ボタンを押し、名前を「count」にします（ステージに変数が表示される）。

クリアの文字はどうしましょうか。これもスプライトにして、自分で絵を描く選択にしてクリアの文字を入力するか手書きします。実行開始したとき「countを4にする」、「隠す」を実行し、スクリプトのイベントで「～を受け取ったとき」の「～」を新しいメッセージの項目を選び、「クリアを受け取ったとき」、「表示する」にします。

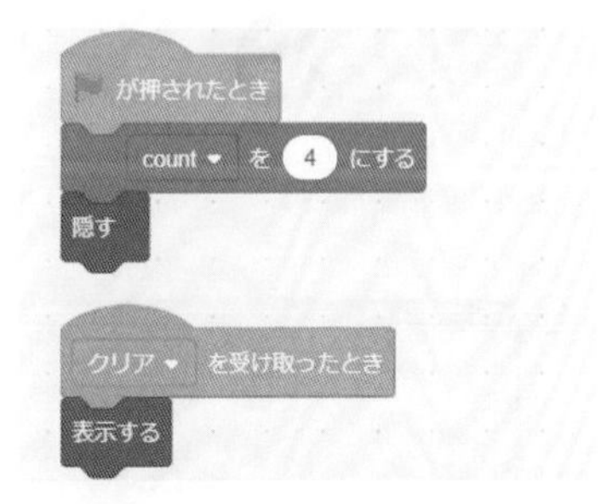

最後にリンゴのスクリプトの中で隠した直後に、「もし「count=0」なら」、「クリアを送る」を入れれば完成です。

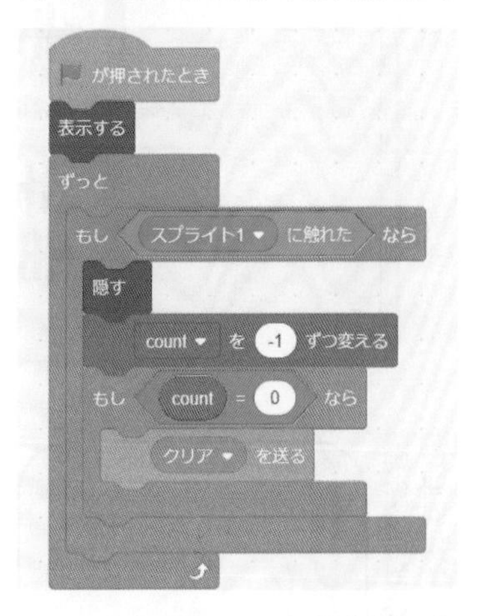

このようにScratchでは制御のためのさまざまな機能を使ってスプライトの間でやりとりしながら動作を制御していけます。

［練習］ 自分で構想したゲームのプログラムを作ってみなさい。

［練習］ 変数と繰り返しを使って、次のような形を描いてみなさい。

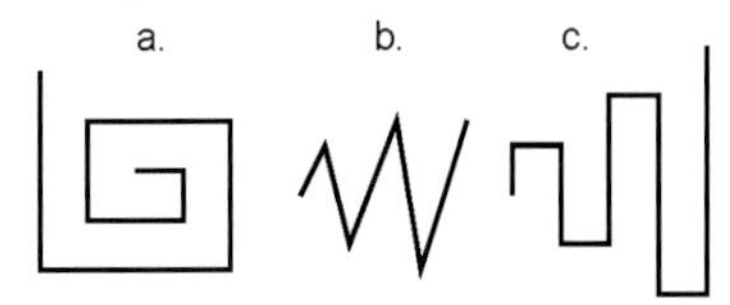

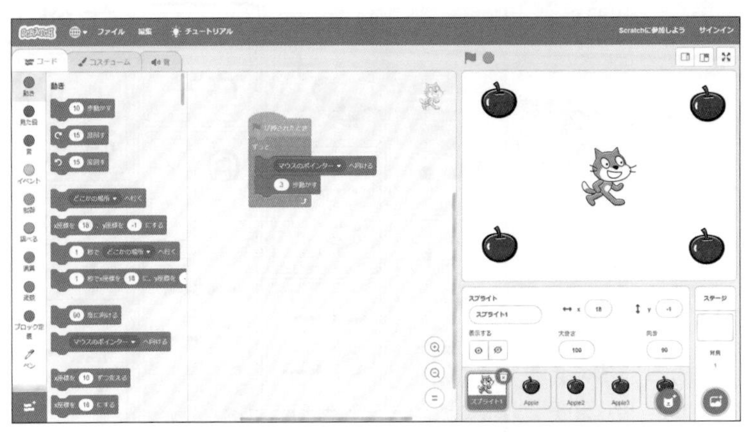

図2　スプライトを複数にする

キーボードのレイアウト

●はホームポジション

左手 ← → 右手

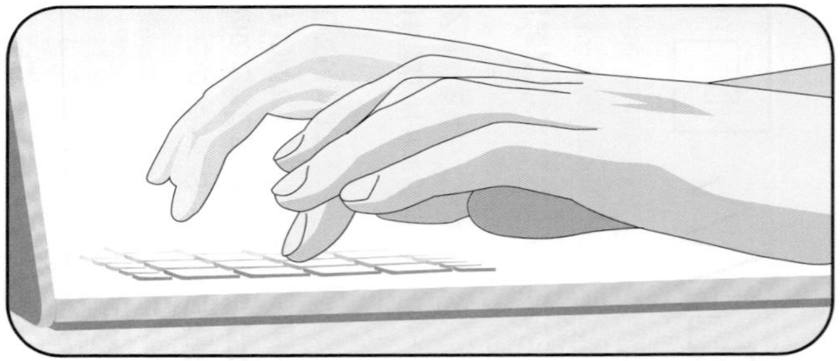

指を少し丸めるようにして、ホームポジションを基準にタイプします

注）キーの配置は機種によって多少異なります。

キーの機能

Escキー（エスケープキー）
実行中の操作を取り消すとき、確定前の文字を消すときに使います

半角/全角キー
日本語入力システムのオン/オフを切り替えるときに使用します

Tabキー（タブキー）
基準線まで移動します。次の項目に移動するときにも使います

Caps Lockキー（キャプスロックキー）
Shiftキーを押しながら押すとアルファベットを大文字入力に固定します

Ctrlキー（コントロールキー）
他のキーと組み合わせて使います。たとえば、文字キーと組み合わせて、コマンド（命令）を実行することができます

Enterキー（エンターキー）
改行するときや、入力した文字を確定するときに使います

Shiftキー（シフトキー）
英字を大文字にしたいとき、英字キーと一緒に押すなど、他のキーと組み合わせて使います（右上の図を参照）

変換キー
入力した文字を漢字などに変換します

Altキー（オルトキー）
他のキーと組み合わせて使います。たとえば、文字キーと組み合わせて、メニューの項目を選択することができます

Fnキー（エフエヌキー）
ファンクションキーなど他のキーと組み合わせて使います。ノートPCでは、ファンクションキー以外にもFnキーで切り替えて使うキーが存在します。Fnキーと同じ色や囲みが付いているキーと組み合わせて、特定の操作を行うことができます

スペースキー
空白を入力します。日本語の入力中は変換キーとして働きます

英数モード　カナモード
あ　Shiftキーを押しながら
3 あ　Shiftキーを押さない

Deleteキー（デリートキー）
カーソルの右にある文字を削除します

Backspaceキー（バックスペースキー）
カーソルの左にある文字を削除します

Num Lockキー（ナムロックキー）
数字入力に固定します

方向キー
カーソルの位置を上下左右に動かします

ファンクションキー
アプリケーションごとに異なる機能が登録されています

英単語や記号の入力方法

例
iPod　[I]　[Shift]+[P]　[O]　[D]

（金）　[Shift]+[8]　[K]　[I]　[N]　[Shift]+[9]　[スペース]

カタカナや英数字に変換する

日本語入力システムがオンの状態で、入力した読みをカタカナや英数字に変換するときは、次のファンクションキーを押します。F9、F10 キーは連続して押すと「sample」「SAMPLE」「Sample」のように大文字／小文字表記が変化します。

F6	F7	F8	F9	F10
ひらがな	全角 カタカナ	半角 ｶﾀｶﾅ	全角 英数字	半角 英数字

※機種によっては [Fn] キーを押しながら [F6]～[F10] キーを押します

主なショートカットキー操作

Ctrl + Aキー	すべて選択
Ctrl + Cキー	コピー
Ctrl + Xキー	切り取り
Ctrl + Vキー	貼り付け
Ctrl + Zキー	元に戻す（アンドゥ）
Ctrl + Sキー	ファイルの上書き保存
Ctrl + Fキー	検索
Ctrl + Pキー	印刷

※Mac では [Ctrl] キーの代わりに [⌘ command] キーを使います

ローマ字／かな対応表

	A	I	U	E	O
あ行	あ	い	う	え	お
	A	I	U	E	O
	ぁ	ぃ	ぅ	ぇ	ぉ
	LA	LI	LU	LE	LO
か行 K	か	き	く	け	こ
	KA	KI	KU	KE	KO
	きゃ	きぃ	きゅ	きぇ	きょ
	KYA	KYI	KYU	KYE	KYO
さ行 S	さ	し	す	せ	そ
	SA	SI SHI	SU	SE	SO
	しゃ	しぃ	しゅ	しぇ	しょ
	SYA SHA	SYI	SYU SHU	SYE SHE	SYO SHO
た行 T	た	ち	つ	て	と
	TA	TI CHI	TU TSU	TE	TO
			っ 注1)		
			LTU XTU		
	ちゃ	ちぃ	ちゅ	ちぇ	ちょ
	TYA CYA CHA	TYI CYI	TYU CYU CHU	TYE CYE CHE	TYO CYO CHO
	てゃ	てぃ	てゅ	てぇ	てょ
	THA	THI	THU	THE	THO
な行 N	な	に	ぬ	ね	の
	NA	NI	NU	NE	NO
	にゃ	にぃ	にゅ	にぇ	にょ
	NYA	NYI	NYU	NYE	NYO
は行 H	は	ひ	ふ	へ	ほ
	HA	HI	HU FU	HE	HO
	ひゃ	ひぃ	ひゅ	ひぇ	ひょ
	HYA	HYI	HYU	HYE	HYO
	ふぁ	ふぃ		ふぇ	ふぉ
	FA	FI		FE	FO
ま行 M	ま	み	む	め	も
	MA	MI	MU	ME	MO
	みゃ	みぃ	みゅ	みぇ	みょ
	MYA	MYI	MYU	MYE	MYO

注1) 促音は後ろに子音を２つ続ける（例：だった→DATTA）

	A	I	U	E	O
や行 Y	や	い	ゆ	いぇ	よ
	YA	YI	YU	YE	YO
	ゃ	ぃ	ゅ	ぇ	ょ
	LYA	LYI	LYU	LYE	LYO
ら行 R	ら	り	る	れ	ろ
	RA	RI	RU	RE	RO
	りゃ	りぃ	りゅ	りぇ	りょ
	RYA	RYI	RYU	RYE	RYO
わ行 W	わ	うぃ	う	うぇ	を
	WA	WI	WU	WE	WO
ん N	ん	ん			
	NN	N			
が行 G	が	ぎ	ぐ	げ	ご
	GA	GI	GU	GE	GO
	ぎゃ	ぎぃ	ぎゅ	ぎぇ	ぎょ
	GYA	GYI	GYU	GYE	GYO
ざ行 Z	ざ	じ	ず	ぜ	ぞ
	ZA	ZI JI	ZU	ZE	ZO
	じゃ	じぃ	じゅ	じぇ	じょ
	ZYA JA	ZYI	ZYU JU	ZYE JE	ZYO JO
だ行 D	だ	ぢ	づ	で	ど
	DA	DI	DU	DE	DO
	ぢゃ	ぢぃ	ぢゅ	ぢぇ	ぢょ
	DYA	DYI	DYU	DYE	DYO
	でゃ	でぃ	でゅ	でぇ	でょ
	DHA	DHI	DHU	DHE	DHO
ば行 B	ば	び	ぶ	べ	ぼ
	BA	BI	BU	BE	BO
	びゃ	びぃ	びゅ	びぇ	びょ
	BYA	BYI	BYU	BYE	BYO
ぱ行 P	ぱ	ぴ	ぷ	ぺ	ぽ
	PA	PI	PU	PE	PO
	ぴゃ	ぴぃ	ぴゅ	ぴぇ	ぴょ
	PYA	PYI	PYU	PYE	PYO
ヴぁ行 V	ヴぁ	ヴぃ	ヴ	ヴぇ	ヴぉ
	VA	VI	VU	VE	VO

※ローマ字表記とは異なる

索引

数字

英字

あ行

か行

さ行

た行

な行

は行

ま行

や行

ら行

わ行

「図版画像」と「内容のチェックリスト 解答」のダウンロード提供について

本書を使った授業をするときに素材としてご利用いただける図版（作図したもののみ）を集めた「図版画像」と、「内容のチェックリスト」（pp.196-201）の解答をダウンロード提供いたします。

以下のサイトにアクセスしてダウンロードしてください。

https://nkbp.jp/070565

※日経IDおよび日経BOOKプラスへの登録（無料）が必要になります。

キーワードで学ぶ最新情報トピックス2023

2006年12月25日　初版発行
2023年 2 月13日　第15版第1刷発行

監　　修　奥村 晴彦　三重大学名誉教授
　　　　　佐藤 義弘　東京都立立川高等学校、津田塾大学
　　　　　中野 由章　工学院大学附属中学校・高等学校
著　　者　奥村 晴彦　三重大学名誉教授
　　　　　佐藤 義弘　東京都立立川高等学校、津田塾大学
　　　　　中野 由章　工学院大学附属中学校・高等学校
　　　　　清水 哲郎　麗澤大学、大東文化大学
　　　　　能城 茂雄　東京都立三鷹中等教育学校
　　　　　松浦 敏雄　大和大学
　　　　　岩元 直久
　　　　　大島 篤
　　　　　勝村 幸博　日経BP

発 行 者　村上 広樹
編　　集　露木 久修
発　　行　株式会社日経BP
　　　　　東京都港区虎ノ門4-3-12　〒105-8308
発　　売　株式会社日経BPマーケティング
　　　　　東京都港区虎ノ門4-3-12　〒105-8308
　　　　　https://bookplus.nikkei.com/
装　　丁　コミュニケーション アーツ株式会社
制　　作　株式会社シンクス
印　　刷　大日本印刷株式会社

ISBN978-4-296-07056-5　Printed in Japan